7

M 1

Vol. 1°
La preparación
El primer año de la vida pública (primera parte)

Vol. 2°
El primer año de la vida pública (segunda parte)

Vol. 3°
El segundo año de la vida pública (primera parte)

Vol. 4°
El segundo año de la vida pública (segunda parte)

Vol. 5°
El segundo año de la vida pública (tercera parte)

Vol. 6°
El tercer año de la vida pública (primera parte)

Vol. 7°
El tercer año de la vida pública (segunda parte)

Vol. 8°
El tercer año de la vida pública (tercera parte)

Vol. 9°
El tercer año de la vida pública (cuarta parte)

Vol. 10°
Preparación a la Pasión
La Pasión (primera parte)

Vol. 11°
La Pasión (segunda parte)
La Glorificación

Maria Valtorta

El Hombre-Dios

Vol. 7°

CENTRO EDITORIALE VALTORTIANO

Título original de la edición en italiano:
Il poema dell'Uomo-Dio

Traducción española de Juan Escobar

Primera edición en 5 volúmenes

Segunda edición en 11 volúmenes

03036 Isola del Liri (FR) Italia

El tercer año de la vida pública
(segunda parte)

60. El jueves anterior a la Pascua. Cuarta parte: en casa de Juana

(Escrito el 26 de enero de 1946)

« La paz sea en esta casa y con quienes están en ella » dice Jesús al entrar en el amplio vestíbulo muy hermosamente adornado e iluminado pese a que es de día. Las lámparas no son necesarias, sino para aquellos que vienen de fuera, donde brilla un sol que quema, que resplandece, y al entrar se topan con una cierta oscuridad, aumentada por el verdor del jardín.

Esta es la razón por la que Cusa mandó a poner númerosas lámparas que penden de las paredes y en medio de las cuales hay una grande, una especie de concha de alabastro de color rosa, que despide diversos colores al moverse, como si fueran estrellitas, como del color del arcoiris, sobre las paredes de color azul oscuro, sobre las caras, sobre el suelo de mármol blanquecino. Parece como si pequeñas estrellas se hubieran posado en las paredes, que muchos arcoiris volaran por los aires, porque la lámpara ondea al sentir el impulso del aire que corre por el vestíbulo.

« La paz sea en esta casa » repite Jesús adentrándose. Al detenerse bendice a los criados, inclinados profundamente, a los huéspedes que se sienten sorprendidos de encontrarse con el Rabí en un palacio ...

¡ Los huéspedes ! Al punto resplandece el pensamiento de Jesús. El banquete de amor ha invitado a la casa de la buena discípula a los pobres. Es una página del Evangelio puesta en la realidad. Hay mendigos, lisiados, ciegos, huérfanos, viejos, jóvenes viudas con sus pequeños al pecho o pendientes de sus vestidos. Juana ha puesto mientes en cambiar los vestidos harapientos por unos más modestos y nuevos. Si las cabelleras reciben un retoque es para que se vean menos desagradables.

Jesús pasa bendiciendo. Cada uno de los huéspedes recibe su bendición. Si su diestra se levanta para bendecir, la izquierda la baja para acariciar las cabezas de ancianos o de niños. Y así atraviesa el vestíbulo bendiciendo a todos, aun a los que acaban de entrar, que todavía llegan con sus vestidos sucios, que se esconden por temor o porque los detienen en algún rincón los criados, para llevarlos a otro lugar donde se laven y cambien de vestidos.

Pasa una viuda joven con su nidada ... ¡ Qué miseria ! El más pequeño casi viene desnudo cobijándose con el velo rasgado de su madre... Los más grandecillos vienen cubiertos con lo más necesario. El mayor de todos podría decirse que está vestido, pero no trae calzado.

Jesús la mira. Le pregunta: « ¿ De dónde vienes ? »

« De la llanura de Sarón, Señor. Leví es ya mayor... Tuve que acompañarlo al templo... pues que no tiene ya padre » y se echa a llorar en silencio.

« ¿ Cuándo murió ? »

« Hace un año en el mes de Scebat. Hacía dos meses que estaba yo en cinta... » y se bebe sus lágrimas para no llamar la atención.

« Entonces el pequeño tendrá unos ocho meses. »

« Así es, Señor. »

« ¿ En qué trabajaba tu marido ? »

La mujer responde en voz tan baja que Jesús no comprende. Se inclina para decirle: « Dilo otra vez. »

« Trabajaba en una herrería... Era muy enfermizo... porque tenía unas heridas que le iban quitando la vida. » Y ... « Era un soldado romano. »

« ¿ Pero tú eres israelita o no ? »

« Así es. No me arrojes como inmunda, como hicieron mis hermanos cuando fui a pedirles perdón después de la muerte de mi marido Cornelio. »

« ¡ No tengas miedo ! ¿ En qué trabajas ahora ? »

« De criada cuando me ocupan, de espigadora, de lavandera. Bato el cáñamo... trabajo en todo para calmar el hambre de estos. Leví trabajará ahora de campesino... si lo aceptan... porque es bastardo por raza. »

« Ten confianza en el Señor. »

« Si no hubiera confiado en El, ya me hubiera suicidado. »

« Bueno, nos veremos otra vez » y se despide de ella.

Cuando estaba hablando, he aquí que se acerca Juana y se pone de rodillas hasta que el Maestro la ve.

« La paz sea contigo, Juana. Me has obedecido perfectamente. »

« Hacerlo es mi gozo. Pero no he sido la única en buscarte " la corte ". Me ayudó Cusa en todo lo que pudo. Lo mismo que Marta y María. También Elisa con los suyos. Algunos enviaron sus criados para traer lo que faltaba y para ayudar a los mismos a reunir a los huéspedes, otros ayudando a las criadas, a los siervos encargados de bañar a nuestros huéspedes, a nuestros amigos como los llamas. Ahora con tu permiso les voy a dar algo con que mantengan el hambre hasta la hora de comer. »

« Haz como quieras. ¿ Dónde están las discípulas ? »

« En la terraza de arriba donde se preparan las mesas. ¿ Está bien ? »

« Sí, Juana. Allí estarán tranquilos y nosotros con ellos. »

« Lo mismo había pensado. Por otra parte en ninguna sala hubiera habido lugar para tantos... Y no quise que se preparen en diversos lugares para no causar celos o tristezas. Los pobres tienen una sensibilidad demasiado aguda, un sentimiento que cualquier cosa les produce dolor... Son, digamos, una llaga, que sólo el verla, produce dolor. »

« Es verdad, Juana. Tienes un corazón compasivo. Dios te recompense. ¿ Hay muchas discípulas ? »

« ¡ Oh, todas las que se encuentran en Jerusalén !... Pero... quisiera decirte algo... Tal vez cometí un error... Quiero decírtelo en secreto. »

« Vamos, pues. »

Van a una habitación donde no hay nadie. Por los juguetes que se ven por el suelo se comprende que sea la habitación donde juegan María y Matías.

« ¿ Qué es, Juana ? »

« ¡ Señor mío, no habrá duda de que fui una imprudente !... ¡ Pero fue algo espontáneo, algo que me nació en un instante ! A Cusa no le gustó. Bueno... Fue al templo un esclavo de Plautina con una tablilla. Tanto ella como sus amigas me preguntaban si era posible verte. Respondí: " Sí. Después del mediodía, en mi casa ". Y vendrán... ¿ Hice mal ? ¡ Oh, no por Tí !... sino por los otros que son *siempre* Israel... y que no aman como Tú. Si me equivoqué trataré de que no vengan... Pero deseo tanto, tanto que el *mundo* te ame que... que no pensé más que en esto. Tú eres perfección y muy pocos tratarán de asemejarse a Tí. »

« Hiciste bien. Hoy predicaré con las obras. La presencia de los gentiles entre los que creen en Mí será una de las cosas que se realizarán en días venideros. ¿ Dónde están los niños ? »

« Por todas partes » sonríe tranquila ya Juana. « La fiesta les mete más fuerzas y corren contentos por acá y por allá. »

Jesús la deja, regresa al vestíbulo, hace una señal a los que estaban con El, y se dirige al jardín para subir a la terraza.

Doquiera se nota una gran actividad. Desde el piso inferior hasta el superior. Algunos vienen con alimentos y utensilios otros con vestidos, con sillas, o bien acompañan a huéspedes, responden a lo que se les pregunta, y todos lo hacen alegres, cariñosos.

Jonatás, cual corresponde a un mayordomo, dirige, vigila, aconseja.

La anciana Ester que está contentísima de ver a Juana tan animada, ríe en medio de un grupo de niños pobres a los que da pastelillos mientras les cuenta nuevas maravillas. Jesús se detiene un instante a escuchar la conclusión hermosa de una de ellas, en que se dice: « que a la buena de Alba de mayo, que jamás se rebelaba contra el Señor por las penas que habían sobrevenido a su familia, le concedió muchos auxilios por los que Alba de mayo salvó a sus hermanos. Los ángeles llenaban la pequeña artesa, terminaban el trabajo que había en el telar que había empezado Alba, diciendo: " Es nuestra hermana porque ama al Señor y a su prójimo. Ayudémosla ". »

« ¡ Dios te bendiga, Ester ! Hasta me sentí tentado de oir tus parábolas. ¿ Lo quieres ? » pregunta Jesús sonriendo.

« ¡ Oh, Señor mío ! Soy yo quien debo escucharte. Tratándose de los niños me basto yo. »

« Tu buen corazón puede ayudar aun a los adultos. Sigue, sigue, Ester . . . » y le envía una sonrisa al irse.

En el vasto jardín se hallan esparcidos los huéspedes que comen su bocadillo, que se miran contentos, admirados de su inesperada suerte. Cuando pasa Jesús se levantan los que pueden, o se inclinan los demás.

« Comed, comed. Hacedlo y bendecid al Señor » les dice, dirigiéndose a la rampa que lleva a la amplia terraza.

« ¡ Oh, Rabboni ! » grita Magdalena que sale corriendo de una habitación con fajas y camisetas para los pequeños en sus brazos. Su melodiosa voz resuena por todas partes.

« Dios esté contigo. ¿ A dónde vas con tanta prisa ? »

« Tengo que vestir a diez pequeñuelos. Los bañé y ahora voy a vestirlos. Luego te los traeré, cual frescas flores. Perdona, Maestro. ¿ Los estás oyendo ? Parecen corderillos . . . » corre sonriendo, dejando traslucir al mismo tiempo que su bondad, la elegancia de su vestido sobre el que trae una faja fina de plata. Trae la cabellera anudada en su naca y sobre la que puso una cinta blanca que rodea la frente.

« ¡ Cuán diversa de la del monte de las bienaventuranzas ! » exclama Simón Zelote.

En la primera parte de la rampa se encuentran con la hija de Yairo y Analía que veloces vienen bajando.

« ¡ Maestro, Señor ! » exclaman.

« Dios esté con vosotras. ¿ A dónde vais ? »

« A traer unas toallas. Nos dijo la servidora de Juana. ¿ Vas a hablar, Maestro ? »

« Sí. »

« ¡ Entonces corre, Miriam ! Démonos prisa » dice Analía.

« Tenéis más que el tiempo suficiente. Espero a otros. ¿ Pero desde cuándo te llamas Miriam ? » dice mirando a la hija de Yairo.

« Desde el día de hoy. Tu Madre me dió este nombre. Porque... ¿verdad, Analía? Hoy es un gran día para cuatro vírgenes...»

«¡Oh, sí! ¿Se lo decimos a El o dejamos que María se lo diga?»

«Que María se lo diga. Continúa, Señor. Tu Madre te lo dirá» y ligeras siguen. Están en la flor de la juventud. Son hermosas. Son unos ángeles en su mirar...

Están en la tercera rampa cuando se encuentran con Elisa de Betsur, que despacio baja con la mujer de Felipe.

«¡Ah, Señor!» grita esta. «¡A algunos das, y a otros quitas! ¡De todos modos sé bendito!»

«¿De qué hablas?»

«¡Ahora lo vas a saber!... ¡Qué pena y al mismo tiempo qué alegría! Me quitas algo y me pones una corona.»

Felipe que está cerca de Jesús pregunta: «¿A qué te refieres? ¿De qué hablas? Eres mi mujer y lo que te pasare, me pasa a mí...»

«Lo sabrás, Felipe. Sigue con el Maestro.»

Jesús pregunta a Elisa si se siente mejor, y ella a quien el dolor de tiempos pasados le ha dado una cierta majestad, responde: «¡Sí, Señor mío! El sufrimiento sereno no es amargura. Tengo paz en el corazón.»

«Y dentro de poco será mayor.»

«¿Qué dices, Señor?»

«Ve a donde ibas que lo sabrás.»

«¡Jesús! ¡Jesús!» gritan los dos pequeños que se están asomando sobre la adornada barandilla, que divide terraza que da al jardín, y de la que penden rosales, jazmines en flor, pues ella no es más que un jardín colgante, sobre la que hay una manta de muchos colores. Todos los que están en la terraza se vuelven al grito de los pequeños, y dejando lo que hacían, se dirigen a Jesús a cuyas rodillas los niños se han asido.

Jesús saluda a las mujeres, que no son pocas. Se han mezclado con las discípulas propiamente dichas, o con las mujeres, hijas, hermanas de los apóstoles y discípulos, otras que no me son muy conocidas, como la mujer del primo de Simón, las madres de los borriqueros de Nazaret, la madre de Abel de Belén de Galilea, Ana de Judas (que vive cerca del lago Merón), María de Simón, madre de Judas de Keriot, Noemí de Efeso, Sara y Marcela de Betania (Sara es la mujer que Jesús curó en el monte de las bienaventuranzas y que envió a casa de Lázaro con el viejo Ismael. Ahora parece ser la criada de Magdalena), la madre de Yaia, la madre de Felipe de Arbela, Dorca, la joven madre de Cesarea de Filipo, y su suegra, la madre de Analía, María de

Bozra, que fue curada de la lepra en Jerusalén con su marido, y otras, y otras tantas cuyo nombre no recuerdo.

Jesús va hacia la amplia terraza rectangular que de una parte da al Sixto, y entra en la habitación que da a la escalera interior, como me parece, y que se asemeja a un cubo bajo en el ángulo septentrional de la terraza. Se ve toda Jerusalén y sus alrededores. Una vista admirable. Todas las discípulas, mejor dicho, todas las mujeres, dejan lo que estaban haciendo por unirse a El. Los criados continúan su trabajo.

María se acerca a su Hijo. A la luz dorada que se filtra del velario que cubre gran parte de la terraza, que parece hacerse más delicada al contacto de las rosas y jazmines, parece mucho más joven, mucho más esbelta. Parece una hermana de las discípulas más jóvenes, un tantín mayor, pero hermosa, hermosa como la mejor de las rosas que penden en el colgante jardín, en los grandes macetones, donde no sólo están ellas, sino también los jazmines, los lirios, y otras flores.

« ¡ Madre, mi mujer se expresó hace pocos en ciertos términos ! . . . ¿ Qué ha pasado para que mi mujer diga que se ve mutilada y al mismo tiempo con una corona ? » pregunta Felipe que se muere por saber la verdad.

Dulcemente María sonríe al mirarlo. Y Ella que es parquísima en confidencias, le toma de la mano y le responde: « ¿ Serías capaz de dar a mi Jesús la cosa que más amaras ? Y lo deberías . . . porque te da el cielo y el camino para ir a él. »

« Sin duda, Madre, si supiera . . . que lo que le diera lo haría feliz. »

« Lo hará. Felipe, también tu segunda hija se consagra al Señor. Hace poco me lo dijo a mí y a tu mujer, ante muchas discípulas. »

« ¡ ¿ Tú ? ! ¡ ¿ Tú ? ! » pregunta atontado Felipe y señala con el dedo a la jovencilla que se estrecha a la Virgen como buscando protección. El apóstol traga con dificultad este segundo golpe que lo priva de nietos. Se seca el sudor que de improviso le ha brotado ante tal noticia . . . pasa sus ojos sobre los presentes. Lucha . . . sufre.

La hija llora: « ¡ Padre . . . perdóname . . . dame tu bendición ! » y le cae de rodillas.

Inconscientemente Felipe le acaricia los cabellos castaños, se limpia la garganta y dice: « Se perdona a los hijos que pecan . . . Tú no lo haces al consagrarte al Maestro . . . y . . . tu pobre padre no puede más que decirte: " ¡ que seas bendita ! " . . . ¡ Ah, hija mía ! . . . ¡ Cuán suave y cuán duro es lo que Dios quiere ! » y se inclina, la levanta, la abraza, la besa en la frente, en su cabellera. Llora. Teniéndola todavía entre sus brazos se dirige a Jesús y le dice: « Mira. Yo le di el ser, pero Tú eres su Dios ... Tu derecho vale más que el mío ... Gracias ... gracias, Señor, de la alegría que ... » y se calla. Se echa a los pies de Jesús y se agacha para besárselos diciendo: « ¡ Nunca tendré nietecitos ... nunca ! ¡ Era mi sueño ! ... ¡ La sonrisa de mi vejez ! ... ¡ Perdóname, Señor, que llore ! ... ¡ Y en lágrimas desflore mi dolor ! ... »

« ¡ Levántate, amigo mío ! ¡ Alégrate de que cooperes a las primicias de los jardines angelicales. Ven. Vente conmigo y con mi Madre. Preguntémosle cómo sucedió todo, porque te lo aseguro que en esto no tengo culpa, ni mérito. [1] »

La Virgen dice: « También yo sé muy poco. Estábamos hablando nosotras las mujeres y como sucede con frecuencia, me hacían preguntas acerca de mi rostro de doncella. Me preguntaban que cómo serán las vírgenes futuras, qué cargos tendrán, qué gloria preveo para ellas. Les respondía como sé. Preveía en el futuro para ellas una vida de oración, una vida que consolara a mi Jesús. Les decía: " Las vírgenes serán las que sostendrán a los apóstoles, las que lavarán el mundo sucio y lo vestirán con su pureza, perfumándolo con ella, serán ángeles que cantarán himnos para que no se oigan las blasfemias. Jesús será feliz. Concederá gracias y su misericordia por estas ovejitas esparcidas entre lobos ... " y otras cosas más decía yo. Fue entonces cuando la hija de Yairo me dijo: " Dame un nombre, Madre, para mi futuro estado de virgen, porque no puedo permitir que un hombre goce del cuerpo a quien Jesús dió la vida. ¡ A El pertenece este cuerpo mío para siempre mientras viva ! " Y Analía dijo: " También yo me siento con ánimos de hacer lo mismo. Hoy me siento más alegre que nunca porque se ha acabado toda ligadura ". Fue también entonces cuando tu hija, Felipe, exclamó: " También yo seré como vosotras. ¡ Virgen para siempre ! " Tu mujer, que aquí viene, trató de que considerara nuevamente las cosas, pero ella no cambió de parecer. A quien le preguntaba si era algo que desde hacía tiempo venía pensando, respondía: " ¡ No ! ", y a quien le preguntaba que cómo le había venido, contestaba: " No lo sé. Como una flecha de luz me travesó el corazón y comprendí con qué amor amo a Jesús ". »

La mujer de Felipe pregunta a su marido: « ¿ Oíste ? »

« Sí. Lo siento mucho ... debería cantar porque es una honra para mí ... Engendramos a dos ángeles, mujer. No llores. Hace poco lo dijiste: El te ha coronado ... La reina no llora cuando se le impone la corona ... »

Pero las lágrimas corren por la cara de Felipe como por la de

[1] Esto es, ninguna responsabilidad.

su mujer y por la de hombres que se han quedado a escuchar. María de Simón es un mar de llanto en un rincón... Magdalena llora en otro, retorciendo el lino de su vestido, del que sin querer arranca los adornos. Anastásica llora tratando de ocultar sus lágrimas.

« ¿ Por qué estáis llorando ? » pregunta Jesús.

Nadie responde. Jesús llama a Anastásica y le pregunta. Contesta: « Porque por una alegría que duró una noche y que me causa vómito, no puedo ser una virgen consagrada a Tí. »

« *Todos los estados son buenos, si en ellos se sirve al Señor.* En mi iglesia futura habrá vírgenes y madres. Y todas, necesarias para el triunfo de Dios en el mundo y para el trabajo de sus hermanos sacerdotes. Elisa de Betsur acércate. Consuela a esta joven. »

Y personalmente entrega Anastásica a Elisa. Las mira. Elisa acaricia a la joven que se estrecha a sus brazos. Momentos después le pregunta: « ¿ Elisa, conoces su pasado ? »

« Sí, Señor. Y lo siento mucho. Es una paloma sin nido. »

« Elisa ¿ amas a esta hermana tuya ? »

« ¿ Que si la amo ? Y mucho, no como a una hermana, sino como a una hija, que podría serlo. Y ahora que la tengo entre mis brazos me parezo que torno a ser la madre de tiempos idos. ¿ A quién vas a confiar esta gacela ? »

« A tí, Elisa. »

« ¿ A mí ? » Abre tamaños ojos, incrédula.

« A tí. ¿ No la quieres ? »

« ¡ Oh, Señor ! ... » Elisa de rodillas abraza a Jesús y no sabe qué decir, qué hacer para manifestar su alegría.

« Levántate y sé para ella una madre santa, como ella para tí una hija buena. Caminad las dos por los caminos del Señor. ¿ Por qué estás llorando, Magdalena, tí que hace poco estabas tan alegre ? ¿ Dónde están las diez flores que me ibas a traer ? »

« Están durmiendo, Maestro ... Lloro porque jamás podré tener la blancura de las vírgenes, y mi alma llorará siempre, jamás satisfecha ... porque he pecado ... »

« Mi perdón y tus lágrimas te hacen más pura que a ellas. ¡ Ven aquí ! No llores más. ¡ Deja que lloren los que tienen por qué avergonzarse ! ¡ Ea ! Ve a traerme tus flores. Idos también vosotras, esposas y vírgenes. Id a decir a los huéspedes de Dios que suban. Hay que decirles que se vayan antes de que cierren las puertas, porque muchos de ellos viven en la campiña. »

Todas se van. Jesús se queda en la terraza con María y Matías a quienes acaricia; Elisa y Anastásica que se tienen de la mano, mirandose mutuamente con una sonrisa en que se dibuja la felicidad; María de Simón, sobre a quien compasiva se inclina la Virgen; y Juana que en la puerta de la habitación ve ya para dentro, ya para fuera. Los apóstoles y discípulos han bajado con las mujeres para ayudar a los criados a llevar a los lisiados, a los ciegos, a los cojos, a los tullidos, a los viejos a través de la larga rampa.

Jesús que estaba mirando a los dos niños, mira a la Virgen que está inclinada junto a la madre de Judas. Se yergue y va donde ellas. Pone su mano sobre la cabellera encrespada de María de Simón: « Por qué lloras ? »

« ¡ Señor, Señor, he dado a luz a un demonio ! ¡ Ninguna mujer en Israel conoce un dolor semejante al mío ! »

« María, otra madre, y por la misma razón, me dijo y me sigue diciendo las mismas palabras. ¡ Pobres madres ! »

« ¿ Señor mío, hay alguien que sea como mi Judas de perverso, de perfido ? No lo hay ¿ verdad ? El, que te tiene, se ha entregado a prácticas diabólicas. El, que respira tu aire, es un sensual y un ladrón, y tal vez llegue hasta convertirse en homicida. ¡ El ! . . . ¡ El no piensa más que mentiras ! Su vida no es más que fiebre. Permite que se muera. ¡ Te lo pido ! ¡ Haz que se muera ! »

« María, tu corazón te lo presenta peor de lo que es. El miedo te enloquece. ¡ Cálmate y piensa ! ¿ Qué pruebas tienes de su conducta ? »

« Contra Tí ninguna. Pero es una avalancha que baja. Lo sorprendí y no pudo ocultar las pruebas que . . . Mira . . . ¡ No vayas a decir que es por mera compasión ! Me vigila. Sospecha. Es mi aflicción. ¡ Ninguna Madre en Israel puede ser más infeliz que yo ! »

La Virgen en voz baja: « Yo . . . porque a mi dolor uno el de todas las madres infelices . . . porque mi dolor me lo causa no el odio de uno, sino el de todo un mundo. »

Jesús a quien llama Juana se va. Entre tanto Judas se acerca a su madre, a quien todavía consuela la Virgen y la apostrofa: « ¿ Ya desembuchaste tus delirios ? ¡ Me has acabado de calumniar ! ¿ Estás contenta ? »

« Judas, ¿ hablas así a tu madre ? » pregunta severa la Virgen. Es la primera vez que la veo así.

« ¡ Sí, porque estoy cansado de sus persecuciones ! »

« ¡ Hijo mío, no lo son ! Es amor. Dices que estoy enferma, ¡ pero no es cierto ! Tú eres el que lo estás. Dices que te calumnio y que doy oídos a tus enemigos, pero tú mismo te haces mal. Sigues y tienes amistad con hombres nefastos que te arrastran al mal. Porque eres débil, hijo mío, y ellos lo saben muy bien . . .

Eschucha a tu madre. Escucha a Ananías que es viejo y prudente. ¡ Judas ! ¡ Judas ! Ten piedad de tí ! ¡ Ten piedad de mí ! Judas, ¿ a dónde vas . . . ? »

Judas atraviesa rápidamente la terraza, se vuelve y grita: « Donde soy útil y donde me respetan. » A toda prisa baja, mientras que su infeliz madre, asomándose por la valla, le grita: « ¡ No vayas ! ¡ No vayas ! ¡ No quieren más que tu ruina ! ¡ Hijo mío ! »

Judas está ya abajo. Los árboles lo esconden a los ojos de su madre. Por un momento se le ve antes de que entre en el vestíbulo.

« ¡ Ya se fue ! . . . ¡ La soberbia lo devora ! » dice entre lágrimas su madre.

« Roguemos por él. Roguemos las dos juntas . . . » dice la Virgen acariciando la mano de la entristecida madre del futuro deicida.

Entre tanto empiezan a subir los invitados . . . y Jesús sigue hablando con Juana.

« Está bien. Que vengan también. Mucho mejor si se han vestido a la hebrea para no llamar la atención. Las espero aquí. Ve a llamarlas » y apoyándose sobre el dintel mira a los invitados a quienes los apóstoles, los discípulos y discípulas cariñosamente acompañan a las mesas según un orden establecido. En el centro está la mesa para los niños, y por todas partes, paralelas, las de los demás.

Entre tanto que ciegos, cojos, lisiados, viejos, viudas, mendigos preparan sus historias de dolores pintadas en sus caras, traen en cunas adornadas a los pequeñuelos, que después de haber mamado, serenamente duermen. Magdalena que está ya serena dice: « ¡ Han llegado, Señor, las flores ! ¡ Bendícelas ! »

Simultáneamente Juana sale de la escalera interior diciendo: « Maestro, aquí tienes a las discípulas paganas. » Son siete mujeres, vestidas de oscuro y con velos semejantes a los de las hebreas. El manto les llega hasta los pies.

Dos son altas, majestuosas; las otras de media estatura. Cuando después de haber presentado sus respetos al Maestro se levantan el manto, fácilmente uno puede reconocer a Plautina, Lidia, Valeria, a la liberta Flavia, la que escribió las palabras de Jesús en el jardín de Lázaro, y con ellas tres más que no conozco. La que en sus ojos destella el saber mandar, dice a Jesús: « Y conmigo se postra Roma a tus pies ». Hacen lo mismo una hermosa matrona cincuentona, y una jovencilla delgada, bella como una flor del campo.

Magdalena recononce a las romanas, a pesar de sus vestidos

hebreos y murmura: « ¡ Claudia ! » Se queda con los ojos abiertos.

« ¡ Por mi parte estoy cansada de oir de labios de otros sus palabras ! ¡ A la Verdad y a la Sabiduría hay que escucharlas en su propia fuente ! »

« ¿ Crees que nos reconocerán ? » pregunta Valeria a Magdalena.

« Si no decís vuestros nombres, no lo creo. Por otra parte os pondré en lugar seguro. »

« ¡ No María ! Han venido a servir las mesas de los mendigos. Nadie podrá sospechar que las patricias sean criadas de los pobres, de los mínimos del mundo hebreo » responde Jesús.

« ¡ Has dicho bien, Maestro ! Porque la soberbia es algo innato en nosotros. »

« Y la humildad es la señal más clara de mi doctrina. Quien quiera seguirme debe amar la verdad, la pureza, la humildad, tener caridad para con todos y heroísmo para desafiar el parecer de los hombres y las presiones de los tiranos. Vamos. »

« Un momento, Rabí. Esta joven es una esclava, hija de esclavos. La rescaté porque es hija de israelitas, y Plautina la tiene. Te la ofrezco, pensando que hago bien. Se llama Egla. Es tuya. »

« Magdalena, tómala. Luego pensaremos . . . ¡ Gracias ! »

Jesús sube a la terraza a bendecir a los niños. Mucha curiosidad despiertan las mujeres, pero vestidas y peinadas a la hebrea, con vestidos sencillos, ninguna sospecha. Jesús está en el centro de la terraza, junto a la mesa de los pequeños y ora, ofreciendo por todos al Señor los alimentos, bendice y ordena que se empiece a comer.

Apóstoles, discípulos, discípulas, damas, todos son los criados de los pobres y Jesús da el ejemplo, remangándose las largas mangas de su vestidura y sirviendo a los niños. Le ayudan Miriam de Yairo y Juan.

Aunque todos comen con verdadero apetito, no separan sus ojos de Jesús. La tarde va bajando. Quitan la manta. Los criados traen más lámparas.

Jesús camina entre las mesas. No deja a nadie sin prodigarle un consuelo. Varias veces roza a Claudia y a Plautina que humildemente parten el pan o traen vino a los ciegos, paralíticos, moncos. Envía su sonrisa a las jóvenes vírgines que tienen a su cuidado las mujeres; a las discípulas madres que muestran su compasión para con los infelices; a Magdalena que atiende la mesa de los ancianos, la más difícil, digamos, por las toses, los temblores, el masticar sin dientes, por bocas que destilan baba; ayuda a Mateo que pega en la espalda a un niño que parece sofocarse; agradece a Cusa, que llegado al principio de la comida, divide la carne y sirve como si siempre hubiera sido un criado.

La comida termina. Las caras, los ojos dicen que están contentos los estómagos.

Jesús se inclina sobre un anciano tembloroso. Le pregunta: « ¿ En qué piensas, padre ? ¿ A que sonríes ? »

« ¡ Pienso que en verdad no es un sueño ! Hasta hace poco pensaba que estaba durmiendo, pero ahora sí me convenzo de que es realidad. ¿ Quién es el que te hace tan bueno y también a tus discípulos ? ¡ Viva Jesús ! » grita al último.

Y todos los comensales gritan: « ¡ Viva Jesús ! »

Jesús se dirige al centro, abre sus brazos, hace señal de que guarden silencio y empieza a hablar, sentándose y teniendo sobre sus rodillas a un pequeñín.

« ¡ Viva, sí, viva Jesús !, no porque lo soy, sino porque mi nombre significa el amor de Dios hecho carne, que descendió entre los hombres para que lo conozcan y para dar a conocer el amor que será el distintivo de la nueva era. Viva Jesús porque quiere decir ¡ " Salvador " ! Y en realidad que os salvo. Salvo a todos, a ricos y pobres, a niños y ancianos, a israelitas y paganos, a todos, con la condición de que queráis ser salvados. Jesús es para todos. No para este o aquel. Jesús es de todos. De todos los hombres y para todos los hombres. Para todos soy el amor misericordioso, la salvación segura. ¿ Qué cosa es necesaria para ser de Jesús, para conseguir la salvación ? Pocas cosas, pero *grandes.* No grandes porque sean difíciles como las que hacen los reyes. Sino grandes porque exigen que el hombre se renueve para hacerlas, para llegar a ser de Jesús. Por esto se exige el amor, la humildad, la fe, la resignación, la compasión. Ved, vosotros que sois discípulos ¿ qué habéis hecho hoy de grande ? Responderéis: " nada. Servimos solo la comida ". ¡ No ! Habeís servido amor. Habéis sido humildes. Habéis tratado como a hermanos, a desconocidos de diversas razas, sin preguntar quiénes eran, sanos o buenos. Lo habéis hecho en nombre del Salvador. Tal vez esperabais que os dijese grandes cosas para instruiros. He hecho que realizarais grandes cosas. Empezamos el día con la oración, socorrimos a leprosos y mendigos, adoramos al Altísimo en su casa, dimos principio al ágape fraterno y cuidamos de los peregrinos y de los pobres, hemos servido porque servir por amor es asemejarse a Mí, que soy el Siervo de los siervos de Dios, Siervo hasta el aniquilamiento, que muere por salvar . . »

Voces, pisadas, interrumpen a Jesús. Un grupo descontento de israelitas sube corriendo las esclaras. Las romanas, que pudieran ser reconocidas, como Plautina, Claudia, Valeria y Lidia se retiran a un lugar oscuro, bajándose el velo.

Los perturbadores irrumpen en la terraza y parece como si buscaran a alguien. Cusa, ofendido, les sale al paso y les pregunta: « ¿ Qué queréis ? »

« Nada que te importe. Buscamos a Jesús de Nazaret, no a tí. »

« Aquí estoy. ¿ No me estáis viendo ? » les pregunta, poniendo en tierra al pequeñín y poniéndose de pie con majestad.

« ¿ Qué estás haciendo aquí ? »

« Lo estáis viendo. Hago lo que enseño, y enseño lo que he hecho: amar a los más pobres. ¿ Qué se os dijo ? »

« Se oyeron gritos sediciosos. Y como donde estás se fomenta la sedición, vinimos a ver. »

« Donde estoy hay paz. El grito fue de: " ¡ Viva Jesús ! ". »

« Exactamente. Tanto en el templo como en el palacio de Herodes se pensó que se fraguaba alguna conspiración contra . . . »

« Quién la fraguaba ? ¿ Contra quién ? ¿ Quién es rey en Israel ? Ni el templo, ni Herodes. Roma domina, y sería necio el que tratara ser rey donde domina. »

« Tú andas diciendo que eres rey. »

« Lo soy. Pero no de este reino, que no vale nada para mí. Es cosa sin valor aun el imperio. Soy rey del reino santo de los cielos, del reino del Amor y del Espíritu. Idos en paz. O quedaos si queréis y aprenderéis a ver como se acerca a mi reino. He ahí a mis súbditos: los pobres, los infelices, los oprimidos, y luego, los buenos, los humildes, los caritativos. Quedaos y uníos a ellos. »

« Tú siempre andas en banquetes de casas ricas, entre mujeres hermosas y . . . »

« ¡ Basta ! En mi casa no se insinúa ninguna ofensa contra el Rabí. ¡ Largos de aquí ! » grita Cusa.

Pero por la escalera interna que da a la terraza una figurilla delgada, una jovencilla sube. Cual mariposa corre donde Jesús, arroja el velo y el manto, le cae a los pies tratando de besárselos.

« ¡ Salomé ! » gritan Cusa y otros.

Jesús se ha hecho a un lado tan violentamente para evitar el contacto, que se cae la silla y aprovecha para ponerla entre Sí y Salomé. Sus ojos brillan. Son fosforescentes. Terribles. Infunden miedo.

Salomé, ligera y desvergonzada, toda melindes responde: « ¡ Sí, soy yo ! Los gritos llegaron hasta el palacio. Herodes manda una embajada a decirte que quiere verte. Yo me le adelanté. Ven conmigo, Señor. Te amo mucho y ¡ te deseo tanto ! También yo soy israelita. »

« Vete a tu casa. »

« La corte te espera para tributarte honores. »

« Mi corte es esta. No conozco otra, ni otros honores » y con su mano señala a los pobres que están sentados a las mesas.

« Te doy unos regalos para ellos. Aquí tienes mis collares. »

« No los quiero. »

« ¿ Por qué los rehusas ? »

« Porque son inmundos, y los das por un motivo igual. ¡ Lárgate ! »

Salomé un poco turbada se levanta. Mira de reojo a Jesús, que le señala con el brazo extendido la salida. Furtivamente mira a todos, y ve en las caras la burla, el asco. Los fariseos están petrificados. Son testigos de la escena. Las romanas se atreven a salir un poco más para ver mejor.

Salomé prueba una vez más: « Te acercas aun a leprosos . . . » dice sumisa y suplicante.

« Son enfermos. Tú eres una impúdica. ¡ Lárgate ! »

El último « lárgate » es tan terrible que Salomé recoge su velo y manto, se inclina, se arrastra hasta la escalera.

« ¡ Ten cuidado, Señor ! . . . Es poderosa . . . ¡ Podría causarte daño ! » susurra Cusa en voz baja.

Pero Jesús con voz más fuerte, para que todos la oigan, sobre todo Salomé, contesta: « ¡ No importa ! Prefiero que me maten antes que hacer alianza con el vicio. Sudor de mujer lasciva y oro de prostitutas son veneno del infierno. Hacer alianza cobarde con los poderosos es pecado. Yo soy verdad, pureza y redención. No cambio. Ve a acompañarla . . . »

« Castigaré a los criados que la dejaron pasar. »

« No castigarás a nadie. Ella sola lo sea. Y lo ha sido. Que sepa y también vosotros tenedlo en cuenta que sé lo que piensa, y me da asco. Regrese la sierpe a su cubil. El Angel a sus jardines. » [2]

Se sienta. Está sudoroso. Después de algunos instantes dice: « Juana da a cada uno una limosna para que tenga por algunos días . . . ¿ Qué otra cosa puedo hacer, hijos del dolor ? ¿ Qué queréis que os de ? Leo vuestros corazones. ¡ A los enfermos que saben creer, la paz y la salud ! »

Unos momentos de espera y luego un grito . . . Muchos se levantan curados. Los judíos que habían venido con malas intenciones, se van atolondrados, olvidados en medio del entusias-

[2] Esta Obra, cuando toca argumentos delicados, nunca deja de poner en claro la santidad y pureza del Hombre-Dios, y de condenar severamente el vicio.

mo general de aclamaciones por el milagro y pureza de Jesús.

El, sonriente, besa a los niños. Luego despide a los pobres, pero dice a las viudas que esperen, de las que habla a Juana. Esta toma nota y las invita a que vengan el día siguiente. También ellas se van. Los últimos son los ancianos...

Se quedan los apóstoles, los discípulos de ambos sexos y las romanas. Jesús dice: « Así es y así serán las futuras reuniones. No hay necesidad de palabras. Que los hechos hablen a los corazones y a las inteligencias con su claridad. La paz sea con todos vosotros. »

Al principio de la escalera se encuentra con Judas: « Maestro, no vayas a Getsemaní. Te andan buscando allá tus enemigos. Madre ¿ qué dices ahora ? ¡ Tú que me acusas ! Si no hubiera ido, no hubiera sabido de las asechanzas que ponen al Maestro. ¡ Vamos a otra casa ! »

« A la nuestra. En casa de Lázaro no entra quien no sea amigo de Dios » propone Magdalena.

« Sí. Los que estuvieron ayer en Getsemaní, vengan con las hermanas al palacio de Lázaro. Mañana tomaremos providencias. »

61. El jueves anterior a la Pascua. Quinta parte

(Escrito el 27 de enero de 1946)

Los seguidores de Jesús no son unos dechados de valor.

La noticia que trajo Judas se parece al gavilán que revolotea sobre una parvada de pollitos, o al lobo que mete sus narices en un redil. Miedo, o por lo menos excitación, está dibujado en las caras sobre todo en las de los varones. Me imagino que muchos pensarán que sienten ya el filo de la espada o el chasquido del azote, o que se encuentran en los separos de alguna oscura cárcel.

Las mujeres conservan una calma mayor. Más bien que excitadas, piensan en sus hijos o maridos y aconsejan ya a unos ya a otros a que se dispersen en grupos.

Magdalena reacciona contra este temor exagerado: « ¡ Oh, cuántos cervatillos hay en Israel ! ¿ No os da vergüenza que tembléis así ? Os he dicho ya que en mi palacio estaréis más seguros que en una fortaleza. Venid, si queréis, y bajo mi palabra os aseguro que no os pasará nada de lo que es nada. Si además de los que señaló Jesús alguien más quiere venir, es bien recibido. Hay camas para más de cien. ¡ Vamos, decidíos en vez de temblar de miedo ! Sólo ruego a Juana que nos envíe alimentos, porque allí no tenemos suficientes y ya es tarde. Una buena comida es la mejor medicina para robustecer a los cobardes. » No tan sólo imponente es su voz sino hasta bañada en un tinte de ironía al ver a la grey temerosa que se amontona en el vestíbulo de Juana.

« Lo haré al punto. Idos. Jonatás os seguirá con los criados, y yo iré con él, porque me siento feliz en seguir al Maestro. Iré sin temor alguno, y para demonstrároslo llevo conmigo a los niños », dice Juana y se retira para dar las órdenes concernientes, mientras las primeras vanguardias del ejército miedoso sacan precavidos la cabeza por el portón, y al ver que no hay nadie, sienten el valor de salir, y de llamar a los demás.

El grupo de las doncellas vírgenes ocupa el centro, después de Jesús que va en la primera fila. Detrás de ellas, las mujeres, luego . . . luego, los menos valerosos, cuyas espaldas protege Magdalena que viene con las romanas, decididas a no separarse tan pronto de Jesús. Magdalena se adelanta corriendo para decir algo a su hermana y las siete romanas se quedan con Sara y Marcela, que por órdenes de Magdalena se han quedado atrás para que la presencia de las romanas pase lo más desapercibido que se pueda.

Se les junta Juana con los niños de la mano, y detrás de ella Jonatás con los criados que traen bolsas y cestas, y se ponen detrás, que nadie nota, porque las calles están llenas de gente que va a sus casas o a los campamentos. Ahora Magdalena con Juana, Anastásica y Elisa está en primera fila y guía por calles secundarias a sus huéspedes.

Jonatás va caminando casi junto a las romanas, a quienes habla como si fueran criadas de las discípulas más ricas. Claudia se aprovecha para decirle: « Oye, te voy a pedir un favor. Ve a llamar al discípulo que trajo la noticia. Dile que venga, y dile que lo haga de modo de no llamar la atención. ¡ Ve ! » Las vestiduras no son gran cosa, pero su modo de hablar es imperioso. Jonatás abre tamaños ojos, se acerca más para ver la cara de quien le ha hablado, pero no logra ver sino el fulgor de ojos imperiosos. Con todo debe intuir que no se trata de una criada la mujer que le ha hablado. Se inclina y obedece.

Alcanza a Judas de Keriot que va hablando animadamente con Esteban y con Timoneo, y le jala del vestido.

« ¿ Qué quieres ? »

« Quiero decirte una cosa. »

« Dila. »

« No puedo. Ven conmigo. Te necesitan, por lo que parece, para una limosna. »

La excusa es buena. Judas deja a sus compañeros y alegre se va can Jonatás. Está ya en la última fila. « Oye, he aquí al hombre que deseabas » dice Jonatás a Claudia.

« Muchas gracias por tu servicio » le responde sin levantarse el velo. Y dirigiéndose a Judas: « Haz el favor de escucharme por un momento. »

Judas que oye una voz fina y delicada, que ve dos brillantes ojos bajo el sutil velo, que tal vez se imagina que se trata de alguna aventura, sin pestañear acepta al punto.

El grupo de las romanas se divide. Con Claudia se quedan Plautina y Valeria. Los demás siguen su camino.

Claudia mira a su alrededor. Y al no ver a nadie, con su hermosa mano se hace a un lado el velo. Judas la reconoce, y después de un instante de admiración, se inclina y saluda a la romana: « ¡ Domina ! »

« Así es. Endérezate y escucha. Tú quieres al Nazareno. Te preocupas por su bien. Te felicito. Es un hombre virtuoso pero sin defensa. Nosotras lo veneramos como a un hombre *grande y justo.* Los judíos no lo veneran. Lo odian. Lo sé. Escucha bien lo que te voy a decir para que te comportes de este modo. Quiero protegerlo. No como la lujuriosa de hace unos cuantos minutos. Sino honesta y virtuosamente. Cuando comprendas que hay algún peligro para El, ven a verme o mándarme algún recado. Claudia puede todo sobre Poncio. Alcanzará la protección en favor de ese Justo. ¿ Comprendiste ? »

« Sí, domina. Que nuestro Dios te proteja. Tan pronto como pueda vendré personalmente. Pero ¿ cómo haré ? »

« Pregunta siempre por Albula Domitila. Es una amiga íntima mía, y nadie se extrañará de que hable con judíos, pues es la que tiene a cargo mis liberalidades. Pensarán que eres un cliente. ¿ Acaso te humilla esto ? »

« No, domina. Servir al Maestro, alcanzar tu protección es una honra. »

« Os protegeré. Soy mujer, pero soy de los Claudios. Puedo más que todos los grandes de Israel, porque detrás de mí está Roma. Entre tanto ten, para los pobres del Mesías. Nuestro óbolo. Quisiera estar esta noche con los discípulos. Consígueme esta honra y yo te protegeré. »

En un tipo como Iscariote las palabras de la patricia hacen un efecto prodigioso. ¡ Se encarama hasta el séptimo cielo ! . . . Pregunta: « ¿ Pero de veras lo ayudarás ? »

« Sí. Merece su reino que se funde, porque es un reino de virtud. Bienvenido en contra de las sucias ondas que cubren los reinos de hoy en día, y que me provocan náuseas. Roma es grande, pero el Rabí es mucho mayor. Tenemos las águilas como insignias en nuestras banderas y la orgullosa sigla, pero sobre ellas se posarán los genios y su santo Nombre. Roma será grande sin duda, lo mismo que la tierra cuando pondrán ese Nombre en sus insignias, y su señal sobre sus lávaros, sus templos, como sobre sus arcos y columnas. »

Judas no sabe qué responder. Sueña extático. Acaricia las pesadas bolsas que le han dado. Lo hace maquinalmente. Con la cabeza dice que sí, que sí . . .

« Bueno. Vamos a alcanzarlos. Somos aliados ¿ no es verdad ? Aliados en proteger a tu Maestro, al rey de los corazones honrados. »

Rápida se baja el velo y esbelta, casi corriendo alcanza a sus compañeras. La siguen las demás y Judas que jadea no tanto por la carrera, como por lo que oyó. Llegan al palacio de Lázaro cuando los últimos están entrando en él. Ligeros entran. Cierran el portón con mucho ruido de llaves.

Una sola lámpara que en sus manos tiene la mujer del portero apenas si ilumina el vestíbulo cuadrado y blanco del palacio de Lázaro. Se comprende al punto que la casa no está habitada aun cuando esté bien guardada y en orden. Magdalena y Marta guían a los huéspedes a un amplio salón, destinado a los banquetes, en cuyas paredes penden hermosos tapices que descubren su belleza conforme van iluminando las lámparas que encienden y las que ponen sobre mesas, y cofres que hay alrededor de las paredes. Magdalena ordena que pongan en el centro de la sala las mesas y que preparen la cena con los alimentos que trajeron los criados de Juana.

Judas llama a Pedro aparte y le dice algo al oído. Veo que saca tamaños ojos y que se sacude la mano como si se quemara y exclama: « ¡ Rayos y ciclones ! ¡ Pero qué estas diciendo ! »

« ¡ Mira y piensa ! ¡ No tengas miedo ! ¡ No estés más preocupado ! »

« ¡ Demasiado grande ! ¡ Demasiado ! ¿ Cómo dijo ? ¿ Que nos protege ? Que Dios la bendiga. Pero ¿ quién es ? »

« Aquella, la vestida de color de tórtola del campo. La alta y delgada. Ahora nos está mirando. »

Pedro mira a la mujer alta de cara regular y seria, de ojos dulces pero imperiosos.

« ¿ Y cómo hiciste para hablar con ella ? ¿ No tuviste ? . . . »

« ¡ Nada ! »

« ¡ Y sin embargo no te gustaba acercarte a ellos ! Como a mí tampoco, como a todos... »

« Es verdad, pero lo he superado por amor al Maestro. Como también he superado las ganas de romper con los del templo. ¡ Y todo por el Maestro ! Todos vosotros, inclusa mi madre, pensáis que yo sea un doble. No hace mucho tú mismo me echaste en cara ciertas amistades mías. Pero si no las mantuviese, y con gran dolor en el alma, no estaría al tanto de lo que pasa. No está bien ponerse bendas en los ojos y cera en las orejas por temor de que el mundo entre nosotros por ellos. Cuando se tiene algo grande como lo que tenemos nosotros hay que vigilar con ojos y orejas del todo limpios. Velar por El, por su bien, por su misión, porque funde ¡ este bendito reino !... »

Muchos de los apóstoles y algunos de los discípulos se han acercado y escuchan aprobando con la cabeza. Porque en suma, no se puede decir que Judas esté equivocado.

Pedro que es un hombre honrado y humilde lo reconoce y dice: « ¡ Tienes razón ! Perdona mis reproches. Vales más que yo. Sabes hacer las cosas. ¡ Oh, ve pronto a decirlo al Maestro, a su Madre, a la tuya ! Estaba tan angustiada... »

« Porque malas lenguas algo le han dicho... Por ahora no digas nada. Después. Más tarde. ¿ Ves ? Se sientan a la mesa y el Maestro hace señal de que nos acerquemos... »

...La cena es ligera. También las romanas que se habían sentado con las demás mujeres, de modo que Claudia lo está entre Porfiria y Dorca, comen en silencio lo que les ponen por delante, y entre ellas, Juana y Magdalena se pasan palabras secretas envueltas en sonrisas. Parecen niñas en días de vocaciones.

Después de la cena Jesús ordena que pongan las sillas en forma de cuadrado y que se sienten porque quiere hablarles. Se pone en el centro y empieza a hablar. Algunos ojos se cierran, como los del pequeñuelo de Dorca, que duerme en su seno, otros apenas si resisten al sueño como los de María, que está sentada sobre las rodillas de Juana, y los de Matías que se ha acomodado junto a las rodillas de Jonatás.

« ¡ Discípulos y discípulas, reunidos en nombre del Señor, o atraídos por el deseo de la verdad ! deseo que viene también de Dios que quiere que haya luz y verdad en todos los corazones, escuchad.

Esta noche se nos ha permitido vernos unidos y eso, gracias a la mala voluntad de quienes nos quisiera ver separados. Con vuestro espíritu limitado no podéis comprender lo profundo y extenso de esta reunión que es una verdadera aurora de las que se celebrarán cuando ya no esté físicamente entre vosotros, sino con el espíritu. Entonces amaréis. Entonces pondréis todo en práctica. Por ahora sois cual niños. Entonces seréis como adultos que podréis gustar de cualquier alimento sino que os haga mal. Entonces diréis como ahora digo: " Venid a mí todos vosotros porque todos somos hermanos, y porque por todos me he sacrificado ".

Hay muchos prejuicios en Israel. Son flechas que vulneran la caridad. Me dirijo a vosotros que creéis, porque entre vosotros no existen los traidores, ni los que fomentan preconceptos que dividen, que se cambian en incomprehensión, en terquedad, en odio contra Mí que os señalo los caminos del porvenir. No puedo hablar de otro modo. De hoy en adelante hablaré mucho menos porque veo que casi son inútiles las palabras. Os he hablado de modo que pudierais santificaros y llegar a ser perfectos. Sin embargo poco habéis avanzado, sobre todo vosotros, hermanos, porque las palabras os agradan, pero ponerlas en práctica ¡ no ! De hoy en adelante, da un modo cada vez estricto, haré que pongáis en práctica lo que haréis cuando el Maestro haya regresado al cielo de donde vino. Haré que asistáis a lo que será el sacerdote del porvenir. Más que en mis palabras ¡ en mis acciones poned atencion ! Recordadlos. Repetidios. Unidos con mis enseñanzas. Y sólo entonces llegaréis a ser discípulos perfectos.

¿ Qué hizo y qué os hizo hacer hoy el Maestro ? Que pusierais por obra la caridad en todos sus aspectos. La caridad para con Dios. No la caridad de la oración, de la oración vocal, ritual [1] y no más. Sino la caridad activa que renueva en el Señor, que despoja del espíritu del mundo, de las herejías del paganismo, que existe no sólo en los paganos, sino también en Israel, con sus miles de costumbres que se han puesto en lugar de la verdadera religión, santa, franca, sencilla como todo lo que viene de Dios. Habéis realizado no acciones aparentemente buenas, que los hombres alaben, sino acciones santas que merecen la alabanza de Dios. Sabéis muy bien que el que nace, tiene que morir. Pero la vida no termina con la muerte. Continúa en forma diversa por la eternidad, donde el que fue justo recibirá su premio, y el que fue malvado, su castigo. Pero que este pensamiento de un juicio seguro no sea cual parálisis durante vuestra vida y para cuando moráis, sino más bien acicate, freno, espolón que empuje a hacer el bien, y a apartarse de las malas pasiones.

Por esto procurad amar en realidad al Dios verdadero, llevando una vida que se haga digna de que lo consigáis en la futura.

[1] Esto es no la oración vocal. Cuando esta es sólo ritual, no es caridad, es rumor. Cfr. Is. 29, 13-14.

Oh, vosotros que amáis las grandezas, ¿ qué grandeza mayor que la de llegar a ser hijos de Dios, y por lo tanto dioses ? Oh, vosotros que tenéis miedo al dolor, ¿ qué seguridad de no sufrir podéis tener como la que os espera en el cielo ? Sed santos. ¿ Queréis fundar un reino también en la tierra ? ¿ Sentís que no lo podréis ? ¿ Teméis de fracasar ? Si os comportáis como santos lo lograréis. Porque la misma autoridad que nos domina no lo podrá impedir, pese a sus legiones, porque las persuadiréis como Yo a que sigan la doctrina santa sin usar la violencia. He persuadido a las mujeres romanas de que aquí existe la verdad . . . »

« ¡Señor ! . . . » exclaman las romanas al verse descubiertas.

« Así es. Escuchad y no lo olvidéis. Digo a mis seguidores de Israel, digo a vosotras de corazón recto las leyes de mi reino.

No quiero rebeliones. De nada sirven. Sino santificar la autoridad empapándola con nuestra santidad. Será un trabajo largo, pero al fin vencerá. Con mansedumbre y paciencia, sin prisas necias, sin desviaciones humanas, sin rebeliones inútiles, más bien obedeciendo cuando el hacerlo no causa ningún daño al alma. De este modo llegaréis a hacer de la autoridad que nos domina, una autoridad protectora y digna de Mí. Cumplid con vuestro deber de súbditos para con la autoridad, como lo cumplís para con Dios. Tratad de ver en cualquier autoridad no a un opresor sino a alguien que os eleva, porque os proporciona el modo de santificarlo y de santificaros con el ejemplo, con el heroísmo.

Tratad de ser, así como sois fieles buenos y buenos ciudadanos, buenos maridos, buenas mujeres, santos, castos, obedientes, cariñosos, el uno para con el otro, mancomunados en educar a los hijos en el Señor, padres y madres también para con los criados y para con los esclavos, que también ellos tienen alma y que sienten, que tienen sentimientos y afectos como vosotros. Si la muerte os arrebatare al compañero o compañera, tratad de no casaros de nuevo aun cuando podáis. Amad también a los huérfanos por amor al compañero desaparecido. Y vosotros criados, someteos a vuestros patrones, y si son imperfectos, santificadlos con vuestro ejemplo. Tendréis un gran mérito ante los ojos del Señor. En lo porvenir no existirán en mi Nombre patrones y esclavos, sino hermanos. No más razas, sino hermanos. No habrá más opresores, ni oprimidos que se odian, porque estos llamarán a aquellos como si fueran hermanos.

Amaos vosotros quienes tenéis una misma fe. Ayudaos, como os hice que hoy hicierais. No os limitéis a ayudar solo a los pobres, a los peregrinos, a los enfermos de vuestra raza. Abrid los brazos *a todos*, así como la misericordia los abre a todos vosotros.

Quien tuviere más, dé al que tenga menos. Quien sabe más, enseñe a quien menos, y hágalo paciente y humildemente, recordando que antes de mis instrucciones no sabíais nada. Buscad la sabiduría no por lujo, sino para que ayude para que caminéis por los senderos del Señor.

Las mujeres casadas amen a las vírgines, estas a las casadas y ambas a las viudas. Todas sois útiles en el reino del Señor.

Los pobres no tengan envidia. Los ricos no fomenten ningún odio con la ostentación de sus riquezas y dureza de corazón.

Tened cuidado de los huérfanos, de los enfermos, de los que no tienen techo. Abrid el corazón antes que la bolsa o la casa, porque si diereis, pero con mala voluntad, no honraréis a Dios sino que lo ofenderéis, el cual está presente en todos los infelices.

En verdad, en verdad os digo que no es difícil servir al Señor. Basta con amar, con amar al Dios verdadero, amar al prójimo cualquiera que sea.

En cualquier herida o fiebre que curareis o calmareis ahí estaré Yo. En cualquier desgracia que socorriereis, ahí estaré. Y todo lo que hiciereis en el prójimo, si fuere cosa buena, se habrá hecho a Mí, si mala, igualmente a Mí. ¿ Queréis hacerme sufrir ? ¿ Queréis perder el reino de paz, el no convertiros en dioses por no ser buenos con vuestro prójimo ?

Nunca más estaremos juntos como ahora. Vendrán otras pascuas... y no podremos estar juntos otra vez por muchas razones. La primera que es la de una santa prudencia por una parte y por otra excesiva. Y cualquier exceso es culpa, por lo que nos veremos divididos. La segunda es que no estraré ya más con vosotros... Pero no olvidéis este día. Hacedlo, y no sólo durante la pascua, sino siempre.

Jamás os he dicho que sea cosa fácil el ser de Mí. Pertenecerme quiere decir vivir en la luz y en la verdad, pero también comer el pan de la lucha y de las persecuciones. Ahora seréis más fuertes en el amor y más decididos en la lucha y en las persecuciones.

Tened confianza en Mí. Creed en Mí por lo que soy: Jesús, el Salvador, cuyo reino no es de este mundo, cuya venida señala la paz a los buenos, cuya posesión quiere decir conocer y poseer a Dios, porque verdaderamente quien me tiene en sí, y está en Mí, está en Dios y lo posee en su espíritu y de este modo lo tendrá para siempre en el reino celestial.

Es ya de noche. Mañana es la parasceve. Podéis iros. Purificaos, meditad, celebrad una santa pascua.

¡ Mujeres de raza diversa, pero de recto corazón, podéis iros ! La buena voluntad que os anima os sirva para llegar a la luz.

En nombre de los pobres, con los que me identifico, os bendigo por el óbolo generoso y os bendigo por vuestras buenas intenciones para conmigo que viene a traer el amor y la paz a la tierra. ¡ Podéis iros ! Juana, y cuantos no tengáis miedo, podéis iros. »

Un ruido de admiración atraviesa la reunión, entre tanto que las romanas, puestas en la bolsa las tablillas enceradas que Flavia escribía mientras Jesús hablaba salen, a excepción de Egla que se queda con Magdalena. Todas a un mismo tiempo se despiden. Tanta es la sorpresa que ninguno de los presentes, fuera de Juana, Jonatás y los siervos de aquella que traen en sus brazos a los pequeñuelos que duermen, se mueve de su lugar. Cuando se oye el ruido del portón que se cierra, sobreviene un rumor.

« ¿ Quiénes son ? »

« ¿ Cómo es posible que estuvieran entre nosotros ? »

« ¿ Qué hicieron ? »

Y Judas, más que todos, grita: « ¿ Cómo sabes, Señor, que nos dieron una buena limosna ? »

Jesús aplaca la confusión con un ademán y responde: « Son Claudia y sus damas. Mientras que las otras mujeres de Israel, temerosas de que sus maridos se enojaran, o porque son como ellos, no se atreven a seguirme, las despreciadas romanas, con santas mañas, procuran venir para aprender la doctrina, que si por ahora aceptan desde un punto de vista humano, es algo que las eleva . . . Esta jovencita, esclava, de raza judía, es la flor que Claudia ofrece a los ejércitos míos, al devolverla a la libertad, y entregarla a la fe en Mí. En cuanto a que sepa lo de la limosna . . . ¡ oh Judas ! nadie, menos que sea tú podría hacerme igual pregunta. Bien sabes que veo los corazones. »

« ¿ Entonces habrás visto que he dicho la verdad de que había asechanzas, y que las descubrí al hacer hablar . . . a ciertos tipos culpables ? »

« Es así como dices. »

« Dilo más fuerte, para que mi madre lo oiga . . . Madre soy un muchacho, ¡ pero no estúpido ! . . . Madre, hagamos las paces. Comprendámonos, amémonos, unidos en el servicio de nuestro Jesús. »

Judas humilde, cariñoso va a abrazar a su madre que dice: « ¡ Sí, hijito ! ¡ Por tí, por el Señor, por tu pobre mamacita ! »

Entre tanto la sala se llena de comentarios, y muchos concluyen con que fue una cosa imprudente haber aceptado a las romanas y reprochan la conducta de Jesús.

Judas oye, deja a su madre y corre en defensa de su Maestro. Repite la conversación que tuvo con Claudia y termina: « No es una ayuda despreciable. Aun sin haberla tenido antes, nos hemos visto perseguidos. Dejémosla que haga como quiera. Pero tened presente que es mejor que nadie lo sepa. Pensad que si es peligroso para el Maestro, no menos lo es para nosotros que seamos amigos de paganos. El Sanedrín que en el fondo teme a Jesús por un temor supersticioso de no levantar la mano contra el Ungido de Dios, no tendría ningún escrúpulo de matarnos como a perros, a nosotros que valemos un comino. En vez de poner esas caras de escándalo, recordad que hace poco no erais más que una parvada de palomas espantadas, y bendecid al Señor que nos ayuda con medios imprevistos, ilegales si queréis, pero buenos, para fundar el reino del Mesías. ¡ Podremos todo si Roma nos defiende ! ¡ Oh, no tengo temor alguno ! ¡ Hoy ha sido un gran día ! Más que por otra cosa, por esta . . . ¡ Ah, cuando serás el Jefe, qué autoridad tan dulce, tan fuerte, tan bendita ! ¡ Qué paz habrá ! ¡ Qué justicia ! ¡ El reino fuerte y benigno del Mesías ! ¡ El mundo que se acerca poco a poco ! . . . ¡ Las profecías que se cumplen ! ¡ Multitudes, naciones . . . el mundo todo a tus pies ! ¡ Oh, Maestro, Maestro mío ! ¡ Tú, Rey, nosotros tus ministros ! . . . ¡ En la tierra paz, en el cielo gloria ! . . . ¡ Jesús de Nazaret, Rey de la estirpe de David, Mesías Salvador, yo te saludo y te adoro ! » y Judas, que parece transportado por un éxtasis, termina postrándose: « En la tierra, en el cielo y hasta en los infiernos tu Nombre es conocido. Infinito es tu poder. ¿ Qué fuerza puede oponérsete, ¡ oh Cordero !, ¡ oh León !, Sacerdote y Rey santo, santo, santo ? » y se queda así inclinado hasta tierra en medio de una sala muda de estupor.

62. Durante el día de la Parasceve. Primera parte: la mañana

(Escrito el 30 de enero de 1946)

Por el palacio de Lázaro, que de pronto se ha convertido en dormitorio se ven esparcidos muchos que todavía siguen durmiendo. No se ven mujeres. Tal vez durmieron en las habitaciones de arriba. La bella alba todo lo pinta. Pinta la ciudad, entra en los patios del palacio, despierta a los pajarillos que durmieron en las ramas de los árboles, los primeros cánticos monótonos de los palomos. Pero los hombres no se despiertan. Cansados, repletos de emociones, duermen... sueñan...

Jesús sale sin hacer ruido del vestíbulo, y de ahí pasa al patio. Se lava en una fuente que canta alegre en medio de un cuadrado de mirto en cuya base hay lirios pequeños. Se compone el cabello y sin hacer nada de ruido regresa donde está la escalera que lleva a los pisos superiores y a la terraza de la casa. Sube allá a orar, a meditar...

Se pone a pasear lentamente. Los únicos que lo ven son las palomas que alargan sus pescuecitos, que refunfuñan como preguntándose: « ¿ Y este ? » Después Jesús se apoya contra la pared, y se recoge en Sí mismo. Levanta la cabeza, tal vez por los primeros rayos del sol que se levanta detrás de las colinas que ocultan Betania, y el valle del Jordán. Mira el panorama que tiene a sus pies.

El palacio de Lázaro se encuentra en una de las tantas elevaciones que hacen de las calles de Jerusalén un subir y bajar continuos, casi en el centro de la ciudad, pero un poco situado hacia el sudoeste.

Colocado en una hermosa calle que desemboca, formando con ella una T, domina la ciudad baja, teniendo ante sí a Bezeta, el Moria y el Ofel, detrás de ellos la cadena del monte de los Olivos, por detrás y formando una sola cosa con el lugar donde se alza, el monte Sión, entre tanto que a ambos lados se ven al sur colinas, mientras que al norte Bezeta que oculta una gran parte del panorama. Más allá del valle de Gihón, la cabeza calva del Gólgota aparece amarillenta en medio de la luz rosada de la aurora, lúgubre aun cuando se vea bañada de ella.

Jesús mira el Gólgota... Su mirada, llena de valor varonil, tiene mucho de pensativo. Me recuerda la visión que hace tiempo tuve cuando vi a Jesús, de doce años, con ocasión de la disputa con los doctores. La mirada de aquel entonces, como la de ahora no tiene nada de miedo. Es la mirada de un héroe que contempla el campo de su última batalla.

Luego se voltea a contemplar las colinas que dan al sur de la ciudad y murmura: « ¡ La casa de Caifás ! » y con la mirada señala como todo un itinerario desde allí hasta Getsemani, y luego al templo, y luego más allá de las murallas de la ciudad, en dirección del Calvario. Entre tanto el sol ha nacido y la ciudad se prende de sus luces...

En el portón del palacio se oyen golpes fuertes y sucesivos. Jesús se asoma para ver, pero la corniza se lo impide, porque además el portón está muy metido. Sin embargo oye inmediatamente el vocerío de los que dormían y que se han despertado. Leví abre el portón. Luego se escucha en los aires el nombre de

Jesús que repiten tanto hombres como mujeres... Se apresura a bajar, diciendo: « Aquí estoy. ¿ Qué se os ofrece ? »

Los que lo buscaban, tan pronto como lo oyen, suben por la escalera a la carrera gritando. Son los apóstoles y los discípulos más antiguos. Entre ellos viene Jonás, el que cuida del Getsemaní. Todos hablan al mismo tiempo de modo que nada se comprende.

Jesús ordena que se queden donde están y que no hablen. Se acerca: « ¿ Qué pasa ? »

Otro ruido, otro chasquido, otro vocerío. Detrás de ellos aparecen las caras tristes o espantadas de mujeres y discípulos...

« Que hable uno sólo. Pedro, tú el primero. »

« Llegó Jonás... Dijo que eran muchos y que te habían buscado por todas partes. El estuvo muy mal toda la noche, y que luego cuando abrieron las puertas, fue a ver a Juana y supo que estabas aquí. ¿ Qué hacemos ? ¡ Tenemos que celebrar la pascua ! »

Jonás aclara la noticia diciendo: « Así es. Hasta me maltrataron. Dije que no sabía dónde estabas, que tal vez no regresarías. Vieron vuestros vestidos y comprendieron que regresaríais a Getsemaní. ¡ No me vayas a hacer algún mal, Maestro ! Siempre te he recibido con cariño, y esta noche padecí por Tí. Pero... pero... »

« ¡ No tengas miedo ! De hoy en adelante no correrás ningún peligro por Mí. No me hospedaré más en tu casa. Me limitaré a pasar solo, cuando por la noche vaya a orar... No puedes impedírmelo... » Jesús habla dulcemente al espantado Jonás, el custodio de Getsemaní.

Pero Magdalena con su fuerte y melodiosa voz grita: « ¿ Desde cuándo, tú Jonás, te has olvidado de que eres un criado y que solo por mera condescendencia nuestra hacemos que te creas ser el dueño ? ¿ De quién es la casa y el olivar ? Sólo nosotros podemos decir al Rabí: " No vengas más porque puedes hacer daño a nuestras posesiones ". Pero no lo decimos. Porque sería una gran fortuna si sus enemigos por buscarlo destruyeran plantas, paredes, y hasta aplanasen las zanjas, pues todo vendría destruído por causa de haber hospedado al Amor, y El brindaría amor a nosotros, sus fieles amigos. ¡ Que vayan ! ¡ Que destruyan ! ¿ Y qué ? ¡ Basta con que nos ame y que no le pase nada ! »

Jonás se ve preso entre el temor a los enemigos y el de su excitada patrona. En voz baja habla. « ¿ Y si a mi hijo le hacen algún daño ? »

Jesús lo consuela: « No tengas miedo, te lo aseguro. No me hospedaré más. Puedes decir a quien te lo preguntare que el Maestro no se queda más en el Getsemaní... ¡ No, Magdalena !

¡ Es mejor hacer así ! ¡ Déjame ! Te agradezco tu generosidad... Todavía no es mi hora. ¡ Aun no ha sonado ! Me imagino que fueron fariseos...»

« Y sinedristas, y herodianos y saduceos... y soldados de Herodes... y todos... todos. No puedo sacudirme el terror que traigo... Pero lo estás viendo, Señor. He venido corriendo a avisarte... Primero a la casa de Juana y... luego aquí...» Jonás quiere mostrar que a riesgo de su tranquilidad cumplió con su deber para con el Maestro.

Jesús compasivamente le sonríe y con mucha bondad le dice: « ¡ Lo estoy viendo ! ¡ Lo estoy viendo ! Dios te lo pagará. Regresa ahora tranquilo a tu casa. Te mandaré a decir a dónde enviarás las alforjas, o mandaré a que las recojan.»

Jonás se va, y nadie, fuera de Jesús y la Virgen, dejan de lanzarle reproches o burlas. Salada es la de Pedro, y saladísima la de Iscariote, irónica la de Bartolomé. Judas Tadeo no habla, pero mira ¡ en tal forma ! El murmullo, las miradas de reproche lo siguen aun entre las mujeres, terminando con el irónico de Magdalena que al verlo que se inclina ante ella, dice: « Diré a Lázaro que para el banquete de la fiesta... vaya a buscar buenos y gordos pollos en Getsemaní.»

« No tenemos ni un gallinero, patrona.»

« Tú, Marcos y María ¡ tres magníficos capones ! »

Todos se echan a reir por la salida irónica y significativa de Magdalena que está enojada al ver el miedo en sus trabajadores y por la molestia que tendrá el Maestro al no poder gozar más del tranquilo nido de Getsemaní.

« ¡ No te intranquilices ! ¡ Paz ! ¡ Paz ! No todos tienen tu corazón.»

« ¡ Oh, no, y es una desgracia ! ¡ Ojalá la tuvieran ! ¡ Ni siquiera las lanzas y flechas que me disparasen me separarían de Tí ! »

Un murmullo entre los hombres... Magdalena lo oye y responde: « Sí. ¡ Lo veremos ! Esperamos que pronto sea, para que os de muestra de mi valor. ¡ Nada me hará retroceder con tal de que pueda servir a mi Maestro ! ¡ Servirlo ! ¡ Sí, servirlo ! ¡ Se sirve en las horas del peligro, hermanos ! En las otras... ¡ Oh, en las otras eso no es servir ! ¡ Es gozar !... ¡ Y al Mesías no se le sigue para gozar ! »

Los hombres bajan la cabeza, sintiendo la flecha.

Magdalena avanza entre las mujeres y se acerca a Jesús. « ¿ Qué quieres que se haga, Maestro ? Es la Parasceve. ¿ Dónde celebras tu Pascua ? Ordena... y si he encontrado gracia ante tus ojos, permíteme que te ofrezca un comedorcito, y que piense en lo demás . . . »

« Gracia has encontrado ante los ojos del Padre de los cielos, gracia ante su Hijo para quien todo lo que El quiere es cosa sagrada. Acepto el comedor, pero déjame que como buen israelita vaya al templo a sacrificar el cordero . . . »

« ¿ Y si te apresan ? » preguntan varios.

« No lo harán. Osan hacerlo en la noche, en las oscuridad como los rufianes. Pero no en medio de las turbas que me veneran. ¡ No me hagáis aparecer como cobarde ! . . . »

« ¡ Y además ahora está Claudia ! » grita Judas. « ¡ El Rey y el reino no están más en peligro ! . . . »

« ¡ Judas, por favor, no hagas que se derrumbe en tí ! ¡ No los pongas en peligro dentro de tí ! Mi reino no es de este mundo. No soy un rey como los que tienen sus tronos. Mi reino es del espíritu. Si lo envileces al compararlo con un reino humano, lo pones en peligro y lo haces que se derrumbe en tí. »

« Pero Claudia . . . »

« Claudia es una pagana. No puede por lo tanto conocer el valor del espíritu. Ya es mucho si intuye y apoya a quien toma por un Sabio . . . Muchos en Israel ni siquiera por eso me toman . . . ¡ Pero tú no eres un pagano, amigo mío ! Tu providencial encuentro con ella procura que no se te convierta en daño, así como procura también que los dones de Dios que se te dan sirvan para robustecer tu fe y tu voluntad de servir al Señor y no se conviertan en una ruina espiritual. »

« ¿ Y cómo quieres que suceda ? »

« Fácilmente. No sólo en tí. *Si se concede un don a cualquier hombre para ayudar su debilidad, y en lugar de servirle, de hacerlo siempre más pronto en querer los bienes sobrenaturales, o sencillamente, los morales, lo hace que se apegue más a los apetitos humanos, que lo separe del recto camino, entonces el don es un mal.* Basta la soberbia que hace de un don un mal. Basta la desorientación provocada por algo que exalta, por algo que hace que se pierda de vista el fin único y bueno, para que el don se convierta en un mal. ¿ Estás convencido ? La venida de Claudia debe hacerte considerar lo siguiente: si una pagana ha visto la grandeza de mi doctrina y la necesidad que triunfe, tú, y contigo todos los discípulos, con mayor fuerza debéis sentir todo esto, y por lo tanto, entregaros a ello de corazón, pero siempre en el sentido espiritual. ¡ Siempre ! . . . Y ahora vamos a hablar sobre la pascua. ¿ Dónde decís que sea bueno celebrarla ? Quiero que tengáis paz en los corazones en esta cena ritual, para oir a Dios el cual no se siente donde hay turbación. Somos muchos. Me gustaría que pudiésemos estar juntos para que digáis:

“ Celebramos una pascua con El ”. Escoged, pues, el lugar donde, dividiéndonos según en ritual, formemos varios grupos suficientes para que cada uno consuma su propio cordero [1], y que se pueda decir: “ Eramos muchos. Un hermano oía la voz del otro hermano ”. »

Unos se inclinan por este lugar, otros por aquel. Pero las hermanas de Lázaro se llevan la palma. « ¡ Oh, Señor ! ¡ Aquí ! Mandaremos a traer a nuestro hermano. ¡ Aquí ! Hay muhas habitaciones amplias. Estaremos juntos, y según el rito. ¡ Acepta, Señor ! Hay lugar hasta para unas docientas personas divididas en grupos de veinte. Y somos tantos. ¡ Danos contento, Señor ! ¡ Por amor a Lázaro que está tan triste . . . tan enfermo ! . . . » las dos hermanas entre lágrimas terminan: « . . . ¡ quien sabe si no pueda comer ya otra ! . . . »

« ¿ Qué os parece ? ¿ Aceptamos su proposición ? » pregunta Jesús dirigiéndose a todos.

« ¡ De mi parte sí ! » responde Pedro.

« También por la mía » añade Iscariote y casi todos. Los que no hablan, se supone que asientan.

« Entonces hacedlo como queréis. Nosotros vamos al templo, a demostrar que quien está cierto de obedecer al Altísimo no tiene miedo y no es un cobarde. Vamos. A quien se quede le dejo mi paz. »

Jesús baja el trozo último de la escalera, atraviesa el vestíbulo y sale con sus discipulos a la calle repleta de gente.

[1] Cfr. vol. 2º, pág. 180, not. 6.

63. Durante el día de la Parasceve. Segunda parte: en el Templo

(Escrito el 31 de enero de 1946)

Jesús entra en el templo, y desde los primeros pasos que da fácil es comprender la mala voluntad que se le tiene. Ojeadas, órdenes a los guardias del templo de que vigilen al « perturbador », órdenes dada hasta en voz alta para que todos las oigan; palabras de desprecio; y hasta empujones intencionales a los discípulos . . . En una palabra, el odio es tal que los brillantes fariseos, escribas y doctores toman una actitud de cargadores, o lo que es peor, ni siquiera en esto reparan, cegados como están de su odio.

Jesús pasa sereno, como si nadie lo mirase. Es el primero en saludar apenas descubre a quien está revestido de alguna dignidad sagrada o es superior a El en el mundo hebreo. Si no se le responde, no por eso se conturba. Su rostro se ilumina, cuando lo aparta de uno de estos soberbios, y lo dirige a uno o a muchos de tantos humildes. Muchos de ellos son los mendigos y enfermos pobres que ayer estuvieron con El, y que gracias al óbolo recibido, pueden celebrar una pascua, como la que hacía años no celebraban, y que formando grupos van a comprar corderos que inmolen, felices de sentirse iguales por los vestidos y posibilidades con los otros. Benigno se detiene a escuchar sus pensamientos, su admiración y las alabanzas que le tributan... Viejos, niños, viudas, enfermos de ayer, hoy, sanos. Ayer con harapos, hambrientos, abandonados, ¡ hoy con vestidos, felices por estar con los demás en el día de la gran fiesta de los Acimos !

El tono de las voces es vario. Desde el argenteado de los pequeños, al enmohecido de los ancianos, y en medio el cadencioso de las mujeres. Voces que saludan, que van detrás de Jesús. Le besan los vestidos, las manos. Jesús sonríe y bendice, entre tanto que sus enemigos, están palidos de ira; impotentes ante la radiante paz que adorna su rostro.

Oigo algunos comentarios.

« ¡ Dices bien ! Pero si moviéramos un solo dedo, nos harían pedazos » (dice un fariseo señalando a Jesús a quien sigue el pueblo).

... « ¡ Pensadlo ! Ayer nos reunió, nos dió de comer, nos vistió, nos curó y muchos han encontrado trabajo y ayuda con los discípulos ricos. En verdad que todo nos ha venido por su causa. ¡ Que Dios lo salve siempre ! » dice un hombre que probablemente ayer estaba enfermo y era mendigo.

... « ¡ Apuesto a que compra de este modo a la poble, el sedicioso que es, para echárnosla ! » dice un escriba a otro colega suyo, apretando los dientes de rabia.

« Una discípula suya me pidió mi nombre y me dijo que fuera a su casa después de la pascua, que me llevará a sus campos en Béter. ¿ Comprendes, mujer ? A mí y a mis hijos. Trabajaré. ¡ Y qué suerte ! ¡ Protegido y seguro ! ¡ Que si no da gusto ! Mi Leví no se hará pedazos en los trigales, porque la discípula que nos va a tomar lo pondrá en sus jardines... ¡ Es una fortuna, te lo aseguro ! ¡ Ah, el Eterno dé gloria y bendiga a su Mesías ! » exclama la viuda de la llanura de Sarón ante una israelita acomodada que le hacía preguntas.

« Oh, ¿ y no podría yo ?... ¿ Habéis encontrado lugar y puestos todos los que estuvisteis ayer con El? » le replica.

« ¡ No! Todavía quedan algunas viudas con hijos, y algunos hombres. »

« Quisiera pedirle que me dejara ayudarle. »

« ¡ Llámalo! »

« No me atrevo. »

« Ve tú, Leví, a decirle que una mujer quiere hablarle... »

El muchacho corre a decírselo a Jesús.

En esos momentos un saduceo maltrata a un anciano que en medio de la gente que vino de la Transjordania, entreteje un elogio al Maestro de Galilea.

El anciano se defiende diciendo: « ¿ Qué mal hago? ¿ Quisieras ser tú el alabado? No tienes que hacer sino lo que El hace. Pero tú, que Dios te perdone, desprecias las canas, y pisoteas mi pobreza. No me amas, falso israelita que no respetas el Deuteronomio, que no tienes piedad de los pobres[1]. »

« ¿ Habéis oído? ¡ He ahí el fruto de la doctrina del solivantador! Enseña a la plebe a ofender a los santos de Israel. »

Le hace coro un sacerdote del templo: « ¡ La culpa es nuestra! ¡ No lanzamos más que amenazas! »

... Jesús entre tanto dice a la mujer israelita. « Si te comprometes a ser verdaderamente madre de los huérfanos y hermana de las viudas, ve al palacio de Cusa, en el Sixto, y di a Juana que Yo te mando. Ve y que tus tierras fructifiquen como las del Edén por tu piedad. Y más frutos de amor produzca tu corazón para con tu prójimo. » Ve que los guardias arrastran al anciano que había hablado antes. « ¿ Qué le estáis haciendo? ¿ Qué ha hecho? »

« Insultó a los jefes que lo regañaban. »

« No es verdad. Un saduceo me maltrató porque hablaba de Tí a esos peregrinos. Al levantar su mano contra mí, porque soy viejo y pobre, le dije que es un falso israelita que pisotea las palabras del Deuteronomio. »

« Dejadlo. Está conmigo. Dijo *la verdad*. No sólo Dios habla por los labios de los pequeñuelos, sino también por los de los ancianos. Dicho está: " No desprecies al hombre porque es viejo, pues es uno de los nuestros "[2]. Y también: " No desprecies las palabras de los ancianos prudentes sino procura aprender sus máximas, porque así aprenderás la sabiduría y palabras de gran valor "[3], y en otra parte: " No hables mucho, donde hay ancianos "[4]. Ténganlo presente los que se creen perfectos, porque de

[1] Cfr. Deut. 24, 10-22.
[2] Cfr. Ecl. 8, 7.
[3] Ib. 8, 9.
[4] Ib. 32, 13.

otro modo el Altísimo se encargará de desmentirlos. Padre, ven a mi lado. »

El viejo se va con Jesús, mientras los saduceos se van masticando y escupiendo ira.

« Soy una mujer hebrea de la Diáspora, ¡ oh Rey esperado ! ¿ Podría servirte como aquella mujer que enviaste a casa de Juana ? » pregunta una mujer que se parece muchísimo a Nique, la que le secó el rostro en el camino del Gólgota. Sin embargo hay que decir que las hebreas se parecen mucho entre sí y podría equivocarme sin estar cerca de ella.

Jesús la mira. Es una mujer como de cuarenta años, bien vestida, franca en sus gestos. Le pregunta: « Eres viuda ¿ no es así ? »

« Sí, pero no tengo hijos. Hace poco que regresé y compré algunas tierras en Jericó, para poder estar cerca de la ciudad santa. Mas ahora veo que mayor que ella eres Tú. Te sigo. Te ruego que me tomes por tu sierva. Te conozco por medio de tus discípulos, pero superas lo que me contaron. »

« Está bien. ¿ Qué quieres en concreto ? »

« Ayudarte en los pobres, y como puedo, hacer que te amen, que te conozcan. Conozco a muchos de las colonias de la Diáspora, porque acompañé a mi marido en sus negocios. Tengo posibilidades. Con poco me contento. Puedo hacer mucho. Y mucho por tu amor, por ayudar el alma de quien hace veinte años me tomó por su esposa, y que siempre fue cariñoso conmigo hasta su último momento. Al morir parece como si me hubiera dicho una profecía al decirme: " Cuando haya muerto, ponme en la tumba y regresa a nuestra patria. Encontrarás al Prometido. ¡ Oh, lo verás ! Búscalo. Síguelo. Es el Redentor y Resucitador. Me abrirá las puertas de la vida. Sé buena en ayudarme para que pronto El abra los cielos a los que no tienen ninguna deuda ante la Justicia, y sé buena para que merezcas encontrarlo lo más pronto posible. Jura que lo harás y que cambiarás las estériles lágrimas de una viudez, en una alegre actividad. Toma a Judit como ejemplo tuyo [5], y todas las naciones conocerán tu nombre ". ¡ Pobre esposo mío ! Solo te pido que me conozcas. »

« Te conoceré por una buena discípula. Ve también tú a la casa de Juana, y que Dios sea contigo. »

... Muertos de coraje vuelven al ataque los enemigos de Jesús, cuando El, después de haber inmolado al cordero y esperando que lo sean los de los discípulos, regresa a la muralla del templo.

« ¿ Cuándo vas a terminar con tus fingidos gestos de rey ? ¡ No

[5] Cfr. Jud. 8-16.

lo eres ! ¡ No eres profeta ! ¿ Hasta cuándo vas a seguir abusando de nuestra bondad, hombre pecador, rebelde, causa de los males en Israel ? ¿ Cuántas veces debemos decirte que no tienes derecho de hacerla de rabí aquí dentro ? »

« He venido a inmolar el cordero. No podéis impedírmelo. Por otra parte os recuerdo a Adonías y a Salomón [6]. »

« ¿ Qué tenemos que ver con ellos ? ¿ Qué insinúas ? ¿ Eres Tú, Adonías ? »

« No. Adonías se hizo rey por medios fraudulentos, pero la Sabiduría velaba y aconsejaba, y Salomón fue el único rey. No soy Adonías. Soy Salomón. »

« ¿ Y quién es Adonías ? »

« Todos vosotros. »

« ¿ Nosotros ? ¡ Mira cómo hablas ! »

« Con verdad y justicia. »

« Nosotros observamos la ley en todos sus puntos, creemos en los profetas y . . . »

« No. Es cierto. No creéis en los profetas. Ellos me mencionaron y vosotros no creéis en Mí. No es verdad que observéis la ley. Ella aconseja a que se hagan cosas rectas, justas, y vosotros no las hacéis. Aun las ofertas que habéis venido a cumplir no son justas.

Está dicho: " Es inmunda la ofrenda de quien sacrifica cosa malamente adquirida " [7]. También: " El Altísimo no acepta las ofertas de los inicuos, ni vuelve sus ojos a sus oblaciones, ni se mostrará propicio a los pecados por la multitud de sus sacrificios " [8]. También: " Quien ofrece sacrificios con los bienes de los pobres es como quien degüella a un hijo antes los ojos de su padre " [9]. ¡ Esto está escrito, Yocana !

Está dicho: " El pan de los necesitados es la vida de los pobres, quien se lo quita es un asesino " [10]. ¡ Tenlo en cuenta Ismael !

Está dicho: " Quien quita el pan del sudor es como si matase al pobre " [11]. ¡ Oyelo bien, Doras, hijo de Doras !

Está dicho: " Quien derrama sangre y quien defrauda de su salario al obrero son hermanos " [12]. Escuchadlo vosotros, Yocana, Ismael, Cananías, Doras, Jonatás. Recordad que también está dicho: " El que se tapa las orejas para no oir los gritos del pobre,

[6] Cfr. 3 Rey. 1 - 2, 25.
[7] Ecl. 34, 21.
[8] Ib. 34, 23.
[9] Ib. 34, 24.
[10] Ib. 34, 25.
[11] Ib. 34, 26.
[12] Ib. 34, 27.

cuando él gritare no será escuchado "[13].

Y tú, Eléazar ben Anás, acuérdate y recuerda a tu padre que está dicho: " Sean santos mis sacerdotes y no se contaminen por ningún motivo "[14].

Y tú, Cornelio, también recuerda que está dicho: " Quien hubiere maldecido a su padre o madre, sea castigado con la muerte "[15], y muerte no sólo es la que inflige el verdugo. Una mayor espera a los que pecan contra sus padres. ¡ Eterna ! ¡ Horrible !

Y tú, Tolmé, recuerda que está dicho: " A quien ejerce la magia lo exterminaré "[16].

Y tú, Sadoc, escriba de oro, recuerda que entre el adúltero y su alcahuete de adulterio no hay ninguna diferencia ante los ojos de Dios. Y está dicho que el que jura en falso es presa de las llamas eternas[17]. Y di a quien ha olvidado que quien toma una virgen, y descontento la rechaza, interponiendo acusaciones, será condenado, ¡ oh ! no aquí, sino en la otra vida, por la mentira, por el falso juramento, por el daño infligido a la mujer, y por el adulterio.

¿ Y ahora qué ? ¿ Os vais, huyendo de Mí que no tengo armas, pero que he citado palabras de aquellos que tenéis por santos en Israel, y por lo tanto no podéis llamarme blasfemo, porque si lo dijerais condenaríais a los libros de los Sabios, a los de Moisés que Dios dictó ? ¿ Huís ? ¿ Han sido acaso mis palabras piedras que despiertan, al tocar el duro bronce de vuestros corazones, la conciencia, y siente ella que debe purificarse en esta Parasceve, no sólo en el cuerpo, para poder comer sin pecado de inmundicia el cordero santo ? ¡ Oh, si así fuera, alabado sea el Señor ! Porque verdadera sabiduría, oídme, vosotros que queréis que por tales se os tenga, es conocerse a sí mismo, reconocer los propios errores, arrepentirse de ellos e ir a cumplir con lo mandado con una " verdadera " devoción, y no sólo con un rito exterior . . .

¡ Ya se fueron ! También nosotros vayamos a llevar la paz a quien nos está aguardando . . . »

[13] Cfr. por ej.: Deut. 15, 7-11; Tob. 4, 7-11; Ecl. 3, 33 - 4, 11.
[14] Cfr. por ej.: Lev. 21, 1 - 22, 9.
[15] Ib. 20, 9.
[16] Ib. 20, 6.
[17] Ib. por ej.: Prov. 19, 5, 9; 21, 28; Zac. 5, 1-4.

64. Durante el día de la Parasceve. Tercera parte: por las calles de Jerusalén

(Escrito el 2 de febrero de 1946)

Salen del templo a las calles que revientan de gente, de gente que corre para los últimos preparativos, de gente que afanosamente busca una sala, un vestíbulo, algo donde pueda comer el cordero.

Es fácil encontrarse con alguien, como también no reconocerse en el continuo movimiento que se observa. Hay gente israelita de todas las edades, de todas las regiones donde viven, donde se ha mezclado la sangre de Israel o por mimetismo se parece a las otras razas. De este modo se ven hebreos que parecen egipcios, se ven otros de labios gruesos, nariz aplastada, de ángulo facial que parecen haberse mezclado con los nubios. Hay otros que por su cara tallada, delgada, por su cuerpo ágil muestran ser de colonias griegas o mezclados con griegos. Pasan hombres robustos, altos, de cara más bien cuadrada, y que sin duda deben convivir con latinos. No faltan tipos que llamaríamos en nuestros días persianos. Algo parecen tener de mongólico en sus ojos, en medio de una cara blanquísima o de hindués por el aceituno. Es un caleidoscopio de caras y vestidos. Los ojos se cansan en tal forma que parece como no distinguieran ya. Pero lo que uno no nota, otro sí. Se comprende de este modo que lo que escapa al Maestro, que se absorbe en Sí mismo cuando lo dejan en paz, lo notan los que le acompañan, y que no dejan de hacer sus comentarios.

Uno de estos, y un poco hiriente, es el que hacen acerca de un ex-discípulo que al pasar finge no verlos. Jesús lo ha oído y pregunta: « ¿ A quién dijisteis esas palabras ? »

« ¡ A aquel sinvergüenza ! » y lo señala Santiago de Zebedeo. « Ha fingido no habernos visto. Y no es el único en hacerlo. Pero cuando quiso que lo curaras, ¡ entonces sí que se dejaba ver ! ¡ Que le venga otra vez la pústula maligna ! »

« ¡ Santiago ! ¿ Con estos sentimientos vienes a mi lado y te preparas a comer el cordero ? En verdad te digo que eres más incoherente que él. El se separó abiertamente cuando comprendió que no podía hacer lo que Yo digo. Tú estás conmigo y no lo haces. ¿ No eres acaso un pecador mayor que él ? »

Santiago se pone coloradísimo, y se pone detrás de sus compañeros.

« ¡ Es que le duele a uno que te traten así, Maestro ! » dice

Juan para ayudar a su hermano. « *Nuestro* amor se rebela al ver que no te aman. »

« Bueno, ¿ pero pensáis que obrando de este modo amarán ? ¡ Desprecios, malas palabras, insultos nunca han conducido a nadie a donde se le quiere llevar, o a que cambie de opinión ! La dulzura, la paciencia, la caridad constantes pese a cualquier repulsa lo obtienen. Comprendo y compadezco vuestro corazón que sufre al ver que no me aman. Pero quisiera veros más sobrenaturales en vuestras acciones, en los medios con que queréis que me amen. Santiago, ven aquí. Te dije esas palabras no para molestarte. Comprendámonos y amémonos al menos nosotros los amigos . . . Tantos son los que no comprenden, los que afligen al Hijo del hombre. »

Santiago, ya sereno, vuelve al lado de Jesús.

Durante un poco de tiempo caminan sin decir palabra alguna. Luego Tomás rompe el silencio con una exclamación: « ¡ Pero si es en verdad una vergüenza ! »

« ¿ Cuál ? » pregunta Jesús.

« ¡ La cobardía de tantos ! Maestro ¿ no ves cuántos fingen no conocerte ? »

« ¡ Y que tiene que ver eso ! ¿ Cambiará acaso una yota de lo que está escrito de Mí ? No. Sólo cambia para ellos lo que podía haber sido escrito. Porque en los libros eternos [1] podía haberse encontrado lo siguiente: " Los buenos discípulos ", mientras que se escribirá: " Esos que no fueron buenos, esos para quienes la llegada del Mesías fue nula ". Palabras terribles ¿ comprendéis ? Peor de aquellas después que Adán y Eva pecaron [2]. Porque puedo anular ese pecado, pero no podré [3] anular el de renegar del Verbo-Salvador . . . Doblemos por esta parte. Yo me quedaré con mis hermanos, con Simón pedro y Santiago en el barrio de Ofel. También se quede Judas de Simón, pero Simón Zelote con Juan y Tomás vayan al Getsemaní a traer las alforjas . . . »

« Y así Jonás se tragará sin tropiezo su cordero » dice Pedro que todavía está irritado contra él. Los demás se echan a reir . . .

« ¡ Bueno, bueno ! No te extrañes de que tenga miedo. Mañana podrías sentirlo también tú. »

« ¿ Yo, Maestro ? Es más fácil que el mar de Galilea se cambie en vino que tenga miedo » dice con aplomo Pedro.

« Y sin embargo . . . ¡ anoche ! ¡ Oh, Simón, no mostraste mucho

[1] Cfr. vol. 2o pág. 644, not. 3.

[2] Cfr. Gén. 3.

[3] Debido a su incredulidad, mala voluntad, obstinada impenitencia. Cfr. pág. 313, not. 2.

valor en las escaleras del palacio de Cusa » le reprocha Judas de Keriot, sin mucha ironía... lo bastante para pincharle un poco.

« Es que... tenía miedo por el Señor, y ¡ por eso parecía que estuviera yo miedoso ! No por otro motivo. »

« ¡ Bien, bien ! augurémonos que nunca vaya a suceder. El miedo hace a las personas ridiculas, tenlo en cuenta » le amonesta Judas de Keriot, dándole un manazo en la espalda con algo de picardía... En otra ocasión todo hubiera llevado a un altercado, pero Pedro desde anoche, admira a Judas y le soporta todo.

Jesús dice: « Felipe, Natanael, Andrés y Mateo id al palacio de Lázaro a decirle que dentro de poco estaremos allí. »

Se separan, y se adelantan. Los discípulos a excepción de Esteban e Isaac se van con los apóstoles que van al palacio. En el barrio de Ofel otra separación. Los que tienen que ir a Getsemaní se van ligeros con Isaac. Esteban se queda con Jesús, los hijos de Alfeo, Pedro, Santiago e Iscariote, y para no detenerse en el cruce, caminan despacio en la misma dirección que tomaron los que van a Getsemaní. Siguen el exacto sendero que el jueves santo recorrerá Jesús en medio de sus verdugos. Ahora que es el mediodía está vacío. Una plazuela, una fuente a la que da sombra una higuera, cuyas hojas tiernas hacen señal al agua quieta.

« Ved ahí a Samuel, el prometido de Analía » dice Santiago de Alfeo que lo ha de conocer bastante bien. El joven va entrando en casa con el cordero... Trae también otros alimentos.

« Provee a la cena pascual aun para su pariente » observa Judas de Alfeo. « ¡ Cómo ! ¿ Vive aquí ahora ? ¿ No se había ido ? » pregunta Pedro.

« Sí. Ahora vive aquí. Se cuenta que se va a casar con la hija de Cleofás el zapatero. Tiene mucho dinero... »

« ¡ Ah ! ¿ Y entonces por qué anda diciendo que Analía lo abandonó ? » pregunta Iscariote. « ¡ Esto es una mentira ! »

« El hombre se sirve fácilmente de ella. No sabe que al obrar así, se pone en el sendero del mal. Basta el primer paso, *un paso*, para no poderse librar más... Es un laberinto... una trampa. Una trampa en bajada... » responde Jesús a Judas.

« ¡ Lástima ! ¡ El año pasado parecía tan bueno ! » comenta Santiago de Zebedeo.

« Sí. Yo hasta pensé que imitaría a su prometida en entregarse todo a Tí, que harían una pareja de esposos angelicales y siervos tuyos. ¡ Lo habría jurado yo !... » interrumpe Pedro.

« ¡ Simón mío ! No jures nunca del futuro de un hombre. Es

lo más incierto que pueda haber. Ninguna cosa puede servir de garantía al juramento. Hay delincuentes que se hacen santos, y hay justos, o aparentemente justos, que se convierten en delincuentes » le responde Jesús.

Entre tanto Samuel que entró en la casa, sale para ir a traer agua... Ve a Jesús. Lo mira con desprecio y le lanza ciertamente un insulto que se lo dice en hebreo, pero no lo comprendo.

Iscariote se arroja sobre él, lo toma de un brazo, lo sacude como se sacude a un árbol del que se quiere hacer caer la fruta: « ¿ Así hablas al Maestro, pecador ? ¡ Vamos, de rodillas ! Y pronto. Pídele perdón, ¡ lengua puerca de cerdo ! ¡ Vamos, o te hago pedazos ! » El hermoso Judas es terrible cuando la ira lo acomete. Ha cambiado de cara. En vano Jesús trata de calmarlo. Hasta que no ve que se arrodilla en el lodo no aligera la presión.

« Perdón » dice entre dientes, sintiendo las tenazas de los dedos de Judas que lo atormentan. Dice mal la palabra, porque está forzado.

Jesús responde: « No te guardo ningún rencor. Tú sí, pese a lo que acabas de decir. La palabra es inútil, si el corazón no la acompaña. Dentro de tu corazón me sigues insultando. Y pecas doblemente. Porque me acusas y porque me odias por un motivo que en el fondo tu conciencia te dice que no es verdad. Porque tú, tú sólo, eres el que faltaste a tu palabra, no Analía, ni Yo. Pero te perdono todo. Vete y procura ser recto para que Dios te ame. ¡ Déjalo, Judas ! »

« Me voy, ¡ pero te odio ! Me has quitado a Analía y por eso te odio... »

« Pero te consuelas con Rebeca, la hija del zapatero. Te consuelas con ella cuando Analía era todavía tu prometida[4] y enferma pensaba sólo en tí... »

« Era ya viudo... pensaba en serlo ya... me buscaba una mujer... Ahora he regresado a Rebeca porque... porque... Analía no me ama » dice Samuel a modo de excusa al ver descubiertas sus tonterías.

Judas Iscariote añade: « ... y porque Rebeca es muy rica. Fea como una sandalia tirada... y vieja como una suela perdida en una vereda... pero rica, ¡ oh, rica ! ... » y sarcásticamente se echa reir, mientras el otro huye.

« ¿ Cómo lo sabes ? » le pregunta Pedro.

« ¡ Oh ! ... ¡ Es fácil saber dónde hay vírgines, y dónde dinero ! »

« Bien, ¿ tomamos ese camino, Maestro ? Esta plaza es como

[4] Cfr. vol. 1o, pág. 82, not. 1.

un horno de pan. Allá hay sombra y aire » dice con tono suplicante Pedro que está sudando.

Caminan despacio, esperando a que regresen los demás. La callejuela está desierta.

Sale una mujer de una puerta y viene a postrarse a los pies de Jesús entre lágrimas.

« ¿ Qué te pasa ? »

« ¡ Maestro ! . . . ¿ Te has ya purificado ? »

« Sí. ¿ Por qué me lo preguntas ? »

« Porque quería decirte . . . Pero no puedes acercarte a él. Es todo una llaga . . . El médico dice que está infectado. Después de la pascua llamaré al sacerdote . . . e . . . irá al Hinnón. No me vayas a tomar por culpable. No lo sabía . . . Trabajó en Jope por muchos meses y ha regresado diciendo que se había herido. Le puse bálsamos y lo he lavado con aromas . . . pero de nada sirve. Pregunté a un yerbero. Me dió polvos para la sangre . . . He separado a los hijos . . . he separado la cama . . . porque había empezado a comprender. Se ha puesto peor. Llamé al médico. Me dijo: " Mujer, sabes tu deber y yo el mío. Es una llaga causada por la lujuria. Apártalo de tí. Yo lo quitaré del pueblo. El sacerdote lo arrancará de Israel. Debía haberlo pensado cuando ofendía a Dios y a sí mismo. Que expíe ahora "[5]. Le rogué que no hablara sino hasta después de los Acimos. Pero si tuvieses compasión de él, y de mí que lo amo todavía, y de nuestros cinco hijos inocentes . . . »

« ¿ Qué quieres que haga por tí ? ¿ No piensas que quien pecó es justo que expíe ? »

« ¡ Sí, Señor ! ¡ Pero Tú eres la Misericordia en persona ! » Toda la fe de que es capaz una mujer resuena en su voz, en su mirada, en el modo cómo se ha arrodillado, y extendido sus brazos hacia El.

« ¿ Y qué siente él ? »

« Abatimiento . . . ¿ Qué otra cosa quieres que sienta, Señor ? »

« ¡ Bastaría un movimiento sobrenatural de arrepentimiento, de rectitud para obtener compasión ! . . . »

« ¿ Rectitud ? »

« Sí. Que dijera: " He pecado. Merezco esto y aquello por su causa. Y a los que he ofendido les pido compasión ". »

« Yo lo compadezco. Compadécelo Tú. No puedo decirle que entres. Ves que ni siquiera te toco . . . Si quieres voy donde está, y que te hable desde la terraza. »

« Bien. »

[5] Cfr. Lev. 15, 18-20; Deut. 22, 22-29.

La mujer mete la cabeza por la puerta y con fuerte voz grita: « ¡ Santiago, Santiago, sal de la cama ! Asómate. No tengas miedo. »

Después de algunos momentos se asoma a la valla de la terraza. Tiene una cara amarillenta, hinchada, la garganta bendada, lo mismo que una mano . . . una piltrafa que se deshace . . . Mira con ojos llenos de líquido, que suelen tener los que contraen ciertas enfermedades. Pregunta: « ¿ Para qué me quieres ? »

« ¡ Santiago, aquí está el Salvador ! . . . » No añade más, parece como si quisiera hipnotizar al enfermo, infundirle su pensar.

El hombre, bien que lo presienta, bien que tenga un movimiento espontáneo, extiende sus brazos y dice: « ¡ Oh, líbrame ! ¡ Creo en Tí ! ¡ Es horrible el tener que morir de este modo ! »

« Es horrible faltar al propio deber. ¿ En esto no pensabas ? ¿ Ni en los hijos ? »

« ¡ Piedad, Señor ! . . . Por ellos . . . Por mí. ¡ Perdón ! ¡ Perdón ! » Se echa llorando sobre la valla con las manos bendadas. Se le ve el brazo descubierto con pústulas, hinchado, asqueroso . . . Se tiene la impresión de ver un montón de carne próxima a la descomposición. Algo repugnante.

La mujer, que se ha echado de rodillas, sigue llorando. Jesús parece como si esperara una palabra.

Finalmente entre sollozos se escucha: « Lloro contrito en mi corazón. Prométeme al menos que ellos no padecerán de hambre . . . y luego, resignado me iré a expiar. ¡ Mas Tú salva mi alma, Salvador bendito ! ¡ Por lo menos ! ¡ Esto por lo menos ! »

« Sí. Te curo por los inocentes, para que puedas ser un buen hombre. ¿ Comprendes ? Recuerda que el Salvador te curó. Dios te absolverá de tus culpas según correspondas a esta gracia. ¡ Adiós ! ¡ Mujer, la paz sea contigo ! » Y se va casi de prisa a encontrar a los que regresan de Getsemaní. Ni siquiera los gritos del hombre que siente, que se ve curado lo detienen, como tampoco los de la mujer . . .

« Tomemos por estas callejuelas, para no pasar de nuevo por allá » dice Jesús después que se han reunido todos.

Siguen por sendero tan miserable, tan estrecho que apenas pueden caminar dos juntos, y si encuentran un borrico, tienen que recargarse lo más que pueden contra la pared. Hay sombra que proyectan los techos que casi se tocan. Hay silencio y mal olor. Caminan en fila como otros tantos frailes. Llegan a una plazuela donde hay muchos niños.

« ¿ Por qué dijiste aquellas palabras a Santiago ? No sueles decirlas . . . » curioso pregunta Pedro.

« Porque será uno de mis enemigos. Y esta culpa hará que sea

mayor la otra.»
« ¿ Y lo curaste ? », preguntan todos estupefactos.
« Sí. Por los pequeños inocentes. »
« ¡ Uhm ! volverá a enfermarse... »
« No. En el cuerpo, después del susto que tuvo y lo que sufrió, se cuidará. »
« Pero pecará contra Tí. Yo lo haría morir. »
« Eres un pecador, Simón de Jonás... »
« Y Tú demasiado bueno, Jesús de Nazaret » le replica el apóstol. Entran por una calle principal y no los veo más.

65. Durante el día de la Parasceve. Cuarta parte: cena pascual con Lázaro

(Escrito el 3 de febrero de 1946)

Cuando Jesús entra en el palacio ve a un gran número de criados venidos de Betania, que hacen todos los preparativos. Lázaro, reclinado sobre un lecho, sin fuerzas, y sufriendo mucho, saluda con una pálida sonrisa a su Maestro que prontamente va a él y cariñosamente le pregunta: « Has sufrido mucho con los golpeteos del carruaje ¿ no es verdad, amigo mío ? »
« Mucho, Maestro » le responde con los ojos bañados en lágrimas.
« Por mi culpa. ¡ Perdoname ! [1] »
Lázaro toma una de las manos de Jesús, y se la lleva a la cara, se la pasa por las mejillas descarnadas, la besa y murmura: « ¡ Oh, no por tu culpa, Señor ! Estoy muy contento que comas conmigo la pascua... ¡ Mi última pascua ! »
« Si Dios quiere. Pero si no hay otra cosa, comerás otras muchas más. Y tu corazón estará siempre conmigo. »
« ¡ Me siento morir ! Me consuelas... pero todo se ha acabado. Me desagrada... » Llora.
« Lo ves, Señor. No hace más que llorar » dice Marta, llena de compasión. « Dile que no llore. ¡ Se acaba más pronto ! »
« Su ser humano conserva todavía sus derechos. Es algo penoso el sufrir, Marta. El tiene necesidad de este desahogo. Pero su corazón está resignado ¿ no es verdad, amigo mío ? Tu alma

[1] Para estas expresiones, cfr. pág. 396, not. 1.

recta es agradable a la voluntad de Dios. »

« Así es ... pero lloro porque Tú, así como te ves de perseguido, no podrás asistirme cuando me muera ... Tengo miedo, no quiero morir ... Si estuvieras, no lo sentiría. Me refugiaría en tus brazos ... me dormiría as.... ¿ Cómo lo haré ? ¿ Cómo podré morir sin experimentar algo que se opusiere a esta gran voluntad ? »

« ¡ Vamos, hombre, no pienses en estas cosas ! ¿ Ves ? Haces llorar a tus hermanas ... El Señor te ayudará tan paternalmente que no tendrás miedo. El miedo es para los pecadores ... »

« Y si puedes venir a mi agonía ¿ vendrás ? ¡ Prométemelo ! »

« Te lo prometo [2]. Esto y algo más. »

« Mientras preparan todo, cuéntame lo que hiciste esta mañana ... »

Jesús se sienta al borde de la cama. Toma una de las manos flaquísimas de Lázaro, y cuenta pormenorizadamente lo acaecido, hasta que Lázaro se duerme, y ni siquiera así Jesús lo deja. No se mueve para no perturbar este sueño reparador, y hace señas de que se haga el menor ruido posible, tanto que Marta, que ha traído un refresco a Jesús, se retira de puntillas, baja la pesada cortina y cierra la puerta. De este modo el ruido que hay en el resto de la casa se amortigua. Lázaro está durmiendo. Jesús ora y medita. Pasan las horas hasta que Magdalena viene trayendo una lamparita. Cierra las ventanas.

« ¿ Todavía está durmiendo ? »

« Todavía, y muy bien. Le hará mucho provecho. »

« Hacía meses que no dormía así ... Creo que el temor a la muerte le preocupaba demasiado. Cerca de Tí no tiene más miedo ... No siente nada. ¡ Dichoso él ! »

« ¿ Por qué, Magdalena ? »

« Porque podrá tenerte cerca cuando muera. Pero yo ... »

« ¿ Por qué tú no ? »

« Porque Tú quieres morir ... y pronto. Y ¡ quién sabe cuándo yo moriré ! Haz que me muera antes, Maestro. »

« No. Deberás servirme un poco más. »

« ¡ Entonces tengo razón en decir que Lázaro es un afortunado ! »

« Todos los predilectos serán afortunados como lo es, y más que él ... »

« ¿ Quiénes son ? ¿ Los puros, no es verdad ? »

« Los que sepan amar con todas sus fuerzas. Por ejemplo ¡ tú, Magdalena ! »

[2] Jesús con su presencia espiritual y divina lo asistió.

« ¡ Oh, Maestro mío ! » y de rodillas cae, sobre el multicolor petate que cubre el pavimiento de la habitación, y se queda así adorándolo.

Marta que la busca, mete la cabeza. « ¡ Ven, oye ! Tenemos que preparar la sala roja para la cena del Señor. »

« No, Marta. Esa será para los más humildes, para los campesinos de Yocana ¿ o qué te parece ? »

« ¿ Por qué, Maestro ? »

« Porque los pobres son otros tantos Jesús y Yo vivo en ellos. Honrad siempre al pobre a quien nadie ama, si queréis ser perfectas. Preparadme la cena en el atrio. Y con las puertas abiertas todos podrán verme, lo mismo que Yo a ellos. »

Marta, no muy contenta, replica: « ¿ Tú, en el vestíbulo ? ¡ No es digno de Tí ! . . . »

« Vete. Haz lo que te ordeno. No hay cosa mejor de hacer que la que aconseja el Maestro. »

Salen Marta y Magdalena sin hacer ruido. Jesús se queda a velar el sueño de su amigo que duerme.

La cena ha empezado. Tal vez, según el mundo, la distribución no sea la más adecuada, pero con ojos mejores se ve que se ha tratado de honrar y de mostrar el amor a los que el mundo tan fácilmente hace a un lado.

En la espléndida y regia sala roja, que sostienen columnas de pórfido rojo, entre las que está la mesa larga, se han sentado los campesinos de Yocana con Marziam, Isaac y otros discípulos, hasta completar el número requerido. En la sala donde se tuvo la cena ayer anoche, hay discípulos de los más humildes. En la sala blanca, ¡ un sueño de candor !, están las discípulas vírgines y con ellas, que son cuatro, las hermanas de Lázaro, Anastásica, otras doncellas. Pero la reina de la fiesta es María, la Virgen por excelencia. En la siguiente sala, que tal vez es una biblioteca, porque se le ve tapizada de cofres oscuros que tal contienen rollos o los contenían, están las viudas, las esposas. Están al frente Elisa de Betsur y María de Alfeo.

Lo que más llama la atención es ver a Jesús en el atrio cubierto de mármol. No cabe duda que el gusto de las dos hermanas convirtió el vestíbulo cuadrado en un verdadero salón luminoso, lleno de flores, espléndido más que cualquier otra sala. Jesús con los doce está sentado junto a Lázaro y con él Maximino.

La cena se desarrolla según el rito . . . Jesús muere de gusto porque está en el centro de todos sus discípulos fieles.

Una vez que han bebido el último cáliz, cantado el último salmo, todos los que estaban en las otras salas vienen al vestíbulo. No hay lugar por causa de las mesas que estorban mucho.

« Vamos a la sala roja, Maestro. Empujamos las mesas contra las paredes y todos cabremos » sugiere Lázaro, haciendo señas a los criados.

Jesús está sentado en el centro, en medio de dos preciosas columnas, bajo una hermosa lámpara, sobre un pedestal formado de dos lechos que se emplean para la cena. Parece un rey sentado sobre su trono en medio de su corte. Su vestido de lino, que se había puesto antes de la cena, resplandece como si estuviera tejido de hilos preciosos, y parece todavía más blanco en contraste con el rojo negruzco de las paredes y con el brillante de las columnas. Su rostro tiene esa figura verdaderamente divina y regia. Hasta los más humildes, a quienes ha querido tener más de cerca, al sentir que se les ama como a hermanos, hablan con franqueza, manifiestan sus esperanzas, sus preocupaciones con sencillez, con fe.

Entre todos los que se sienten más felices está el abuelo de Marziam. No se separa de él ni por un momento. Se extasía al verlo, al oírlo ... De vez en vez, al estar sentado junto a él que está de pie, reclina su encanecida cabeza sobre su pecho. Marziam se la acaricia.

Jesús ve esto y pregunta al anciano: « Padre ¿ te sientes feliz ? »

« ¡ Mucho, Señor ! No me parece que sea verdad. No tengo más que un deseo ... »

« ¿ Cuál ? »

« El que he dicho a mi nieto, pero a él no le gusta. »

« ¿ Cuál ? »

« Que quisiera morirme en medio de esta tranquilidad. Lo más pronto posible, porque he alcanzado lo que deseaba. Nadie en la tierra habría podido conseguirlo. Irme ... no sufrir más ... Irme ... ¡ Qué bien lo dijiste en el templo ! " Quien ofrece sacrificios con cosas quitadas a los pobres es como quien degüella un hijo ante los ojos de su padre ". Tan sólo el temor que Yocana tiene por tí, lo detiene de no ser como Doras. Se le está borrando el recuerdo de lo que le pasó al otro. Sus campos florecen, y él los fecunda con nuestro sudor. ¿ No es acaso esto lo que pertenece al pobre, su mismo ser que se exprime en fatigas superiores a sus fuerzas ? No nos pega. Nos da lo necesario para que podamos trabajar. ¿ Pero acaso no disfruta de este modo de nuestras fatigas ? ¡ Decidlo, compañeros míos de infortunio ! ... »

Los campesinos antiguos y los recientes responden que sí.

« ¡ Uhm ! Creo que ... Sí, que tus palabras hacen que sea más vampiro que nunca ... ¡ y con estos ! ¿ Por qué las dijiste, Maestro ? » pregunta Pedro.

« Porque las merecía. ¿ No es verdad, vosotros que trabajáis en los campos ? »

« ¡ Sí ! En los primeros meses... Todo anduvo bien. Pero ahora... es peor que antes » afirma Miqueas.

« Si al pozo no le brota o viene más agua, por sí mismo se seca » dice Juan el sacerdote.

« Y el lobo se cansa pronto de hacerla de cordero » añade Hermas.

Las mujeres, compadecidas, hablan entre sí en voz baja.

Jesús con los ojos llenos de piedad, mira a los pobres campesinos. Se aflige porque no puede [3] ayudarlos.

Lázaro dice: « Le ofrecí sumas crecidísimas con tal de comprar esos campos y darles sosiego. Pero no lo logré. Doras me odia, cual su padre. »

« Y bien... así moriremos. Es nuestra suerte. ¡ Pero luego llegará el descanso en el seno de Abraham ! » exclama Saúl, otro campesino de Yocana.

« ¡ En el seno de Dios, hijo, en el seno de Dios ! Se habrá realizado la redención. Los cielos estarán abiertos y en ellos entraréis... »

Se oyen golpes fuertes en el portón. La alarma brota entre los presentes.

« ¿ Quién es ? »

« ¿ Quién anda en la noche de pascua ? »

« ¿ Soldados ? »

« ¿ Fariseos ? »

« ¿ Soldados de Herodes ? »

Mientras aumenta la excitación aparece Leví, el custodio de palacio: « Perdona, Rabí » dice, « hay allí un hombre que quiere verte. Está en la puerta. Parece que está muy afligido. Es viejo. Me da la impresión de que sea uno de provincia. Te quiere ver y pronto. »

« ¡ Vamos, que esta noche no es noche para hacer milagros ! Que regrese mañana... » grita Pedro.

« ¡No ! Cualquier noche es noche para hacer milagros, para mostrar misericordia » le replica Jesús que se ha puesto de pie y que baja de su lugar.

« ¿ Vas solo ? Voy también yo » dice Pedro.

« No. Tú quédate donde estás. »

Sale acompañado de Leví.

[3] No porque no pueda, pues es Dios, sino porque tal es el plan en la providencia divina.

Cerca del portón, en el atrio semioscuro, porque las lámparas que había se las llevaron, se ve a un hombre de edad, presa de agitación. Jesús se le acerca.

« Espera, Maestro. Tal vez he tocado a un muerto y no quiero contaminarte. Soy el pariente de Samuel, el prometido de Analía. Estábamos cenando. Samuel bebía y bebía ... como no debe hacerse. Hace tiempo que me parece un poco fuera de sí. ¡ El remordimiento, Señor ! Medio ebrio decía: " De este modo no me acuerdo de haberle dicho que lo odio. ¡ Porque, sabedlo vosotros, yo he maldecido al Rabí " ! Me parecía un Caín, porque repetía: " Mi iniquidad es demasiado grande. ¡ No merezco perdón ! ¡ Tengo que beber ! Beber para no recordar. Porque está dicho que quien maldice a su Dios, será reo de su pecado y de su muerte " [4]. De este modo deliraba cuando entró en la casa un pariente de la madre de Analía para preguntarle la razón de por qué la repudió. Semiebrio, Samuel contestó con malas palabras. El otro lo amenazó con llevarlo ante el magistrado por el daño que causa a la honra de la familia. Samuel le dió unas bofetas. Fue él quien empezó. Vinieron a las manos ... Yo ya estoy viejo, lo mismo que mi hermana, mi criado y mi criada. ¿ Qué podíamos hacer nosotros cuatro y qué las dos hermanas pequeñas de Samuel ? ¡ Podíamos gritar ! ¡ Tratar de separarlos ! No más ... Samuel tomó el hacha con que habíamos partido la leña para el cordero, y le pegó con ella en la cabeza ... No se la abrió, porque le pegó con la parte posterior, no con el filo. El otro vaciló y cayó por el suelo ... No gritamos más ... para no atraer a la gente ... Nos encerramos fuertemente en casa ... Aterrorizados ... Esperamos que el otro volviese en sí, echándole agua en la cabeza. Pero no emite más que borbollones. No cabe duda de que se muere. Por momentos así parece. Yo me vine corriendo a llamarte. Mañana. .. tal vez antes, sus familiares lo buscarán, y vendrán a nuestra casa, porque saben que fue a ella. ¡ Lo encontrarán muerto ! ... Y Samuel, según la ley, debe morir ... Señor, estamos ya deshonrados ... ¡ Pero que esto no sobrevenga ! ¡ Ten piedad de mi hermana, Señor ! El te maldijo ... Pero su madre te ama ... ¿ Qué debemos hacer ? »

« Espérame un momento. Voy contigo » y Jesús regresa a la sala, y desde la puerta dice: « Judas de Keriot, ven conmigo. »

« ¿ A dónde, Señor ? » pregunta Judas obedeciendo al punto.

« Lo sabrás. Todos vosotros quedaos en paz. Pronto regresaremos. »

Salen de la sala, del vestíbulo, de la casa. Las calles solitarias

[4] Cfr. Lev. 24, 10-16.

y oscuras. Pronto llegan.

« ¿ La casa de Samuel ? ¿ Por qué ? . . . »

« Silencio, Judas. Te traje conmigo porque tengo confianza en tu buen juicio. »

El anciano se ha hecho reconocer. Entran. Suben a la habitación de la cena, a donde llevaron al herido.

« ¡ ¿ Un muerto ? ! ¡ Maestro, nos contaminamos ! »

« No está muerto. Ves que está respirando y oyes que agoniza. Ahora lo voy a sanar. »

« ¡ Si le han pegado en la cabeza ! Aquí se ha cometido un crimen ! ¿ Quién fue ? . . . ¡ Y en el día de pascua ! » Judas está espantadísimo.

« ¡ El fue ! » dice Jesús señalando a Samuel que se ha arrinconado en un ángulo, lleno de espanto, temblando de terror, con la extremidad de su manto sobre la cabeza para no ver y para que no lo vean. Fuera de su madre, todos lo miran con terror, pues sobre él pesa la sentencia férrea de muerte de la ley de Israel. « ¿ Ves a que conduzca un primer pecado ? A esto, Judas. Comenzó por ser perjuro con Analía, luego con Dios. Luego calumnió, mintió, blasfemó, se embriagó, y ahora es un homicida. De este modo se convierte el hombre en posesión de Satanás. Tenlo presente, Judas. No lo olvides . . . » Los gestos de Jesús son terribles al señalar con la mano a Samuel.

Luego mira a su madre que trata de levantarse a duras penas, sacudida de un temblor, como si estuviera próxima a la muerte, y con una tristeza desgarradora dice: « De este modo, Judas, mueren las madres, sin otra arma que la del crimen del hijo. ¡ Pobres madres ! . . . Me causan compasión. Tengo piedad por ellas. Yo, el hijo que no verá a alguien que se compadezca de su Madre . . . »

Jesús llora . . . Judas lo mira estupefacto, sin saber qué decir.

Jesús se inclina sobre el herido, le pone su mano sobre la cabeza. Ora. El herido abre los ojos. Parece como si estuviera ebrio. Mira sorprendido . . . Vuelve completamente en sí. Se sienta apoyando los puños contra el suelo. Mira a Jesús. Pregunta: « ¿ Quién eres ? »

« Jesús de Nazaret. »

« ¡ El Santo ! ¿ Porque estás junto a mí ? ¿ Dónde estoy ? ¿ Dónde están mi hermana y su hija ? ¿ Qué pasó ? » Trata de recordar.

« Oye, tú me llamas santo. ¿ Crees que lo sea ? »

« Sí, Señor. Eres el Mesías del Señor. »

« ¿ Mi palabra es sagrada para tí ? »

« Sí. »

« Entonces . . . » Jesús se pone de pie. Su gesto es imperioso:

« Entonces Yo, como Maestro y Mesías, te ordeno que perdones. Viniste aquí y se te ofendió. »

« ¡ Ah, Samuel ! ¡ Sí ! . . . ¡ El hacha ! Lo denun . . . » dice incorporándose.

« ¡ No ! Perdona en nombre de Dios. Por esto te he curado. Quieres mucho a la madre de Analía porque sufre mucho. La de Samuel sufriría mucho más. Perdona. ».

El hombre vacila un poco. Mira con rencor al que lo hirió. Mira a su madre angustiada. Mira a Jesús . . . No sabe qué decidir.

Jesús abre sus brazos, lo atrae hacia su pecho diciéndole: « Perdona por el amor que me tienes. »

El hombre se echa a llorar . . . ¡ Estar entre los brazos del Mesías, sentir su aliento sobre los cabellos, y un beso donde antes había sido herido ! . . . Llora, llora . . .

Jesús pregunta: « Es verdad ¿ o no ? ¿ Perdonas por el amor que me tienes ? ¡ Oh, bienaventurados los misericordiosos ! Llora, llora sobre mi pecho. ¡ Salva con tus lágrimas cualquier rencor ! Que se haga nuevo, puro, tu corazón. Así. Bueno, compasivo como debe serlo un hijo de Dios . . . »

El hombre levanta su cara y entre lágrimas dice: « ¡ Sí ! ¡ El amarte es algo dulce ! ¡ Tiene razón Analía ! Ahora la comprendo . . . ¡ Mujer, no llores más ! Lo que pasó, pasó. Nadie sabrá cosa alguna de mi boca. Quédate con tu hijo y que ojalá pueda hacerte feliz. Hasta pronto. Me voy a mi casa » y trata de irse.

Jesús le dice: « Me voy contigo. ¡ Adiós, madre ! ¡ Adiós, Abraham ! ¡ Adiós, muchachas ! » Ni una palabra a Samuel que a su vez no encuentra palabra alguna.

Su madre le quita el manto de la cabeza, y presa de emoción por lo pasado, le grita: « ¡ Da las gracias a tu Salvador, corazón de piedra ! ¡ Dale las gracias, hombre desvergonzado ! . . . »

« Déjalo, mujer. Sus palabras no tendrían ningún sabor. El vino lo ha entorpecido, y su corazón está cerrado. Ruega por él . . . ¡ Adiós ! »

Desciende. Se junta en la calle con Judas y el otro hombre, despide al viejo Abraham que quiere besarle las manos, y bajo los primeros rayos de la luna regresa a casa.

« ¿ Vives lejos ? » pregunta.

« A los pies del monte Moria. »

« Entonces tenemos que separarnos. »

« ¡ Señor, me has conservado la vida y así puedo vivir con mis hijos y con mi esposa ! ¿ Qué cosa debo hacer por Tí ? »

« Ser bueno. Perdona y no digas nada. Nunca, ni por cualquier razón. ¿ Me lo prometes ? »

« ¡ Lo juro por el sagrado templo ! Aunque me duele que no podré decir que me has salvado la vida. »

« Sé un hombre justo y te salvaré el alma. Esto sí que lo podrás decir. ¡ Adiós ! ¡ La paz sea contigo ! »

El hombre se arrodilla, saluda. Se separan.

« ¡ Qué cosas ! ¡ Qué cosas ! » exclama Judas, ahora que están solos.

« ¡ Sí ! ¡ Horribles ! ¡ Judas, tampoco tú dirás palabra alguna ! »

« No, Señor. ¿ Pero por qué quisiste que viniera contigo ? »

« ¿ No estás contento de la confianza que tengo en tí ? »

« ¡ Oh, sí, cómo no lo he de estar ! Pero ... »

« Quise que meditaras sobre lo que puede conducir la mentira, la ambición del dinero, la embriaguez, las prácticas inertes de una religión que no se vive, que no se siente espiritualmente. ¿ Para Samuel qué significaba el simbólico banquete ? ¡ Nada ! Una ocasión para embriagarse. Un sacrilegio, y en medio de él se convirtió en homicida. En el porvenir muchos serán como él, y todavía con el sabor del Cordero en su lengua, y no de un cordero físico, sino del Cordero divino, irán a cometer crímenes. ¿ Por qué ? ¿ Cómo es posible ? ¿ No te lo preguntas ? Yo mismo te lo estoy diciendo: porque se habrán preparado para aquella hora con muchas acciones cometidas por distracciones al principio; por terquedad luego. Tenlo siempre presente, Judas. »

« Así lo haré, Maestro. ¿ Qué vamos a decir a los demás ? »

« Que había un hombre muy grave. Es la verdad. »

Atraviesan rápidos por una calle y los pierdo de vista.

66. El sábado de los Acimos

(Escrito el 4 de febrero de 1946)

Muchos discípulos y discípulas se han despedido regresando o a las casas hospitalarias o a las propias.

En este brillante atardecer de un abril están todavía en la casa los propiamente llamados discípulos y sobre todo los que más se dedican a la predicación. Por ejemplo, los pastores, además Hermas, Esteban, Juan el sacerdote, Timoneo, Hermasteo, José de Emmaús, Salomón, Abel de Belén de Galilea, Samuel y Abel de Corozaín, Agapo, Aser e Ismael de Nazaret, Elías de Corozaín, Felipe de Arbela, José, el barquero de Tiberíades, Juan de Efeso, Nicolás de Antioquía. De las mujeres todavía quedan algunas discípulas conocidas. Analía, Dorca, la madre de Judas, Mirta, Anastásica, las hijas de Felipe. No veo más a Miriam, la hija de Yairo, ni a Yairo mismo. Tal vez han regresado donde se hospedan.

Pasean lentamente por los corredores, o bien sobre la terraza, mientras alrededor de Jesús, que está sentado cerca del lecho de Lázaro, están casi todas las mujeres y todas las antiguas discípulas. Escuchan a Jesús que está hablando con Lázaro, que le describe las regiones por donde estuvieron las últimas semanas antes del viaje pascual.

« Llegaste a tiempo para salvar al pequeñín » comenta Lázaro, después de haber oído lo sucedido en el castillo de Cesarea de Filipo, y que señala al pequeño que feliz duerme en los brazos de su madre.

« Es un niño muy lindo, mujer, ¿ me permites verlo de cerca ? »

Dorca se levanta y sin decir una palabra, pero sí con aire de triunfo, presenta a su pequeñín.

« ¡ Un lindo niñ ! ¡ Verdaderamente bello ! ¡ Que el Señor te lo proteja y lo haga crecer sano y santo ! »

« Y fiel a su Salvador. Si no lo fuera, preferiría verlo muerto ahora mismo. ¡ Todo, menos que el que ha recibido un beneficio sea ingrato ! » dice Dorca claramente, al regresar a su lugar.

« El Señor llega siempre a tiempo para salvar » interviene Mirta, madre de Abel de Belén. « El mío no menos estaba cercano a la muerte y ¡ a qué muerte ! Pero El llego . . . lo salvó . . . ¡ Que momentos tan duros ! . . . » Mirta palidece nuevamente al recordarlos.

« ¿ Entonces llegarás a tiempo conmigo ? ¿ Verdad que sí ? Para darme paz . . . » pregunta Lázaro, acariciando la mano de Jesús.

« ¿ No te sientes un poco mejor, hermano ? » pregunta Marta. « Desde ayer te veo muy mejorado. »

« Sí. Y yo mismo me sorprendo. Tal vez Jesús . . . »

« No, amigo mío. Es que derramo en tí mi paz. Tu alma está llena de ella, y esto adormece los dolores. Es decreto de Dios que sufras. »

« Y que muera. Dilo claro. Pues bien . . . que se haga su voluntad, como enseñas. Desde este momento no pediré más la curación, ni alivio alguno. Dios me ha concedido tanto (e involutariamente mira a Magdalena, su hermana) que es justo que le devuelva algo sometiéndome a su querer . . . »

« Haz algo más, amigo mío. Ya es mucho el resignarse y el sufrir el dolor. Pero dales un valor superior. »

« ¿ Cuál, Señor mío ? »

« Ofrece todo por la redención de los hombres. »

« Pero si también yo soy un pobre hombre, Maestro. No puedo aspirar a ser un redentor. »

« Eso dices, pero estás equivocado. Dios se ha hecho Hombre para ayudar a los hombres, y estos pueden ayudarlo. Las obras de los justos se unirán a las mías a la hora de la redención. Las de los justos que murieron en tiempos pasados, las de los que viven, las de los que vendrán. Une las tuyas desde ahora. Es tan bello fundirse con la Bondad infinita, agregar lo que podamos dar de *nuestra* bondad limitada y decir: " También yo, ¡ oh Padre ! coopero al bien de mis hermanos ". No puede haber un amor más grande, ante el Señor y por el prójimo, que el de saber padecer y morir para dar gloria a Dios y la salvación eterna a nuestros hermanos. ¿ Salvarse por sí mismos ? ¡ Es poco ! Es un " mínimo " de santidad. Cosa bella es salvar. Entregarse para salvar. Empujar el amor hasta convertirse en una hoguera que inmola para salvar. Entonces el amor es perfecto. La santidad del generoso será muy, muy grande. »

« ¡ Qué bello es todo esto ! ¿ o no es así, hermanas mías ? » pregunta Lázaro con una sonrisa soñadora, pintada en su enflaquecida cara.

Marta asiente con la cabeza, llena de emoción.

Magdalena, sentada sobre un cojín, a los pies de Jesús, en su habitual posición de humilde y ardiente adoradora pregunta: « ¿ Soy tal vez yo la causante de estos sufrimientos de mi hermano ? ¡ Dímelo, Señor, para que mi aflicción sea completa ! . . . »

« ¡ No, Magdalena, no ! . . . » exclama Lázaro. « Yo . . . tenía que morir de esto. No te claves flechas en el corazón. »

Jesús, sincero hasta donde no más, agrega: « ¡ Así es ! Yo sentí a tu buen hermano en sus plegarias, en las palpitaciones de su corazón. Pero esto no debe producirte trabajo alguno que te estorbe, sino más bien una voluntad de querer llegar a ser más perfecta, por lo que cuestas. Y alégrate, porque Lázaro por haberte arrancado del demonio . . . »

« ¡ No fui yo, Maestro, sino Tú ! . . . »

« . . . por haberte arrancado del demonio, se ha hecho digno de que Dios le de un premio futuro del que hablarán los pueblos y los ángeles. Y lo que digo de Lázaro, lo digo de otros, y sobre todo de otras, que con su heroísmo han arrancado a la presa de Satanás. »

« ¿ Quiénes son ? » preguntan curiosas las mujeres, esperando ser una de ellas.

María de Judas no habla, pero mira, mira al Maestro . . . Jesús también la mira. Podría hacerle cobrar esperanzas pero no lo hace. No la mortifica. Responde a todas: « Lo sabréis en el cielo. »

La angustiada madre de Judas pregunta: « Y si una no lo lograse, aunque quisiera ¿ qué suerte le toca ? »

« Lo que merece su buena alma. »

« ¿ El cielo ? Pero Señor, una mujer, una hermana o una madre . . . que no lograra salvar a quienes ama, y los viera que se condenan ¿ podría gozar del paraíso, estando aún en él ? ¿ No crees que jamás podrá disfrutar de la alegría porque . . . la carne de su carne y la sangre de su sangre se han condenado para siempre ? Pienso que no podrá jamás gozar al ver al ser amado en atroces penas . . . »

« Estás equivocada, María. La vista de Dios, su posesión son fuente de una beatitud tan infinita que no persiste ningún dolor en los bienaventurados. Atentos, activos en ayudar a los que todavía pueden salvarse, no sufren más por los que Dios ha elejado de Sí, y por lo tanto de ellos mismos, que están con El. La comunión de los santos es para los santos. »

« Pero si ayudan a los que todavía pueden salvarse, es prueba de que es todavía no son santos » objeta Pedro.

« Pero tienen voluntad, al menos pasiva, de serlo. Los santos en Dios ayudan aun en las necesidades materiales para que sus favorecidos pasen de una voluntad pasiva a una activa. ¿ Me comprendes ? »

« Sí y no. Por ejemplo, si estuviese yo en el cielo y viese por mera suposición, un movimiento fugitivo de bondad en . . . Elí el fariseo, ¿ qué cosa haría yo ? »

« Reunirías todos los medios para aumentar los buenos movimientos suyos. »

« ¿ Y si mi ayuda, luego no sirviese para nada ? »

« Cuando él se condenare, tú te desinteresarías de él. »

« Y si como lo es ahora, fuese en verdad digno de condenación, pero que lo amara yo — cosa que no sucederá nunca — ¿ qué debería hacer ? »

« Ante todo piensa que corres peligro de condenarte tú con decir que no puedes amarlo, y luego ten en cuenta que si estuvieras en el cielo, unido con la Caridad, rogarías por él, por su salvación hasta el momento de su juicio. Habrá espíritus que se salven en el último momento después de una vida de oraciones por ellos. »

Entra un criado diciendo: « Está aquí Mannaén. Quiere ver al Maestro. »

« Que venga. Ha de querer hablar de cosas importantes. »

Las mujeres discretamente se retiran. Los discípulos las siguen, pero Jesús llama a Isaac, a Juan el sacerdote, a Esteban, a Hermas, a Matías y a José, de los discípulos pastores. « Es bien que os enteréis vosotros » explica.

Entra Mannaén. Se inclina.

« La paz sea contigo » lo saluda Jesús.

« La paz sea contigo, Maestro. El sol ya va despareciendo. Los primeros pasos después del reposo sabático es justo que sean por Tí, mi Señor. »

« ¿ Tuvisteis una buena pascua ? »

« ¿ Buena ? ¡ Nada de bueno puede haber donde están Herodes y Herodías ! Espero haber comido por última vez el cordero con ellos. Aunque me cueste la vida no me quedaré más allá. »

« Creo que estás cometiendo un error. Puedes servir al Maestro quedándote . . . » le objeta Iscariote.

« Es verdad. Es lo único que hasta ahora me ha entretenido allí. Pero ¡ qué náuseas ! Podría cambiarme Cusa . . . »

Bartolomé interviene: « Cusa no es Mannaén. Cusa es . . . Sí. El contemporiza. No denunciaría jamás a su patrón. Tú eres más sincero. »

« Es verdad esto y es verdad lo que dices. Cusa es el cortesano. Se queda fascinado ante el esplendor de la corte . . . del palacio . . . ¿ Pero qué estoy diciendo ? ¡ Del fango real ! Pero le parece ser rey porque está con él . . . Y tiembla de que pierda el favor real. La otra noche estaba como un can a quien dado de golpes cuando, casi arrastrándose, se presentó ante Herodes que lo había mandado llamar, después que oyó las lamentaciones de Salomé, a quien Tú arrojaste. Cusa pasaba por momentos muy duros. El deseo de salvarse a toda costa, tal vez hasta acusándote, diciendo que habías hecho mal. Todo esto estaba escrito en su cara. ¡ Pero Herodes ! . . . El quería sólo reirse a costa de la muchacha por quien siente náuseas, así como por su madre. Se reía como un loco, oyendo repetir de Cusa tus palabras. Decía: " ¡ Fue muy bueno, muy bueno todavía con esa jovenzuela ! . . . (y dijo una palabra desvergonzada que no la repito. Debía haberle pisoteado su seno desvergonzado . . . ¡ No, se hubiera contaminado ! " y seguía riéndose. Luego poniéndose un poco serio: " Con todo . . . la afrenta que ella mereció, no puede tolerarla la corona. Soy magnánimo (es la idea fija que tiene, y como nadie se lo dice, él mismo se lo repite) y perdono al Rabí, también porque dijo a Salomé las verdades. Mas Yo quiero que El venga a la corte para que le perdone todo. Quiero verlo, oírlo, que haga milagros. Que venga, y me convertiré en su protector ". Así hablaba la otra tarde. Cusa no sabía qué responder. No quería decírselo al monarca. Sí, no podía. Porque en verdad no puedes acceder a los caprichos de Herodes. Hoy me dijo: " Seguro que vas donde El... Dile mi voluntad ". Te la digo. Pero... ya sé la respuesta... Dímela para que se la transmita.»

« ¡ No iré ! » La respuesta parece un rayo.

« ¿ No te echarás encima un enemigo bastante poderoso ? » pregunta Tomás.

« Aunque fuera un verdugo. Pero no puedo responder más que con un " no iré ". »

« Nos perseguirá. »

« ¡ Oh, dentro de tres días no se acordará más ! » contesta Mannaén, encogiéndose de hombros. Añade: « Le han prometido... alguna danzas... Llegarán mañana... Y se olvidará de todo... »

Regresa el criado: « Patrón, están aquí Nicodemo, José, Eléazar y otros fariseos y jefes del Sanedrín. Quieren saludarte. »

Lázaro mira a Jesús interogativamente. Jesús comprende: « ¡ Que pasen ! Los saludaré con gusto. »

Momentos después entran José, Nicodemo, Eléazar (el justo del banquete de Ismael), Juan (el del lejano banquete en casa de José de Arimatea, y otro que oigo que llaman Josué, un tal Felipe, un tal Judas y Joaquín. Los saludos no llevan trazas de terminar. La ventaja es que la sala es amplia, si no ¿ cómo hubieran hecho para tántas inclinaciones y con tantos vestidos ? Pero por más que amplia sea, los discípulos comprenden que deben salir. Se quedan además de los recién llegados Jesús y Lázaro.

« ¡ Supimos que estabas en Jerusalén, Lázaro, y hemos venido ! » dice Joaquín.

« Siento alegría y admiración. No podía acordarme de tu cara... » responde un poco irónico Lázaro.

« Sabes... Uno quiere venir... Pero... Te habías hecho desaparecer. »

« ¿ Y no es verdad ? ¡ De veras que es muy difícil ir donde vive el infeliz ! »

« ¡ No, no digas eso ! Teníamos en cuenta tu deseo. Pero ahora que... ahora que... ¿ verdad, Nicodemo ? »

« Sí, Lázaro. Los viejos amigos regresan y también por el deseo de saber cómo sigues y por presentar nuestros respetos al Rabí. »

« ¿ Me traéis algunas noticias ? »

« ¡ Uhm !... Las acostumbradas... El mundo... Bueno... » miran de reojo a Jesús que inmóvil en su asiento parece absorto en algo.

« ¿ Qué razón hay de que apenas terminado el sábado estéis juntos ? »

« Hubo una sesión extraordinaria. »

« ¿ Hoy ? ¿ Cuál fue el motivo tan urgente ? »

Los recién llegados miran a Jesús, pero El sigue absorto... « Muchos ... » responden.

« ¿ No tienen nada que ver con el Rabí ? »

« Sí. También se trató de él, pero el principal fue tratar de una cosa de consecuencias graves, ahora que nos hemos encontrado todos en la ciudad ... » explica José de Arimatea.

« ¿ Un caso grave ? ¿ Cuál ? »

« ¡ Un ... error ... de juventud ! ... ¡ Uhm ! ¡ Bueno ! La discusión fue dura, porque ... Rabí, escúchanos por favor. Estás entre personas honradas. Si no somos discípulos, tampoco somos tus enemigos. En casa de Ismael me dijiste que no estoy lejos de la justicia » dice Eléazar.

« Es verdad, y lo confirmo. »

« Yo te defendí en el banquete de José atacando a Félix » recuerda Juan.

« También es verdad esto. »

« Estos son de los mismos sentimientos. Fuimos convocados para dar nuestra sentencia ... y no quedamos contentos de la decisión tomada, porque ellos siendo más que nosotros, nos ganaron. Tú que eres más sabio que Salomón, escucha y juzga. »

Jesús los mira profundamente. Luego dice: « Hablad. »

« ¿ Podemos estar seguros de que nadie nos oye ? ¡ Es algo ... horrible ! ... » dice el que se llama Judas.

« Cierra la puerta y corre la cortina. Estaremos como en una tumba » le responde Lázaro.

« Maestro, ayer en la mañana dijiste a Eléazar de Anás que no se contaminara por ningún motivo. ¿ Por qué se lo dijiste ? » pregunta Felipe.

« Porque tenía que decírselo. El está contaminado. No Yo. Los libros sagrados lo dicen. »

« Es verdad. ¿ Cómo sabes que se contamina ? La doncella acaso habló contigo antes de morir ? » le pregunta Eléazar.

« ¿ Cuál doncella ? »

« La que murió después de que la violentaron, y con ella su madre. No se sabe si fue el dolor el que las mató, o si se suicidaron, o si las mataron con veneno para que no hablasen. »

« No sé nada de esto [1]. Veía el alma corrompida del hijo de Anás. Sentí su hedor. Por eso hablé. Otra cosa no sabía, ni veía. »

« ¿ Qué pasó ? » pregunta Lázaro con interés.

« Sucedió que Eléazar ben Anás vió a una muchacha, hija única de una viuda ... y con pretexto de encargarle que le hi-

[1] Per experiencia humana. Cfr. vol. 1º, pág. 356, not. 7 y pág. 428, not. 15.

ciera algunos vestidos, pues de esto trabajaban... abusó de ella. La muchacha después de tres días murió y también su madre. Pero antes de morir, pese a las amenazas que le habían hecho, reveló todo a un pariente suyo... Este vino a Anás y le presentó la acusación. No contento con ello se lo comunicó a José, a mí y a otros... Anás lo hizo hecho aprender y lo arrojó en cárcel. De allí pasará a la muerte, o no volverá a ver jamas la luz del día. Este día Anás quiso saber nuestro parecer » explica Nicodemo.

« No lo hubiera pedido, si no hubiera sabido que lo sabíamos » refunfuña entre dientes José.

« Así es... En resumidad cuentas, con una máscara de votación se simuló que judicialmente se había tratado del honor, de la vida de tres infelices y del castigo del culpable » concluye Nicodemo.

« ¿ Y luego ? »

« ¡ Pues bien ! Como es natural nosotros votamos por la libertad del pariente de la joven, y por que se castigase a Eléazar. Se nos amenazó y arrojó como si fuéramos culpables. ¿ Qué piensas Tú ? »

« Que Jerusalén me da asco, que en Jerusalén la cloaca más apestosa es el templo » dice lenta y duramente Jesús. Añade: « Podéis comunicarlo también a los del templo. »

« ¿ Qué hizo Gamaliel ? » pregunta Lázaro.

« Apenas supo del caso se cubrió la cara y salió diciendo: " Que venga pronto el nuevo Sansón para que acabe con estos filisteos corrompidos " [2]. »

« ¡ Dijo muy bien ! Y no tardará en llegar. » Silencio...

« ¿ También hablaron de El ? » pregunta Lázaro, señalando a Jesús.

« Claro. Fue de lo primero. Se dijo que llamaste " mezquino, sin valor " al reino de Israel, y por lo tanto se te calificó de blasfemo, aun más de sacrílego, porque el reino de Israel viene de Dios. »

« ¡ ¿ Ah, sí ? ! ¿ Y el Pontífice qué nombre dió al violador de una doncella ? ¿ El que es indigno de su ministerio ? Responded » pregunta Jesús.

« Eléazar es hijo del Sumo Sacerdote, porque en realidad Anás es el verdadero rey dentro » contesta Joaquín atemorizado al ver la majestad de Jesús, a quien tiene delante de sí, de pie, con el brazo extendido...

« Sí. El rey de la corrupción. ¿ Y queréis que no llame " mez-

[2] Cfr. Jue. 13-16.

quino, sin valor ¨ un país en que tenemos a un Tetrarca deshonesto y homicida, a un Sumo Sacerdote cómplice de uno que viola a una doncella y de un asesino ? »

« Puede ser que la doncella se haya suicidado o muerto de dolor » se atreve a susurrar Eléazar.

« Fue el que la violó quien la mató . . . ¿ Y ahora no es el turno de la tercera víctima para que no hable ? ¿ No se mancha y no se profana el altar al acercarse a él con tantos crímenes ? ¿ No se ahoga a la justicia con imponer silencio a los hombres probos, muy raros, que hay en el Sanedrín ? Que venga pronto el nuevo Sansón y acabe con este lugar profanado, que extermine para rehacer todo . . . Sintiendo vómito, náuseas, no sólo llamo desgraciado a este país, sino que me alejo de su corazón podrido, criminal, cueva de satanás . . . Me voy. No por miedo a la muerte. Os demostraré que no lo tengo. Me voy porque todavía no es mi hora y no doy perlas a los cerdos de Israel, sino que las llevo a los humildes que hay esparcidos por tugurios, montes, valles. Allí donde todavía creen y aman, si alguien les enseña. Allí donde hay corazones rectos bajo vestiduras campesinas, mientras acá las túnicas y mantos sagrados, aun más el Efod y el Racional [3] sirven para encubrir carroñas y homicidios. Decidles que en nombre del Dios verdadero los entrego a su condenación, y cual nuevo Miguel los arrojo del paraíso [4]. Y para siempre. Ellos que han querido ser dioses, y no son más que demonios. No es necesario de que mueran para que sean juzgados. Ya lo están, y sin perdón alguno. »

Los sanedristas y fariseos parecen achicarse, al ver la tremenda ira de Jesús, que parece agigantarse, despedir rayos.

Lázaro gime: « ¡ Jesús ! ¡ Jesús ! »

Lo oye y cambiando de tono y aspecto pregunta: « ¿ Qué quieres, amigo mío ? »

« ¡ Oh, no seas así ! ¡ No eres más Tú ! ¿ Cómo podemos esperar que alcanzaremos misericordia, mostrándote así tan terrible ? »

« Y sin embargo así, y será peor cuando juzgue a las doce tribus de Israel. ¡ Ten valor, Lázaro ! Quien cree en el Mesías está ya juzgado . . . » Se sienta nuevamente.

Silencio.

Finalmente Juan pregunta: « ¿ Y cómo seremos juzgados nosotros que preferimos los insultos antes que cometer una injusticia ? »

[3] Cfr. Ex. 28; 39; Lev. 8, 1-13.

[4] Para comprender esta alusión cfr. Gén. 3, 22-24; Dan. 10-12; Zac. 3, 1-7; Jud. 8-10; Apoc. 12, 7-12; 20, 1-3.

« Seréis juzgados con toda rectitud. Perseverad y llegaréis a ser lo que es ya Lázaro: amigo de Dios. »

Se ponen de pie.

« Maestro, nos retiramos. La paz sea contigo, y contigo, Lázaro. »

« La paz sea con vosotros. »

« Que lo que aquí se dijo, aquí quede » suplican algunos.

« ¡ No temáis ! Idos. Que Dios os guíe en vuestras acciones. »

Salen.

Se quedan solos Jesús y Lázaro. Después de unos instante exclama: « ¡ Qué horror ! »

« Tienes razón. ¡ Qué horror ! . . . Lázaro, voy a disponer la partida de aquí. Seré tu huésped en Betania hasta el fin de los Acimos. » Y sale . . .

67. « Marta, Marta, te preocupas por muchas cosas » [1]

(Escrito el 14 de agosto de 1944)

Al punto comprendo que se trata de Magdalena [2] porque como primera cosa, veo que trae un vestido rosa-lila, color de malva. Nada de adornos preciosos. Su cabellera se la ha amarrado tras de la nuca. Parece más joven de cuando llevaba mundanal vida. No tiene esa mirada desvergonzada de « pecadora », ni siquiera la abatida de cuando escuchaba la parábola de la oveja, ni la avergonzada y llorosa de cuando estuvo en la sala del fariseo . . . Su mirada ahora es tranquila, limpia como la de un niño, su sonrisa serena.

Está apoyada a un árbol que hay en los límites de la propiedad de Betania y mira hacia el camino. Está aguardando a alguien. Luego lanza un grito de alegría. Se vuelve a la casa y lanza otro, para que lo oigan, y luego con su hermosa e inconfundible voz: « ¡ Ya vino, Marta ! Nos dijeron la verdad. El Rabí está aquí » y corre a abrirle el pesado cancel que rechina. No da tiempo de que lo hagan los siervos. Sale al camino con los brazos extendidos, como hace un niño cuando corre al encuentro de su madre: «¡ Oh, Raboni [3] ! » y se arrodilla a los pies de Jesús, besándoselos

[1] Cfr. Lc. 10, 38-42.

[2] La presente visión fue escrita inmediatamente después de los tres episodios concernientes a la conversión de Magdalena.

[3] En una nota de la Escritora: « Escribo Raboni, porque veo que el Evan-

entre el polvo del camino.

« La paz sea contigo. Vengo a descansar bajo tu techo. »

« ¡ Oh Maestro mío ! » repite levantando su cara con una expresión de reverencia, de amor, de alegría, de júbilo.

Jesús le ha puesto la mano sobre la cabeza y parece como de nuevo la absolviera.

Se levanta y al lado de Jesús entra. Los criados y Marta han acudido. Los criados con jarras y vasos, Marta sólo con su amor.

Los apóstoles, encalorizados, beben de las bebidas preparadas. Quieren ofrecerle a Jesús primero, pero Marta se les adelanta. Toma una taza llena de leche y se la da. Ha de saber que le gusta mucho.

Después que los discípulos han bebido, les dice: « Id a avisar a los que creen que esta tarde les hablaré. »

Los apóstoles se desparraman en diversas direcciones.

Jesús entra en medio de las dos hermanas.

« Ven, Maestro » dice Marta. « Mientras llega Lázaro descansa, y toma algo. »

Entran en una habitación fresca que da al portal sombreado. Regresa Magdalena que había ido a traer una jarra de agua, y a quien sigue un criado con una palangana Quiere lavarle personalmente los pies. Desata las sandalias polvorientas, se las da al criado para que las limpie junto con el manto. Luego mete los pies en el agua ligeramente teñida de color rosa, los seca y los besa. Luego cambia el agua, y le ofrece otra limpia a Jesús para las manos. Mientras espera al criado con las sandalias, acaricia los pies de Jesús. Antes de ponérselas, los besa diciendo: « Santos pies que caminasteis tanto por buscarme. »

Marta, bastante práctica, pregunta: « Maestro, ¿ fuera de tus discípulos vendrá alguien más ? »

« No sé exactamente [4]. Pero puedes preparar para otros cinco. »

Marta se va.

Jesús sale al jardín sombreado. Trae sólo su vestidura azul oscura. El manto, que cuidadosamente ha doblado Magdalena, se queda sobre un banco de la habitación. Magdalena sale junto con Jesús. Caminan por senderos en medio de jardines, hasta la fuente donde hay peces.

Apenas una que otra salida de los peces, o el chorrito delgadísimo y alto se eleva del grifo, turba el agua tranquilísima. Hay asientos cerca de la amplia piscina de donde salen algunos pequeños caños para irrigación, y creo que uno de ellos sea el que

gelio así cita la palabra, pero todas las veces que he oído a Magdalena decirla, me parece que diga Rabomi, con " m ", no con " n ". »

[4] Por experiencia humana. Cfr. vol. 1º, pág. 356, not. 7 y pag. 428, not. 15.

alimente la fuente de los peces, y los demás vayan a regar plantas o flores.

Jesús se sienta teniendo el borde de la piscina enfrente. Magdalena a sus pies, sobre la verde hierba. Al principio ninguno de los dos habla. Se ve que Jesús goza del silencio y del lugar fresco. Magdalena se siente dichosa de contemplarlo.

Jesús juega con el agua. Mete sus dedos, la peina, luego mete toda la mano. « ¡ Qué bella es esta agua pura ! »

Magdalena: « ¿ Te gusta mucho, Maestro ? »

« Sí, porque está muy limpia. Mira, no tiene trazas de fango. El agua está tan pura que parece no haya nada. Podemos leer las palabras que se dicen los pececillos . . . »

« Como se lee en el fondo de las almas puras. ¿ No es así, Maestro ? » y da un suspiro.

« ¿ Dónde están las almas puras, Magdalena ? Es más fácil que un monte camine que no un hombre sepa mantenerse puro con las tres clases de pureza. Muchas cosas rodean al adulto, fermentan a su alrededor, y no siempre puede impedirse que le penetren. No tenemos más que a los niños que tienen un alma angelical, una alma que ignora lo que puede convertirse en fango. Por esto los amo mucho. Veo en ellos un reflejo de la Pureza infinita. Son los únicos que traen consigo un recuerdo de los cielos.

Mi Madre es la Mujer de alma de niño. Mucho más. Es la Mujer con alma angelical, como lo fue Eva cuando salió de las manos del Padre. ¿ Puedes imaginar como habrá sido el primer lirio que floreció en el jardín terrenal ? Son tan bellos, como estos que besa el agua. ¡ Pero el primero que salió de las manos del Creador ! ¿ Era flor ? ¿ Era diamante ? ¿ Eran pétalos u hojas de plata finísima ? Y sin embargo mi Madre es más pura que el primer lirio que perfumó los vientos. Su perfume de Virgen inviolada llena cielos y tierra, y al percibirlo en pos de él irán los buenos en el correr de los siglos.

El paraíso es luz, perfume, armonía. Pero si en él el Padre no gozase al contemplar a la Toda Hermosa que hace de la tierra un paraíso, si este tuviera algún que carecer del Lirio vivo en cuyo seno están los tres pistilos de fuego de la Divina Trinidad, su luz, su perfume, su armonía, su alegría padecerían mengua. La pureza de mi Madre será la piedra preciosa del Paraíso. ¡ Y qué inmenso es ! ¿ Qué dirías de un rey que tuviese una sola piedra preciosa en su tesoro ? ¿ Aunque fuese la joya por excelencia ? [5].

[5] La Escritora no ha querido decir que sin la Virgen, Dios y los santos no serían bienaventurados. La bienaventuranza es Dios mismo, y los hombres

Cuando habré abierto las puertas del reino de los cielos... — no suspires, *para esto he venido* — muchas almas de justos y de niños entrarán, sombra de candor, detrás de la púrpura del Redentor. Pero serán pocos para poblar de joyas los cielos y convertirse en ciudadanos de la eterna Jerusalén. Y luego... después que la doctrina verdadera y santa la conozcan los hombres, después que mi muerte haya devuelto la gracia a los hombres, podrán los adultos conquistar los cielos, que de otro modo no, porque la pobre vida humana es un fango que mancha. ¿ Será el paraíso sólo de los pequeñuelos ? ¡ Oh, no ! Conviene ser como ellos, pero también para los adultos está abierto el reino.

Como pequeñuelos... ¡ He aquí la pureza ! ¿ Ves esta agua ? Parece límpida. Pero observa: basta con que con una caña la remueva en el fondo que se enturbia. Se ve el fango, el lodo. La clara agua, se pone amarilla, nadie bebería de ella. Pero si saco la caña, torna el agua a ser pura, a ser límpida y bella. El junco: el pecado. Lo mismo sucede con las almas, el arrepentimiento es lo que las limpia, créeme... »

Llega Marta ansiosa: « ¿ Todavía estás aquí, María ? ¡ Y yo tan afanada !... Pasa el tiempo. Pronto vendrán las convidados y hay mucho quehacer. Las criadas están haciendo el pan, los siervos despellejando y cociendo la carne. Yo estoy preparando las mesas, las bebidas. Todavía falta la fruta. Hay que preparar el agua de menta y de miel... »

Magdalena escucha sí y no las quejas de su hermana. Con una sonrisa de felicidad sigue mirando a Jesús, sin moverse de su lugar.

Marta acude a Jesús: « ¡ Maestro, mira cómo estoy de acalorada ! ¿ Te parece justo que sea la única en quebrarme los huesos ? Dile que me ayude. » Marta está turbada.

Jesús la mira con una sonrisa mitad dulce, mitad un poco irónica, mejor dicho, un poco burlona.

Marta repite: « Lo digo en serio, Maestro. Mira ¡ qué vida tan descansada y ociosa tiene, mientras yo me muero de fatiga ! ¡ Y aqui !... »

Jesús se pone serio y le responde: « No está de ociosa, Marta. Muestra su amor. Antes sí que era una ociosa. Y tú lloraste tanto por esa ociosidad indigna. Tus lágrimas me impulsaron a que cuanto antes la salvara y la entregara a tu casto amor. ¿ Quieres que no ame a su Salvador ? ¿ Quisieras verla lejos de

en el cielo lo serán al poseer a Dios. La Escritora quiso afirmar que dado que María es la Madre de Dios, y que por lo tanto vale más que todos los santos tomados en su conjunto como una familia, al faltar Ella, a esta familia le llegaría a faltar: " su luz, su perfume, su armonía, su alegría. "

aquí para que no te viera trabajar, lejos también de Mí ? ¿ Tendré que decir que esta (y le pone una mano sobre la cabeza) que vino de lejos, te ha sobrepujado en el amor ? ¿ Tengo que decir que esta que no conocía *ni una* palabra de bien, es ahora una maestra en la ciencia del amor ? ¡ Déjala en su tranquilidad ! ¡ Estuvo muy enferma ! Ahora está convalesciendo al beber lo que le da fuerzas. Se vió tan atormentada . . . Ahora, despertada de su pesadilla, mira a su alrededor, se mira a sí misma y ve que es *nueva*, y un mundo *nuevo*. Deja que se asegure. Con esta cosa " nueva " debe olvidar el pasado y conquistarse lo eterno . . . que no se consigue sólo con el trabajo, sino también con la adoración. Quien haya dado un pan al apóstol y al profeta tendrá recompensa, pero doble tendrá quien se olvide de comer por amar, porque más que el cuerpo vale el espíritu, porque sus voces son más poderosas que las del otro. Te afanas por muchas cosas, Marta. Esta por una sola. La que basta a su corazón y sobre todo a su Señor y a tu Señor. Despreocúpate de las cosas inútiles. Imita a tu hermana. Ella ha escogido la mejor parte, que jamás se le quitará. Cuando los ciudadanos del reino no tendrán necesidad de virtudes, la única que restará será la caridad, y para siempre. La única, cual soberana. Magdalena ha escogido esta y esta será su escudo y su bordón. Con esta, como sobre alas de algún ángel, llegará a mi cielo. »

Marta baja la cabeza mortificada y se va.

« Mi hermana te ama mucho y se muere por honrarte . . . » dice por excusarla.

« Lo sé y recibirá su recompensa, pero hay que pulirle, como se va limpiando esta agua, su mentalidad humana. ¡ Mira cómo se ha ido limpiando mientras hablábamos ! Marta se pondrá más limpia con las palabras que le he dicho . . . Tú . . . por la sinceridad de tu arrepentimiento. »

« No, porque me has perdonado, Maestro. Mi arrepentimiento no hubiera sido suficiente para lavar mi gran pecado . . . »

« Bastaba y bastará a tus hermanas que te imitarán. A *todos* los pobres enfermos del espíritu. El arrepentimiento sincero es un filtro que depura; el amor es la sustancia que preserva de toda contaminación. Esta es la razón por la que los adultos pecadores podrán volver a ser inocentes como niños y entrar también en mi reino. Vamos ahora adentro, para que Marta no sufra mucho. Llevémosle la sonrisa de un Amigo y de una hermana. »

68. Jesús habla en Betania

(Escrito el 6 de febrero de 1946)

Jesús está en Betania, en la Betania fértil en este hermoso mes de Nisán, sereno, puro, limpio. La gente que lo buscó en Jerusalén y que no quiere partir sin oírlo, para poder llevar en el corazón sus palabras, lo alcanza aquí. Es tanta que ordena la junten para poderla enseñar. Los doce y los setenta y dos, que han vuelto a ser este número, o más, con los nuevos discípulos que se les han agregado en estos últimos días, se esparcen por todas partes para cumplir la orden.

Entre tanto Jesús, en el jardín de Lázaro, se despide de las mujeres, y en particular de su Madre... Todas regresan a Galilea acompañadas de Simón de Alfeo, Yairo, Alfeo de Sara, Marziam, el esposo de Susana y de Zebedeo. Hay saludos y lágrimas. Muchas no quisieran regresar, pero obedecen por el amor que le tienen, porque es un amor sobrenatural.

La que menos habla es María, su Madre. Pero con su mirada dice más que todas las demás. Jesús interpreta la mirada, le da seguridad, la consuela, la llena de caricias, si es que alguna madre pueda llenarse, y sobre todo esa Madre, que es todo amor, todo ansiedad por su Hijo perseguido. Las mujeres se van, pero se voltean para dar un postrer saludo al Maestro, a los hijos, a las discípulas judías afortunadas que se quedan todavía con el Maestro.

« Les ha dolido la separación... » observa Simón Zelote.

« Pero está bien que se hayan ido, Simón. »

« ¿ Preves días tristes ? »

« Por lo menos agitados. Las mujeres no pueden soportar las fatigas como nosotros. Además ya que el número de judías y de galileas es casi igual, conviene que se separen. Por turno estarán conmigo, y por turno se alegrarán de poder servirme. Lo que será un consuelo. »

Entre tanto la gente sigue aumentando. El huerto que hay entre la casa de Lázaro y la de Zelote está lleno de gente. Hay de todas las castas y condiciones. No faltan ni fariseos de Judea, ni sinedristas, ni mujeres veladas.

De la casa salen en grupo, junto a una litera en que viene Lázaro, los sinedristas que fueron a visitarlo en Jerusalén, y otros más. Lázaro al pasar envía una sonrisa de felicidad a Jesús, que El le devuelve, mientras se va con el pequeño cortejo donde la gente lo está esperando.

Los apóstoles se le unen y Judas Iscariote, que no cabe de alegría, echa acá y allá miradas, y comunica a Jesús en voz baja qué personas haya.

« ¡ Oh mira, hay también sacerdotes ! . . . ¡ Mira, mira ! También Simón el sinedrista. Y Elquías. ¡ Mira qué mentiroso ! Hace pocos meses echaba pestes contra Lázaro y ahora lo trata como si fuera un dios. Allí está Doro el Anciano y Trisone. ¿ Ves que está saludando a José ? Y el escriba Samuel con Saúl . . . y el hijo de Gamaliel. Allí hay un grupo de herodianos . . . Y aquel grupo de mujeres veladas sin duda que son las romanas. Están apartadas, pero mira cómo te siguen con los ojos para poderse mover y oírte. Las reconozco pese a sus mantos. ¿ Ves ? Dos son altas, una más que otra, las demás de mediana estatura, pero proporcionada. ¿ Quieres que las vaya a saludar ? »

« No. No han venido para que se les conozca. Quieren pasar como anónimas porque desean oir la palabra del Rabí. Por tales debemos tomarlas. »

« Como quieras, Maestro. Lo hacía . . . para recordarle a Claudia la promesa . . . »

« No hay necesidad. Y aunque la hubiera, no debemos convertirnos en limosneros. ¿ O no lo crees ? *Una fe heroica se forma en medio de las dificultades.* »

« Era por Tí, Maestro. »

« Y por tu idea perpetua de un triunfo humano. Judas, no te formes ilusiones, ni respecto a mi modo futuro de obrar, ni respecto a las promesas que oíste. Tú crees sólo en lo que te dices a tí mismo, pero ninguna cosa podrá cambiar el pensamiento de Dios, que es el que Yo sea Redentor y Rey de un reino espiritual. »

Judas no replica.

Jesús está en su lugar, en medio de sus apóstoles. Casi a sus pies está Lázaro en su litera. Un poco distante las discípulas judías, esto es, las dos hermanas, Elisa, Anastásica, Juana con los niños, Analía, Sara, Marcela y Nique.

Las romanas o las que Judas señaló por tales, están más atrás, casi en el fondo, mezcladas entre los campesinos. Sinedristas, fariseos, escribas, sacerdotes están inevitablemente en primera fila. Jesús les pide que dejen pasar tres camillas, donde vienen unos enfermos, a quienes hace unas preguntas, pero no los cura inmediatamente.

Para tomar un argumento de su discurso, llama la atención de los presentes en el gran número de pajarillos que anidan entre los árboles de jardín de Lázaro y entre los del huerto donde están reunidos.

« Mirad. Hay pajarillos nacidos acá y pajarillos de otras partes, de toda clase y tamaño. Y cuando llegará el crepúsculo, saldrán las aves nocturnas, que también son numerosas, aun cuando no podemos verlas. ¿ Por qué hay tantos pajarillos aquí ? Porque tienen de qué vivir. Aquí hay sol, quietud, bastante alimento, nidos seguros, agua fresca. Se juntan viniendo de oriente y poniente, de norte y sur si son aves migratorias, o bien se quedan aquí si no lo son. ¿ Y que ? ¿ No acaso vemos que los pajarillos superan en sabiduría al hombre ? Cuántos de estos pajarillos, son hijos de los que ya han muerto, pero que el año pasado, u otros años hicieron aquí sus nidos. Ellos lo dijeron a sus polluelos, ante de morir. Les señalaron el lugar, y los polluelos, una vez crecidos, vinieron obedientes.

El Padre que está en los cielos, el Padre de todos los mortales ¿ no acaso ha comunicado a sus santos sus verdades, dado las indicaciones posibles para el bienestar de sus hijos ? Todas las dió. Las que conciernen al cuerpo, como las que se refieren al espíritu. ¿ Y nosotros qué vemos ? Vemos que mientras lo que se enseñó como pertinente al cuerpo — desde las túnicas de pieles que hizo para los primeros padres, que se veían desnudos, porque el pecado les había rasgado su inocencia, hasta lo que el hombre, usando su inteligencia, se ha hecho — se recuerda, se transmite, se enseña; lo referente al espíritu o no se le conserva, o no se le enseña, o bien no se le pone en práctica. »

Muchos de los del templo cuchichean. Jesús les impone silencio con un gesto.

« El Padre, tan bueno como el hombre no puede imaginar, ha mandado a su Siervo para recordar sus enseñanzas, para reunir a los pajarillos donde encuentren la salud, a hacerles que conozcan lo que es útil y santo, a fundar el reino donde todo pajarillo angelical, todo espíritu encontrará gracia y paz, sabiduría y salud. En verdad, en verdad os digo que como pajarillos nacidos en este lugar en primavera dirán a los de otros lugares: " Venid con nosotros, que tenemos un lugar bueno donde también gozaréis de la paz y de la abundancia del Señor " y así verá el nuevo año nuevos pajarillos que vendrán volando. De igual modo, de todas las partes del mundo, como dijeron los profetas [1], veremos afluir espíritus y más espíritus a la doctrina venida de Dios, al Salvador fundador del reino de Dios.

Mas a los pajarillos diurnos se han mezclado en este lugar los nocturnos, aves de rapiña, perturbadores, capaces de infundir terror y de matar a los pajarillos buenos. Hay aves que desde

[1] Cfr. Sal. 86; Is. 2, 1-5; 9, 1-7; 45, 14-25; 60; Jer. 16, 19-21; Miq. 4, 1-8; Sof. 3, 9-10; Zac. 2, 10-13; 8, 20-23.

hace años, desde hace generaciones son así, y nadie puede sacarlas de sus nidos, porque hacen sus obras en las tinieblas y en lugar a donde no puede llegar el hombre. Estas aves de ojo cruel, de vuelo silencioso, de voraz apetito, trabajan en las tinieblas, e inmundos siembran inmundicia y dolor. ¿ Con quién podríamos compararlas ? Con los que en Israel no quieren aceptar la Luz venida a iluminar las tinieblas, la Palabra que ha venido a enseñar, la Justicia que ha venido a santificar. Para ellos es inútil que haya venido. Aun más es causa de pecado[2], porque me persiguen y persiguen a los que me siguen. ¿ Entonces, qué podré decir ? Lo que ya otras veces: " Muchos vendrán del oriente y occidente y se sentarán con Abraham, y Jacob en el reino de los cielos, pero los hijos de este reino serán arrojados a las tinieblas exteriores ". »

« ¿ Los hijos de Dios a las tinieblas ? ¡ Blasfemas ! » grita uno de los sinedristas enemigos. Es el primer chisguete de veneno de estas serpientes que por un tiempo habían callado, pero que no pueden seguir conteniendo el veneno que les corroe.

« ¡ No los hijos de Dios ! » replica Jesús.

« ¡ Lo acabas de decir ! " Los hijos de este reino serán arrojados a las tinieblas exteriores ". »

« Y lo repito. Los hijos de *este* reino. Del reino donde la carne, la sangre, la avaricia, el fraude, la lujuria, el crimen son los que mandan. Pero esto no es mi reino. Mi reino es de la Luz. El vuestro es de las tinieblas. Al de la Luz vendrán de oriente y occidente, de norte y sur los corazones rectos, aun aquellos que todavía siendo paganos, idólatras, a quienes Israel desprecia. Y vivirán en una santa comunión con Dios, al haber aceptado su luz, en espera de ascender a la verdadera Jerusalén, donde no hay lágrimas, ni dolor, y sobre todo donde no existe la mentira, la que ahora gobierna al mundo de las tinieblas y da de comer a sus hijos de modo que en ellos no pueda caber ni una migaja de luz divina. ¡ Oh, que vengan los nuevos hijos al lugar que pertenece a los hijos renegados ! ¡ Que vengan ! ¡ Y de cualquier parte que vinieren Dios los iluminará y reinarán por los siglos de los siglos ! »

« ¡ Has hablado para insultarnos ! » gritan los judíos enemigos.

« Para decir la verdad. »

« Tu poder está en la lengua con la que, nueva serpiente, seduces a las multitudes y las descarrías. »

« Mi potencia está en el poder que me viene de ser Una sola cosa con mi Padre. »

[2] Expresión que debe entenderse a la luz de Lc. 2, 34; 7, 23; 12, 51-53.

« ¡ Blasfemo ! » aúllan los sacerdotes.

« ¡ Salvador ! Tú que estás aquí, a mis pies, ¿ cuál es tu mal ? »

« Desde niño tengo la columna vertebral quebrada. Hace treinta años que estoy así. »

« ¡ Levántate y camina ! Y tú, mujer, ¿ de que estás enferma ? »

« Tengo paralizadas las piernas desde que di a luz a ese muchacho que está con mi marido » y lo señala. Tendrá unos dieciséis años.

« También tú levántate y alaba al Señor. ¿ Y ese muchacho, por qué no camina por sí solo ? »

« Porque nació tonto, sordo, ciego, mudo. Un animal que respira » responden los que están junto a él.

« En el nombre de Dios, alíviate de tus males. ¡ Lo quiero ! » Al final de este tercer milagro se vuelve a sus enemigos y los interpela: « ¿ Y ahora qué decís ? »

« Son unos milagros de los que se puede dudar. ¿ Por qué no curas a tu amigo y protector, si todo lo puedes ? »

« ¡ Porque Dios no lo quiere ! »

« ¡ Ah, ah, ahora metes a Dios ! ¡ Una excusa fácil ! Si te traemos a un enfermo, mejor dicho, a dos ¿ los curarías ? »

« Si son dignos, sí. »

« ¡ Espera un momento ! » y se van ligeros, haciéndose señas.

« ¡ Maestro, ten cuidado ! ¡ Te quieren poner una trampa ! » aconsejan varios.

Jesús hace un gesto como diciendo: « ¡ Dejadlos que hagan lo que quieran ! » y se inclina a acariciar a algunos niños que poco a poco se han acercado a El, dejando a sus padres. Algunas madres los imitan, le presentan los que apenas si pueden caminar o los que maman.

« ¡ Bendice a nuestros hijos, porque también amen la Luz ! »

Jesús impone sus manos y los bendice. Esto es causa de confusión entre la gente. Todos los que tienen niños quieren que se les bendiga.

Los apóstoles, parte porque están nerviosos de la acostumbrada conducta de los escribas y fariseos, parte porque compadecen a Lázaro, que está a punto de verse molestado gritan, empujan a este o a aquel, sobre todo a los niños que por sí solos se han acercado. Pero Jesús dulce y amorosamente ordena: « ¡ No, no, no hagáis así ! No impidáis a los niños que se acerquen a Mí, ni a sus padres que me los traigan. Es de estos el reino. Serán inocentes del sumo Delito y crecerán en mi fe. Dejad pues que los consagre para que la acepten. Son sus ángeles los que me los traen. »

Jesús se encuentra ahora en medio de un grupo infantil que

extático lo contempla con sus caritas levantadas, con sus ojos inocentes, con sus boquitas sonrientes...

Las mujeres veladas han aprovechado la confusión para acercarse a las espaldas de Jesús, como si la curiosidad las empujase. Regresan los fariseos, escribas, etc., con dos que parecen estar muy enfermos. Sobre todo uno que gime en su camilla, bajo su manto. El otro aparentemente menos grave, pero es solo un esqueleto que difícilmente respira.

« ¡ Aquí están nuestros amigos ! Cúralos. Realmente están enfermos. ¡ Sobre todo este ! » y señalan al que se queja.

Jesús pone sus ojos sobre ellos, luego sobre los judíos. Sus ojos atraviesan a sus enemigos. Detrás de la valla de inocentes que no le llegan ni siquiera a la cintura, parece un gigante. Abre sus brazos y grita: « ¡ Mentirosos ! ¡ Este no está enfermo ! Os lo digo. ¡ Descubridlo ! O realmente será cadáver dentro de unos instantes por el engaño que queréis hacer a Dios. »

El fingido enfermo echa un salto, gritando: « ¡ No, no, no me castigues ! ¡ Vosotros, malditos, recoged vuestros dineros ! » y los arroja a los pies de los fariseos, huyendo lo mejor que le ayudan sus piernas...

La gente ríe, chifla, aplaude...

El otro enfermo dice: « ¿ Y yo, Señor ? A mí me pusieron aquí a la fuerza desde esta mañana... No sabía yo que estuviera en manos de tus enemigos... »

« ¡ Tú, hijo mío, sé sano y sé bendito ! » le impone sus manos sobre las cabezas de los niños.

El hombre se descubre el cuerpo y busca en él algo que no sé... Luego se pone de pie. Se deja ver desnudo desde las piernas abajo. Grita, grita con todas sus fuerzas: « ¡ Mi pie, mi pie ! ¿ Quién eres que devuelves lo perdido ? » y cae a los pies de Jesús, luego se levanta, echa un brinco sobre el lecho donde estaba y grita: « La enfermedad roía mis huesos. El médico me había quitado los dedos, quemado mi carne, hecho tallos hasta la rodilla. ¡ Mirad, mirad las cicatrices ! Moría ya... ¡ Y ahora !... ¡ ahora estoy curado ! ¡ Mi pie, mi pie está bien !... ¡ No siento nada de dolor ! ¡ Me siento sano !... ¡ Madre ! ¡ Madre mía ! Voy a darte la alegre noticia. »

Trata de irse, pero la gratitud lo detiene. Regresa donde está Jesús, besa, besa sus pies, hasta que Jesús acariciándole los cabellos, le ordena: « Puedes irte donde tu madre y sé bueno. » Luego mira a sus enemigos, y les grita: « ¿ Y ahora ? ¿ Qué os debería hacer ? Vosotros, que lo habéis visto todo ¿ qué pensáis ? »

La multitud grita: « ¡ Que se les lapide por haber ofendido a

Dios ! ¡ A la muerte ! ¡ Basta de andar poniendo trampas al Santo ! ¡ Sois unos malditos ! » y se inclinan a tomar terrones, piedras, o se alzan para cortar ramas.

Jesús dice: « Esto es lo que piensan. Esta su respuesta. La mía es diversa. Os ordeno que os vayáis. No quiero ensuciarme con castigaros. El Altísimo pensará en ello. Es mi defensa contra los impíos. »

Los culpables, en lugar de quedarse callados, pese al temor que tienen de la gente, no paran mientes para insultarlo. « ¡ Nosotros somos judíos y poderosos ! Nosotros te ordenamos que te largues de aquí. Te prohibimos enseñar. Te echamos fuera. ¡ Lárgate ! Estamos cansados de Tí. Tenemos el poder en las manos y lo empleamos. Y seguiremos haciendo lo mismo, te seguiremos persiguiendo ¡ maldito ! ¡ usurpador ! . . . »

Y continuarían a gritar insultos, si la mujer velada, la más alta, de pronto no se interpusiera entre Jesús y sus enemigos, y levantándose el velo, grita: « ¿ Quién es el que olvida no ser esclavo de Roma ? » y rápidamente se lo baja. Es Claudia. Vuelve a su lugar.

Los fariseos se calman de golpe. Sólo uno, en nombre de todos, con un servilismo que mata, dice: « ¡ Domina, perdón ! Pero El perturba el viejo espíritu de Israel. Tú que eres poderosa, deberías impedirlo, deberías decirle al justo y noble Procónsul que lo impida, ¡ a él a quien deseamos salud y muchos años de vida ! »

« Eso no nos importa. ¡ Basta con que no perturbe el orden de Roma, y no lo hace ! » responde orgullosamente la patricia. Luego dice algo a sus compañeras y se aleja, yendo a un grupo de árboles que hay en el fondo del sendero, detrás del cual desaparece, para volver a dejarse ver en su carro cubierto, que lleva las cortinas cerradas.

« ¿ Estás contento de que nos hayan ofendido ? » se preguntan volviendo al ataque.

La gente grita. José, Nicodemo, los demás que se han mostrado amigos y con ellos el hijo de Gamaliel, creen que deben intervenir. La disputa se desarrolla entre enemigos y amigos de Jesús.

Jesús no dice nada. Está cruzado de brazos. Escucha, mientras creo que despida una fuerza tal que impide a las multitudes avalanzarse contra los enemigos.

« Debemos defendernos y defender » aúlla un judío malo.

« Basta de ver a las multitudes fascinadas y tras de El » grita otro.

« ¡ Somos nosotros los poderosos ! ¡ Sólo nosotros ! ¡ Sólo a nosotros se debe escuchar y seguir ! » grita en medio de aullidos un escriba.

« ¡ Largo de aquí ! ¡ Jerusalén es nuestra ! » dice un sacerdote rojo de ira como un guajolote.

« ¡ Sois unos perjuros ! »

« ¡ Unos ciegos ! »

« ¡ Las multitudes os abandonan porque os lo merecéis ! »

« Sed santos si queréis que se os ame. El poder no se conserva abusando de él. ¡ El poder se apoya en la estima que el pueblo tenga de su gobernante ! » gritan los del partido contrario y mucha gente.

« ¡ Silencio ! » dice Jesús. « La tiranía, la imposición no pueden cambiar el cariño, la manifestación de gratitud por el bien recibido. Recojo lo que he dado: amor. Vosotros, al perseguirme no hacéis otra cosa que aumentar este amor que me compensa del que no me tenéis. ¿ No comprendéis con toda vuestra sabiduría, que *perseguir una doctrina no sirve sino para aumentar su poder*, sobre todo si corresponde a realidad de lo que enseña ? ¡ Oh Israel, escucha un vaticinio mío ! ¡ Cuanto más persigáis al Rabí de Galilea y a sus seguidores, tratando de aplastar con la fuerza su doctrina, que es divina, tanto más ayudaréis a que prospere y a que se extienda por el mundo. Cada gota de sangre de los mártires que hiciereis, esperando triunfar y reinar con vuestras leyes y preceptos corrompidos, hipócritas, que no corresponden a la ley de Dios, cada lágrima de los santos que aplastaréis, será semilla de futuros seguidores míos. Seréis vencidos cuando creeréis haber triunfado. Idos. También Yo me voy. Los que me aman, que me busquen más allá de los confines de la Judea, en la Transjordania, o me esperen allí, porque como relámpago que corta el oriente y el occidente, así será veloz el caminar del Hijo del hombre hasta que suba a su altar y trono, nuevo Pontífice y nuevo Rey, y se quedará allí, ante los ojos del mundo, de todo lo creado, de los cielos, en una de tantas manifestaciones suyas que sólo los buenos son capaces de comprender. »

Los enemigos fariseos y compinches se han ido. Se quedan los otros. El hijo de Gamaliel lucha entre acercarse a Jesús o no. Decide por irse . . .

« Maestro ¿ verdad que no nos odias porque seamos de la misma clase ? » pregunta Eléazar.

« Jamás castigo a un solo individuo porque la clase a la que pertenece sea digna de él. No tengáis miedo » responde Jesús.

« Ahora nos odiarán . . . » dice en voz baja Joaquín.

« ¡ Es honra para nosotros el serlo ! » exclama Juan el sinedrista.

« Dios robustezca a los débilles y bendiga a los fuertes. ¡ Os bendigo a todos en el nombre del Señor! » y abriendo sus brazos les da la bendición mosaica [3].

Se despide de Lázaro, de sus hermanas, de Maximino, de las discípulas y empieza su camino...

Los verdes lugares que hay al lado del camino que lleva a Jericó le dan la bienvenida...

[3] Cfr. Núm. 6, 22-27.

69. Hacia el monte Adumín

(Escrito el 7 de febrero de 1946)

« ¿ A dónde vamos ahora que empieza a bajar el día ? » se preguntan los apóstoles. Hablan de lo sucedido, pero no en voz alta para no abatir al Maestro que se le ve muy pensativo.

La tarde sigue bajando mientras caminan, siempre detrás del Maestro. A los pies de una cadena de montes muy recortados se ve una pequeña población.

« Aquí nos quedaremos a pasar la noche » ordena Jesús. « Quedaos vosotros aquí, que voy a orar sobre aquellos montes... »

« ¿ Solo ? ¡ Ah, eso no ! ¡ Solo al Adumín, no ! Con todos esos ladrones que te buscan. ¡ No, eso no !... » protesta Pedro.

« ¡ Qué quieres que me hagan ! ¡ No tengo nada ! »

« No me refiero a esos, sino a los que te odian. Se conformarían con tu vida. Así no deben matarte... como si fueras un cobarde. Para que tus enemigos inventen quién sabe qué cosa para alejar a las turbas de tus enseñanzas » torna a hablar Pedro.

« Maestro, Simón de Jonás tiene razón. Serían capaces de hacer desaparecer tu cuerpo y decir que has huído, al sentirte desenmascarado. O bien... hasta podrían llevarte a lugares malos, a casa de alguna prostituta, para decir: " ¡ Ved dónde y cómo ha muerto ! ¡ En un pleito por una meretriz ! " Dijiste bien: " *Perseguir una doctrina quiere decir hacer que crezca su fuerza* ", y lo he notado, porque no perdí de vista al hijo de Gamaliel que lo aprobó con la cabeza. Pero también se dice algo que ha de ser verdadero que " *hacer aparecer ridículo a un santo y a su doctrina es el arma más segura para hacer que muera, y para que desaparezca la estima que la gente tuviera de él* " » dice Judas Tadeo.

« Es cierto. Y esto no debe sucederse » concluye Bartolomé.

« No te prestes a las jugadas de tus enemigos. Piensa que no sólo Tú, sino la Voluntad que te envió, sería aniquilada por esta imprudencia, y se vería que los hijos de las tinieblas han vencido por lo menos durante unos momentos, a la Luz » añade Zelote.

« ¡ Claro que sí ! Siempre andas diciendo y nos hieres el corazón al decirlo que deben matarte. Recuerdo el regaño que diste a Simón Pedro y no te digo: " Que esto no suceda nunca ". Pero creo, sin ser un satanás, poder decirte: " Por lo menos sea de tal modo que sea una glorificación para Tí, un sello inéquivoco de tu santa Persona, y una condenación clara de tus enemigos. Que las multitudes sepan que pueden tener los elementos para distinguir y para creer ". Por lo menos esto, Maestro. La misión santa de los Macabeos jamás parece tan grande como cuando Judas, hijo de Matatías, murió como héroe y salvador en el campo de batalla [1]. ¿ Quieres ir al Adumín ? Iremos contigo. Somos tus apóstoles. ¡ Donde está el jefe, ahí sus criados ! » dice Tomás. Debo aclarar que pocas veces lo he oído hablar con tanta elocuencia.

« ¡ Es verdad ! ¡ Es verdad ! Si te atacan, a nosotros deben atacar primero » dicen varios.

« ¡ Oh, no nos atacarán tan fácilmente ! Han de estar curándose la quemada de las palabras de Claudia . . . ¡ Son astutos, y demasiado ! No pueden olvidar que Pilatos sabe a quién mandar a la muerte. Se han traicionado demasiado, y a los ojos de Claudia. Meditarán la manera de poner sus trampas que no sean tan vulgares. Tal vez nuestro miedo no tenga razón de ser. ¡ No somos los pobres desconocidos de antes ! ¡ Ahora está Claudia ! » habla Iscariote.

« ¡ Bien, bien ! . . . No vamos a quedarnos encerrados. ¿ Qué quieres hacer en el Adumín ? » pregunta Santiago de Zebedeo.

« Orar y buscar un lugar para que todos, en días que están por venir, allí nos preparemos a las nuevas y siempre más encarnizadas luchas. »

« ¿ De parte de los enemigos ? »

« No. También de la parte nuestra. Tenemos mucha necesidad de vernos fortificados. »

« ¿ Pero no acabaste de decir que quieres ir hasta los confines de la Judea y a la Transjordania ? »

« Lo dije e iremos. Pero después de la oración. Iré a Acor, y luego por Doco, a Jericó. »

« ¡ No, no, Señor ! Son lugares nefastos para los santos de

[1] Cfr. 1 Mac. 9, 1-22.

Israel. No vayas allá. Te lo digo. Lo presiento. Algo me lo dice dentro de mí. ¡ No vayas ! ¡ En nombre de Dios no vayas ! » grita Juan que parece como si estuviera a punto de perder los sentidos, como si fuera presa de alguna visión pavorosa... Todos lo miran estupefactos porque nunca lo habían visto de igual modo. Nadie se burla de él. Todos comprenden que se encuentran ante algo sobrenatural, y respectuosos guardan silencio. También Jesús guarda silencio, hasta que no ve que la cara de Juan vuelve a ser la misma y que agrega: « ¡ Oh, Señor mío cuánto he sufrido ! »

« Lo sé. Iremos a Carit. ¿ Qué dice tu espíritu ? » Me llama la atención con qué profundo respeto hable a Juan...

« ¿ Me lo preguntas ? ¿ A mí que soy un muchacho tonto ? ¿ Tu, que eres la Sabiduría altísima[2] ? »

« A tí. Sí. *El más pequeño es el mayor cuando humildemente habla con su Señor sobre el bien de sus hermanos.* Habla pues... »

« Sí, Señor. Vamos a Carit. Hay lugares escarpados donde podemos recogernos según el Señor, y cerca están los caminos de Jericó y Samaría. Bajaremos para reunir a los que te aman y esperan en Tí. Te los llevaremos, o te llevaremos a Tí donde estén ellos, y luego nos alimentaremos con la oración... Descenderá el Señor a hablar a nuestros corazones... a abrir nuestros oídos para que oigan su Palabra que comprenden del todo... a invadir nuestros corazones con sus fuegos. Porque sólo si somos ascuas, podremos resistir los sufrimientos de la tierra. Porque solo si experimentamos antes el dulce martirio del amor completo podremos estar prontos para soportar el del odio humano... Señor... ¿ Qué he dicho ? »

« Mis palabras, Juan. No tengas miedo. Entonces quedémonos aquí, y mañana cuando amanezca iremos a los montes. »

[2] Cfr. Prov. 8-9; Sab. 6-9; Ecl. 1, 1-25; Ju. 1, 1-18.

70. Después del retiro en el Carit

(Escrito el 9 de febrero de 1946)

Desde una cadena montañosa que parece subir a cada momento, lo que tal vez quiera demostrar con una continuación de colinas rocosas, a pico, ásperas, se entreven partes del Mar Muerto al sureste respecto del lugar donde están los apóstoles con el Maestro. El Jordán y su fértil llanura no se ven, lo mismo que ni Jericó, ni cualquier ciudad. Tan sólo se ven montes y montes que se yerguen en dirección de Samaría, y el Mar Muerto por entre dos series de montes. Abajo un arroyo que va en dirección oriental, y al Jordán sin duda alguna. Los graznidos de cuervos llenan el aire, los cánticos de pajarillos la fronda de las pendientes silvestres. Se oye el rumor del viento que silba entre las hendiduras. Se percibe también el ruido de sonajas allá en el fondo del valle, lo mismo que el balido de una que otra oveja. Puede oírse el ruido que despide el gotear de algunas rocas. En general la estación es buena, seca, tibia. Las pendientes son alfombras de esmeralda con sus flores, algunas de las cuales penden, se columpean alegres desde altas rocas, o de viejos troncos.

Las caras de los trece despiden alegría sobrenatural. No se acuerdan más del mundo. Está lejos . . . Sus corazones han vuelto a tomar el equilibrio sacudido con tantos asaltos, y se entregaron a Dios.

Pero el retiro ha terminado, según dice Jesús. Pedro repite su súplica que dijo en el Tabor: « Oh, ¿ por qué no nos quedamos aquí ? ¡ Nos sentimos felices de estar aquí contigo ! »

« Porque nos espera el trabajo, Simón de Jonás. No podemos entregarnos solo a la oración. El mundo espera que lo adoctrinemos. No pueden detenerse los obreros del Señor, mientras haya campos que sembrar. »

« Entonces . . . yo . . . que me hago bueno sólo cuando me aíslo de este modo, nunca lo conseguiré . . . ¡ Vasto que es el mundo ! ¿ Cómo podremos sembrarlo y lograr recogernos en Tí antes de morir ? »

« Es claro que no lo sembraréis todo. Pasarán los siglos. Y cuando haya sido sembrada una parte, vendrá Satanás a destruírla. Habrá, pues, necesidad de trabajar hasta el fin de los siglos. »

« ¿ Entonces cómo podré prepararme a morir ? » Pedro pregunta con voz triste.

Jesús lo abraza diciéndole: « Tendrás tiempo. No es necesario que sea largo. Basta un acto de recogimiento perfecto para prepararse a estar ante el tribunal de Dios. Tú tendrás todo el tiempo. Por otra parte ten en cuenta que *el cumplimiento de la voluntad de Dios es siempre una preparación a una muerte santa.* Si Dios te quiere activo, obedece. Te preparas mejor en la actividad, porque obedeces, que si te encerrases entre rocas las más solitarias a orar y contemplar. ¿ Convencido ? »

« ¡ Lo estás diciendo Tú ! ¿ Entonces qué debemos hacer ? »

« Desparramarnos por los senderos de los valles, reunir a quien me esperare, predicar al Señor y su doctrina hasta que llegue.»

«¿Te quedas solo?»

«Sí. No tengáis miedo. Ved que algunas veces el mal ayuda al bien. Aquí los cuervos dieron de comer a Elías[1]. Nosotros podemos decir que los cuervos feroces nos calmarán el hambre.»

«¿Crees que exista algún movimiento de conversión?»

«No. Pero la caridad que tuvieron, movida aun del pensamiento de que no los traicionaríamos...»

«¡Pero si no lo hemos hecho!» exclama Andrés.

«Claro que no, pero ellos, ladrones infelices, no lo saben. No hay nada de espiritual en sus obras, fatigados como están por el peso de sus delitos.»

«Señor, acabas de decir que la caridad... No entendí qué quisiste decir» pregunta Juan.

«Quise decir que la caridad que tuvieron para con nosotros, no dejará de tener su recompensa, al menos entre los mejores. La conversión, que no ha ocurrido, puede efectuarse poco a poco en lo porvenir. Por esto os dije: "No rechacéis lo que os dan". Y lo acepté aun cuando tenía hedor de pecado.»

«Y también comiste...»

«Cierto, pero no los mortifiqué, rechazándolos. Un movimiento inicial de caridad había en ellos. ¿Por qué destruírlo? Ese arroya que corre allá en el fondo ¿no nace del manantial que gotea de aquella roca? Tenedlo siempre presente. Y es una lección para vuestra vida futura. Para cuando no estaré más entre vosotros. Si encontrareis durante vuestros viajes a algunos delincuentes, no seáis como los fariseos, que desprecian a todos y no se preocupan de despreciarse antes a sí mismos, corrompidos como lo están, sino más bien acercaos a ellos con mucho amor. Quisiera decir con "amor infinito". Más bien, lo afirmo. Es posible que llegue a suceder aun cuando el hombre sea un ser "finito, limitado" en sus acciones y en sus hechos. ¿Sabéis cómo el hombre puede poseer un amor infinito? Uniéndose totalmente a Dios para ser una sola cosa con El. Entonces la creatura desaparece en el Creador, obra El, que es Infinito. Así, unidos con Dios por la fuerza del amor, deberán ser mis apóstoles. *Convertiréis los corazones no por la manera con que habléis, sino por el modo con que obréis.* Si encontrareis pecadores, amadlos. Si encontrareis discípulos que se extravían, sufrid por ellos. Tratad de salvarlos con amor. Recordad la parábola de la oveja perdida. Os digo qué por siglos y siglos será la llamada dulcísima lanzada a los pecadores. Pero también será una orden clara dada

[1] Cfr. 3 Rey. 17, 2-6.

a mis sacerdotes. Empleando todos los medios, todo sacrificio, aun a costa de perder la vida por salvar un alma, pacientemente deberéis ir buscando a los extraviados para que vuelvan al redil.

El amor os dará alegría. Os dirá: " No tengáis miedo ". Os permitirá que os extendáis así por el mundo, como ni Yo mismo lo he hecho. El amor de los futuros justos no deberá ponerse como una señal exterior sobre el corazón o sobre el brazo, como dice el Cantar de los Cantares[2]. Sino que debe ponerse dentro del corazón. Debe ser el fermento que empuje el alma a cualquier acción. *Y cada acción debe ser una sobreabundancia de caridad* que nunca dice basta de amar a Dios o de amar al prójimo mentalmente, sino que baja a la arena, a la lucha contra los enemigos de Dios, para amar a El y al prójimo, aun cuando sea con acciones materiales que poco a poco conducen a la redención y santificación de los hermanos. Por la contemplación se ama a Dios, pero por la acción al prójimo. Ambos amores no están divididos, porque el amor es uno solo, y al amar al prójimo, amamos a Dios que nos ordena que lo hagamos así. No podréis decir vosotros, lo mismo que los futuros sacerdotes, que sois mis amigos si vuestra caridad y la de ellos no se endereza toda ella a la salvación de las almas por las que me he encarnado y por las que padeceré. Os doy ejemplo de cómo se ama. Vosotros y los que vinieren detrás de vosotros, tenéis que imitarme. Se acerca la nueva era. La del amor. He venido a poner fuego en los corazones que crecerá aun después de mi pasión y ascensión y os incendiará cuando el Amor del Padre y del Hijo descienda a consagraros para el ministerio.

¡ Divinísimo Amor ! ¿ Por qué tardas en consumar la Víctima, en abrir los ojos y las orejas, en soltar las lenguas a esta grey mía, para que vaya entre lobos y enseñe que Dios es caridad, y que quien no la tiene en sí, no es sino un animal, un demonio ? ¡ Ven, Espíritu dulcísimo y fortísimo, e incendia la tierra, no para destruírla sino para purificarla ! ¡ Incendia los corazones ! Haz que los otros sean como Yo, unos ungidos del amor, que obren por amor, santos y santificadores por amor.

Bienaventurados los que amen porque serán amados, y no dejará su alma un instante de alabar a Dios junto con los ángeles hasta que lo alaben en la gloria eterna, en la luz del cielo. Que esto así sea, amigos míos. Id ahora y haced con amor lo que os he dicho. »

[2] Cfr. Cant. 8, 6.

71. Esenios y fariseos. Parábola del administrador infiel [1]

(Escrito el 10 de febrero de 1946)

Mucha gente está esperando al Maestro, y se ha esparcido por las pendientes inferiores de un monte más bien separado de los demás, porque emerge de un entretejido de valles que lo rodean, y de donde nacen sus faldas, mejor dicho, se levantan abruptas, casi a pico y en algunos lugares verdaderamente a pico. Para llegar a la cima hay una vereda hecha en la roca calcárea que rasguña el monte, teniendo por límites por una parte lo escarpado del monte, y por la otra el precipicio. La vereda amarillo-oscura, que tiende al rojo, parece una cinta tendida entre el verde polvoriento de matorrales de espinas. Creo que las hojas son las mismas espinas que cubren las pendientes pedrosas y secas, entrelazándose aquí y allá con una flor de color púrpureo-rojo, semejante a un penacho o a un trozo de seda, arrancado de algún vestido. Y este manto espinoso, de un verde glauco, triste como si estuviera cubierto de impalpable ceniza, se extiende por lugares aun a los pies del monte y en la llanura entre el monte y los otros, tanto al noroeste como al sudeste, y sólo en pocos lugares se puede ver lo que llamamos hierba y arbustos que no son tormento, ni espinosos.

La gente se encuentra por estos lugares y paciente espera la llegada del Señor. Ha de ser el día siguiente al que habló a los apóstoles porque es de mañana. El rocío aun no se ha evaporado de los espinos y de las hojas, sóbre todo en aquellos lugares donde el sol todavía no ha tocado y reviste a flores y hojas con colores diamantinos. Es la hora de hermosura de este solitario monte, porque en las otras, bajo un sol despiadado o en las noches de luna, debe presentar un aspecto horrible, algo como un espectro infernal. Al oriente se ve una ciudad rica y extensa en la llanura fertilísima. No se ve otra cosa más de esta parte, todavía baja, donde hay peregrinos, pero desde la cima la vista debe gozar de un panorama extenso. Creo que debido a la altura del monte se podrá ver el Mar Muerto, su zona oriental, las cadenas de montes de Samaría y las que esconden a Jerusalén. Yo no he estado en la cima, y por lo tanto...

Los apóstoles circulan entre la gente tratando de tenerla quieta y ordenada, de poner en los mejores lugares a los enfermos. Algunos discípulos, tal vez los que trabajan en esta zona, y que ha-

[1] Cfr. Lc. 16, 1-18; Mt. 19, 6.

brán guiado hasta los confines de la Judea a los peregrinos que quisieron oir al Maestro, ayudan también.

De pronto se deja ver Jesús con su vestido blanco de lino, pero envuelto en su manto rojo para atenuar el calor del día con lo fresco de las noches que todavía no son las de verano. Mira, sin que lo vean, a la gente que lo está esperando. Sonríe. Parece que ha venido de detrás del monte (parte occidental), como de la mitad, y rápido desciende por el difícil sendero. Es un muchacho el que, no sé si por seguir el vuelo de pájaros que anidan en los zarzales y que salieron volando espantados por una piedra que ha rodado de lo alto, o porque se haya sentido atraído, lo ve y grita, poniéndose de pie: « ¡ El Señor ! »

Todos se voltean y miran a Jesús, que estará lejor unos docientos metros a lo más. Tratan de correr, pero El con un brazo y con su voz que llega clara, tal vez por eco del monte, les ordena a que se estén donde están. Y siempre sonriente baja, y se detiene en el punto más alto de la planicie. Desde allí envía su saludo: « La paz sea con todos vosotros » y con una sonrisa especial repite el saludo a los apóstoles y discípulos que tiene a su alrededor.

Jesús irradia belleza. Con el sol enfrente y el costado verde del monte a las espaldas, parece una visión inimaginable. Las horas que ha pasado en la soledad, algo que no conocemos, tal vez algo que deja traslucir de su contacto con el Padre, no lo sé, acentúan su siempre perfecta belleza. Le dan un aire de imponencia, de serenidad, diría yo, alegre, como de quien regresa de donde está la persona amada y trae consigo la noticia en el rostro, en los ojos. Subyuga a los presentes que admirados lo contemplan en silencio, como atemorizados al intuir algo de misterio entre el Altísimo y su Verbo . . .

Jesús baja sus ojos radiantes, baja su rostro bienaventurado, esconde su sonrisa prodigiosa, inclinándose sobre los enfermos a quienes acaricia y cura, los cuales miran admirados ese rostro de sol y de amor. Terminado se yergue y muestra a las turbas lo que es el Rostro del Pacífico, del Santo, del Dios hecho carne, todavía envuelto en la luminosidad que dejó el éxtasis. Repite: « La paz sea con vosotros. » Hasta su voz es más musical . . . Fuerte se extiende sobre sus oyentes, llega a sus corazones, se los acaricia, los sacude, los invita a amar.

Todos sienten esto, menos el grupo de fariseos secos, áridos, espinosos más que el monte mismo. Están como estatuas de incomprensión y de rabia en un ángulo. Menos el otro que está vestido completamente de blanco y separado, que escucha desde una parte alta. Oigo que Bartolomé e Iscariote los llaman « esenios ». Pedro refunfuña diciendo: « Y así tenemos una parvada más de gavilanes. »

« Déjalos en paz. ¡ Mi palabra es para todos ! » dice sonriente Jesús, aludiendo a los esenios. Empieza a hablar.

« Sería una cosa bella que el hombre fuese perfecto como lo quiere el Padre celestial. Perfecto en sus pensamientos, sentimientos, acciones. Pero no sabe serlo y emplea mal los dones de Dios, el cual concedió al hombre la libertad de obrar, pero dando sus órdenes para las cosas buenas, aconsejando las perfectas, a fin de que el nombre no pudiera decir: " No lo sabía yo ".

¿ Qué uso hace el hombre de la libertad que Dios le ha dado ? Casi todos como podría usarla un niño o un necio; o algunos como un delincuente. Pero luego llega la muerte y entonces el hombre tiene que presentarse ante el Juez que severo le preguntará: " ¿ Cómo usaste y abusaste de lo que te di ? " ¡ Terrible pregunta ! Entonces, menos que pajas aparecerá lo que valen los bienes de la tierra, por los cuales frecuentemente el hombre se hace pecador. Pobre en medio de una miseria eterna, con una vestidura que no puede sustituir nada, estará humillado, tembloroso ante la majestad del Señor y no encontrará palabras para excusarse. En la tierra es fácil hacerlo, engañando a los pobres hombres. Pero en el cielo esto no sucede. A Dios no se le engaña. Jamás. Dios no desciende a compromisos. Jamás.

¿ Cómo salvarse entonces ? ¿ Cómo hacer que todo sirva para la salvación aun aquello que viene de la Corrupción, que ha enseñado que los metales, las piedras preciosas son instrumento de riqueza, que ha despertado la manía del poder y los apetitos de la carne ? ¿ No podrá el hombre que por pobre que sea puede pecar deseando inmoderadamente el oro, el poder, las mujeres, y que algunas veces para tener lo que el rico tiene ? ¿ No podrán, pregunto, el rico y el pobre salvarse ? Sí. ¿ Y cómo ? Disfrutando de las cosas para el bien; de la pobreza para el bien. El pobre que no envidia, no maldice, no desea lo de otros, sino que se contenta con lo que tiene, se satisface de su condición humilde para ser santo. En verdad os digo que la inmensa mayoría de pobres lo sabe hacer. Pero no los ricos para los cuales la riqueza es una trampa continua de Satanás, de la triple concupiscencia.

Escuchad la siguiente parábola y veréis que también los ricos pueden salvarse siéndolo, o reparar sus errores con el buen uso de las riquezas, aun si mal adquiridas, porque Dios, que es Bueno, ha dejado a la disposición de sus hijos muchos medios para que se salvan.

Había, pues, un rico que tenía su administrador. Algunos enemigos suyos que envidiaban su puesto, o muchos amigos del rico que se preocupaban por su fortuna, acusaron al administrador. " Despilfarra tus bienes. Se aprovecha de ellos. No hace porque fructifiquen como debieran. Pon atención. Toma tus providencias ".

El rico, después de varias y repetidas acusaciones, mandó llamar a su administrador. Le dijo: " Me han dicho de tí esto y aquello. ¿ Cómo es posible que hayas obrado de este modo ? Dame cuenta de tu administración porque no la tendrás más. No tengo confianza en tí. No puedo dar ejemplo de injusticia y de estupidez, lo que haría que tus demás compañeros siguiesen tus pasos. Ve y regresa con todas las facturas, para que las examine y me de cuenta de la situación de mis bienes antes de darlos a otro ". El administrador salió pensativo y se decía entre sí: " ¿ Y qué voy a hacer ahora que el patrón me quieta la hacienda ? Ahorros no tengo, porque como estaba seguro de tener todo a mi disposición, lo que tomaba lo gastaba. Meterme de campesino, de criado, ¡ eso no !, porque no estoy acostumbrado al trabajo y sí a las crápulas. ¿ Pedir limosna ? ¡ Eso ni soñarlo ! ¡ Demasiado rebajarme ! ¿ Qué haré ? . . . "

Pensando y pensando encontró la salida a su difícil situación. Dijo: " ¡ He dado con el clavo ! Con los mismos medios que me regalaron una buena vida hasta ahora, de hoy en adelante me procuraré amigos que me hospedarán por agradecimiento cuando no tenga más la administración. Quien hace favores tiene amigos. Vamos, pues, a hacer el bien y démonos prisa, antes de que la noticia se esparza y sea demasiado tarde ".

Fue a varios deudores de su patrón. Dijo al primero: " ¿ Cuánto debes a mi patrón por la suma que te prestó en la primavera de hace tres años ? "

Le respondió: " Cien barriles de aceite, con todo e intereses ".

" ¡ Oh, pobrecito ! Tú que estás cargado de hijos, y eso hasta enfermos ¿ tener que pagar tanto ? ¿ No te prestó por valor de treinta barriles ? "

" Así es, pero como tenía necesidad inmediata me dijo: 'Te presto, con la condición de que me des lo que te rinda en tres años'. Y me ha rendido por valor de cien barriles. Los debo entregar ".

" ¡ Es una usura ! No. No. El es rico, y tú apenas estás fuera de la frontera del hambre. El tiene poca familia, y tú con demasiada. Escribe que te rindieron cincuenta barriles y no te preocupes más. Juraré que es verdad y tú te encontrarás mejor ".

" ¿ No me traicionarás ? ¿ Y si lo llegase a saber ? "

" ¿ Lo crees ? Yo soy el administrador, y lo que juro se acepta.

Haz como te digo y que te vaya bien ".

El hombre escribió, entregó la factura y dijo: " ¡ Que Dios te bendiga, amigo mío y salvador ! ¿ Cómo pagarte ? "

" ¡ Oh, no es nada ! Sólo quiero decir que si por ti tuviese que sufrir algo o que me echase fuera, me acogerías por agradecimiento ".

" ¡ Claro, hombre ! ¡ Eso ni dudarlo ! "

El administrador se fue a otro deudor, y más o menos el diálogo fue el mismo. Este deudor tenía que pagar cien fanegas de trigo, porque durante tres años la sequía había acabado con sus campos, y se había visto obligado a pedir el préstamo para poder dar de comer a su familia.

" ¡ Oye, no te preocupes en dar el doble ! ¡ Negar el trigo ! ¡ Exigir el doble de alguien que tiene hambre e hijos, mientras sus graneros están que revientan ! Escribe ochenta fanegas ".

" ¿ Y si se acuerda que me dió veinte, y luego veinte más y después diez ? "

" ¿ Cómo quieres que se acuerde ? Yo fui quien te las di y *no quiero* acordarme. Haz como te digo, y déjate de cosas. ¡ La justicia es necesaria entre pobres y ricos ! Si yo fuera el patrón, pediría sólo las cincuenta, y ¡ tal vez hasta te las perdonaría ! "

" Tú eres bueno. ¡ Si todos fueran como tú ! Recuerda que mi casa es tuya ".

El administrador fue a otros. Empleó igual modo, ¡ dijo que estaba pronto a sufrir para poner las cosas en su lugar y con justicia ! Le llovieron ofertas de ayuda y bendiciones. Contando con el mañana, tranquilo fue a ver a su patrón, el cual a su vez, había seguido las huellas de su administrador y descubierto la jugada. Sin embargo lo alabó diciendo: " Lo que hiciste no está bien, y por eso no puedo alabarte. Pero sí lo debo por tu sagacidad. En verdad que los hijos del siglo son más listos que los de la Luz ".

Y lo que dijo el rico también Yo os lo digo: " *El fraude no es bueno, y no alabaré nunca al que lo cometa. Pero os exhorto que seáis por lo menos como los hijos del siglo, que empleéis los medios del siglo, para hacer que produzcan monedas con las que se entre en el reino de la luz* ". Esto es haceos de amigos que os abran las puerta del reino eterno con las riquezas terrenales, medios injustos en la repartición y que se les empleó en conseguir un bien transitorio que no tiene valor allá. Haced el bien con los medios que tenéis; restituid lo que vosotros u otros de la familia han tomado sin derecho; arrancad de vosotros el afecto malo y culpable por las riquezas, y será todo esto como amigos que a la hora de la muerte os abrirán las puertas eternales y os recibirán en las moradas de bienaventuranza.

¿ Cómo pretendéis que Dios os dé sus bienes del paraíso si ve que no sabéis hacer buen uso de los terrenales ? ¿ Creéis que, por una suposición imposible, se admita en la Jerusalén celestial a despilfarradores ? ¡ Eso nunca ! Allá arriba se vive caritativa, generosa y justamente. Todos para Uno y todos para todos. La comunión de los santos es una sociedad honrada, santa. Ninguno que haya sido injusto, infiel puede formar parte de ella.

No digáis: " Allá arriba seremos felices y justos porque allá todo lo tendremos sin temor de algo ". No. Quien es infiel en lo poco, será infiel aun si poyese el Todo, y quien es injusto en lo poco, lo es en lo mucho. Dios no confía las verdaderas riquezas a quien en la prueba terrena muestra no saber usar las riquezas materiales. ¿ Cómo puede Dios confiaros algún día en el cielo el que ayudéis a vuestros hermanos en la tierra, cuando no hicisteis otra cosa sino arrebatar y cometer el fraude, o conservar avaramente lo que tenéis ? No os dará por consiguiente vuestro tesoro que os había reservado, sino que lo dará a los que supieron ser listos en la tierra, aun cuando usaron lo que es injusto y mal visto en obras que lo hicieron justo y bien visto.

Ningún siervo puede servir a dos patrones. Porque será fiel a uno y no al otro. Los dos patrones que el hombre puede elegir son Dios y Mammona. Si quiere pertenecer al primero, no puede vestirse con las insignias del segundo, ni seguir sus órdenes, y medios. »

Una voz del grupo de los esenios se levanta: « El hombre no es libre de escoger. Está obligado a seguir su destino. Y afirmamos que se da a cada uno sabiamente. Aun más la Mente perfecta ha establecido, según una disposición también perfecta, el número de los que serán dignos de los cielos. Respecto de los otros es inútil que se esfuercen en serlo. Así es. No puede ser de otro modo. Así como uno que al salir de su casa puede encontrar la muerte porque le cayó encima una piedra que se desprendió de la corniza, o bien otro puede encontrarse en lo más reñido de la batalla y salir de ella sin ningún rasguño, de igual modo el que quiere salvarse, y si no está escrito, no hará otra cosa más que pecar aun sin saberlo, porque su condenación está sellada. »

« No. Así no es. Pensando así, injurias al Señor. »

« ¿ Por qué ? Demuéstramelo y cambiaré de opinión. »

« Porque al decir esto, admites mentalmente que Dios es injusto con sus hijos. El ha creado a todas de igual modo y con igual amor. Es un Padre. Perfecto en su paternidad, como en todas las otras cosas. ¿ Cómo puede hacer distinciones, y maldecir a alguien que está todavía dentro del seno de su madre y por lo tanto inocente ? »

« Para tener una cierta recompensa cuando el hombre lo ofenda. »

« No. ¡ De este modo no se aprovecha Dios ! No se contentaría con un miserable sacrificio como este, además de injusto y forzado. La culpa cometida contra Dios sólo pueda quitarla el Dios hecho Hombre. Será el expiador. No este o aquel hombre. ¡ Oh, si hubiera sido posible que sólo quitara Yo la culpa de origen ! ¡ que ningún Caín hubiera existido sobre la tierra, ningún Lamec[2], ningún sodomita corrompido[3], ningún homicida, ladrón, fornicador, adúltero, blasfemo, deshonrador de sus padres, perjuro ! Y de todos estos pecados Dios no es culpable sino el hombre. Dios ha dejado en libertad al hombre de escoger el bien o el mal. »

« No hizo bien » grita un escriba. « Nos puso en la tentación más de lo necesario. Sabiendo que somos débiles, ignorantes, drogados, nos puso en ella. A esto se le llama imprudencia o perversidad. Tú que eres justo convendrás conmigo que tengo razón. »

« Dices una mentira para tentarme. El Señor dió a Adán y a Eva *todos* los consejos ¿ y de qué sirvió ? »

« Hizo mal entonces. No debía haber puesto el árbol, la tentación en el jardín. »

« Entonces ¿ dónde se queda el mérito del hombre ? »

« No era necesario. Vivía sin mérito suyo y sólo por el de Dios. »

« Quieren probarte, Maestro. Deja a esas sierpes, y escúchanos, a nosotros que vivimos en continencia y meditación » grita de nuevo el esenio.

« Es verdad que vivís, pero no bien. ¿ Por qué no vivir santamente ? »

El esenio no responde pero sí agrega: « Como me diste una razón persuasiva sobre el libre arbitrio, y la meditaré honradamente, esperando poder aceptarla, dime pues ¿ crees realmente en una resurreción de los cuerpos y en una vida de los espíritus que encontrarán su perfección allá ? »

« ¿ Y quieres que Dios ponga fin a la vida del hombre de este modo ? »

« Pero el alma . . . Puesto que el premio la hace bienaventurada, ¿ para qué hacer que resucite la materia ? ¿ Con ello aumentará el gozo de los santos ? »

« Ninguna cosa aumentará el gozo que tendrá un santo cuan-

[2] Cfr. Gén. 4.
[3] Cfr. Gen. 19, 1-29.

do posea a Dios. Esto es, una sola cosa se la aumentará el último día: la de saber que el pecado no existe más. ¿ No te parece razonable y justo que así como durante *este* día cuerpo y alma estuvieron unidos, luchando por la posesión del cielo, vuelvan a unirse en el día eterno para gozar del premio ? ¿ No lo crees ? Entonces ¿ por qué vives en continencia y oración ? »

« Para... para ser mejor, para ser superior a los animales que obedecen sus instintos sin freno alguno, y para ser superior a la mayoría de los hombres entregados a la animalidad aunque traigan filacterias, fimbrias, zizit, vestidos largos y se llamen " los separados ". »

¡ Anatema ! Los fariseos al sentir la flecha que hace que la gente murmure contra ellos, se retuercen, gritan como obsesos. « ¡ Nos ha insultado, Maestro ! ¡ Conoces nuestra santidad ! ¡ Defiéndenos ! »

Jesús responde: « También él conoce vuestra hipocresía. Los vestidos no corresponden a la santidad. Haceos dignos de que se os alabe y hablare en vuestro favor. En cuanto a tí, esenio, te digo que por muy poco te estás sacrificando. ¿ Para qué ? ¿ Para quién ? ¿ Por cuánto ? Por una alabanza humana. Por un cuerpo mortal. Por un tiempo que pasa rápido como el vuelo de un halcón. Eleva tu sacrificio. Cree en el Dios verdadero, en la bienaventurada resurrección, en el libre arbitrio del hombre. Vive como asceta, pero por estas razones sobrenaturales, y con tu cuerpo resucitado gozarás del eterno júbilo. »

« ¡ Es tarde ! ¡ Soy ya viejo ! Tal vez me acabé la vida en una secta equivocada... ¡ Todo ha terminado ! »

« ¡ No ! Nada termina para el que quiere el bien. Oíd, vosotros pecadores, quienes estáis en el error, vosotros, cuyo pasado haya sido cualquiera. Arrepentíos. Venid a la misericordia. Os abre los brazos. Os señala el camino. Soy fuente pura, y fuente de vida. Deshaceos de las cosas que hasta ahora os han extraviado. Venid desnudos al lavacro. Revestíos de luz. Renaced. ¿ Habéis robado en los caminos, o vivido astutamente de vuestros negocios y administraciones ? Venid. ¿ Habéis llevado una vida de vicios y de pasiones impuras ? Venid. ¿ Habéis sido opresores ? Venid. Venid. Arrepentíos. Venid al amor y a la paz. Dejad que el amor de Dios pueda derramarse sobre vosotros. Consolad a este amor que sufre por vuestra resistencia, miedo, titubeos. Os lo ruego en el nombre de mi Padre y vuestro. Venid a la vida, a la verdad, y conseguiréis la vida eterna. »

Un hombre de entre la gente grita: « Yo soy rico y pecador. ¿ Qué debo hacer para ir ? »

« Renuncia a todo por amor de Dios y de tu alma. »

Los fariseos murmuran, hacen befa de Jesús como de « un vendedor de ilusiones y herejías », como de un « pecador que finge ser santo » y le advierten que los herejes son siempre herejes, y que también los esenios. Dicen que las conversiones inmediatas no son sino entusiasmos momentáneos y que el impuro seguirá siéndolo, lo mismo que el ladrón, el homicida serán lo que son. Terminan diciendo que sólo ellos que viven en santidad perfecta, tienen derecho al cielo y a predicar a los demás.

« El día había empezado feliz. Una lluvia de semillas de santidad caía sobre los corazones. Mi amor, alimentado con el beso de Dios, da vida a las semillas. El Hijo del hombre se sentía dichoso de santificar... Vosotros me habéis envenado y oscurecido el día. Pero no importa. Os digo — y si no fuere dulce, la culpa es vuestra — os digo que sois de los que aparentan ser justos, o tratan de serlo ante los ojos de los hombres, pero en realidad no lo sois. Dios conoce vuestros corazones. Lo que es grande ante los hombres es abominación ante la inmensidad y perfección de Dios. Citáis la ley antigua. ¿ Por qué no vivís según ella ? La habéis modificado a vuestro capricho, poniéndole cosas de que recabáis utilidad. ¿ Por qué entonces no me dejáis que la modifique en favor de estos pequeños, quitando de ella todos los zizites, telefines, preceptos inútiles que habéis agregado, que son tantos que la ley esencial desaparece bajo su peso, y muere ahogada ? Tengo compasión de estas multitudes, de estas almas que buscan respirar en la religión, y no encuentran sino el nudo corridizo sobre sus gargantas. Que buscan el amor y encuentran el pavor...

¡ Venid, pequeños de Israel ! ¡ La ley es amor ! ¡ Dios lo es ! Lo digo a quienes habéis espantado. La ley severa y los amenazadores profetas que me predijeron, no lograron contener el pecado atrás, pese a los gritos de su difícil misión, sino hasta Juan, de quien en adelante viene el reino de Dios, el reino del amor. Digo a todos los humildes: " Entrad. Es para vosotros ". Y el que se sienta con buena voluntad, se esfuerce en entrar. Mas para los que no quieren doblar su cabeza, golpearse el pecho, decir: " He pecado ", no habrá el reino. Está dicho: " Circuncidad vuestro corazón. No endurezcáis vuestra cerviz [4]. "

Esta tierra vió el prodigio que hizo Eliseo al convertir las aguas margas en dulces con arrojarles sal [5]. ¿ Y no acaso arrojo sal de sabiduría en vuestros corazones ? ¿ Entonces por qué sois inferior a las aguas y no cambiáis vuestro espíritu ? Meted en

[4] Cfr. Deut. 10, 12-22.
[5] Cfr. 4Rey. 2, 19-22.

vuestras fórmulas mi sal y tendrán un sabor nuevo porque devolverán a la ley su fuerza primitiva. No. No mintáis. Soy Yo quien devuelvo a la ley su antigua forma que habéis desfigurado. Porque es ley que durará cuanto dure la tierra, y antes desaparecerán los cielos y la tierra que una de sus palabras, uno de sus consejos, pase. Si la cambiáis, porque así os agrada, y decís sutilezas tratando de disminuir vuestras culpas, tened en cuenta que de nada os sirve. De nada te sirve, Samuel. De nada, Isaías. Siempre se ha dicho: " No cometerás adulterio "[6], y yo añado: " Quien despide a su esposa para tomar otra es un adúltero, y quien se casa con la despedida, también lo es, porque lo que Dios ha unido solo la muerte puede separarlo ".

Estas palabras duras son para los impenitentes. Los que han pecado, y se duelen por haberlo hecho, sepan, se convenzan de que Dios es Bondad, y se acerquen al que absuelve, perdona y admite a la vida. Idos con esta persuasión. Sembradla en vuestros corazones. Predicad la misericordia que os da la paz, bendiciéndoos en el nombre del Señor. »

La gente lentamente se va, parte por el sendero que es estrecho, parte porque Jesús la atrae, pero no hay remedio: tiene que irse . . .

Se quedan los apóstoles y se van también hablando con Jesús. Buscan sombra en un pequeño bosque de tamariscos despeinados. Allí está un esenio. El que habló a Jesús. Se está quitando sus vestiduras blancas.

Pedro, que va delante de todos, se queda como estatua al ver que el esenio se queda con los vestidos internos y retrocede gritando: « ¡ Maestro, un loco ! ¡ El esenio ! Se ha desnudado. Llora y suspira. No podemos ir allá. »

El esenio, flaco, barbudo, con sus vestidos internos y sandalias sale del tupido bosquecillo y se acerca a Jesús llorando y golpeándose el pecho. Se prosterna: « Soy un curado en su corazón. Me has curado el alma. Obedezco lo que dijiste. Me revisto de luz, dejando atrás cualquier otro pensamiento que pudiera serme vestidura de error. Me separo para meditar sobre el Dios verdadero, para alcanzar la vida, la resurrección. ¿ Es suficiente ? Dame un nombre nuevo y señalame un lugar donde viva de Tí y de tus palabras. »

« ¡ Está loco ! No sabemos vivir nosotros que hemos oído tantas ! Y él . . . por una sola predicación . . . » dicen varios de los apóstoles.

El esenio que ha oído, responde: « ¿ Queréis poner límites a

[6] Cfr. Ex. 20, 14; Deut. 5, 18.

Dios ? El me ha quebrantado el corazón para darme un espíritu libre. ¡ Señor ! . . . » suplica extendiendo hacia Jesús sus brazos.

« Está bien. Llámate desde ahora Elías y se fuego. En aquel monte hay muchas cuevas. Ve allí, y cuando sientas que la tierra temblare fuertemente, sal de allí y busca a los siervos del Señor y únete a ellos. Renacerás para ser también un siervo. Vete. »

El ex-esenio le besa los pies, se levanta y se va.

« ¿ Así tan desnudo ? » preguntan atolondrados.

« Dadle un manto, un cuchillo, una yesca, un eslabón y un pan. Caminará hoy y mañana, y luego se retirará a donde estuvimos para orar. El Padre proveerá a su hijo. »

Andrés y Juan corren, lo alcanzan, cuando está por desaparecer por una curva.

Regresan diciendo: « Tomó todo. Le señalamos el lugar donde estuvimos. ¡ Qué presa tan imprevista, Señor ! »

« Dios aun sobre las rocas hace que nazcan flores. También en los desiertos de los corazones hace que nazcan espíritus de voluntad para consuelo mío. Vámonos ahora en dirección de Jericó. Nos hospedaremos en alguna casa de la campiña. »

72. En casa de Nique

(Escrito el 12 de febrero de 1946)

El camino, aunque bordeado de árboles, es un horno ardiente bajo los rayos del sol meridiano. De los campos, donde los trigales crecen rápidamente, sale calor, sale un cierto olor a horno. La luz es avasalladora. Cada espiga parece una lamparita de oro entre las vainas doradas y las puntitas. Los rayos del sol sobre los tallos son deslumbradores como los del camino. En vano los ojos buscan donde posarse. Si los levantan se encuentran con ese brillar de un sol fortísimo y tienen que bajarlos, tienen que buscar si encuentran algún consuelo en la vereda polvorienta, rojiza, seca. El sudor pinta surcos en mejillas cubiertas de polvo. Los pies cansados se arrastran levantando más polvo que atormenta, que mata, que ahoga.

Jesús consuela a sus cansados apostóles. Aunque suda mucho, se ha puesto en la cabeza, para defenderse del sol, el manto y aconseja que lo imiten. Sin decir nada, obedecen. No tienen aliento para decir algún refunfuño, o lanzar alguna queja. Caminan como si estuvieran borrachos . . .

« Consolaos. Allí hay una casa entre los campos . . . » dice Jesús.
« Si es como las otras . . . no nos queda más consuelo que el de seguir caminando entre los campos sin meta alguna » refunfuña Pedro detrás su manto. Los otros confirman lo dicho con un « ¡ Uhm ! » desolado.
« Yo voy. Vosotros quedaos bajo esta poca de sombra. »
« No. No. También vamos nosotros. Al menos tendrán un pozo, aquí donde el agua no falta . . . y beberemos hasta apagar el fuego que nos consume . . . »
« Beber así acalorados, os puede hacer mal. »
« Que muramos . . . será siempre más consolador que lo que ahora nos atormenta . . . »
Jesús no replica. Suspira y es el primero en caminar por una vereda que hay entre los campos.
Los campos llegan hasta un poco antes de la casa, pues terminan ante un huertecillo maravilloso, sombreado, que templa la luz y el calor creando un ambiente óptimo, acogedor alrededor de ella. Los apóstoles con un « ¡ ah ! » de alivio, se meten.
Jesús avanza, sin preocuparse de las súplicas de que espere un poco. Llegan a sus oídos el gemir de los palomos, el rechinar de la garrucha, voces tranquilas de alguna mujer.
Jesús desemboca en una especie de plazoleta que rodea la casa, como una banqueta ancha y limpia, donde un emparrado extiende su bello ramaje, que brinda sombra. Dos pozos, uno a la derecha, el otro a la izquierda de la casa, y sobre ellos la vid arroja también su sombra. Hay jardincillos contra las paredes de la casa. Cortinas ligeras con líneas oscuras ondean ante las puertas abiertas. Se oyen voces de mujeres, ruido a platos en una habitación. Jesús se dirige a ella, y al pasar cerca de una docena de palomos que estaban comiendo, vuelan. El rumor atrae la atención de quien está en la habitación. Al mismo tiempo que Jesús retira la cortina con su mano hacia la derecha, una criada lo hace a la izquierda y se queda sorprendida al verlo.
« ¡ La paz sea en esta casa ! ¿ Puedo como peregrino encontrar algún descanso ? » pregunta de pie en el umbral de la habitación que es una amplia cocina en que las criadas están poniendo en orden los utensilios usados en la comida del mediodía.
« La patrona no te lo negará. Voy a comunicárselo. »
« Vienen conmigo otros doce. Si tan sólo Yo pudiera tenerlo prefiero mejor que no. »
« Lo diremos a la patrona y seguramente . . . »
« ¡ Maestro y Señor ! ¿ Tú aquí ? ¿ En mi casa ? ¡ Qué grande honor ! » interrumpe una mujer que es Nique. Se echa a los pies de Jesús para besárselos.

Las criadas se quedan como estatuas. La que lavaba los platos se ha quedado con el secador en la derecha y con un plato que gotea en la izquierda que se le ve colorada por el agua caliente. Otra que estaba limpiando los cuchillos, que estaba sentada sobre sus calcañales en un rincón, gira sobre sus rodillas para ver mejor, y los cuchillos caen al suelo. La que estaba sacando la ceniza de las hornillas, levanta su cara llena de ceniza y se queda así, con la boca abierta.

« Estoy aquí. Muchas casas no nos quisieron recibir. Estamos cansados y muertos de sed. »

« ¡ Oh, ven, ven ! No aquí. A las habitaciones que dan al norte, que son frescas y con sombra. Preparad, vosotras, agua para que se laven y bebidas aromáticas. Tú, muchacha, corre a despertar al admnistrador para que te dé algo de comer inmediatamente, mientras esperan el banquete . . . »

« ¡ No, Nique ! No soy el huésped mundano. Soy tu Maestro perseguido. Te pido descanso y amor más que comida. Te pido compasión más que para Mí, para mis amigos . . . »

« Está bien, Señor ¿ pero cuándo hicisteis la última comida ? »

« De ellos no sé [1]. Yo ayer al amanecer, y con ellos. »

« Lo estás viendo . . . No haré ningún despilfarro. Pero como una hermana y una madre daré a todos lo necesario y a Tí como sierva y discípula, honor y ayuda. ¿ Dónde están los hermanos ? »

« En el huerto. Tal vez ya estén llegando. Oigo sus voces. »

Nique corre afuera, los ve, los llama, los lleva con Jesús a un fresco vestíbulo donde hay palanganas, toallas, y donde pueden lavarse la cara, los brazos y los pies del polvo y del sudor.

« Por favor. Quitaos los vestidos que arden. Dad todo a las criadas. Será un gran alivio tener vestidos limpios y sandalias frescas. Después id a aquella sala. Allí os espero. »

Nique se va, cerrando la puerta . . .

. . . « ¡ Ah, qué bien se está aquí bajo la sombra y fresca ! » suspira Pedro al entrar en la sala donde Nique los está esperando con todo respeto.

« Mi alegría de poderos dar alivio es mayor que el que sientes ahora, ¡ oh apóstol de mi Señor ! »

« ¡ Uhm ! Apóstol . . . Bueno . . . Pero oye, Nique, seamos amigos. Tú no me haces sentir el peso de que eres rica y sabia, y yo el de que soy apóstol. Así . . . como buenos hermanos que tienen necesidad el uno del otro para el espíritu y para el cuerpo. Me da mucho . . . miedo pensar de que soy " apóstol " . »

« ¿ Miedo de qué ? », pregunta con una sonrisa de admiración.

[1] Cfr. vol. 1º, pág. 356, not. 7 y pág. 428, not. 15.

« De ser ... de ser demasiado grande respecto a mi estatura, y de que pueda verme aplastado bajo mi peso ... Miedo de ... la soberbia ... Miedo de que ... con la idea de ser apóstol, los demás, me refiero a mis compañeros y a las almas buenas que me soporten, y no digan nada aun cuando diga sandeces. Esto no lo quiero, porque entre los discípulos, también entre los que creen, hay mejores que yo, quién en esto, quién en aquello, y yo quiero hacer como ... como aquella abeja que acaba de entrar y ha chupado de la fruta que trajiste para nosotros, un poco de esta, un poco de aquella, y para rematar se va a chupar en aquellas flores, y luego irá a hacer lo mismos en los tréboles, en las flores de lis, en las de canela, en las de los mantos. Toma de todas. También yo tengo que hacer como ella ... »

« ¡ Pero tú extraes la miel de la mejor de las flores ! ¡ Del Maestro ! »

« Es verdad. De El aprendo a ser hijo de Dios. De los hombres buenos aprenderó a ser hombre. »

« Lo eres. »

« No, Nique. Soy un poco menos que un animal. No comprendo cómo me soporta el Maestro ... »

« Te soporto porque sé que eres, y porque se te puede modelar. Pero si te resistieras, si fueras terco, sobre todo soberbio, te habría arrojando como a un demonio » dice Jesús.

Entran criadas con tazones de leche fresca, con jarras de bebidas aromáticas.

« ¡ Por favor ! » dice Nique. « Después podréis descansar hasta la tarde. En casa hay habitaciones y camas. Y si no tuviera daría la mía para que descansarais. Maestro, voy allá para ver qué hay que hacer. Sabéis dónde estoy y dónde las criadas por si necesitáis algo. »

« Ve, y no te afanes tanto por nosotros. »

Nique sale. Los apóstoles comen lo que no es más que el aperitivo. Comen alegres, con buen apetito, salpicado con charla amena.

« ¡ Qué frutas tan bellas ! »

« Es una buena discípula. »

« La casa es hermosa. No tienes lujos, pero no es pobre. »

« Su dueña es una persona buena y al mismo tiempo valerosa. Orden, limpieza, respeto, amabilidad. »

« ¡ Qué hermosos campos tiene a su alrededor ! ¡ Una riqueza ! »

« Sí. ¡ Y un horno ! ... » dice Pedro que todavía no se ha olvidado de lo que sufrió. Los otros se ríen.

« Aquí está uno bien. ¿ Sabías que Nique estaba qui ? » pregunta Tomás.

« No más que vosotros[2]. Sabía que vive cerca de Jericó, que tiene tierras que hace poco compró. No más. El buen ángel de los pereginos nos guió[3]. »

« Verdaderamente te guió. Nosotros no queríamos venir. »

« Yo casi estaba a punto de echarme por tierra, que me quemara el sol, antes que dar un paso más » dice Mateo.

« No se puede caminar más de día. Este año el sol ha comenzado a dar muy fuerte. Parece como si también él estuviere enloqueciendo. »

« Sí. Caminaremos durante las primeras horas del día y las últimas de la tarde. Pronto iremos a los montes. Allá no hace tanto calor. »

« ¿ A mi casa ? » pregunta Iscariote.

« Sí, Judas. A Yutta, a Hebrón. »

« Pero no a Ascalona ¿ eh ? »

« No, Pedro. Iremos a donde todavía no hemos ido. Claro que sufriremos el sol y el calor. Un poco de sacrificio por amor mío y por el de las almas. Ahora descansad. Voy a orar al huerto. »

« ¿ No estás cansado ? ¿ No sería mejor que también descansases ? » le pregunta Judas de Alfeo.

« Tal vez el Maestro quiere detenerse aquí . . . » observa Zelote.

« No. Partiremos al amanecer para atravesar el río en las primeras horas, cuando todavía hace fresco. »

« ¿ A dónde vamos ? ¿ Al otro lado del Jordán ? »

« Las multitudes regresan después de la pascua a su casa. En Jerusalén me buscaron muchos en vano. Predicaré y curaré en el vado. Luego iremos a poner en orden la casita de Salomón. Nos servirá mucho. »

« ¿ No regresamos a Galilea ? »

« Sí. Pero estaremos mucho tiempo por estas partes del sur, lo que será un buen refugio. Dormid. Voy, voy allá. »

La cena debió ya de haber terminado. Es de noche. Abundante rocío cae de las cornizas, tecleando sobre las hojas de la vid. Estrellas que son un ensueño en el cielo. Un número incalculable de estrellas entre las que la mirada se pierde. Canto de grillos, volidos de aves nocturnas, y luego el silencio del campo.

Los apóstoles se han ido a acostar ya. Nique no. Escucha al Maestro.

El está sentado, derecho, en una banca de piedra recargada contra la casa. Ella, de pie, ante El, en actitud de sumo respeto.

[2] Cfr. nota anterior.
[3] Cfr. Gén. 24, 1-10; Ex. 23, 20-24; 33, 1-6; Núm. 20, 14-21; Tob. 5.

Jesús da fin a un argumento que había ya empezado, pues añade: « La observación es correcta. Ciertamente al penitente, mejor: " al que renace " no le faltará la ayuda del Señor. Mientras cenábamos y tú servías a la mesa, pensé que la ayuda podría ser tú. Dijiste que no puedes seguirme sino por breves espacios de tiempo, pues la casa y la servidumbre son nuevas y tienes que vigilar ". Esto te dolía, porque si lo hubieras sabido antes no hubieras comprado algo a lo que te ves atada. Tú misma estás viendo que ha servido para dar hospedaje a los evangelizadores. Es algo bueno, pues. Pero puedes ayudar en algo más . . . en espera de que llegará el día en que servirás perfectamente a tu Señor. Te voy a pedir un servicio, por amor de esa alma que está renaciendo, que está llena de buena voluntad, pero que está muy débil. El exceso de penitencia podría angustiarla, y satanás aprovecharse de ello. »

« ¿ Qué debo, hacer, Señor mío ? »

« Irás cada luna como si fuese un rito, y lo es, pues es un rito fraternal, al Carit y subiendo por el sendero que hay entre zarzales gritarás: " ¡ Elías ! ¡ Elías ! " El sorprendido se asomará y con estas palabras lo saludarás: " La paz sea contigo, hermano, en nombre de Jesús el Nazareno ". Le llevarás tantos panes cocidos cuantos son los días del mes. Ninguna otra cosa en el verano. De los Tabernáculos en adelante, junto con los panes cuatro loges de aceite mensuelmente. Cuando los Tabernáculos un vestido de cabra, pesada, que no deje pasar el agua, y una cobija. No más. »

« ¿ No puedo decirle algo más ? »

« Lo estrictamente necesario. Te preguntará por Mí. Le dirás lo que supieres. Te confiará sus dudas, esperanzas, abatimientos. Le responderás lo que tu fe y tu compasión te inspiraren. Por otra parte el sacrificio no se dejará esperar mucho . . . Ni siquiera doce lunas . . . ¿ Quieres ser compasiva conmigo y con el penitente? »

« ¡ Sí, Señor mío ! . . . ¿ Pero por qué estás tan triste ? »

« ¿ Y tú por qué estás llorando? »

« Porque en tus palabras presiento algo de muerte . . . ¿ Te perderé tan pronto, Señor ? » Nique llora tras el velo.

« ¡ No llores ! Después vendrá para Mí la paz. Después . . . no más odio, no más sinsabores . . . No más . . . este horror al pecado . . . que me rodea . . . No más encuentros amargos . . . ¡ Oh, no llores, Nique ! Tu Salvador habrá encontrado la paz. Será victorioso . . . »

« Pero antes . . . pero antes . . . Mi marido y yo leímos siempre los profetas. Y temblábamos de horror al leer las palabras de

David, de Isaías [4] . . . ¿ Pero de veras esto te va a suceder ? »

« Esto y algo más . . . »

« ¡ Oh ! . . . ¿ Quién te dará algún alivio ? ¿ Quién podrá hacer que mueras . . . con una esperanza todavía ? »

« El amor de los discípulos y sobre todo el de las discípulas fieles. »

« Entonces, también el mío. Porque yo por ningún motivo me alejaré de mi Redentor. Solo. . . ¡ Oh, Señor, pídeme cualquier penitencia, cualquier sacrificio, pero dame un valor sin par para aquella hora ! Cuando serás " como un tiesto seco " " con la lengua pegada al paladar " por la sed, cuando parecerás " el leproso que se cubre el rostro ", haz que te reconozca como al Rey de reyes, y que me acerque a Tí como una devota esclava. No vayas a esconderme tu rostro atormentado, ¡ Dios mío ! Sino como ahora, permite que encuentre mi dicha en tu fulgor, ¡ oh Estrella de la mañana ! Haz que pueda mirarte en esos momentos y que tu rostro se imprima en mi corazón que, ¡ oh ! que entonces el mío como el tuyo serán como blanda cera, por el dolor . . . » Nique ha caído de rodillas, y casi se ha inclinado profundamente. De vez en vez levanta su cara bañada en lágrimas para ver a su Señor, que es todo blanco a los rayos de la luna que ilumina la oscura pared.

« Todo esto lo conseguirás. Yo tendré tu compasión. Subirá conmigo a mi patíbulo y de allí conmigo al cielo. Tu corona para la eternidad. Angeles y hombres pronunciarán sobre tí la mejor alabanza: " En la hora de la desventura, del pecado, de la duda, ella fue fiel. No pecó, sino que socorrió a su Señor ". Levántate, mujer. Que Dios te bendiga desde ahora y para siempre. »

Le impone las manos, mientras va a ponerse de pie, luego entran en la casa silenciosa, para el reposo necesario.

[4] Cfr. Sal. 21; Is. 52, 13-53, 12; y vol. 1º, pág. 468, not. 1.

73. En el vado entre Jericó y Betabara

(Escrito el 14 de febrero de 1946)

Las riberas del Jordán cercanas al vado parecen un campamento de nómadas en estos días en que numerosas caravanas regresan a sus lugares de residencia. Tiendas, o aun sencillas mantas extendidas de tronco a tronco, de palo a palo plantado, amarradas a la silla de algún camello, o de cualquier otra cosa poder entrar y cobijarse debajo, para que resguarden del rocío que ha de ser una lluvia en estos lugares que están bajo el nivel del mar, se ven esparcidas por todo lo largo de los bosques que forman un marco verde alrededor del río.

Cuando Jesús con los suyos llega a la ribera, al norte del vado, apenas se están despertando los campamentos. Debieron haber salido de la casa de Nique muy temprano, porque apenas el alba comienza a teñir las cosas con sus bellos colores. Los más madrugadores, que se han despertado a los rebuznidos de los asnos, a los chillidos de los camellos, o relinchos de los caballos, o bien a los trinos de pajarillos que hay entre sauces, entre los cañaverales, bajan al río a lavarse. Se oye flotar en el aire alguno que otro llanto de niño, y las voces tiernas de sus madres que los consuelan. La vida vuelve sobre sus ruedas minuto tras minuto. Llegan de la cercana Jericó vendedores de toda clase y nuevos peregrinos, guardias, soldados encargados de la vigilancia y del orden en estos días en que personas de todas las regiones se encuentran y en que no faltan los insultos mutuos, o ladrones que se mezclan entre las turbas, vestidos de peregrinos, y no dejan pasar ninguna ocasión. No faltan tampoco las mujeres de la vida elegante que hacen « su » peregrinación pascual para aprovecharse de los peregrinos más ricos y más dados al placer... Las mujeres honestas que acompañan bien a sus esposos o hijos adultos, gritan y se inquietan como gacelas al notar la ausencia de los seres que vigilan, levantan gritos más fuertes cuando ven a las mujercillas. Estas desvergonzadamente se echan a reir, y responden en versos perfectos a los epítetos que les componen. Los hombres, sobre todo los soldados, se echan a reir y no atienen melindres en ponerse a charlar con las tusonas. Algún israelita, verdadera o hipócritamente rígido de moral, se aleja con desdén. Otros... anticipándose al alfabeto de los sordomudos se entienden muy bien con las ninfas.

Jesús no sigue el camino derecho que lo llevaría en medio del campamento, sino que baja a la orilla del río, se quita las sandalias y camina por donde el agua apenas si tapa las hierbecillas. Los apóstoles lo siguen.

Los de mayor edad, los más intransigentes, refunfuñan: « ¡ Y decir que el Bautista predicó aquí penitencia ! »

« ¡ Bueno ! Este lugar no es menos de un portal de termas romanas. »

« Y esos que se llaman santos no pierden la ocasión de encontrar algún solaz. »

« ¿ Has visto también tú ? »

« También tengo yo ojos en la cabeza ¡ Que si vi ! Si vi ! »
Los más jóvenes, los menos estrictos — esto es Judas de Keriot que ríe contento, que con tamaños ojos mira lo que sucede en los campamentos, no deja de ver a las jovenzuelas que buscan clientes. Tomás se muere de risa al ver el coraje de las esposas y los gritos de rabia de los fariseos. Mateo, pecador un tiempo, no tiene palabras duras contra el vicio y los viciosos. Se limita a suspirar y a sacudir su cabeza. Santiago de Zebedeo que observa sin interés y sin crítica, con indiferencia, no dice ni una palabras — siguen a Jesús que va adelante con Andrés, Juan y Santiago de Alfeo.

El rostro de Jesús no muestra señal de vida. Como mármol tallado en una piedra. Cuanto más sube el borde, tanto más se pliega sobre sí mismo. Llegan hasta El palabras de admiración o charlas procaces de un hombre poco honesto y de una mariposilla. Mira siempre hacia delante, fijo. *No quiere ver.* Su intención es muy clara en todo su aspecto.

Un joven, ricamente vestido, que con otros dos amigos está platicando con dos mozas de fortuna, dice en voz alta a una de ellas: « ¡ Ve, ve ! Queremos reir un poco ¡ Ofrécetele ! ¡ Consuélalo ! Va triste porque como es pobre no puede pagar a vosotras. »

Por el rostro de marfil de Jesús pasa una onda de rubor. Pero no vuelve sus ojos. El color ha sido la señal de que oyó.

La desvergonzada, que al caminar hace que suenen sus collares y que se levante su vestido, brinca con un grito provocativo del borde a la arena, y logra, al brincar, mostrar sus bellezas secretas. Cae como piedra a los pies de Jesús y hecha toda una sonrisa, convertida en invitación en sus ojos, grita: « ¡ Oh, bello entre los nacidos de mujer, por un beso de tu boca soy tuya, y sin paga alguna ! »

Juan, Andrés, Santiago de Alfeo se quedan paralizados, escandalizados. No saben qué hacer, pero Pedro, da un brinco cual pantera, y cae sobre la buscona que está de rodillas, un poco echado el cuerpo hacia atrás, la sacude, la levanta, la avienta, con un palabrota, contra el borde, y se le echa encima para propinarle lo restante.

Jesús gríta: « ¡ Simón ! » Un grito que vale más que un discurso.

Pedro se vuelve, rojo de ira, donde su Señor. « ¿ Por qué no me dejas que le dé sus manazos ? »

« Simón, no se castiga al vestido sucio, sino que se le lava. Ella tiene como vestido su carne sucia, y su alma está profanada. Roguemos para poder limpiarla tanto en su cuerpo como en su alma. » Lo dice con dulzura, en voz baja, pero no tanta que la joven no lo oiga. Y prosiguiendo su camino, vuelve, sí, vuelve por un momento su suave mirada sobre la pobre mujer. Una mirada. ¡ Fue sólo una mirada ! ¡ Duró un instante ! Pero en ella iba envuelta la potencia del amor misericordioso. La mujer baja su cabeza, levanta su velo, se lo pone . . . Jesús continúa su camino.

Helos en el vado. Los adultos pueden pasar a pie las aguas que no son profundas. Basta con subirse el vestido más arriba de la rodilla, y buscar las piedras que se distinguen bajo el agua cristalina para poder pasar. Más allá, pasan los que traen cabalgaduras.

A los apóstoles les gusta que el agua les llegue hasta las piernas. Pedro no lo cree. Dice y repite que cuando estén en casa de Salomón no perderá la oportunidad de darse un baño « que lo refresque », en recompensa de la « chamuscada » de ayer.

Han pasado a la otra parte. También aquí hay gente que se pone en marcha, o que se seca después de haber pasado.

Jesús dice: « Esparcíos a decir que el Rabí está aquí. Voy a esperar cerca de aquel tronco caído. »

En breve mucha gente acude.

Jesús va a hablar. Toma como punto de su predicación el ver el cortejo lloroso que va detrás de una litera, donde viene uno que se enfermó en Jerusalén, al que han deshauciado los médicos, y a quien llevan a toda prisa a su casa para que allí muera. Todos hablan de él porque es rico y todavía joven. Muchos dicen: « ¡ Ha de ser una gran tristeza morir cuando se tiene tanto dinero y se es joven ! » Algunos que tal vez creen ya en Jesús: « ¡ Bien merecido se lo tiene ! No quiere creer. Los discípulos fueron a decir a sus parientes: " El Salvador está allí. Si tuviereis fe y se lo pidiereis, se curaría ". Pero ha sido él el primero en decir que no. » Críticas y compasión se mezclan. De todo esto se sirve Jesús para empezar a hablar.

« ¡ La paz sea con todos vosotros ! Ciertamente es una cosa triste para los ricos y jóvenes que mueran de este modo. Pero los que son ricos en virtud y jóvenes en su pureza de costumbre a ellos no les duele el morir. El verdadero sabio, apenas comprende las cosas, obra de tal modo que le sea plácida la muerte. *La vida es la preparación a la muerte, como esta la de la vida sin fin.* El verdadero sabio, desde que comprende la verdad del vivir y del morir, del morir para resucitar, busca todos los medios de despojarse de todo lo que es inútil y de enriquecerse de todo lo útil, esto es, de virtudes de buenas acciones para tener un comprobante que mostrará al que lo ha de juzgar, y que lo premiará o castigará según justicia. El verdadero sabio lleva una vida tal que lo hace más maduro que a un anciano que lo sea en sabiduría, y más joven que a un adolescente, porque viviendo en virtud y rectitud guarda para su corazón una frescura de sentimientos que tal vez ni los más jóvenes tengan. ¡ Entonces cuán dulce es el morir ! Reclinar la cansada cabeza sobre el pecho del Padre, acogerse a sus brazos, decir entre la niebla de la vida que vuela: " ¡ Te amo ! ¡ Espero en Tí ! ¡ En Tí creo ! ". Decir por vez postrera en la tierra: " Te amo " para repetirlo lleno de júbilo en el paraíso, y por toda la eternidad.

La muerte es un pensamiento duro ¿ verdad ? Pero no es así. Es un justo decreto que pesa sobre todos los mortales. Y no debe ser causa de angustia sino para los que no creen y están cargados de culpas. Inútilmente alguien, para explicar los movimientos desordenados del que está muriendo y que durante su vida no fue bueno, explica: " Es porque no quiere morir todavía, porque no ha hecho nada de bien, o muy poco, y quiere vivir algo más para reparar ". En vano explica: " Si hubiera vivido más, habría, podido conseguir un premio mayor, porque habría hecho de más ". El alma sabe, al menos en confuso, cuánto tiempo se le concedió. *Una nada* de tiempo respecto con la eternidad. El alma incita al *ser de uno* a obrar. Pero, pobre alma, ¡ cuántas veces se le amordaza, se le aplasta, se le ahoga para no oir sus palabras ! Esto pasa a los que les falta buena voluntad. Mientras que los hombres rectos desde su niñez dan oídos a su alma, obedecen sus consejos, ponen en práctica lo que les manda. Y así el santo, joven tal vez en años, pero rico en méritos, da un adiós a la vida. Ni durante cien o mil años que viviera, podría ser más santo de lo que lo es ya, porque el amor de Dios y del prójimo, realizados en todas las formas y con toda la generosidad, lo han hecho perfecto [1]. En el cielo no se cuentan los años vividos, sino la intensidad y el modo como se vivieron.

Se guarda luto por los muertos. Se llora sobre los cadáveres. Pero estos no lloran más. Tiembla el hombre porque sabe que tiene que morir, pero no se preocupa de vivir de modo que no tiemble a la hora de su muerte. ¿ Y por qué no se llora, o se guarda luto por los cadáveres vivientes, los cadáveres en realidad son los que cual sepulcro llevan dentro del cuerpo un alma muerta ? ¿ Por qué los que lloran pensando que deben morir corporalmente, no lloran sobre el cadáver que dentro cargan ?

[1] Sin duda alguna, porque dicha persona, al haber cumplido siempre la voluntad de Dios, ha llegado a la " medida " de perfección que el Señor le había señalado.

¡ Cuántos cadáveres estoy viendo ! ¡ Ríen, dicen chanzas, pero no lloran sobre sí ! Cuántos padres, madres, esposos, hermanos, hijos, amigos, sacerdotes, maestros estoy viendo que lloran sin razón por un hijo, un esposo, un hermano, un padre, un amigo, un fiel, un discípulo, que murieron en clara amistad con Dios, después de una vida que es una guirnalda de perfección, pero no lloran sobre el cadáver del alma de un hijo, esposo, hermano, padre, amigo, discípulo, que murió por el vicio, por el pecado, y que muere para la eternidad, para siempre, que se perderá sino se arrepiente. ¿ Por qué no tratar de resucitarlos ? Esto es amor ¿ lo sabíais ? Es la prueba mayor de amor. ¡ Oh, lágrimas necias por alguien que se ha convertido en polvo ! ¡ Idolatría de cariños ! ¡ Hipocresía de afectos ! ¡ Llorad, pero por las almas muertas de vuestros seres queridos ! Tratad de llevarlos a la vida. Me refiero sobre todo a vosotras, mujeres, que podéis tanto sobre el ser amado.

Veamos ahora lo que la Sabiduría señala como causa de la muerte y de la vergüenza.

No ofendáis a Dios haciendo mal uso de la vida que os concedió, ensucidándolo con malas acciones que deshonran al hombre. No injuriéis a vuestros padres con una conducta que arroja fango sobre sus canas, y espinas de fuego sobre sus últimos días. No seais ingratos para con quien os hace bien, para que no os maldiga el amor que pisoteais. No seáis protervos contra quien os gobierna, porque las naciones no se hacen grandes ni libres rebelándose contra sus gobernantes, sino con la conducta santa de sus ciudadanos se alcanza la ayuda del Señor, el cual puede tocar el corazón de los gobernantes o quitarlos de su puesto o aun la vida, como en muchos casos nos enseña nuestra historia israelita, cuando sobrepasan la medida y sobre todo cuando el pueblo abraza la virtud y obtiene el perdón de Dios, que por tal motivo quita el instrumento opresor del cuello de los oprimidos [2]. No ofendáis a vuestra esposa con amores adúlteros, ni a vuestros hijos haciendo que se enteren de amores ilícitos. Sed santos ante los que en vosotros ven, por amor y por obligación, al que les deben ejemplo de vida. No podéis tener dos caridades, una para con el prójimo y otra para con Dios, porque es un solo amor. El de Dios engendra el del prójimo.

Sed justos con vuestros amigos. La amistad es algo que nace del alma. Está dicho: " ¡ Qué bello es caminar de acuerdo entre

[2] Durante la historia de Israel ciertamente Dios ha manifestado su intervención. Lo sacó de Egipto, cfr. Ex. 14, 5 - 15-20; le ayudó a conquistar Canaán, cfr. Jos. 5, 12 - 6, 21, y con su auxilio los Macabeos arrojaron el yugo helenístico, cfr. sobre todo 2 Mac. 2, 1 - 3, 9.

amigos!"[3]. Y lo es cuando se toma el camino del bien. ¡Ay del que corrompe o traiciona la amistad, y se aprovecha de ella para su egoísmo, para traicionar, para el vicio, o para la injusticia. Muchos son los que dicen: "Te quiero" para enterarse de las cosas de su amigo y disfrutar de ellas. ¡Muy pocos son los que no hacen así!

Sed honrados antes los jueces. *Toda* clase de jueces. Desde Dios a quien no se le puede comprar o chantajear, hasta el íntimo que tiene el hombre y es su conciencia. Desde lo que piensan nuestros familiares, hasta lo que piensa el pueblo. No mentir invocando a Dios para reforzar la mentira.

Sed honrados tanto en vender como en comprar. Cuando vendáis y la ambición os susurre: "Roba para tener más ganancia". entre tanto que la conciencia: "Se honrado, porque a tí no te no gustaría que te robaran", dad oídos a esta última, recordando que no hay que hacer a otro, lo que no nos gustaría que nos hicieran. El dinero que se os da por la mercancía, frecuentemente está empapado de sudor y lágrimas del pobre. Cuesta trabajo. No sabéis cuánto ha costado, cuántos dolores estan detras ese moneda que, a vosotros vendedores, os parece siempre poca por lo que dais. Hombres enfermos, niños sin padres, viejos con poquísimos recursos... ¡Oh, dolor santo y santa dignidad del pobre que el rico no comprende, hasta que no se le medita! ¿Por qué se trata de ser honrado cuando se vende al fuerte, al poderoso? Por temor a sus represalias. Pero sí se abusa del indefenso, del hermano desconocido. Esto es un crimen más contra la caridad que contra la honradez. Y Dios maldice, porque la lágrimas exprimida al pobre, que no tiene sino sus lágrimas como consuelo contra la opresión, es la misma voz que un día se levantó de la sangre de un inocente a quien matara su hermano Caín[4].

Sed honestos en las miradas, en las palabras, en las acciones. Una mirada que se lanza a quien no se debe, o se niega a quien sí, es igual a una trampa, a una puñalada. La mirada que se lanza a la daifa desvergonzada para decirle: "¡Eres bella!" y responde a su invitación pecadora, es peor que el nudo corredizo para el que va a ser horcado. La mirada que se niega al pariente pobre o al amigo que ha caído en desgracia, es igual a un puñal plantado en su corazón. De igual modo la mirada de odio, de desprecio que se lanzan al enemigo, al mendigo. Hay que perdonar y amar al enemigo por lo menos con el corazón, si la carne

[3] Cfr. Sal. 132, 1.
[4] Cfr. Gén. 4, 1-16.

se rehusa a hacerlo. *El perdón es amor del espíritu. No vengarse es manifestación del espíritu.* Hay que amar al mendigo porque nadie lo consuela. No basta arrojarle un óbolo y pasar con aire de desprecio. El óbolo sirve para quitar el hambre, para vestir. Pero la compasión que sonríe al dar, que se interesa de las lágrimas del infeliz, es pan para el corazón.

Amad, amad, amad.

Sed honrados en los diezmos [5] y costumbres, honrados dentro de vuestras casas sin abusar del esclavo, del criado. No vayáis a abusar de la esclava, de la criada que duerme bajo vuestro techo. Si el mundo ignora lo que cometéis en secreto, Dios lo ve. El lo sabe.

Sed justos con la lengua. Honestos en educar a vuestros hijos e hijas. Está dicho: "Haz esto para que tu hija no se te convierta en el hazmerreir de la ciudad" [6]. Yo digo: "Hace esto para que el alma de vuestra hija no muera".

Y ahora podéis iros. También me voy, después de haberos dados un auxilio de la sabiduría. El Señor acompañe a aquellos que se esfuerzan por amarlo. »

Los bendice con una señal, y ligero baja del tronco tirado, toma un sendero por entre los árboles, sube otra vez el río y desaparece entre el verdor.

La multitud hace comentarios diversos. Los comentarios contrarios quedan a cargo de los no poco ejemplares escribas y fariseos y la parte de ópera, de melodía a la gente humilde.

[5] Cfr. Núm. 18, 20-32; Deut. 12, 1-28; 14, 22-29; 26, 12-15.
[6] Cfr. Ecl. 42, 9-11.

74. En la casa de Salomón

(Escrito el 15 de febrero de 1946)

La casucha de Salomón, la que vi en la visión de marzo de 1944, cuando aun no sabía el nombre del propietario, es una de las últimas del único camino que va a dar al río, en este villorrio pobre y alejado de barqueros, donde las casas... digamos más ricas están construídas a lo largo del camino, y las menos entre los árboles de la ribera. Y no son muchas. Pienso que no llegarán a cincuenta. Y tan pequeñas que creo que todas entrarían en uno de esos edificios que se construyen en la actualidad en las grandes ciudades. La primavera las hace ver menos miserables, porque las adorna de frescura, las reviste de la flor de manto, con ramas de vides, con la sonrisa de las flores amarillas de calabaza que se dejan ver entre las empalizadas, sobre los techos, por las puertas de las casas. No falta una rosa que parece como si estuviera fuera de su lugar al encontrarse entre cestas y redes. Se ven las plantas de la mostaza en flor, y otras muchas hierbas que saludan al hermoso cielo.

También el camino parece menos feo. En el cañaveral allá en el fondo no sólo hay barcas de nudos polvorientos, sino que ahora se adorna de penachos de mantos, y entre las hojas aparecen las puntiagudas de los gladiolos silvestres que hacen pompa de los múltiples colores de sus flores, mientras ligeras enredaderas de tallo filiforme, se abrazan en espiral en lo más alto de las cañas, y en cada vuelta introducen el cáliz delicadísimo de una flor de color rosa-lila. A millares, entre los cañaverales, los pajarillos celebran sus amores, los cantan posados en la punta de las cañas, o bien revoloteando sobre las enredaderas. Sus trinos son el acompañamiento melódico de las flores en las riberas lodosas del Jordán.

Jesús empuja la rústica puertecita, de donde se pasa a un huertecillo o patio. Bien, si en otros tiempos fue un huerto, ahora es un montón de hierbas silvestres. Si fue un patio ahora es una selva de matorrales que los vientos sembraron. Sólo las calabazas han sido más listas. Se abrazaron a la única vid y a la higuera, y desde arriba abren sus bocas sonrientes junto a los pequeños racimos o a las tiernas hojas de la higuera, donde ya pueden descubrirse los pequeños brotes de donde saldrán los frutos. Las ortigas son un tormento para los pies desnudos, tanto que Pedro y Tomás cortan dos ramas y se ponen a echar abajo las espinas.

Santiago y Juan se ponen a ver cómo podrán hacer funcionar la cerradura enmohecida. Logrado, abren la tosca puerta, entran en la habitación-cocina, que huele a humedad, a encerramiento. Polvo, telarañas son el adorno de las paredes. Una mesa rústica, bancos, sillas, y una mesita son todo el mueblario. En una pared hay dos puertas.

Pedro explora . . . « Aquí hay una habitacioncilla con una sola cama. Y es para Jesús . . . ¿ Y aquí ? Ah, comprendido ! Es la dispensa, el arsenal, el granero, el departamento de ratones . . . ¡ Mira qué carreras echan ! Han acabado con todo en estos meses. Ahora me las pagaréis. Maestro . . . ¿ podemos creer que somos los dueños ? »

« Así dijo Salomón. »

« ¡ Muy bien ! Tú, hermano, y tú, Santiago, venid y cerrad todos los agujeros. Tú, Mateo, y tú, Judas, poneos en la puerta, y cuidado con que dejéis escapar uno solo. Haz de cuenta que eres el afable cobrador de impuestos de Cafarnaúm. No se te escapaba ni un solo cliente, aunque se achicara más que una lagartija cuando se despierta. Y otros id afuera a traer todas las hierbas que podáis, y traedlas aquí. Y tú Maestro, vete a donde quieras, mientras que yo . . . pongo en orden a estos diablos inmundos que han acabado con las buenas redes y roído casi toda una quilla . . . » Mientras está hablando echa pedazos de madera roídos, trozos de red que no es más que estopa . . . en medio de la habitación, y con las hierbas verdes que le trajeron, las echa sobre todo lo demás, luego pone fuego y escapa mientras las primeras espirales de humo salen. Carcajeándose dice: « ¡ Y mueran todos los filisteos ! »

« ¿ Pero no se puede quemar la casa ? » pregunta Simón Zelote.

« No, amigo. Las hierbas húmedas hacen que las llamas no suban y estas echan sólo humo, y unidos en íntima alianza, lo seco y lo verde, hacen la guerra. ¿ No sientes qué olor tan feo ? ¡ Dentro de poco oirás los chillidos ! ¿ Quién fue el que me decía que los cisnes cantan antes de morir ? ¡ Ah, fue Síntica ! Dentro de poco también los ratones cantarán. »

Judas Iscariote que estaba carcajeándose, deja de hacerlo y dice: « No se ha podido saber nada de ella, ni de Juan de Endor. ¡ Quién sabe a dónde habrán acabado ! »

« ¡ Donde deberían ! » responde Pedro.

« ¿ Sabes dónde ? »

« Lo que sé es que no son objeto más de malos corazones. »

« ¿ No has preguntado a ninguno ? Yo sí. »

« Yo no. No me interesa saber dónde estén. Me basta pensar y rezar porque se conserven santos. »

Tomás dice: « A mí me lo han preguntado algunos fariseos ricos, clientes de mi padre. Les respondí que no sé nada. »

« ¿ Y no tienes curiosidad por saberlo ? » insiste Judas.

« Yo no. Y digo la verdad. »

« ¡ Oíd ! ¡ Oíd ! El humo comienza a hacer sus efectos. Pero vámonos afuera porque si no también nosotros nos ahogamos » dice Pedro, y esto pone fin a la curiosidad de Judas.

Jesús está en el huerto enderezando los tallos de legumbres.

« ¿ Eres también hortelano, Maestro ? » pregunta sonriendo Felipe.

« Sí. No me gusta ver una planta que se arrastra, inútil, mientras que su destino es que se eleve hacia el sol y fructifique. »

« Un buen argumento para algún discurso, Maestro » observa

Bartolomé.

« Sí. Bueno. Todo sirve de tema para quien sabe meditar. »

« Te ayudamos. ¡ Ea ! ¿ Quién va al cañaveral del río y trae algunas cañas para sostener las legumbres ? »

Los más jóvenes se van. Los otros se quedan a arrancar las hierbas parásitas.

« Ahora sí parece ya una hortaliza. No hay lechugas, pero sí puerros, ajos, y algo más ... ¡ También calabazas ! ¡ Son muchas ! Hay que podar la vid, despejar al higuera y ... »

« Simón, ten en cuenta que no vamos a quedarnos aquí ... » avisa Mateo.

« Pero vendremos varias veces. Lo dijo El. Y no nos desagradará ver un poco de orden dentro. ¡ Mira, mira ! Hasta un jazmincito, bajo la cascada de calabazas. Si Porfiria lo viera, se pondría a llorar y le hablaría como a un niño. Bueno, antes de que tuviera a Marziam, hablaba a las flores como si fueran sus hijos ... Mira. He encontrado lugar. He levantado la calabaza porque ... Los muchachos con las cañas y con un ... Maestro, tienes algo que hacer. ¡ Está ciego ! »

Entran Santiago, Juan, Andrés y Tomás cargados de cañas. Pero Tomás trae también casi arrastrando a un pobre viejecillo, que es todo harapos y con los ojos blancos por las cataratas.

« Maestro, estaba buscando raíces en la orilla y por poco se cae al agua. Se ha quedado solo porque hace unos meses murió su hijo que lo mantenía y su nuera ha regresado a su casa ... Pasa la vida como puede. ¿ Verdad, padre ? »

« Sí, sí. ¿ Dónde está el Señor ? » dice girando sus velados ojos.

« Aquí está. ¿ Ves a aquel vestido de blanco ? Es El. »

Jesús se acerca, y lo toma de la mano. « Estás solo. ¡ Pobre padre ! ¿ No nos ves ? »

« No. Mientras tuve la vista hacía cestos, nasas y redes. Pero ahora ... Veo más bien con los dedos que con los ojos. Cuando busco las hierbas me equivoco, y algunas veces como hierbas que me hacen mal al estómago. »

« Pero en el poblado ... »

« ¡ Oh ! Todos son pobres y cargados de hijos. Yo soy viejo ... Si se muere un borrico ... desagrada. ¡ Pero si se muere un viejo ! ... ¿ Qué es un viejo ? ¿ Qué soy yo ? Mi nuera todo me quitó. Si me hubiera llevado consigo, como si fuera una oveja vieja, para que tuviera de cerca a los nietecitos ... » Llora recargado sobre el pecho de Jesús, que lo tiene entre sus brazos y lo acaricia.

« ¿ No tienes casa ? »

« La vendió. »

« ¿ Y cómo vives ? »

« Como las bestias. Los primeros días me ayudaba la gente, pero luego se cansó . . . »

« Entonces, Salomón hace mal, porque es generoso » observa Mateo.

« Sí, pero con nosotros. ¿ Por qué no le ha dado la casa ? » pregunta Felipe.

« Porque la última vez que pasó por aquí, todavía tenía yo. Salomón es bueno. Hace tiempo que la gente del poblado lo llama " loco ", y no hace ya más lo que él le había enseñado » dice el viejo.

« ¿ Estarías gustos conmigo ? »

« Sí. ¡ No echaría de menos a los nietecillos ! »

« ¿ Aunque sigas siendo pobre y ciego, te contentarías con servirme para ser feliz ? »

« ¡ Sí ! » Es « sí » tembloroso pero claro . . .

« Está bien, padre. Escucha. Tú no puedes caminar como Yo. No puedo quedarme aquí, pero podemos querernos y hacernos mutuamente el bien. »

« Tú sí me lo puedes hacer. Pero yo . . . ¿ Qué puede hacer el viejo Ananías ? »

« Guardarme la casa y el huerto para que cuando regrese, todo esté bien. ¿ Te agrada? »

« ¡ Sí ! Pero yo soy ciego . . . La casa . . . me acostumbraré a sus paredes. Pero el huerto . . . ¿ Cómo puedo cuidar de él, sino distingo las hierbas ? ¡ Oh, qué hermoso sería servirte, Señor ! Terminar así la vida . . . » El viejo se lleva las manos al pecho, soñando en algo imposible.

Jesús sonriente se inclina, y lo besa sobre los empañados ojos . . .

« Pero . . . empiezo a ver . . . ¡ Veo ! . . . ¡ Oh ! . . . » Vacila de la alegría, y si Jesús no lo sostuviera, hubiera caído al suelo.

« ¡ Es júbilo ! » exclama Pedro lleno de emoción.

« ¡ Es hambre ! . . . Nos dijo que hay días que vive sólo con raíces sin aceite ni sal . . . » explica Tomás.

« Por eso lo trajimos aquí. Para darle de comer. »

« ¡ Pobre viejo ! » Todos dicen compadecidos.

El anciano cae en la cuenta de lo que ha pasado. Llora. Llora. Lás lágrimas de un anciano . . . son tristes, aun cuando las arranque la alegría. En voz baja susurra: « ¡ Ahora sí puedo servirte, bendito ! ¡ Mil veces bendito seas ! » y quiere besar los pies a Jesús.

« No, padre. Ahora vamos adentro y comeremos. Luego te daremos un vestido y te encontrarás entre hijos. Nosotros tendremos un padre que nos dará la bienvenida cada vez que volvamos, y la bendición cuando partamos. Iremos a buscar dos palomos para que tengas quien te acompañe. Buscaremos semillas para el huerto y las sembrarás en la tierra, así como sembrarás en los corazones de esta gente la fe en Mí. »

« Enseñaré la caridad. ¡ No tienen ! »

« También. Pero sé dulce . . . »

« Lo seré. Ni una palabra dura dije a mi nuera cuando me abandonaba. Comprendí y perdoné. »

« Te lo leí en el corazón, por eso te he amado. Ven, ven conmigo . . . » Entra llevando de la mano al anciano.

Pedro los ve, se seca una lágrima con el dorso de la mano antes de continuar el trabajo.

« ¿ Lloras, hermano ? »

Pedro no responde.

Andrés de nuevo: « ¿ Por qué lloras, hermano ? »

« Ocúpate de tus legumbres. Si lloro es porque . . . porque yo lo sé. »

« Dínoslo también a nosotros. ¡ Vamos, sé bueno ! » dicen varios.

« Es porque . . . porque me llegan más al corazón estas cosas, tan así . . . tan . . . ¡ Bueno ! ¡ que no cuando imponente y majestuoso lanza rayos ! »

« ¡ Es entonces cuando se descubre al Rey ! » exclama Judas.

« Y en esto se ve al Santo. Pedro tiene razón » hace notar Bartolomé.

« Para reinar tiene que ser fuerte. »

« Para redimir, santo. »

« Para las almas, sí. Pero para Israel . . . »

« Israel no será jamás Israel si las almas no se santifican. »

Los « sí » y los « no » se trenzan. Cada uno se mantiene en su parecer.

El anciano sale con una jarra en la mano. Va a traer agua de la fuente. No parece el de antes. Tan feliz que está.

« Viejo padre, escucha ¿ según tú, de que tiene necesidad Israel para ser grande ? » le pregunta Andrés. « ¿ De un rey o de un santo ? »

« De Dios tiene necesidad. De este Dios que allí está orando y meditando. ¡ Ah, hijos, hijos, sed buenos, vosotros quienes lo seguís. ¡ Sed buenos, buenos ! ¡ Qué favor tan grande os ha hecho el Señor ! ¡ Qué gracia ! » y se va agitando sus brazos hacia el cielo y diciendo: « ¡ Qué gracia ! ¡ Qué gracia ! »

75. Predicación en el bivio vecino al poblado de Salomón

(Escrito el 16 de febrero de 1946)

El grupo sale de la casita. El anciano se le ha unido trayendo un vestido de algún apóstol de pequeña estatura.

« Si quieres quedarte, padre ... » le empieza a decir Jesús.

Pero el otro interrumpe: « ¡ No, no ! ¡ También voy yo ! ¡ Oh, déjame que vaya ! ¡ Ayer comí ! ¡ Dormí esta noche y en cama ! No tengo ninguna pena en el corazón. Me siento tan fuerte como un joven ... »

« Entonces, ven. Estarás conmigo, con Bartolomé y con mi hermano Judas. Vosotros, de dos en dos, esparcíos como se os dijo. Antes de la siesta estad todos aquí. Idos y la paz sea con vosotros. »

Se separan. Unos van en dirección del río, otros hacia los campos. Jesús es el último en partir. Atraviesa despacio el poblado. Lo ven los pescadores que han regresado del río o que van. Las mujeres mañaneras que se han levantado para lavar la ropa, para limpiar los huertecillos o para hacer el pan. Nadie habla.

Sólo una muchachillo que lleva siete ovejas al río, pregunta al anciano: « ¿ A dónde vas, Ananías ? ¿ Te vas de aquí ? »

« Voy con el Rabí. Y regreso con El. Soy su siervo. »

« No. Eres mi padre. Cada anciano justo es un padre y una bendición para el lugar que lo hospeda y para quien lo socorre. ¡ Bienaventurados los que aman y honran a los viejos ! » dice Jesús solemne.

El muchachillo lo mira atemorizado, y luego: « Yo ... siempre le daba un poco de mi pan ... » como para decir: « No me regañes que no lo merezco. »

« Miguel fue siempre bueno conmigo. Era amigo de mis nietos ... y siguió siendo mío. Tampoco su madre es mala. Me ayudaría pero tiene once hijos y viven de la pesca ... »

Varias mujeres curiosas se acercan y escuchan.

« Dios ayudará siempre a quien como puede auxilia al pobre. Y siempre hay medios de hacerlo. Muchas veces decir " no puedo " es un mentira. Cuando se quiere, se encuentra siempre un bocado de sobra, una manta deshilachada, un vestido que se ha arrinconado porque no se le usa más. El cielo recompensa. Dios te devolverá, Miguel, los pedazos de pan que le diste. » Y acaricia al muchacho. Se va.

Las mujeres se quedan avergonzadas, luego preguntan al muchacho que les cuenta lo que sabe. El miedo se apodera de las mujeres avaras que no quisieron ayudar al anciano.

Jesús ha llegado a la última casa, se dirige a un bivio, que dobla del camino principal hacia el poblado. Desde aquí se ve que pasan caravanas que van a la Decápolis o a la Perea.

« Vamos allá y predicamos. ¿ Quieres hacerlo también tú, padre ? »

« No soy capaz. ¿ Qué debo decir ? »

« Lo eres. Tu alma conoce la sabiduría del perdón, de ser fiel a Dios y la resignación aun en las horas del dolor. Sabes que Dios socorre a quien espera en El. Ve y dilo a los peregrinos. »

« ¡ Oh, esto sí ! »

« Judas, ve con él. Yo me quedo con Bartolomé en el bivio. »

Llegados, se mete bajo la sombra de un grupo de plátanos frondosos y pacientemente espera.

Los campos del alrededor están llenos de mieses y de árboles frutales. Frescos cuando es de mañana. Es un placer contemplarlos. Las caravanas pasan por el camino . . . Pocas personas paran mientes en los dos que están allí junto a los plátanos. Tal vez pensarán que se trata de viajeros cansados. Alguien reconoce a Jesús, lo señala, o bien se inclina saludándolo.

Finalmente hay uno que detiene su asno y los de sus familiares. Se baja, se dirige a Jesús: « ¡ Dios sea contigo, Rabí ! Soy de Arbela. Te oí en el otoño. Esta es mi mujer, esta su hermana que ha quedado viuda, y esta mi madre. Este anciano es su hermano. Aquel joven es hermano de mi mujer. Todos estos son nuestros hijos. Tu bendición, Maestro. Supe que hablaste en el vado. Yo llegué tarde . . . ¿ No tienes una palabra para nosotros ? »

« La palabra no se niega nunca. Pero aguarda unos instantes, pues otros están viniendo. »

Los del poblado poco a poco están viniendo, los que habían pasado y tomado el norte, regresan, otros picados por la curiosidad o se detienen y se quedan montados, o se bajan de sus animales. Un pequeño grupo se ha ido formando.

Regresa Judas de Alfeo con el anciano. Jesús empieza a hablar.

« Los que recorren los caminos que el Señor ha señalado, y los recorren con buena voluntad, terminan por encontrarlo. Encontrásteis al Señor después de haber cumplido con vuestro deber de fieles israelitas en la pascua santa. Y ved que la Sabiduría os habla como lo deseabais en este bivio donde la Bondad divina ha hecho que os encontraseis.

Son tantas las encrucijadas que el hombre encuentra en el camino de su vida. Más sobrenaturales que materiales. Diariamente la conciencia se encuentra en las encrucijadas del bien y del mal. Debe escoger atentamente para no equivocarse. Si se equivoca debe saber regresar humildemente cuando alguien se lo advierte. Y aunque le parezca más bella la vía del mal, o sencillamente el de tibieza, debe saber escoger el camino difícil, pero seguro del bien.

Escuchad la siguiente parábola.

Un grupo de peregrinos, vino de lejanas regiones en busca de trabajo, se encontró en la frontera de un país, donde esperaban contratistas de obreros, enviados por diversos patrones. Algunos querían trabajadores para las minas, otros para los campos y bosques, otros para un rico infame, no faltaba quien contratara soldados para un rey que tenía su castillo en la cima de un monte, al que se llegaba por un camino demasiado pendiente. El rey quería soldados, pero quería que más que robustos en el cuerpo lo fueran en su inteligencia, para mandarlos después a las ciudades para que enseñasen a sus súbditos la rectitud. Esta es la razón por la que vivía arriba, como en eremitorio, para educar a sus siervos sin que las distracciones mundanales los corrompiesen. No prometía otras recompensas, ni vida cómoda, pero les aseguraba que al servirle se convertirían en hombres rectos y justos, lo que ya era un premio.

De este modo hablaban sus mensajeros a los que llegaban a la frontera. Los que eran mensajeros de los dueños de minas o de campos proclamaban: " No tendréis una vida cómoda, pero seréis libres y ganaréis lo suficiente ". Los que buscan gente para un patrón infame prometían inmediatamente comida en abundancia, placeres, ocio, riquezas: " Basta con que aceptéis sus raros caprichos — que no son muy duros — y tendréis una vida como sátrapas ".

Los peregrinos consultaron entre sí lo que decidirían. No querían separarse . . . Preguntaron: " ¿ Los campos, las minas, el palacio del que lleva una buena vida, y el del rey están vecinos ? " " ¡ Oh, no ! " respondieron los contratistas. " Venid a aquel cuatrivio y os enseñaremos los caminos ".

Fueron.

" ¿ Veis aquel camino ancho, sombreado, con flores, parejo, con fuentes ? Ese lleva al palacio del señor " dijeron unos contratistas.

" ¿ Veis aquel polvoriento, entre campos tranquilos ? Ese lleva a ellos. Hace sol, pero como podéis ver es bueno " dijeron otros.

Los de las minas dijeron: " Este que se ve surcado de ruedas pesadas y de grava lleva a las minas. No es ni bello, ni feo . . . "

Los del rey: " Este sendero abrupto, tallado sobre las rocas que el sol quema, entre zarzales y espinos que dificultan el paso, pero en cambio defienden contra los enemigos, lleva al oriente, al castillo austero, digamos casi sagrado, donde los corazones se forman en el bien ".

Los peregrinos miraban, miraban. Hechaban sus cálculos... De las cosas que se les presentaban, una sola era buena. Poco a poco se dividieron. Eran diez. Tres fueron a los campos... dos a las minas. Los restantes se miraron y dos dijeron: " Vamos todos donde el rey. No ganaremos y no gozaremos en la tierra, pero seremos santos para siempre ".

" ¿ Por aquel sendero ? ¡ Ni locos que fuéramos ! ¿ No ganar nada ? ¿ No gozar ? Entonces no hubiera valido la pena haber dejado todo, venir al destierro y tener menos de lo que teníamos allá. Queremos ganar y gozar... "

" ¡ Perderéis el bien eterno ! ¿ No oísteis que es un patrón muy malo ? "

" ¡ Tonterías ! Después de que hayamos gozado y héchonos ricos lo dejaremos ".

" No podréis. Los primeros hicieron mal por ambición del dinero. Pero ¡ vosotros ! Vosotros anheláis el placer. ¡ Oh, no cambiéis por una hora que pasa vuestro destino eterno ! "

" Sois unos necios. Creéis en promesas ficticias. Nosotros vamos al grano, a la realidad. ¡ Adiós ! "... y corriendo tomaron por el hermoso camino, sombreado, lleno de flores, rico en aguas, emparejado. En su extremidad brillaba el castillo del hombre que vivía cómodamente.

Los dos restantes, entre lágrimas y oraciones, tomaron el abrupto sendero. Después de algunos metros estaban a punto de perder el ánimo, por lo difícil, pero siguieron adelante. Cuanto más avanzaban tanto más se sentían ligeros. La fatiga se cambiaba en júbilo. Llegaron jadeantes, rasguñados hasta la cima del monte y fueron llevados a la presencia del rey, quien les dijo todo lo que exigía de ellos para hacerlos sus bravos campeadores y terminó diciendo: " Pensadlo durante ocho días y luego me daréis la respuesta ".

Mucho pensaron y duras luchas sostuvieron con el tentador que quería acobardarlos, con la carne que les decía: " Me sacrificáis ", con el mundo que los seducía con sus recuerdos. Pero vencieron. Se quedaron. Llegaron a ser héroes del bien. Llegó la muerte, esto es, la hora de su glorificación. Desde lo alto de los cielos vieron en lo profundo a los que habían ido donde el patrón malo. Encadenados lloraban en lo oscuro del infierno. Los dos santos comentaron: " ¡ Y querían ser libres y gozar ! "

Los tres condenados los vieron, y llenos de rabia maldijeron a todos empezando por Dios. Gritaban: " ¡ Todos nos habéis engañdo ! "

" ¡ No ! No es verdad. No podéis afirmarlo. Se os anunció el peligro. Quisisteis vuestro mal " respondieron los bienaventurados, serenos, aun cuando veían y oían las palabras obscenas, las blasfemias obscenas que les lanzaban.

Vieron a los de los campos y los de las minas en diversas regiones purgativas. Confesaron: " No fuimos ni buenos, ni malos. Ahora expiamos nuestra tibieza. ¡ Rogad por nosotros ! "

" ¡ Con gusto lo haremos ! ¿ Pero por qué no vinisteis con nosotros ? "

" Porque fuimos no demonios, sino humanos... No tuvimos generosidad. Amamos más lo transitorio, aunque honesto, que al Eterno y al Santo. Ahora aprendemos a conocer y a amar como se debe ".

La parábola ha terminado. Cada hombre se encuentra en el cuatrivio. En un perpetuo cuatrivio. Bienaventurados los que son firmes y generosos en querer seguir el camino del bien. Dios esté con ellos. Dios toque y convierta a quien no lo está todavía. Idos en paz. »

« ¿ Y los enfermos ? »

« ¿ Qué tiene la mujer ? »

« Fiebres malignas que le acaban los huesos. Ha ido hasta las aguas milagrosas del Mar grande, pero sigue igual. »

Jesús se inclina sobre ella, le pregunta: « ¿ Quién crees que sea Yo ? »

« Al que buscaba. El Mesías de Dios. ¡ Ten piedad de mí que tanto te he buscado ! »

« Tu fe te cure en el cuerpo como en el alma. ¿ Y tú ? »

El aludido es un hombre que no responde. Lo hace en su lugar una mujer que lo acompaña. « Cáncer en la lengua. No puede hablar y muere de hambre. » En realidad el hombre es un esqueleto.

« ¿ Crees que te pueda curar ? »

El hombre asiente con la cabeza.

« Abre tu boca » ordena Jesús. Acerca su rostro a la boca roja del cáncer. Sopla y dice: « ¡ Quiero ! »

Un momento de espera y luego dos gritos: « ¡ Mis huesos están sanos ! »; « ¡ María, estoy curado ! ¡ Mirad mi boca ! ¡ Hosanna ! ¡ Hosanna ! ». Quiere levantarse, pero por la debilidad no puede.

« ¡ Dadle de comer ! » ordena Jesús. Y hace como que se va.

« ¡ No te vayas ! ¡ Vendrán otros enfermos ! Otros volverán... ¡ También a ellos ! ¡ También a ellos ! » grita la gente.

« Todos los días, desde la mañana hasta la hora de siesta vendré aquí. Si alguien quiere acomedirse, procure reunir a los peregrinos. »

« ¡ Yo, yo, Señor ! » se ofrecen varios.

«¡Que Dios os bendiga!»

Jesús regresa al poblado con sus compañeros de antes, con los otros que llegaron poco a poco cuando hablaba, y todos con la gente.

«¿Dónde están Pedro y Judas de Keriot?» pregunta Jesús.

«Se fueron a la población cercana. Llevaban mucho dinero. Dijeron que iban de compras...»

«Judas está de fiesta. ¡Hizo milagros!» sonriente dice Simón Zelote.

«También Andrés. Le regalaron una oveja en recuerdo. Le curó a un pastor su pierna rota, y agradecido este se la regaló. Se la daremos a Ananías. La leche hace bien a los ancianos...» dice Juan acariciando al anciano que se siente verdaderamente feliz.

Entran en casa. Preparan un poco de comida...

Van a sentarse a la mesa cuando, cargados como borricos y seguidos de una carreta cargada de esos petates que sirven de cama los pobres de Palestina, llegan Pedro y Judas.

«Perdona, Maestro, pero necesitábamos esto. Ahora estaremos mejor» dice Pedro.

Judas: «Mira. No compramos sino lo necesario. Pobre pero limpio. Así como te gusta» y se ponen a descargar. Una vez que terminan, dicen al carretero que se vaya.

«Doce camas y doce esteras. Alguna que otra cosa más. Las semillas. Aquí están los palomos. Aquí el dinero. Y mañana mucha gente. ¡Uff, qué calor! Pero ahora todo está mejor. ¿Qué hiciste en la mañana, Maestro?»

Y mientras cuenta todo, se sientan contentos a la mesa.

76. Hacia la orilla occidental del Jordán

(Escrito el 17 de febrero de 1946)

Nuevamente Jesús está en camino. Con el norte a la espalda, camina a lo largo de los meandros del río para buscar quien lo transporte al otro lado. Los apóstoles van a su alrededor. Hablan de los últimos sucesos acontecidos en el villorrio de Salomón y en su casa. Por lo que colijo, se quedaron allí hasta que se esparció en las cercanías vecinas y contrarias al Maestro la noticia de que allí se hallaba. Y, cuando esto aconteció, se fueron, dejando la casita ya bien arreglada al cuidado de Ananías que — sereno — afronta su pobreza, que ya no es tan triste.

«Esperamos que el estado de ánimo dure como hasta ahora ha durado» dice Bartolomé.

«Si nos vamos y volvemos como dice el Maestro, los tendremos en esa disposición» responde Judas de Alfeo.

«¡Cómo lloraba el pobre anciano! Ya se había encariñado...» dice Andrés conmovido.

«Me agradaron sus últimas palabras. ¿Verdad, Maestro, que habló como un sabio?» pregunta Santiago de Zebedeo.

«Como un santo, diría yo» dice Tomás.

«Es verdad. Y tendré presente su deseo» responde Jesús.

«¿Pero, en resumen, qué fue lo que dijo? Yo había ido con Juan a decir a la mamá de Miguel que se acordase de practicar lo que el Maestro había dicho. No sé nada en claro» dice Iscariote.

«Dijo: "Señor, si pasases por el lugar donde vive mi nuera, dile que no le guardo rencor y que estoy contento de no ser más un abandonado, porque de este modo el juicio de Dios que le espera será mucho menor. Dile que eduque a los nietecitos en la fe del Mesías, pues así los tendré conmigo en el Cielo, y que apenas me encuentre en la paz, rogaré por ellos y por su salud". Y se lo referiré. Buscaré a la mujer y se lo diré porque está bien decírselo» dice Jesús.

«Ni una palabra de reproche. Más bien se felicita porque al no morir ni de hambre, ni de abandono, disminuirá el pecado de la mujer» advierte Santiago de Alfeo.

«Pero ante los ojos de Dios ¿disminuirá la culpa de la nuera? Esto es lo que falta por saberse» dice Judas de Alfeo.

Los pareceres son contrarios. Mateo se vuelve a Jesús: «¿Tú qué piensas, Maestro? ¿Quedarán las cosas como antes o cambiarán?»

«Cambiarán...»

«¿Ves que tenía yo razón?...» triunfante grita Tomás.

Jesús hace señal de que lo dejen hablar. Continúa de este modo: «Cambiarán para Ananías, tanto en el Cielo como en la Tierra, por su dulzura bondadosa. Pero no para la mujer. Su culpa da gritos a los ojos de Dios. Sólo si se arrepiente, puede cambiarse la sentencia severa. Se lo diré.»

«¿Dónde vive?»

«En Maseda, con sus hermanos.»

«¿Y quieres ir hasta allá?»

«También esos son lugares que debo evangelizar...»

«¿Y a Keriot?»

«Subiremos a Keriot desde Maseda e iremos a Yutta, Hebrón, Betsur, Béter, para que estemos nuevamente en Jerusalén para Pentecostés.»

«Maseda está en los dominios de Herodes...»

«¿Qué importa? Es una fortaleza, pero él no lo es. ¡Y aunque lo fuese!... No será la presencia de un hombre la que me impida ser el Salvador.»

«Pero ¿por dónde pasamos el río?»
«A las alturas de Gálgala. De allí costearemos, siguiendo los montes. Las noches son frescas y la nueva luna de zio alumbra en el cielo sereno.»
«Si vamos por esos lugares, ¿por qué no vamos al monte donde ayunaste? Es justo que todos lo conozcan bien» dice Mateo.
«También iremos allá. Pero ved ahí una barca. Contratadla, para que pasemos a la otra parte.»

77. En Gálgala

(Escrito el 18 de febrero de 1946)

No sé como sea ahora Gálgala, pero en el momento en que entra Jesús, es una ciudad ordinaria de Palestina. Muy poblada. Situada sobre una colina, un poco alta, cubierta de viñedos y de olivos en gran parte. El sol es tan fuerte que aun el trigo allí, sembrado a la buena entre las plantas o entre las piedras, madura, no obstante la sombra, porque el sol quema, y más por estar ya cerca el desierto.
Polvo, gritería, suciedad, confusión en un día de mercado. Como la mala suerte, también allí están los acostumbrados observantes de la ley, y los no convencidos fariseos y escribas, que con altaneros ademanes discuten y dialogan en el mejor ángulo de la plaza y fingen no haber visto a Jesús, o no conocerlo. Jesús sigue adelante, y va a una plaza de menor importancia a tomar sus alimentos, una plaza que se encuentra casi a las afueras, pero llena de sombra de árboles de toda clase. Pienso que es un fragmento de monte dentro de la población y que se le ha conservado así.
El primero que se acerca a Jesús, que está comiendo su pan y sus aceitunas, es un hombre andrajoso. Le pide un pedazo de pan. Jesús se lo da y también las aceitunas que tiene en la mano.
«¿Y Tú? No tenemos ni un centavo, lo sabes» advierte Pedro. «Dejamos todo a Ananías...»
«No importa. No tengo hambre. Lo que tengo es sed...»
El mendigo dice: «Aquí atrás hay un pozo. Pero ¿por qué me diste todo? Podías darme la mitad de tu pan... Si no te causa asco el tomarlo...»
«Come, come. Puedo pasarme sin ello. Pero para quitarte la sospecha de que tengo asco, dame con tus manos un pedazo, y me lo comeré a fin de queseamos amigos...»
El hombre, de cara triste e indiferente, despide una sonrisa de admiración. Dice: «¡Oh, es la primera vez desde que soy el pobre Ogla que alguien me dice que quiere ser mi amigo!» y da el bocado

de pan a Jesús. Le pregunta: «¿Quién eres? ¿Cómo te llamas?»
«Soy Jesús de Nazaret, el Rabbí de Galilea.»
«¡Ah!... He oído hablar de Tí... pero ¿no eres el Mesías?»
«Lo soy.»
«¿Y Tú, el Mesías, eres así tan bueno con los mendigos? El Tetrarca manda a sus siervos que nos apaleen, si nos ve en el camino...»
«Yo soy el Salvador. No apaleo a nadie, sino que amo.»
El hombre lo mira fijamente, luego se pone a llorar.
«¿Por qué lloras?»
«Porque... querría salvarme... ¿No tienes ya sed, Señor? Te llevo al pozo y te diré algo...»
Jesús intuye que el hombre quiere decirle algo y le responde: «Vamos.»
«También yo voy» interviene Pedro.
«No. Vuelvo al punto. Por otra parte... hay que tener aprecio de quien se arrepiente.»
Va con Ogla detrás de la casa. Más allá se abren los campos.
«Allí está el pozo... Bebe y escúchame luego.»
«No. Primero dame tu angustia y luego... beberé. Y puede ser que consiga una fuente todavía más dulce que el agua del suelo para mi sed.»
«¿Cuál, Maestro?»
«Tu arrepentimiento. Vamos bajo aquellos árboles. Aquí nos están viendo las mujeres. Ven» y le pone la mano sobre la espalda, y lo lleva a un lugar donde hay muchos olivos.
«¿Cómo sabes que soy culpable y que estoy arrepentido?»
«Vamos... habla. Y no tengas miedo de Mí.»
«Señor... Fuimos siete hermanos de un solo padre, pero yo nací de la mujer con quien se casó mi padre después de haber enviudado. Todos mis hermanos me odiaban. Mi padre, al morir, repartió sus bienes a todos por igual. Una vez que murió, mis hermanos compraron a los jueces, y me quitaron todos mis bienes y me arrojaron fuera con mi madre, acusados de cosas infames. Murió ella cuando tenía yo dieciséis años... Murió de debilidad... Desde entonces jamás encontré quien me amase...» Llora el hombre con ansias. Se calma. Continúa de este modo: «Mis seis hermanos, ricos y felices, hacían fortuna también con lo que era mío; entre tanto que yo me moría de hambre porque me había enfermado por haber asistido a mia madre que se consumía de debilidad... Pero Dios los castigó a uno tras otro. Tanto que los maldije, tanto que los odié, que la desgracia les cayó. ¿Hice mal? Sí. Lo sé y lo sabía en aquellos tiempos, pero ¿cómo no podía menos de odiarlos y maldecirlos? El último sobreviviente, que en realidad era el tercero en edad, resistía todas mis maldiciones, y hasta le iba bien con las posesiones de los otros cinco de las que legítimamente se había posesionado. Porque

los tres menores habían muerto sin mujer. Y se casó con la mujer del primogénito que murió sin hijos. De los bienes del segundo se apoderó, porque con enredos y empréstitos se había apoderado de gran parte de los bienes de la viuda. Cuando me encontraba por casualidad en el mercado a donde solía ir yo, como siervo de un rico, a vender alimentos, me insultaba y me pegaba con su bastón... Una noche lo encontré... Iba solo. Estaba un poco borracho... Yo... yo me hallaba lleno de recuendos y de odio... Hacía diez años que había muerto mi madre... Me insultó. Insultó a la difunta... La llamó "perra inmunda", y me llamó "hijo de heina..." Señor... si no me hubiese tocado a mi madre... no habría yo reaccionado. Pero me la insultó... Lo cogí por el cuello. Luchamos... Quería sólo pegarle... pero se resbaló... la tierra estaba cubierta de hierba resbaladiza, en declive... y abajo había un precipicio y un arroyo... Rodó porque estaba ebrio, y cayó allá... Lo buscaron... y después de tantos años sigue sepultado entre las piedras y la arena de uno de los arroyos del Líbano. Yo no volví más a la casa del patrón, ni él tampoco a Cesarea Paneade. He andado sin paz... ¡Ah, la maldición de Caín! Miedo de la vida... miedo de morir... Me he enfermado... Y luego... te escuché... pero tenía miedo... Dicen que ves en el corazón del hombre. ¡Son tan malos los rabinos de Israel!... No conocen la compasión... Tú, Rabbí de los rabbíes, eres mi terror. He escapado ante Tí... Y, con todo, quisiera ser perdonado...» Inclinado hacia el suelo, llora.

Jesús lo mira y en voz baja dice: «¿Tomemos sobre Mí también estos pecados!... ¡Hijo, escucha! Yo soy la compasión, no el terror. También por tí he venido. No tienes porqué tener vergüenza de Mí... Soy el Redentor. ¿Quieres ser perdonado? ¿De qué?»

«De mi crimen. ¿Me lo preguntas todavía? Maté a mi hermano.»

«Dijiste: "Le quería solo pegar" porque en esos momentos me habría insultado y yo estaba enojado. Pero cuando odiabas y maldecías, no a uno, sino a tus seis hermanos, entonces nadie te había injuriado, ni estabas airado. Lo hacías como la cosa más natural. Espontáneamente. El odio y la maldición, la alegría de ver que eran castigados, era tu pan espiritual ¿no es verdad?»

«Sí, Señor. Durante diez años ésto fue mi sustento.»

«En realidad empezaste a cometer tu gran delito desde el momento en que empezaste a odiar y a maldecir. Eres fratricida seis veces.»

«Pero, Señor, ellos me redujeron a la ruina y me odiaban... Y mi madre murió de hambre...»

«¿Quieres decir que tenías razón de haberte vengado?»

«Sí. Es lo que quiero decir.»

«No tienes razón. Estaba Dios para castigar. Deberías de haber amado. Y Dios te habría bendecido en la Tierra y en el Cielo.»

«¿Nunca me bendecirá ya?»

«El arrepentimiento trae de nuevo la bendición. Pero cuántos dolores, cuántas angustias te acarreaste tú mismo con tu odio; muchos más de los que te dieron tus hermanos...»

«¡Es verdad, es verdad! Algo horroroso que dura hace veintiséis años. ¡Oh, perdóname en nombre de Dios! Tú estás viendo que tengo dolor de la culpa. No pido nada para la vida. Soy un mendigo y enfermo, y así quiero seguir; quiero sufrir, quiero expiar. Pero ¡dame la paz de Dios! He presentado mis sacrificios en el Templo, sufriendo el hambre para juntar la suma necesaria del holocausto, pero no podía decir mi crimen, y no sé si habrá sido aceptado el sacrificio.»

«No. Aun cuando todo los días hubieses hecho un holocausto, de nada te hubiera servido porque lo ofrecías con mentira. *Rito supersticioso e inútil es el que no va precedido con una sincera confesión de la culpa.* ¿Qué decías al sacerdote?»

«Le decía: "He pecado por ignorancia al haber hecho ciertas cosas prohibidas ante el Señor y quiero expiarlas". Yo pensaba dentro de mí: "Yo sé que pequé y Dios lo sabe, pero no puede decirlo al hombre con toda claridad. Dios que es omnividente, sabe que pienso en mi crimen".»

«Restricciones mentales, escapatorias indignas. El Altísimo las odia. Cuando se peca, se debe expiar. No lo vuelvas a hacer.»

«No, Señor. Y ¿se me perdonará? ¿O debo ir a confesar todo? ¿Pagar con la vida, la vida que arrebaté? Me basta morir con el perdón de Dios.»

«Vive para expiar. No podrías devolver el marido a la viuda y el padre a los hijos... Lo debías haber pensado antes de haber matado, antes de haberte dejado dominar por el odio. Pero ahora, levántate y camina por tu nuevo sendero. Encontrarás en el camino a discípulos míos. Ellos recorren los montes de Judea, en la dirección de Tecua a Belén, y más allá de Hebrón. Diles que Jesús te envía y diles que antes de Pentecostés subirá nuevamente a Jerusalén pasando por Betsur y Béter. Busca a Elías, a José, Matías, Juan, Benjamín, Daniel, Isaac. ¿Recordarás estos nombres? Dirígete a ellos en particular. Ahora vámonos...»

«¿Y no bebes?»

«Bebí ya tus lágrimas. Un alma que regresa a Dios. ¡No hay cosa más confortadora para Mí!»

«¿Entonces, estoy perdonado? Me dices: "Regresa a Dios"...»

«Sí. Estás perdonado. Pero no vuelvas a odiar.»

El hombre nuevamente se arrodilla porque se había puesto de pie y besa otra vez los pies de Jesús.

Regresan a donde están los apóstoles y los encuentran prendidos en una disputa con algunos escribas.

«Ahí llega el Maestro. El os puede responder y decir que sois unos pecadores.»
«¿Qué pasa?» pregunta Jesús, a quien no le contestan su saludo respetuoso.
«Maestro, nos molestan con preguntas y con burlas...»
«Soportar las molestias es obra de misericordia.»
«Pero te estaban ofendiendo. Se burlan de Tí... y la gente titubea. ¿Lo ves? Habíamos logrado juntar a varias personas... ¿Quién se ha quedado? Dos o tres mujeres...»
«¡Oh, no! Tenéis allí a un harapiento. ¡Es hasta mucho para vosotros! Maestro, ¿sólo que no parece contaminarte demasiado Tú que siempre andas diciendo que la inmundicia te causa asco?» pregunta con toda sorna un joven escriba, señalando al mendigo que está al lado de Jesús.
«Esto no es una inmundicia. No es esta inmundicia la que me causa asco. Este es el ''pobre''. Y el pobre nunca causa asco. Su miseria debe ser parte para que el alma se abra a sentimientos de compasión fraternal. Tengo asco de las miserias morales, de los corazones fétidos, de las almas andrajosas, de los espíritus llenos de llagas.»
«¿Y estás seguro que él no es así?»
«Sé que cree y espera en Dios y en su misericordia, ahora que la conoció.»
«¿La conoció? ¿Dónde habita? Dínoslo para que también vayamos a verle su rostro. ¡Ah! ¡Ah! El Dios terrible [1] a quien Moisés no se atrevía a mirar, debe tener un rostro severo aun en su misericordia; aun cuando después de tantos siglos se hubiese ablandado su rigor» replica el joven ecriba y se ríe con una carcajada peor que una blasfemia.
«Yo quien te hablo soy la misericordia de Dios» grita Jesús, derecho, imponente. No sé cómo el otro no tenga miedo...
Si es verdad que no huye, sin embargo no se atreve a hacer más burlas y se calla. Otro ocupa su lugar: «¡Cuántas palabras inútiles! Nosotros quisiéramos ver para creer. No pediremos otra cosa. Pero para creer es necesario tener pruebas. ¿Maestro, sabés que es Gálgala para nosotros?»
«¿Me tomas por tonto?» pregunta Jesús. Y, tomando el tono de salmo, empieza lentamente, como arrastrando la voz: «''Y Josué, levantándose antes de amanecer, levantó el campamento, él y todos los hijos de Israel partieron de Setim para el Jordán donde se detuvieron tres días. Al fin de ellos, los heraldos recorrieron el campamento diciendo: 'Cuando viereis el Arca de la Alianza del Señor Dios vuestro, que llevan los sacerdotes de la estirpe de Leví

[1] Cfr. vol. 1°, pág. 657, not. 3.

partid también vosotros y seguidla, pero con un intervalo de un kilómetro [2], a fin de que podáis verla de lejos y reconocer el camino que debéis seguir, pues no habéis pasado por allí antes y...' " [3].»

«Basta, basta. Sabes la lección. Pues bien, desearíamos que hicieses un milagro igual para creer en Tí. En el Templo, con ocasión de la Pascua, se nos aturdió con la noticia que llevó un barquero, quien afirmaba que habías detenido la creciente del río. Si por un hombre cualquiera hiciste algo tan grande, por nosotros, que valemos más que él, baja al Jordán con los tuyos y pásalo a pie enjuto como Moisés pasó el Mar Rojo [4] y Josué en Gálgala el río [5]. ¡Ea, valor! Los sortilegios no sirven sino para los ignorantes. A nosotros no nos vas a engañar con tus brujerías, aun cuando, como se sabe, conoces los secretos de Egipto y las fórmulas mágicas.»

«No tengo necesidad de ello.»

«Bajemos al río y creeremos en Tí.»

«Está dicho: "No tentarás al Señor Dios tuyo!" [6]»

«¡Tú no eres Dios! Eres un pobre loco. Uno que solivianta las multitudes ignorantes. Con ellas es cosa fácil, porque Belzebú está contigo, pero con nosotros que estamos defendidos con señales de exorcismo, no vales ni un comino» mordazmente dice un escriba.

«No lo ofendas. Ruégale que nos dé contento. Así como lo estás haciendo, no haces más que se empequeñezca y pierda su poder. ¡Ea, Rabbí de Nazaret! Danos una prueba y te adoraremos» dice con voz de serpiente un viejo escriba, mucho más peligroso con su astucia viperina que no con un ataque abierto.

Jesús lo mira. Luego se vuelve hacia el suroeste y abre los brazos extendiéndolos hacia delante. Dice: «Allá está el desierto de Judá y allá el Espíritu del Mal que me dijo que tentase yo al Señor mi Dios. Y le respondí: "Lárgate, lárgate, Satanás. Dicho está que sólo a Dios se le debe adorar y jamás poner en prueba. A Dios hay que seguirlo sobre todo lo que sea humano". Esto os digo también a vosotros.»

«¿Nos llamas Satanás? ¿A nosotros? ¡Eres un maldito!» Y, más semejantes a unos pillos que a doctores de la Ley, toman del suelo piedras que encuentran para arrojárselas, y gritan: "¡Lárgate! ¡Lárgate! ¡Lárgate! ¡Eres un Maldito para siempre!»

Jesús los mira, sin miedo alguno. Los paraliza cuando intentan sacrílegamente atacarlo. Recoge su manto y dice: «¡Vámonos! Ogla pasa delante de Mí» y vuelve al pozo, al olivar donde oyó la confesión adelanta un poco... baja la cabaza desalentado. Dos lágrimas

[2] La distancia de un kilómetro, es para realzar la majestad del Señor. (N.T.)
[3] Cfr. Jos. 3, 1-4.
[4] Cfr. Ex. 13, 17 - 15, 21.
[5] Cfr. Jos. 3, 1 - 5, 12.
[6] Deut. 6, 16.

le brotan de sus ojos, que corren por su pálido rostro.

Llegan a un camino. Jesús se para y dice al mendigo: «No puedo darte dinero, porque no lo tengo. Te bendigo. Adiós. Haz lo que te dije.»

Se separan... Los apóstoles están afligidos. No hablan. Se miran a escondidas...

Jesús rompe el silencio y vuelve a cantar en tono de salmo: «"Y el Señor dijo a Josué: 'Toma doce hombres, uno por cada tribu, y diles que tomen de en medio del lecho del Jordán, donde se detuvieron los sacerdotes, doce piedras durísimas, las más grandes que puedan, que colocaréis en el lugar del campamento, donde pusiéreis esta noche vuestra tienda'. Josué, una vez que llegaron ante sí los doce hombres elegidos entre los hijos de Israel, uno por cada tribu, les dijo: 'Id delante del Arca del Señor Dios vuestro. De en medio del Jordán cada uno de vosotros cárguese un piedra sobre la espalda, según el número de los hijos de Israel, para que hagáis con ellas un monumento. Y cuando en el porvenir vuestros hijos os preguntasen: ¿Qué significan estas piedras? les responderéis: Las aguas del Jordán desaparecieron ante el Arca de la Alianza del Señor que atravesaba por ella, y estas piedras fueron puestas como un monumento eterno de los hijos de Israel' " [7].»

Levanta su cabeza, que tenía inclinada, mira a sus doce que lo están contemplando. Y con una voz, con esa voz en que se refleja su máxima tristeza dice: «Y el Arca estuvo en el río. Pero no fueron las aguas sino los cielos que se abrieron [8] por respeto al Verbo que estaba ahí dentro de ellas para santificarlas, mucho mejor de lo que el Arca que estuvo parada en el lecho del río. Y el Verbo se escogió doce piedras. Durísimas. Porque deben durar hasta el fin del mundo, y porque deben ser el fundamento del Templo nuevo y de la Jerusalén eterna. Doce. Recordadlo. Este debe ser el número. Y luego escogió a otros doce como segundos testigos. Los primeros discípulos pastores y Abel el leproso, y Samuel el lisiado, los primeros curados... los que siguen agradecidos... Durísimas también porque deberán resistir a los golpes de Israel que odia a Dios... ¡Que odia a Dios!...»

Imposible describir esa voz de Jesús, en que hay pena, amargura por la dureza de Israel. Continúa: «Los siglos y los hombres dispersaron las piedras que formaban el monumento... El odio dispersará en la tierra a mis doce. Los siglos y los hombres destruyeron en la orilla del río el altar que servía de recuerdo... Las primeras y las segundas piedras, que se les empleó para cualquier cosa a instigación de los demonios que no sólo están en el infierno, sino también

[7] Jos. 4, 1-7.
[8] Probable alusión a su bautismo.

dentro de los hombres, no se les reconoce más. Tal vez algunas de ellas les usaron hasta para matar. ¿Y quién no puede asegurarme que de los trozos de piedra que tomaron para arrojármelos, no hubiese habido trozos de aquellas que Josué escogió? ¡Durísimas! Sí, durísimas. También entre los míos habrá de los dispersos que servirán de acera a los demonios que caminan sobre Mí... y se harán como astillas para que me golpeen... y no serán más piedras escogidas... sino satanases... ¡Oh, Santiago, hermano mío, Israel es durísimo contra su Señor!» Y, cosa nunca antes vista, Jesús, vencido de no sé qué aflicción, se reclina llorando sobre la espalda de Santiago de Alfeo a quien abraza...

78. Hacia Engaddi. Judas y Simón se van

(Escrito el 19 de febrero de 1946)

Debieron de haber continuado caminando bajo la luna, haber descansado un poco en alguna caverna y vuelto a emprender el camino hacia el amanecer. Se ve claramente que están cansados porque el camino de fragmentos de roca destrozada es muy difícil; además de los espinos y zarzas y lianas que los punzan y les impiden caminar. Esta vez Simón Zelote es el guía y parece que conoce moy bien el lugar. Pero pide excusa del camino, como si él tuviese la culpa.

«Ahora, cuando hayamos subido a esos montes que veís, estaremos mejor y os prometo miel silvestre en abundancia y aguas frescas hasta no más...»

«¿Agua? ¡Que me zambullo! La arena me ha quemado los pies como si hubiese andado sobre sal, y la piel la traigo toda quemada. ¡Malditos lugares estos! Se comprende. Se comprende que estemos cerca de los lugares que el cielo castigó con su fuego [1]. Ha quedado en el viento, en la tierra, en las espinas, en todas las cosas» exclama Pedro.

«Y con todo hubo un tiempo que fue un lugar muy bello ¿verdad, Maestro?»

«Bellísimo. En los primeros siglos del mundo estos lugares fueron un pequeño Edén. El suelo era fertílisimo. ¡Había tanta agua en él! Luego... el desorden de los hombres trató de apoderarse de estos elementos. Y vino la ruina. Los sabios del mundo pagano explican de varias maneras este castigo terrible. Pero, a su manera, con un terror supersticioso. Pero creedme: fue la voluntad de

[1] Cfr. Gén. 19, 1-29.

Dios la que hizo que los elementos saliesen de su orden; los del cielo llamaron a los de las profundidades, chocaron entre sí el uno contra el otro en ciclón vertiginoso; los rayos incendiaron el asfalto que la tierra había vomitado. Fuego de las entrañas de la tierra y fuego sobre ella. Fuego del cielo en ayuda del de la tierra, para hacer — con sus violentos rayos — nuevas aberturas en la tierra que se estremecía en medio de convulsiones, llena de terror, y quemó, destruyó, acabó con kilómetros y kilómetros de un lugar que fue antes un vergel, y lo convirtió en un infierno que estáis viendo y en el que no hay vida.»

Los apóstoles escuchan atentamente.

Bartolomé pregunta: «¿Crees que se pueda secar la capa de las espesas aguas, y puedan encontrarse en el fondo del Mar las ciudades castigadas?»

«Ciertamente. Y casi intactas, porque el espesor del agua hace de argamasa de las ciudades sepultadas. Pero el Jordán ha arrojado sobre ellas mucha arena. Se diría que están sepultadas dos veces, y que no volverán más a la vida, símbolo de los que, obstinados en su culpa, están sepultados para siempre bajo la maldición de Dios y de la prepotencia de Satanás [2], al que con tanto afán siervieron durante su vida.»

«¿Acá se refugió Matatías de Juan de Simón, el justo asmoneo que es gloria de todo Israel, junto con sus hijos? [3]»

«Sí. Entre los montes y el desierto. Acá reorganizó al pueblo y al ejército, y Dios estuvo con él.»

«Pero, al menos... lo pudo hacer más fácilmente ¡porque los Asideos eran hombres más justos de lo que son los fariseos contigo!»

«¡Oh, ser más justo que los fariseos es cosa fácil! Más fácil de lo que hace este espino en pincharme las piernas... ¡Vedlo!» dice Pedro, que por estar oyendo, no se fijó dónde pisaba y se ha encontrado de improviso en medio de zarzas que le provocan sangre en las pantorrillas.

«Hay menos en los montes. ¿Ves cómo van desapareciendo?» dice Zelote por consolarlo.

«Se ve que conoces muy bien el lugar...»

«Acá viví proscrito y perseguido...»

«¡Ah, entonces!...»

De hecho las colinillas van cubriéndose de un verdor que consuela. No hay mucha sombra. Las hierbas no son muy altas, pero sí muy olorosas y cubiertas de flores que parecen un tapiz de colores. Hai aquí abejas y más abejas. Luego van a las cavernas que hay en

[2] Cfr. vol. 2°, pág. 310 y notas aducidas; cfr. también vol. 1°, pág. 303, not. 2; y pág. 804, not. 3.

[3] Cfr. 1 Mac. 2, 28. Se aconseja leer todo el capítulo para tener una idea más cabal.

los lados de los montes, y allí, bajo colgantes tiendecillas de hiedra y madreselvas, depositan su miel en sus avisperos naturales. Simón Zelote va a una caverna, y sale con lonjas de miel de oro, y luego más y más hasta que alcanzan para todos. Las ofrece al Maestro y a sus amigos que, contentos, se las comen.

«¡Si hubiese pan! ¡Qué sabrosa sería!» dice Tomás.

«Sin pan no está mal. Mejor que las espigas filisteas. Y ...esperamos que ningún fariseo venga a decirnos que no podemos comer miel» dice Santiago de Zebedeo.

Y, comiendo, siguen caminando. Llegan a una cisterna en que se juntan las aguas de varios arroyuelos, y que luego no sé a dónde se van. El agua que sobra sale fresca del estanque, cristalina, porque el sol no le da, pues el peñasco inmenso donde está cavada la cisterna la protege. Al caer el agua forma como una especie de lago en miniatura en la roca silíceo-negruna.

Con todas las ganas los apóstoles se desnudan y, uno por uno, se meten en el estanque que no se habían imaginado. Pero, antes de cualquier otro, tiene que entrar Jesús «para que las aguas sean más puras» dice Mateo.

Continúan la marcha ya refrescados, aunque con más hambre que antes, que los obliga a cortar flores de peucédano y otras cuyos nombres ignoro.

El panorama sobre la cima de estos montes, que parece que los hubieran decapitado con espada, es bello. Se contemplan extensiones verdes sobre otros montes y llanuras fértiles hacia el sur y algo del Mar Muerto, que se ve muy bien hacia el oriente, con sus montes lejanos del otro lado de sus costas, cubiertos con delgadas nubes que ascienden del sudeste; al norte, en medio de crestas de montes, se observa la lejana llanura del Jordán envuelta en verdor, al oeste de los altos montes de Judea.

El sol empieza a quemar y Pedro solemnemente dice: «Esas nubes sobre los montes de Moab son señal de un día caluroso.»

«Ahora bajaremos al valle del Cedrón. Hay mucha sombra...» dice Simón.

«¡¿El Cedrón?! Oh, ¿cómo se hizo para llegar tan pronto al Cedrón?»

«Así es, Simón de Jonás. El camino fue áspero, ¡pero cuánto nos ahorró! Caminando por el valle, presto se llega a Jerusalén» explica Zelote.

«Y a Betania... Debo mandar a algunos de vosotros a Betania, para que digan a las dos hermanas que lleven a Egla a la casa de Nique. Mucho me lo pidió y es una petición justa. Ella, que es viuda y sin hijos, la amará mucho, y la joven es huérfana. Nique, una verdadera madre israelita, la hará crecer en nuestra antigua fe y en la mía. Quisiera también ir Yo... Un descanso para el corazón amargado... En la casa de Lázaro el corazón del Mesías no encuentra sino amor... Pero ¡es largo el viaje que quiero hacer antes de Pentecostés!»

«Mándame, Señor, y conmigo a alguno de buenas piernas. Iremos a Betania y luego subiré nuevamente a Keriot y allí nos encontraremos» dice entusiastamente Keriot. Los otros, que presienten que se va a escoger a uno de ellos por compañero y que no quieren separarse del Maestro, no muestran tanto gusto. Jesús piensa, y, al hacerlo, mira a Judas. No sabe si asentir o no [4]. Judas insiste: «Sí, maestro. Di que sí. Dame este gusto...»

«Eres el menos apto de todos, Judas, para ir a Jerusalén.»

«¿Por qué, Señor? ¡La conozco mejor que cualquier otro!»

«¡Por esto mismo!... No sólo la conoces, sino que penetra en tí, mejor que en cualquier otro.»

«Maestro, te doy mi palabra de que no me detendré en Jerusalén, y no veré a nadie de Israel por mi voluntad... Pero déjame ir. Te esperaré en Keriot y...»

«¿Pero, no vas a hacer presión para que me tributen honores humanos?»

«No, Maestro. Te lo prometo.»

Jesús vuelve a pensar.

«¿Por qué titubeas tanto, Maestro? ¿Desconfías tanto de mí?»

«Eres un débil, Judas. Y como te alejas de la Fuerza, caes. ¡Desde hace varios días que eres tan bueno! ¿Por qué quieres buscar la intranquilidad y causarme dolor?»

«No, Maestro, no es esto lo que quiero. ¡Llegará el día en que estaré sin Tí! ¿Y entonces? ¿Cómo podré comportarme, si no estoy preparado?»

«Judas tiene razón» dicen varios.

«Está bien... Vete. Vete con mi hermano Santiago.»

Los otros respiran. Santiago lo siente en el alma, pero dócilmente dice: «Sí, Señor mío. Bendícenos para partir.»

Simón Zelote siente compasión por él y dice: «Maestro, los padres con gusto sustituyen a sus hijos por darles gusto. A éste lo tomé por hijo mío junto con Judas. Ya pasó el tiempo, pero mi decisión es siempre la misma. Acepta mi petición... Mándame con Judas de Simón. Soy viejo, pero resisto como un joven, y Judas no tendrá que lamentarse de mí.»

«No, no es justo que te sacrifiques apartándote por mí del Maestro. Te duele que no vayas con El...» dice Santiago de Alfeo.

«El dolor se mitiga con el placer de dejarte con el Maestro. Me contarás luego lo que os pasó y lo que hicisteis... Por otra parte... gustoso voy a Betania...» concluye Zelote como para quitar fuerza

[4] Cfr. vol. 2°, pág. 499, not. 2.

a su petición.

«Está bien. Iréis los dos. Entre tanto juntos vayamos hasta ese poblado. ¿Quién va a buscar pan en hombre de Dios?»

«¡Yo, yo!» Todos quieren ir. Jesús detiene a Judas de Keriot.

Cuando ya se han ido todos, Jesús le toma las manos y le habla de muy cerca. Parece como si quisiera infundirle sus ideas, sugestionarlo hasta el punto que Judas no tenga otros pensamientos que los de Jesús. «Judas... ¡No te hagas el mal! ¡No te hagas el mal, Judas mío! ¿No es verdad que desde hace días te sientes tranquilo y feliz, libre del pólipo de tí mismo, que es peor que ese otro "pensamiento" humano que es un fácil señuelo de Satanás y del mundo? ¿Verdad que te sientes así? Pues bien, conserva esta paz, tu bienestar. No te hagas daño, Judas. Lo estoy leyendo en tí. ¡Eres tan bueno en este momento! Oh, si pudiese Yo, si pudiese, a costa de toda mi Sangre, mantenerte así, destruir hasta el último baluarte en que se anida un gran enemigo tuyo, hacer de todo tu ser un espíritu! ¡Espíritu en la inteligencia, espíritu en el amor, espíritu nada más!»

Judas, que está enfrente de Jesús, y cuyas manos están sujetas por las del Maestro, queda como atolondrado. Con voz entrecortada pregunta: «¿Dañarme? ¿Ultimo baluarte? ¿Cuál es...?»

«¿Que cuál? Tú lo conoces. Sabes lo que te hace mal. Cultivar pensamientos de grandeza humana y amistades que supones te serán útiles para conseguir esta grandeza. Israel no te ama. Créemelo. Te odia como me odia a Mí y odia a quien no tiene la apariencia de un probable vencedor. Y, exactamente como tú no ocultas tu pensamiento de querer serlo, te odia. No creas sus palabras mentirosas, ni sus falsas preguntas, hechas con la excusa de interesarse en tus planes para ayudarte. Te rodean para hacerte mal, para saber y luego causarte daño. No te lo pido por Mí, sino por tí solo. Yo, sea lo que fuere según ellos, seré siempre el Señor. Podrán atormentar mi Cuerpo, matarlo. Pero no más. ¡Pero tú, pero tú! A tí te matarán el alma... ¡Huye de la tentación, amigo mío! Prométeme que huirás de ella. Regala a tu pobre Maestro, perseguido, preocupado, esta promesa que le dará paz.»

Jesús tiene a Judas entre sus brazos, y poco a poco le habla al oído. Los cabellos de oro un poco oscuro de Jesús se mezclan con las guedejas negras y abundantes de Judas.

«Yo sé que debo padecer y morir. Sé que mi corona será la de un mártir. Sé que mi púrpura será la de mi propia Sangre. Por esto vine, porque por medio de este martirio redimiré a la Humanidad, y amor sin límites es lo que me empuja desde hace tiempo a ello. Pero no quisiera que uno de los míos fuese a perderse. Todos los hombres me son caros, porque en ellos está la imagen y semejanza de mi Padre, el alma inmortal que El creó. Pero vosotros, amados y muy amados, vosotros sangre de mi sangre, pupila de mis ojos, no, no, ¡perdidos no! ¡No habrá tormento igual al de que un elegido mío se pierda! Aún cuando Satanás me clavase sus uñas infernales de azufre y me mordiese, y me estrujase en ellas, él, el Pecado, el Horror, el Asco, no habrá tormento igual al mío... ¡Judas, Judas, Judas mío! ¿Quieres que pida al Padre padecer tres veces mi horrenda Pasión, y, que de las tres, dos sean sólo por salvarte? Dímelo, amigo, y lo haré. Diré que se multipliquen hasta lo indecible mis sufrimientos por ello. Te amo, Judas. Mucho es lo que te amo. Quisiera, quisiera darme Yo Mismo a tí; convertirte en Mí, para que tú mismo te salves...»

«No llores, Maestro, no digas estas palabras. También yo te amo. Me entregaría tambíen yo mismo para verte respetado, fuerte, temido, vencedor. No te amo tal vez perfectamente; tal vez no pienso como se debe, pero todo lo que soy lo empleo — quizás abuse — por el ansia de verte amado. Te juro, por Yeové juro, que no iré a ver a ningún escriba, ni a un solo fariseo, ni a saduceo alguno, ni a judíos, ni sacerdotes. Dirán que estoy loco, pero no importa. Me basta que no estés preocupado por mí. ¿Estás contento ahora? Dame un beso, Maestro, dame uno como bendición y protección tuya.»

Se dan el beso y se separan mientras los otros a la carrera regresan por las colinas blandiendo en el aire pan y queso.

Se sientan en la verde hierba de la orilla y se reparten el pan. Cuentan que los acogieron bien, porque en las pocas casas que hay, la gente conoce a los pastores-discípulos, y ve con buenos ojos al Mesías.

«No dijimos que estuvieses, porque si no...» termina Tomás.

«Trataremos de pasar por aquí alguna vez. No conviene descuidar a nadie» dice Jesús.

Termina la comida. Jesús levanta y bendice a los dos que van a Betania y que no esperan la tarde para volver a ponerse en camino, porque el valle está lleno de sombra y de agua cristalina.

Jesús, y los diez restantes, se tienden sobre la hierba y descansan hasta que llegue el crepúsculo para volver por el camino que lleva a hacia Engaddi y Maseda, como oigo que dicen.

79. Llegada a Engaddi

(Escrito el 20 de febrero de 1946)

Los viajeros, aunque estén cansados de una larga caminata hecha tal vez en dos etapas, desde el crepúsculo hasta este amanecer, por senderos escabrosos, no pueden menos que exclamar admirados cuando, llegados al último trecho de camino, sobre el que se encienden diamantes al contacto del sol matinal, se encuentran ante el vasto panorama del Mar Muerto con sus dos orillas.

La que da hacia el occidente deja un pequeño espacio plano entre el Mar Muerto y la línea de colinas, que parecen la última ondulación de la cadena de montes de la Judea — ondulación que avanza sobre la playa desierta, y que se queda allí, llena de vegetación, después de haber puesto al desnudo desierto entre sí y la vecina cadena de montes de la Judea — la orilla oriental muestra montes que descienden a pique al Mar Muerto. No puede uno menos de pensar que el terreno, debido a una espantosa catástrofe telúrica, se haya hundido, como si se le hubiese cortado, descubriendo grietas verticales al lago de las que bajan arroyos más o menos abundantes en agua, destinadas a evaporarse en sal en las aguas negras, malditas, del Mar Muerto. Detrás, más allá del lago y de los primeros picos de los montes, hay otros y otros más, hermosos con los rayos matinales. Al norte está la desembocadura verde-azul del Jordán, al sur montes que sirven de corona al lago.

Es un espectáculo de grandeza solemne, triste, amonestadora, en que se funden los contornos confusos de los montes y el obscuro del Mar Muerto que parece recordar, al mirarlo, lo que puede el pecado y lo que puede la ira del Señor. Porque un inmenso espejo de agua sin una sola vela, sin una sola barca, sin un ave, sin un animal que pase por él o vuele sobre él, o que beba en sus orillas, es algo horrible.

En contraste con este espectáculo, las maravillas del sol sobre los montecillos y dunas, hasta las arenas del desierto donde los cristales de sal toman la forma de jaspes preciosos esparcidos sobre la arena, sobre peñascos, sobre los troncos duros de las plantas del desierto, y cambiando así todo en belleza con el polvo diamantico esparcido sobre las cosas. Y todavía más milagroso es la fértil meseta de unos 150 metros sobre el nivel del mar. Maravillosa con sus palmeras, con sus plantas, con sus viñedos de toda clase. Por esta meseta corre agua transparente, y sobre ella hay una hermosa ciudad que rodean campos fertilísimos. Cuando pasea uno su mirada de la oscura cara del mar, del lado oriental en que se distingue un poco de tierra verde que avanza hacia el mar, en el sudeste, al desolado desierto de Judea, del majestuoso contro que forman los montes judíos, a esta meseta tan dulce, que sonríe, que florece, parece que desapareciera una horrible pesadilla y sobreviniese en su lugar una visión suave de paz.

«Aquella es Engaddi, a la que han cantado los poetas de nuestra Patria. ¡Ved qué hermosa es la región que baña el agua en medio de un espectáculo tan tétrico! Bajemos a sumergirnos dentro de sus vergeles, porque todo allí es jardín, todo prado, todo bosque, todo viñedos. Esta es la antigua Jaesón Tamar, como lo dicen sus bellas palmeras, bajo las que es todavía más hermoso levantar la tienda, cultivar la tierra, amarse, crear los hijos y los ganados, bajo el canto de sus hojas, de sus ramas. Este es el oasis que alegra, que sobrevivió en medio de las tierras que Dios castigó; que está rodeado como una perla engarzada, por senderos propios de las cabras, de los cabrillos, como se dice en los Reyes [1]; en cuyos senderos hay para los perseguidos, para los cansados y abandonados, cavernas que los hospedan. Acordáos de David, nuestro rey, y acordáos de que fue bueno con Saúl su enemigo. Esta es Jaesón Tamar, Engaddi, la fuente, la bendecida, la belleza, de la cual partieron los enemigos contra el rey Josafat y sus súbditos que, atemorizados, fueron reconfortados por Yajasiel, hijo de Zacarías en quien hablaba el Espíritu de Dios [2]. Y alcanzaron una gran victoria porque tuvieron fe en el Señor y merecieron su ayuda con la penitencia y oración, con que precedieron la batalla. Es la ciudad a la que cantó Salomón [3], cual tipo de belleza entre lo bello. Esta es de la que habla Ezequiel [4], como si el Señor la alimentase con sus aguas... Bajemos. Vamos a llevar el Agua viva que del Cielo ha descendido a la joya de Israel.»

Y, casi a la carrera, bajan por un sendero resbaladizo, con recodos, que parece un zigzag, en la roca calcárea de color rojizo que en los lugares donde se acerca más al mar, llega hasta los límites del monte que le sirve de cornisa. Es una vereda que provoca mareos aun al mejor montañés. Los apóstoles quedan detrás de Jesús, y los de mayor edad, están todavía muy lejos de El, cuando ya ha llegado a las primeras palmeras y viñedos de la fértil llanura que canta al son de las aguas cristalinas y de pájaros de toda clase.

Blancas ovejas pacen bajo el techo ligero de las palmeras, de las mimosas, de los árboles de bálsamo, de árboles de pistacho, y de otro que exhalan aromas delicados y que se combinan con los de los rosales, del espliego en flor, de la canela, mirra, incienso, azafrán, jazmines, lirios, convalarias, y del áloe que es gigantesco, del clavo y benjuí que derraman sus lágrimas junto con otras resinas que brotan de los troncos en que se han hecho hendiduras. En realidad este «es el huerto circundado, la fuente del vergel». Y fruta, y flores, fragancia, belleza surgen por todas partes [5]. No hay en Palestina un lugar tan bello como este, tanto por su extensión como por su naturaleza. Al contemplarlo, se comprenden muchas páginas de poetas del Oriente, cuando cantan las bellezas de los oasis como si

[1] Cfr. 1 Rey. 24, 1-23; 26, 1-25.
[2] Cfr. 2 Par. 20, 1-30.
[3] Cfr. Cant. 1, 14.
[4] Cfr. Ez. 47, 1-12.
[5] Cfr. Cant. 4, 12-15.

fueran paraísos sembrados en la tierra.

Los apóstoles, sudados, pero llenos de admiración, se reúnen con el Maestro y juntos bajan por un buen camino hacia la orilla a la que se llega después de haber pasado varios terraplenes bien cultivados, de los que descienden en medio de juvenil sonrisa, corrientes de agua para el cultivo de la llanura que termina en la playa. A la mitad de la orilla entran en la blanca ciudad, en que se oye el susurrar de las palmeras, olorosa de rosales y de miles de flores de sus jardines. Buscan alojo en nombre de Dios en las primeras casas. Y estas, amables como la naturaleza, se abren de inmediato, mientras la gente pregunta quién es el «Profeta que parece un rey Salomón vestido de lino y radiante de belleza.»...

Jesús con Juan y Pedro entra a una casucha donde vive una viuda con un único hijo. Los demás se fueron acá y allá, después de que el Maestro los bendijo y les ordenó que se reuniesen a la hora del crepúsculo en la plaza mayor [6].

[6] Después sigue una «visión» con el siguiente título: «El arcángel Rafael y Tobías». Al fin de ella la Escritora advierte que puso la señal en un punto en que se ve obligada a abreviar «porque había venido a visitarme el abogado y me encontré en medio de dos fuegos, y no pude entenderlo, ni recordar a la letra lo que decía el arcángel... Esto es lo que recuerdo y lo diré con mis palabras propias. Por esto no doy más que lo esencial... Tanto me desagrada cuando me sucede así...»

80. Predicación y milagros en Engaddi

(Escrito el 21 de febrero de 1946)

Jesús, ya hacia el crepúsculo, un crepúsculo de fuego que pinta de rojo las blanquísimas casas de Engaddi, y de madreperla negra al Mar Muerto, se dirige a la plaza principal. Con El va el joven que lo hospedó y que lo guía por los vericuetos de la ciudad, que es oriental por su arquitectura.

Los habitantes, para defenderse del sol — que debe ser cruel en estos lugares extensos frente a la losa pesada del Mar Salado, del que, según me imagino, emergerán vahos enrojecidos, en estos lugares que se encuentran en medio del desnudo desierto sobre el que el sol sin compasión alguna echa fuego — han hecho calles estrechas, que parecen serlo todavía más por los aleros y cornisas de las casas que sobresalen, de modo que al levantar los ojos se ve una tirita de cielo, de azul oscuro.

Las casas son altas. Casi todas de dos pisos y con su terraza, a la que, aunque esté alta, han llegado las vides y sobre ellas se han extendido para dar sombra y para brindar sus racimos que serán dulces como la pasa seca, al haberse madurado bajo el sol, entre el reverbero de los muros y del suelo de la terraza. Las vides compiten en ayudar a los hombres, en proteger a las numerosísimas aves que desde los pajarillos hasta las palomas, hacen sus nidos en Engaddi, con palmas desmochadas, nacidas acá y allá, y con árboles frutales sin par, que se yerguen en los patios, en los jardines circundados de las casas, y se asoman hacia afuera, aparecen por las blancas paredes, con sus ramas cargadas de frutos maduros bajo un sol bienhechor, y suben más allá de las arquivoltas numerosas que hacen verdaderas galerías en ciertos lugares, interrumpidas acá y allá por razones arquitectónicas, y que suben hacia el cielo así que no aparece dividido, tan azul-fuerte que da la impresión de que si fuese posible tocarlo, debería dar la sensación de tocar un grueso tercipelo o un cuero liso, que pintó o dibujó un excelente pintor con unos colores perfectos, con más de turquesa, y con menos de zafiro. Una pintura hermosísima, que jamás podrá olvidarse.

¡Y cuánta agua!... ¡Cuántas fuentes y manantiales no estarán borbollando dentro de los patios, en los jardines de las casas, entre los millares de verdes árboles! Al pasar por las callejuelas, todavía desiertas, porque sus habitantes o todavía están trabajando, o están en sus hogares, se oye cómo gotea el agua, cómo juguetea, choca, canta como si fuese un arpa de la que un artista arrancase melodías. Y para aumentar este encanto, las arquivoltas, los ángulos continuos de las calles que se siguen, recogen los cánticos, las voces de las aguas, las amplifican, las aumentan con el eco, y forman un arpegio por doquier.

Y luego, palmas y más palmas. Donde hay una plazuela, digamos, del tamaño, de una habitación, he ahí los esbeltos troncos, altos, que se arrampican hacia el cielo, que apenas si muestran mover allá arriba la cabellera de sus hojas que se balancean. Troncos esbeltos cual una línea recta. Y su sombra que al mediodía cae perpendicular en la plazuela y la cubre toda, ahora caprichosamente cae sobre las paredes de las terrazas más altas.

La ciudad es limpia con respecto a las demás ciudades de Palestina. Tal vez se debe a que las casas están muy juntas una contra otra, o a que todas tienen patios y jardines muy bien cultivados. El caso es que sus habitantes no arrojan todas las suciedades a la calle; antes bien, recogen éstas y las de los animales en apropiados estercoleros para abonar los árboles o los bancales. Es en realidad un caso raro de orden. Las calles son limpias, secas con el sol. No se ve nada de verduras tiradas, sandalias rotas, harapos, excrementos y basuras semejantes que se ven en la misma Jerusalén, en las calles que están un poco retiradas del centro.

Ahí viene el primer campesino que regresa de su trabajo, cabalgando sobre un asno de color ceniza. Para defender su borriquillo de las moscas, le ha puesto de gualdrapa ramos de jazmín. El borrico viene trotando y sacudiendo sus orejas y las sonajas entre la perfumada capa de jazmines. El campesino mira y saluda. El joven le dice: «Ven a la plaza mayor. Oirás al Rabbí que viene conmigo.»

Allá llega un hato de ovejas que llena la calle, al salir de una plazuela, más allá de la cual se ve la campiña. Vienen unidas unas con otras, y meten la pezuña donde la otra la metió. Todas con la cabeza baja, como si fuese muy pesada para el delgado pescuezo con respecto al tronco; vienen trotando con su paso extraño y con sus panzas gordas que parecen envoltorios apoyados en cuatro estacas... Jesús, Juan y Pedro imitan al joven pegándose contra la pared para dejarlas pasar. Un hombre y un niño vienen detrás del hato. Miran y saludan. El joven dice: «Dejad las ovejas en el redil y venid a la plaza mayor con vuestros familiares. Está entre nosotros el Rabbí de Galilea. Hoy nos hablará.»

He ahí a la primera mujer que sale, rodeada de hijos, para ir a quién sabe dónde. El joven le dice; «Ven con Juan y con tus hijos a oir al Rabbí a quien llaman el Mesías.»

Las puertas se abren poco a poco al atardecer y dejan entrever jardines, o quietos patios en los que las palomas picotean sus alimentos. El joven se asoma a una de estas casas abiertas y grita: «Venid a oir al Rabbí, el Señor.»

Llegan, por fin, a una calle recta, la única recta en esta ciudad que no ha sido construída según un plan, sino como lo quisieron las palmas y los gruesos árboles de pistacho, que no cabe duda cuentan con cientos de años, y se les ha respetado cual nobles ciudadanos, gracias a los cuales no se muere de insolación. He ahí, al fondo, una plaza en que hacen de columnas los esbeltos troncos de palmeras. Parece una de esas salas de antiguos templos y palacios de columnas, dispuestas a determinada distancia para formar una floresta de piedra que sostiene el techo. Aquí las palmeras son las columnas, y, tupidas como son, forman con sus hojas que se besan, un techo de esmeralda sobre la blanca plaza en medio de la que hay una fuente alta y cuadrada que rebosa de aguas cristalinas que brotan de una columnita que está en el centro, y caen en grandes tazones más bajos, donde pueden beber los animales. En estes momentos los palomos, domésticos, pacíficos, han llegado a la fuente y beben o con sus patitas rojas danzan en el borde, o bien se sacuden las plumas que brillan más con las goticas de agua que quedaron en ellas.

Hay gente. Están los ocho apóstoles que habían ido acá y allá en busca de alojo, y cada uno ha traído consigo un buen número de personas, deseosas de oir al que el apóstol indicó como el Mesías prometido. Los apóstoles se apresuran a ir a donde está el Maestro y cual jefes en miniatura arrastran consigo sus conquistas.

Jesús levanta su mano para bendecir a los discípulos y a los habitantes de Engaddi.

Judas de Alfeo toma la palabra en nombre de todos: «Maestro y Señor. Hicimos lo que nos dijiste y estos saben que hoy la Gracia de Dios está entre ellos, pero también quieren la Palabra. Muchos te conocen por haber oído hablar de Tí. Algunos porque te vieron en Jerusalén. Todos, sobre todo las mujeres, desean conocerte, y entre todos, el sinagogo. Aquí está. Abraham, da un paso adelante.»

El hombre, ya muy anciano, avanza. Está conmovido. Querría hablar, decir algo, pero en su emoción no encuentra las palabras que había preparado. Se inclina para arrodillarse, apoyándose sobre el bastón, pero Jesús se lo impide. Lo abraza, diciendo: «¡Paz al anciano y justo siervo de Dios!» Y éste no sabe, en su emoción, sino responder: «¡Sea alabado Dios! Mis ojos han visto al Prometido. ¿Y qué más puedo pedir a Dios?» Y, levantando los brazos en actitud hierática, entona el salmo de David (34°): «''Ansiosamente esperé al Señor y El ha regresado a mí''.»

Pero no lo dice todo. Recita sólo los puntos más interesantes para la ocasión: «''Eschuchó mi grito. Me sacó del abismo de la miseria y del fango del pantano...

En mi boca ha puesto un cantar nuevo.

Bienaventurado el hombre que ha colocado en el Señor su esperanza.

Muchas cosas maravillosas, oh Señor Dios mío, has hecho, y no hay nadie que en designios te iguale. Quisiera decirlos, quisiera hablarlos, pero su multitud no tiene número.

No quisiste ni el sacrificio, ni la ofrenda, sino que me has dado inteligencia... (se conmueve cada vez más).

Está mandado que haga tu voluntad... Tu Ley la tengo en medio de mi corazón.

He anunciado tu justicia ante la gran asamblea. Ved, que no tengo los labios cerrados, y Tú lo sabes, Señor.

Dentro de mí no escondí tu justicia. Tu verdad la proclamé igual que la salvación que de Tí sale...

Oh Señor, no dejes de compadecerte de mí...

Desgracias sin cuento (y llora, las palabras las pronuncia con voz trémula por las lágrimas) han caído sobre de mí...

Soy un mendigo, un menesteroso, pero el Señor tiene cuidado de mí. Tú eres mi ayuda, mi protector. ¡Oh Dios mío, no tardes!...''

Así dice el salmo, Señor, y me lo apropio: Dime que vaya a Tí y te diré lo que el salmo dice: ''Sí, al punto voy''.»

Se calla. Toda su fe se le ve en los ojos empañados por los años.

La gente es la que se encarga de dar la explicación: «Se le murió su hija y le dejó los pequeñuelos. Su mujer se ha puesto ciega y como demente por los sufrimientos y del único hijo que tuvieron, no se sabe nada. Desapareció de la noche a la mañana...»

Jesús coloca su mano sobre la espalda del anciano y le dice: «Los sufrimientos de los justos tienen la rapidez del vuelo de una golondrina con respecto al premio eterno. Devolveremos a tu Sara sus ojos de otros tiempos y su cabeza de cuando tenía veinte años para que consuele tu vejez.»

«Se llama Paloma» advierte uno del pueblo...

«Para él es su "princesita". Oid ahora esta parábola que os propongo.»

«¿No quisieras primero quitar las tinieblas de los ojos de mi mujer, lo mismo que las que tiene su inteligencia para que pueda saborear la Sabiduría?» pregunta ansioso el viejo sinagogo.

«¿Eres capaz de creer que Dios todo lo puede, y que su poder se extiende de un confín al otro del mundo?»

«Sí, Señor. A mi memoria llega el recuerdo de una noche de hace años. Era yo feliz. Creía en la alegría. Porque así es. Mientras el hombre es feliz, puede hasta olvidarse de Dios. Creía también en Dios aun en aquellos tiempos de alegría en que era joven y robusta mi mujer, y crecía Elisa, bella cual una palma y ya había sido prometida. También crecía Eliseo quien la igualaba en belleza y la superaba en robustez como conviene a un varón... Había ido con el muchachito a los manantiales que están cerca de los viñedos, dote de Paloma, dejando a ella y a mi hija en el telar, en que estaban tejiendo vestidos para las bodas... ¡Pero tal vez te fastidio! El miserable sueña siempre en la pasada alegría que a los otros no interesa...»

«Habla, habla.»

«Había ido con el niño... a los manantiales... Si viniste por el camino que está al poniente, sabrás dónde están... Los manantiales servían de límite, y, al tender los ojos, se veía más allá, el desierto y el camino que reverberaba con las piedras romanas, que podían distinguirse bien en medio de la arena de Judea... Después... desapareció también aquella señal. No es maravilla alguna que una señal se pierda en la arena. Lo malo es que se haga desaparecer la señal de Dios, que envió a señalarte a los espíritus de Israel. ¡En muchos corazones! Mi niño me dijo: "¡Padre, mira! Una gran caravana, y caballos y camellos y siervos y personajes a la vuelta de Engaddi. Tal vez vienen a los manantiales antes de que caiga la tarde..." Levanté los ojos de los sarmientos, ojos cansados, de la abundante cosecha y vi... Se acercaban a los manantiales. Bajaron, me vieron y me preguntaron si podían acampar en ese lugar y por aquella noche.

"Engaddi tiene casas hospitalarias y está cerca" repuse.

"No. Tenemos que velar para huir en caso de necesidad, porque Herodes nos busca. Las guardias desde aquí pueden distinguir cualquier camino, y fácil será escapar".

"¿Qué crimen habéis cometido?" pregunté admirado y pronto para señalar las cavernas de nuestros montes, como es nuestra costumbre sagrada para con los perseguidos. Y añadí: "Sois extranjeros y de lugares diversos... No puedo comprender cómo habreis podido cometer algún crimen contra Herodes..."

"Hemos adorado al Mesías que nació en Belén de Judá a donde nos guió la estrella del Señor. Herodes lo anda buscando y por esto nos busca para que le indiquemos el lugar. Lo busca para matarlo. Tal vez la muerte nos sorprenderá en los desiertos de un largo y desconocido camino, pero no denunciaremos al Santo descendido del cielo".

¡El Mesías! El sueño de todo verdadero israelita. Mi sueño. Y estaba ya en el mundo. Y en Belén de Judá según lo que se había predicho... Pedí noticias y noticias, apretando contra mi pecho a mi hijo: "¡Escucha, Eliseo! ¡Recuerda! ¡Seguro que tú lo verás!" En ese entonces tenía ya más de cincuenta años y no tenía esperanzas de que lo vería... ni me imaginaba que pudiese llegarlo a ver hecho ya un hombre... Eliseo... no lo puede adorar ya...»

El viejo llora nuevamente. Se calma. Dice: «los tres Sabios hablaron con dulzura y te describieron, lo mismo que a tu Madre, y tu padre... Me habría pasado la noche con ellos... pero Eliseo se dormía en mis brazos. Me despedí de los tres Sabios prometiéndoles que guardaría el secreto para no ser causa de que se les fuera a hacer algún daño. Pero todo se lo conté a Paloma, y esto fue el sol en nuestras desgracias que nos han perseguido. Luego supimos lo de la matanza... y por años no supe que vivieses. Ahora lo sé. Pero yo sólo porque Elisa ha muerto ya, Eliseo no está aquí, y Paloma no puede saber la fausta noticia... Pero la fe en el poder de Dios, que era ya viva, se hizo perfecta desde aquel lejano atardecer en que tres hombres, de raza diversa, dieron testimonio del poder de Dios al haberse unido por medio de las voces de las estrella y de los corazones, en el camino de Dios, para ir a adorar a su Verbo.»

«Y tu fe tendrá su premio. Ahora escuchad.

¿Qué es la fe? Semejante a una semilla de palma es tal vez pequeña, tan sólo tiene una frase breve: "Dios existe", frase que alimenta con la siguiente afirmación: "Yo lo vi". Como fue la fe que Abraham tuvo en Mí por las palabras de los tres Sabios del Oriente. Como fue la de nuestro pueblo, que se transmitieron los antiguos patriarchas, el uno al otro. Adán a sus hijos, el Adán que aunque pecador, se le creyó cuando dijo: "Dios existe, y nosotros existimos porque El nos creó. Yo lo conocí a El". Como fue aquella fe, cada vez más perfecta, porque se le iba agregando cada vez más una revelación, y herencia radiante de manifestaciones divinas, de apariciones angelicales, de luces del Espíritu. Semillas siempre pequeñas en comparación al Infinito. Minúsculas. Pero echando raíces, hendiendo la corteza dura de su ser humano envuelto en dudas y vacilaciones, triunfando sobre las hierbas nocivas de las pasiones, de los pecados, sobre el moho de los decaimientos, sobre la carcoma de los vicios, sobre todas las cosas, se levanta la fe en los corazones, crece, se lanza hacia el sol, hacia el firmamento y sube, y sube... hasta que se liberta de los lazos de la carne y se funde en Dios, en el conocimiento perfecto de El, en su completa posesión, después de la muerte, en la Vida verdadera.

Quien posee fe, posee el camino de la Vida. Quien sabe creer, no yerra. Ve, reconoce, sirve al Señor, y obtiene la salvación eterna. Para él el Decálogo es vital, y cada precepto suyo es una piedra preciosa con que se va cubriendo su futura corona. Para él la promesa del Redentor es salvación. ¿Murió el que creía en Mí, antes de que hubiese Yo aparecido sobre la tierra? No importa. Su fe lo iguala con los que ahora se me acercan con amor y fe. Los justos que han pasado ya por la tierra, pronto se alegrarán, porque su fe no tardará en recibir su premio. Iré, después de haber cumplido la voluntad de mi Padre, y diré: "¡Venid!" y todos los que hayan muerto en la Fe, subirán conmigo al Reino del Señor. Imitad en la fe a las palmas de vuestras tierras, que nacen de una pequeña semilla, pero tan decididas en querer crecer, y crecer tan erguidas, como que se han olvidado del suelo y enamorado del sol, de los astros, del firmamento. Tened fe en Mí. Sabed creer en lo que muy pocos en Israel creen, y os prometo la posesión del Reino celestial, con el perdón de la culpa de origen y con la justa recompensa a todos aquellos que practican mi doctrina, que es la dulcísima perfección del inacabable Decálogo de Dios.

Estaré hoy y mañana entre vosotros. Mañana es sábado y sagrado. Partiré al alba del siguiente día. Quien tenga penas venga a Mí. Quien dudas, venga a Mí. Quien desee la Vida, venga a Mí. Sin temor alguno, porque Yo soy la Misericordia y el Amor.»

Jesús dibuja un gran ademán para despedir a sus oyentes y para que puedan ir a cenar y descansar. El mismo hace como que se va, cuando una viejecilla, que hasta estos momentos estuvo oculta en el ángulo de una callejuela, se abre paso entre la gente que todavía quiere estar cerca del Maestro, y entre el grito de sorpresa de la misma gente, viene a arrodillarse a los pies de Jesús, gritando: «¡Seas bendito! Y sea bendito el Altísimo que te envió. Sean benditas las entrañas que te engendraron, que son más que de mujer, porque te pudieron llevar.»

El grito de un hombre se junta al de ella: «¡Paloma! ¡Paloma! ¡Oh! ¿Ves? ¿Comprendes? Hablas sabiamente al reconocer al Señor. ¡Oh, Dios! ¡Dios de mis padres! ¡Dios de Abraham, de Isaac, de Jacob! ¡Dios de los Profetas! ¡Dios de Juan, el Profeta! ¡Dios, Dios mío! ¡Hijo del Padre! ¡Rey como el Padre! ¡Salvador por obedecer al Padre! ¡Dios como el Padre, y Dios mío, Dios de tu siervo! ¡Sé bendito, amado, seguido, adorado para siempre!»

Y el viejo sinagogo cae de rodillas junto a su mujer. La abraza con el brazo izquierdo, se la acerca a su pecho, se inclina y hace que ella también se incline para besar los pies del Salvador, entre tanto que gritos de alegría retumban en los troncos. Tan fuertes son que los palomos, que estaban ya en sus nidos, levantan el vuelo, y giran sobre Engaddi como si quisieran esparcir por todos los lugares de la ciudad la buena nueva, la nueva de que el Salvador está entre sus murallas.

81. Eliseo de Engaddi, leproso, es curado

(Escrito el 22 de febrero de 1946)

Probablemente fueron los mismos habitantes de Engaddi quienes aconsejaron que se anticipara la partida, porque era de noche completamente, y la luna muy próxima a su plenilunio, alumbraba con fuertes rayos la ciudad. Las callejuelas son hilos de plata entre las casas y los cercados de jardines, y parece que se cambia la argamasa en mármol por el efecto de la luna. Las palmas y demás árboles se transforman en fantasmas al contacto de la iluminación lunar. Las fuentes, los pequeños riachuelos de agua, son cascadas diminutas de perlas y diamantes. Desde follaje los ruiseñores hacen oir sus notas melodiosas y las juntan con los cánticos de las aguas que en la noche se oyen más claros, más sonoros.

La ciudad duerme. Hay alguien que sale con Jesús. Son los hombres de las casas donde se hospedaron tanto El como los apóstoles, y algún otro que quiso unirse. El sinagogo camina al lado de Jesús. De ninguna manera quiere dejarlo de acompañar antes de entrar en la abierta campiña aun cuando Jesús se lo prohibe.

Han tomado el camino que lleva a Maseda, pero no el de abajo, el que costea el Mar Muerto y que oigo lo tienen por camino insalubre y peligroso si se hace de noche; han tomado el que va hacia dentro, que va por la costa, casi sobre las crestas de los montes que bordean el lago.

¡Qué hermoso es el oasis en esta noche espléndida! Parece un lugar de ensueño. Después del oasis, del verdadero oasis, las palmeras siempre son más ralas. Es el monte verdaderamente dicho, con sus árboles de alto tronco, con sus prados, con sus flancos llenos de cavernas, como casi todos los montes palestinenses. Pero podría decir que aquí son más numerosos, y que sus entradas, ya longitudinales, ya planas, ya derechas, o torcidas, o redondas hasta la mitad, bien cual una hendidura, enseñan contornos pavorosos a la claridad de la luna.

«Abraham, el camino está más abajo. ¿Por qué vuelves subir? El camino así se hace más largo, además de que es difícil» advierte uno de Engaddi.

«Porque quiero mostrar al Mesías una cosa y quiero pedirle que haga otra más que se una a los grandes beneficios que me hizo. Si estáis cansados, regresad a vuestras casas o esperadme aquí. Voy solo» replica el viejo sinagogo que, jadeando, continúa por el sendero difícil y escabroso.

«¡Oh, no! Vamos contigo. Pero sentimos tu fatiga. Tu corazón jadea...»

«No es el sendero... Es otra cosa. Es una espada que llevo en el corazón... es una esperanza que lo llena. Acompañadme, hijos míos, y conoceréis qué dolor, qué dolor había en el corazón del que os consolaba en el vuestro. Cuánta... no desesperación, esto jamás... sino resignación de que no debía uno engañarse de que jamás se volvería a sentirse uno feliz, resignación del que siempre os aconsejaba a que esperaseis en el Señor que todo lo puede... Os he enseñado a creer en el Mesías... ¿Os acordáis de cómo, cuando podía hacerlo sin causarle, por otra parte, daño alguno, os hablaba valerosamente de El? Decíais: "¿Pero la matanza de Herodes?" Bien, no dejada de ser una espina clavada en el corazón. Pero me aferraba con todas mis fuerzas a la esperanza... Decía: "Si Dios a tres hombres, que no pertenecían ni siquiera a Israel, les envió una estrella con que los invitó a ir a adorar al recién nacido Mesías, y los guió con ella hasta la pobre casa que los rabbíes de Israel no conocían, ni los príncipes de los sacerdotes, ni los ecribas; si en el sueño les dijo que no volvieran al palacio de Herodes, para así salvar al Niño ¿no habría avisado con mayor razón a su padre y a su Madre para que hujeran, llevándose consigo la esperanza de Dios y del hombre?"

Mi fe en que se había salvado aumentaba, aunque dudas humanas le decían que no, o cuentos de otros... Y cuando... y cuando el mayor dolor que un padre puede soportar, cayó sobre mí, cuando debí llevar al sepulcro a un viviente... y decirle... y decirle... "Quédate aquí mientras vivas... y recuerda que si el amor de las caricias maternales o alguna otra cosa te llevasen a la población, yo deberé maldecirte, y seré el primero en arrojarte piedras, y abandonarte donde ni el amor más acendrado podrá ayudarte", cuando tuve que hacer esto... entonces me agarré más la fe en el Dios Salvador de su Salvador. Y se lo dije a mi hijo leproso, me lo dije a mi mismo, ¿comprendéis? Decir... al leproso... "inclinemos nuestra cabeza ante la voluntad del Señor y creamos en su Mesías.

Yo Abraham, tú Isaac, a quien la enfermedad inmola, y no el fuego. Ofrezcamos nuestro dolor para que obtengamos el milagro..." Cada mes, cada luna nueva.... venía aquí a escondidas, con alimentos, vestidos, amor, cosas que debía poner lejos de mi hijo, porque debía volver pronto a vosotros, hijos míos, pronto con mi esposa ciega, que no entendía más; ciega y demente del horrible dolor, debía volver a mi casa sin más hijos, sin más tranquilidad de un amor recíproco, a mi sinagoga y debía hablaros de Dios, de sus grandezas, de sus bellezas esparcidas en todo lo creado... Y tenía ante mis ojos el espectro corroído de mi hijo; y ni siquiera podía defenderlo cuando oía las murmuraciones contra él, de que era un ingrato, o un criminal, y que se había escapado de mi casa, y cada mes, me decía al hacer este camno al sepulcro de mi hijo que vive: 'El Mesías está entre nosotros. Vendrá. Te curará' y con ello alimentaba su corazón".

El año pasado, en la Pascua, en Jerusalén, cuando te buscaba y en el tiempo en que me separé de mi mujer ciega, me dijeron: "El es. Ayer estuvo aquí. Curó también a leprosos. Camina por toda la Palestina curando, consolando, enseñando". Al punto, como si fuese un joven, regresé acá. No me detuve ni siquiera en Engaddi, sino que vine aquí y llamé a mi hijo, al hijo que se me muere, y le dije: "¡El vendrá!"

Señor... Muchos bienes has hecho a nuestra ciudad. No te vayas dejando a alguien que todavía está enfermo... Bendijiste hasta las plantas y animales. No querrás.... Me curaste a mi mujer... ¿y no vas a tener compasión del fruto de sus entrañas?... Un hijo para la madre... Devuelve el hijo a su madre, Tú, el Hijo perfecto de la Madre la más amable. En nombre de tu Madre ten piedad de mí, de nosotros...»

Todos lloran con el anciano. Han sido elocuentes y desgarradoras sus palabras...

Jesús envuelve en sus brazos al anciano que solloza y le dice: «¡No llores más! Vamos a donde está Eliseo. Tu fe, tu justicia, tu esperanza, merecen esto y más. ¡No llores, padre! No perdamos tiempo en librar del horror a tu hijo".

«La luna comienza a bajar. El camino es escabroso. ¿No podríamos esperar hasta que llegue la aurora?» proponen algunos.

«No. Tenemos a nuestro lado árboles con resina. Cortad unas ramas, prendedlas y continuemos» ordena Jesús.

Suben por una vereda estrecha y difícil; parece el lecho seco de algún río temporal. Las teas chisporrotean envueltas en humo y en color rojizo despidiendo un fuerte olor a resina.

Se ve una caverna de estrecha entrada, casi oculta por grandes matorrales, nacidos a la vera de un manantial, más allá de una meseta estrecha cortada por la mitad por una hendidura en que se vierte el agua.

«Allá está Eliseo, hace años... en espera de la muerte o del favor de Dios...» dice el anciano en voz baja, señalando la caverna.

«Llama a tu hijo. Dale valor. Dile que no tenga miedo, sino fe.»

Abraham con todas sus fuerzas grita: «¡Eliseo, Eliseo, hijo mío!» Vuelve a gritar, tembloroso de miedo en el silencio que le responde.

«¡Tal vez ya se murió!» dicen algunos.

«¡No, que se haja muerto ahora, no, al fin de su tormento, sin alegría, no! ¡Oh, hijo mío!» dice el padre en medio de gemidos...

«No llores. Vuelve a llamar otra vez.»

«¡Eliseo, Eliseo! Por qué no respondes a...»

«¡Padre, padre mío! ¿Cómo es que vienes fuera de lo acostumbrado? ¿Murió acaso mi mamá, y me lo vienes a...?» la voz, que antes era lejana, se ha acercado, y un espectro separa las ramas que ocultan la entrada. Un espectro horrible, un esqueleto, semidesnudo, corroído... que, al ver tanta gente con teas y bastones, quién sabe qué cosa se imagina, retrocede gritando: «¿Padre, por qué me traicionaste? Jamás salí de aquí... ¿Por qué traes contigo a los que me van a lapidar?» La voz se aleja, y el espectro tras de ella, tras de las ramas que se balancean.

«¡Dale valor! Dile que aquí está el Salvador» incita Jesús.

El anciano no tiene fuerzas... Llora tristemente.

Jesús es el que le habla ahora: «Hijo de Abraham y del Padre de los cielos, escucha. Se va a realizar lo que tu padre, que es un hombre justo, te decía. Aquí está el Salvador, y con El tus amigos de Engaddi y los apóstoles de El que vinieron para participar de tu resurrección. ¡Sal afuera sin miedo alguno! Llégate hasta la hendidura y Yo también me acercaré, y te tocaré, y quedarás limpio. No tengas miedo del Señor que te ama.»

Las ramas tornan a abrirse y el leproso mira lleno de espanto. Mira a Jesús, con su vestido blanco, que camina por la hierba de la meseta y que se detiene ante la hendidura... Mira a los demás... y sobre todo a su anciano padre, que como hechizado sigue a Jesús con los brazos extendidos, con los ojos clavados en la cara de su hijo leproso, que cobrando ánimos se acerca. Tropieza debido a las llagas que tiene en los pies... extiende sus manos corroídas... Se acerca a Jesús... Lo mira... Y Jesús extiende sus bellísimas manos, levanta los ojos al cielo; parece como si recogiese consigo toda la luz de las innumerables estrellas, y que se reflejase su cándido brillo en el cuerpo sucio, seco, que cae a pedazos, y que las teas, movidas para dar más luz, hacen que se vea todavía más horrible bajo su rojiza luz.

Jesús se acerca a la hendidura, toca con la punta de sus dedos la de los del leproso y dice: «¡Quiero!» y lo dice con una sonrisa de una belleza indescriptible. Repite: «¡Quiero!». Ora y da la orden.

Luego se separa, retrocede. Abre sus brazos en cruz y dice: «Y cuando te hayas purificado, predica al Señor porque a El le perteneces. Recuerda que Dios te amó porque fuiste un buen israelita y un buen hijo. Cásate y ten hijos, y edúcalos en el temor del Señor. Mira que tu amargura ha acabado. ¡Bendice a Dios y sé feliz!»

Luego se vuelve a los que traen las teas y les dice: «Vosotros, acercaos y ved lo que puede el Señor para con los que lo merecen.»

Baja los brazos, que así extendidos impedían ver al leproso, y se hace a un lado.

El primer grito que se oye es el del anciano, que estaba arrodillado detrás de Jesús: «¡Hijo, Hijo! ¡Hijo, como eras cuando tenías veinte años! ¡Hermoso como entonces! ¡Robusto como entonces! ¡Bello, oh, más bello que entonces!... ¡Oh, una tabla, una rama, cualquier cosa para que llegue hasta donde estás!» y hace por arrojarse.

Pero Jesús lo detiene: «¡No! Que el gozo no te haga olvidar la Ley. Primero debe purificarse [1]. ¡Míralo! Bésalo con los ojos y con el corazón, como lo hiciste por muchos años. Sé feliz...»

En realidad esto es un milagro *completo*. No sólo es una curación, sino una restauración de lo que la enfermedad había destruído. El hombre, que tendrá unos cuarenta años, está intacto como si nada hubiese tenido. Le queda sólo la flacura, que le da un aspecto ascético de una belleza no común y sobrenatural. Mueve sus brazos, se arrodilla, da gracias... no sabe qué hacer para decir a Jesús que le está agradecido. Al fin, ve flores entre la hierba; las corta, las besa y las arroja más allá de la hendidura, a los pies del Salvador.

«Vámonos. Vosotros los de Engaddi quedaos con vuestro sinagogo. Nosotros continuamos hacia Maseda.»

«Pero no conocéis el... no podéis ver...»

«Conozco el camino. Todo lo conozco. Los senderos de la tierra y los de los corazones por los que transitan Dios y el Enemigo de Dios, y veo quién acoge a este y quién a Aquel. ¡Quedaos con mi paz! Pronto va a amanecer. Nos alumbraremos hasta el alba. Abraham, acércarte, para que te de el beso de despedida. Que el Señor siempre esté contigo, como lo ha estado hasta el presente, y con los tuyos, y con tu ciudad buena.»

«¿No volverás a ella, Señor? ¿Para ver mi casa, llena de alegría?»

«No. Mi camino pronto va a llegar a su meta. Pero en el Cielo estarás conmigo, y contigo los tuyos, Amaos y educad a vuestros pequeñuelos en la fe del Mesías... Adiós a todos. Paz y bendición a todos los presentes y a todas vuestras familias. Paz a tí, Eliseo. Sé un hombre recto en agradecimiento al Señor. Vámonos, apóstoles

[1] Cfr. vol. 1°, pág. 326, not. 1.

míos...»
Se pone a la cabeza del pequeño grupo que lleva ramas encendidas. Da vuelta por un peñasco que sobresale, y desaparece con su blanca vestidura. Después, uno por uno, van desapareciendo los apóstoles. Se aleja el rumor de las pisadas, se desvanece el color rojizo de las teas...
Sobre la meseta se han quedado padre e hijo. Están sentados a la orilla de la hendidura, contemplándose uno al otro... Detrás, en grupo, hablando en voz baja, están los de Engaddi... Esperan que llegue el alba para regresar a su ciudad con la noticia de la prodigiosa curación.

82. En Maseda

(Escrito el 25 de febrero de 1946)

Van subiendo por una pendiente empinada propia de cabras, en dirección a una ciudad que parece haber sido fabricada para nido de águilas. Y este es un pico — por el que jadeando suben, viniendo de occidente a oriente, dando la espalda a una cordillera continua de montes que forman parte del sistema montañoso de la Judea, y que, al expandirse cual un contrafuerte de colosales murallas, se extiende hacia el mar Muerto en su lado extremo occidental, esto es, hacia el límite meridional del Mar Muerto — es, digo, un pico alto, solitario, escarpado, igual como el que buscan las águilas para celebrar sus amores, evitar testigos, despreciar lo común.
«Pero ¡qué camino, Dios mío!» se lamenta Pedro.
«Peor que el de Yiftael» confirma Mateo.
«Pero aquí no llueve. No está húmedo. No se resbala uno. Y ya es algo» advierte Judas Tadeo.
«Sí claro, y esto ya es un consuelo... Pero no más que eso. ¡Cuídate que tus enemigos no te sorprendan! Si un terremoto no te echa abajo, los hombres no lo harán» dice Pedro hablando a la ciudad-fortaleza, encerrada en un anillo estrecho de dos murallas, con casas pegadas sobre sí, tanto, que parecen ser cual granos de granada dentro de la cáscara dura.
«¿Lo crees, Pedro?» pregunta Jesús.
«¿Que si lo creo? Si lo estoy viendo. ¡Y mucho más!»
Jesús mueve su cabeza, y no replica.
«Era mejor que hubiésemos venido por parte del mar. Si hubiera estado Simón... conoce muy bien estos lugares» suspira Bartolomé que no puede más con su alma.
«Cuando hayamos entrado en la ciudad, veréis el otro sendero, y

me agradeceréis que eligiera este. Por aquí un hombre puede subir fatigosamente; por el otro una cabra y jadeando» replica Jesús.

«¿Cómo lo sabes? ¿Te lo dijo alguien, o...?»

«Lo sabía. Por otra parte, de este lado está la nuera de Ananías. Lo primero que quiero hacer es hablarle.»

«¿Maestro, no encontraremos peligros allá arriba?... Porque... aquí no podemos escapar prontamente; si nos persiguen... no regresaremos a nuestras casas. ¡Mira qué precipicios! ¡Y qué peñascos tan agudos!...» dice Tomás.

«No tengáis miedo. No nos vamos a topar con un Engaddi. Muy pocos Engaddis hay en Israel; pero no nos pasará daño alguno.»

«No, lo decíamos porque... sabes... ¡es la fortaleza de Herodes!»

«¿Y qué? No tengáis miedo. ¡Eh, mientras no llegue la hora, nada grave puede suceder!»

Siguen caminando y llegan cerca de los imponentes muros cuando el sol ya está en alto; pero por la altura del lugar tiempla el calor.

Entran en la ciudad. Pasan bajo el arco de una puerta estrecha, oscura. Las murallas de las fortalezas son poderosas, con gruesas torres y estrechas aperturas.

«¡Qué trampa para cazar!» dice Mateo.

«Yo estoy pensando en los desgraciados que transportaron estos materiales; que trajeron esos bloques, esas planchas de hierro...» dice Santiago de Alfeo.

«El amor santo por la patria y por la independencia aligeraron el peso a los hombres de Jonatás Macabeo [1]. El amor egoísta de sí mismo y el terror a la ira del pueblo impusieron este yugo pesado, no a súbditos, sino a peor que esclavos, y esto lo hizo la voluntad de Herodes el Grande. Con sangre y lágrimas fue bautizada esta fortaleza, y con sangre y lágrimas perecerá, cuando llegue la hora del castigo divino.»

«¿Maestro, pero qué tienen que ver con ello sus habitantes?»

«Nada y todo. Porque cuando los súbditos imitan a sus cabezas en sus culpas o en sus méritos, reciben el mismo premio o castigo que ellos. Ved ahí la casa. Es la tercera de la segunda calle y que tiene delante un pozo. Vamos.»

Jesús llama a la puerta cerrada de una casa alta y estrecha. Abre un niño.

«¿Eres pariente de Ananías?»

«Tengo su mismo nombre porque es padre de mi padre.»

«Llama a tu mamá. Dile que vengo del poblado donde está Ananías y donde está el sepulcro de su marido muerto.»

El niño va y regresa. «Dice que no tiene ningún interés en tener

[1] Cfr. 1 Mac. 9, 23 - 13, 30.

noticias del viejo. Que te puedes ir.»

Jesús muestra un rostro irritado. «No me iré sino después de que le haya hablado. Niño, ve a decirle que Jesús de Nazaret, en quien creía su marido, está aquí y que quiere hablarle. Dile que no tenga miedo. No está conmigo el anciano...»

El niño se va. Pasa el tiempo. Algunas personas se han detenido a mirar atentamente y no falta quien interrogue a los discípulos. Pero la atmósfera es dura, indiferente, irónica... Los apóstoles tratan de ser corteses, pero se ve a las claras que están impresionados. Y muchos más cuando llegan los principales de la población y soldados. Unos y otros tienen cara de... galeotes que no infunden ninguna confianza.

Jesús, está en el umbral, apoyado sobre el quicio de la puerta, con los brazos cruzados. Pacientemente espera.

Al fin sale la mujer. Es alta, morena, de mirada dura, de perfil cortante. No es fea, ni tampoco vieja; pero la expresión de su cara la hace aparecer ambas cosas. «¿Qué se te ofrece? Dilo pronto, que estoy ocupada» dice altanera.

«No se me ofrece nada. Nada. No te preocupes. Sólo te traigo el perdón de Ananías, su amor, y sus oraciones...»

«No lo quiero. Es inútil que se me suplique. No quiero lamentos de viejos. Todo terminó entre nosotros. Además me voy a casar pronto otra vez, y no puedo meter en la casa de un rico a un rústico campesino, como lo es él. Bastante sufrí por el error que cometí en haberme casado con su hijo. Entonces era yo una muchacha y tenía ante los ojos la hermosura del macho. ¡Fui una desgraciada! ¡Desgraciada, sí! ¡Maldición caiga sobre el motivo que lo llevó en pos de mis pasos! Aún el recuerdo de él sea anatema...» parece una máquina...

«¡Basta! Respeta a los vivos y a los muertos de que no fuiste digna, mujer más dura que el pedernal. Caiga la desgracia sobre tí. ¡La desgracia! Porque en tí no existe el amor por el prójimo, y porque en tí está Satanás. Pero tiembla de miedo, mujer. Tiembla de que las lágrimas del anciano, de las de tu esposo, a quien has ofendido con tu olvido, no se conviertan en una lluvia de fuego sobre todo lo que más ames. ¡Tienes hijos, mujer!...»

«¡Hijos! ¡Ojalá nunca los hubiera tenido! Y así se hubiera extinguido hasta el último lazo. No quiero saber nada. No quiero oirte. ¡Lárgate! Estoy en mi casa, en la casa de mi hermano. No te conozco. No quiero acordarme de ese viejo. No...» y da unos chirridos como de urraca a quien se le arrancasen las plumas. Una verdadera arpía...

«Piénsalo bien» dice Jesús.

«¿Me amenazas?»

«Te amonesto a que vuelvas a Dios, a su Ley, por tu alma. ¿Qué hijos vas a educar con tales sentimientos? ¿No tienes miedo al juicio de Dios?»

«¡Basta! Saúl, ve a llamar a mi hermano y dile que venga con Jonatás. Te mostraré que...»

«No es necesario. Dios no hará fuerza a tu alma. Adiós.»

Jesús se va, abriéndose paso entre la gente. La calle es estrecha en medio de las altas casas. La ciudad, lista para defenderse, tiene lo mejor de ella en la parte oriental, donde todo es un precipicio de centenares de metros y donde el hilo de un sendero que serpentea, de una escabrosidad que infunde temor, sube de la llanura, de la orilla del mar, hasta la cima del pico.

Jesús está ahí; donde hay una plazoleta para las máquinas de guerra, y empieza a hablar, repitiendo una vez más su invitación al Reino de los Cielos, del que da líneas sucintas. Y va a ampliarlas cuando, abriéndose paso entre la poca gente que más bien tiene deseos de curiosear que de creer, se acercan varios principales que hablan entre sí. Apenas se encuentran ante Jesús lo intiman, de una manera confusa, porque todos hablan al mismo tiempo, pero todos de acuerdo en arrojarlo: «¡Lárgate! Nos damos abasto para educar a los hijos de Israel.»

«¡Lárgate! Nuestras mujeres no tienen necesidad de que las regañes, Galileo.»

«Largo de aquí. ¿Cómo te atreves a ofender a la mujer de un herodiano, en una de las ciudades más amadas del gran Herodes? ¡Usurpador, desde tu nacimiento, de sus soberanos derechos! ¡Lárgate de aquí!»

Jesús los mira, sobre todo a estos últimos, y dice tan sólo una palabra: «¡Hipócritas!»

«Lárgate de aquí. ¡Lárgate!»

Un verdadero tumulto de gritos. Unos por una parte, otros por otra, ya acusan, ya defienden su clase y su casta. No se entiende nada más. En la plazuela estrecha hay mujeres que gritan y se desmayan; niños que lloran; soldados que tratan de abrirse paso usando de su fuerza, y con ello hieren a los que cogen en la plaza, los cuales reaccionan lanzando improperios contra Herodes y sus soldados, contra el Mesías y sus secuaces. Una confusión sin igual. Los apóstoles, unidos alrededor de Jesús, los únicos que lo defienden más o menos valerosamente, a su vez les lanzan improperios; y les lanzan también a todos.

Jesús los llama al orden: «Vámonos de aquí. Daremos vuelta por detrás de la ciudad y nos vamos...»

«Y para siempre ¿sabes? Y para siempre» grita Pedro rojo de ira.

«Sí, para siempre...»

Uno después del otro se van yendo; y el último, no obstante todo esfuerzo en contrario, es Jesús. Las guardias, pese a que dicen burlarse del «profeta de quien todos se ríen» y al que hacen miles de gestos de mal gusto, no pierden su sentido común y se apresuran a cerrar la entrada pequeña de las murallas y volverse con las armas hacia la plaza.

Jesús camina por una veredilla que costea las murallas, una vereda de dos palmos de ancho, más allá de la cual, está el vacío, la muerte. Los apóstoles lo siguen, sin mirar hacia el horrible abismo.

Ya llegaron cerca de la puerta por la que habían entrado. Jesús, sin detenerse, comienza a bajar. La ciudad ha cerrado también de esta parte la puerta...

A muchos metros de la ciudad, Jesús se detiene y pone su mano sobre la espalda de Pedro, que dice, secándose el sudor de la frente: «¡De la que nos libramos! ¡Maldita ciudad! ¡Maldita mujer! ¡Pobre Ananías! Esa mujer es peor que mi suegra... ¡Qué víbora!»

«Así es. Tiene el corazón frío de las sierpes... Simón de Jonás, ¿qué piensas de eso? ¿Te parece que la ciudad esté segura con todos esas defensas?»

«¡No, Señor! No tiene a Dios dentro de sí. Yo afirmo que correrá la misma suerte que Sodoma y Gomorra [2].»

«Muy bien dijiste, Simón de Jonás. Está acumulando contra sí los rayos de la ira divina. Y no sólo porque me arrojó, sino porque viola el Decálogo en todos sus preceptos. Vámonos. Bajo su sombra no faltará una caverna que nos acoja en estas horas en que el sol quema. Cuando atardezca nos iremos a Keriot, mientras la luna nos lo permita...»

«Maestro mío» gime Juan con lágrimas imprevistas.

«¿Qué te pasa?» le preguntan todos.

Juan no sabe dar razón alguna. Llora con las manos sobre la cara, un poco inclinado... Parece ser el Juan desgarrado en el día de la Pasión...

«¡No llores! Ven aquí... Todavía tenemos ante nuestra vista dulces horas» dice Jesús trayéndolo hacia Sí, lo que si consuela su corazón, le hace aumentar las lágrimas.

«¡Oh, Maestro, Maestro mío! ¿Qué haré, qué haré?»

«¿De qué cosa, hermano?»

«¿De qué, amigo?» le preguntan Santiago y los demás.

Juan se esfuerza en decir algo, pero luego, levanta su mirada y echa sus brazos al cuello de Jesús, haciéndolo que se doble sobre su cara desgarrada del dolor, grita, y dice a Jesús más bien que a los que le habían preguntado la razón: «Al verte morir.»

«Dios te ayudará, hijo mío amado. No te faltará su auxilio. No llores más. Vámonos, vámonos...» y Jesús continúa el camino, teniendo de la mano a Juan que lleva los ojos llenos de lágrimas.

[2] Cfr. Gén. 19, 1-29.

83. En la casa de campo de la madre de Judas

(Escrito el 26 de febrero de 1946)

Llegan a la casa de campo de Judas en una fresca y brillante mañana. Los manzanares están bañados de rocío y la hierba es un tapiz de flores sobre el que abejas han comenzado a revolotear. La casa tiene abiertas ya las ventanas. Quien en ella vive, la mujer fuerte que combina su autoridad con gran bondad, está dando órdenes a sus servidores y personalmente da a cada uno sus alimentos antes de que partan al trabajo. Con su vestido oscuro se le ve pasar y volver a pasar a través de la amplia puerta de la cocina. Habla ya con este, ya con aquel. Y distribuye las porciones según las necesidades del trabajador. Una parvada de palomos la esperan a la puerta.

Jesús sonriente se adelanta y ya está casi cerca cuando María de Simón sale con una bolsita en la mano: «Y ahora a vosotros, palomos. Coméos esto, y luego, al sol, a alabar al Señor. ¡Orden, orden! Hay para todos sin que os peleéis...» Arroja la comida en todas direcciones para que los palomos no se traben en riñas inútiles. No ve a Jesús, porque está inclinada, y se agacha más para acariciar a sus palomos, que le picotean los dedos de los pies. María toma uno y lo acaricia. Luego lo suelta y da un suspiro.

Jesús da un paso adelante: «La paz sea contigo, María, y con tu casa.»

«¡Maestro!» exclama la mujer dejando caer la bolsita que tenía bajo el brazo, y corre al encuentro de Jesús, espantando a los palomos, que al punto vuelven y tiran de la bolsita, la picotean para satisfacer su voraz apetito. «¡Oh, Señor, qué día santo y feliz!», y hace ademán de arrodillarse para besar los pies de Jesús.

El se lo impide diciendo: «Las madres de mis discípulos y las israelitas santas no deben humillarse como esclavas ante mi presencia. Me han entregado su corazón leal y sus hijos. Y en cambio les amo con predilección.»

La madre de Judas, conmovida, le besa las manos, mientras en voz baja dice: «Gracias, Señor.»

Luego levanta su cabeza, mira el reducido grupo de los apóstoles que se ha estado quieto, y asombrada de que su hijo no le venga al encuentro, mira más detenidamente al grupo. Su cara palidece. Con ansia pregunta: «¿Dónde está mi hijo?» y mira con miedo, con aflicción a Jesús.

«No tengas miedo, María. Lo envié con Simón Zelote a la casa de Lázaro para un encargo. Si hubiera podido detenerme en Maseda todo el tiempo que había pensado, lo habría encontrado aquí. Pero no pude hacerlo. La ciudad no me quiso, me arrojó de sí. Y me vine prontamente aquí para encontrar consuelo con una madre y para darle el consuelo de que sepa que su hijo sirve al Señor» dice Jesús acentuando las últimas palabras para darles un amplio significado.

María es como una flor marchita que vuelve a la vida. El color vuelve a sus mejillas, la luz a sus ojos. Pregunta: «¿De veras, Señor? ¿Es bueno él? ¿Te contenta? ¿De veras? ¡Oh, qué alegría? Alegría para el corazón de una madre. ¡He pedido tanto al Señor! ¡He dado mucha limosna! ¡He hecho muchos sacrificios!... ¿Y qué no haría yo para que mi hijo fuese un santo? Gracias, Señor. Gracias porque lo quieres mucho. Tu amor es el que salva a mi Judas...»

«Tienes razón. Es *nuestro* amor que lo... sostiene.»

«¡Nuestro amor! ¡Cómo eres de bueno, Señor! ¡Poner mi pobre amor junto al tuyo, divino!... ¡Qué palabras tan confortadoras! ¡Qué tranquilidad! ¡Qué consuelo y paz me has dado con ellas! Judas muy poco podía aprovechar con solo mi amor, tan pequeño que es. Pero Tú, con perdonarlo... porque Tú conoces sus pecados; Tú con tu amor infinito que parece como si creciere cuanto más tiene necesidad de él, después de alguna falta que comete... Judas se vencerá a sí mismo, y para siempre. ¿No es verdad, Maestro?» La mujer lo mira fijamente con esos ojos profundos e indagadores, con sus manos en posición de plegaria.

Jesús... ¡Oh! Jesús que no puede decirle sí, y que al mismo tiempo no quiere arrebatarle la paz de que goza, que quiere quitarle sus temores, encuentra una palabra que no es mentira, que no es una promesa, pero que la mujer acoge con un suspiro de alivio. Dice: «Su buena voluntad unida a nuestro amor puede realizar verdaderos milagros, María. Estáte siempre tranquila, recordando que Dios te ama, te comprende y muy bien. *Siempre* será para tí un amigo.»

María le besa nuevamente las manos para darle las gracias. Luego dice: «Entra entonces en mi casa, y esperemos a Judas. Aquí hay amor y paz, Maestro bendito.»

Jesús llama a los suyos, y entran en la casa.

Es tarde. La noche se posa lentamente sobre los campos. Los rumores se apagan el uno después del otro. Tan sólo queda entre la fronda el viento ligero que interrumpe el silencio. Después el primer grillo que canta sus amores entre los trigales maduros. Y luego otro... y otro más. Toda la campiña repite el mismo monótono canto... hasta que un ruiseñor lanza su primera melodía a las estrellas... se calla por un momento y luego vuelve a empezar. Se calla otra vez... ¿Qué espera?... ¿Tal vez que salga el primer rayo de luna?... Su trinar no es tan fuerte. Probablemente se ha metido en el follaje espeso del nogal que hay cerca de la casa, tal vez allí tiene su nido. Parece como si conversase con su amada que tal vez está empollando... Se oyen balidos, allá lejos. Estrépito de cencerros por la puerta que lleva a Keriot. Luego, silencio.

Jesús está sentado junto a María en uno de los asientos que hay enfrente de la casa. Con ellos están en esta hora de quietud los apóstoles y la servidumbre. ¡Qué dulces son las horas así! Cuerpo y alma gozan de ellas. Jesús habla poco, y a intervalos. Deja que los apóstoles refieran lo de Engaddi, lo del viejo sinagogo, lo del milagro. María y los siervos, atentos, escuchan.

Algo se ha movido entre las ramas del manzanar. Si aquí en el patio que está ante la casa, se puede ver algo gracias a las estrellas que titilan en lo alto, allá en la espesura, entre el tupido follaje, no hay luz, y sólo el rumor de algo que se mueve, llega hasta los oídos.

«¿Algún animal nocturno? ¿Alguna oveja perdida?» se preguntan varios. El recuerdo de la oveja trae en alas del recuerdo a muchos la oveja que bala, que gime porque se le ha arrebatado su corderito para matarlo.

«¡No puede tranquilizarse el animal!» dice el administrador. «Temo que la leche se le pare. No ha comido desde la mañana. Bala y siempre bala... Oidla...»

«Se le pasará... ¡Dan hijos para que nos los comamos!» dice filosóficamente un siervo.

«Pero no todas son iguales. Esta es menos tonta y sufre más. ¿La oyes? ¿No te parece como si llorara? No me digas que es tonta. Maestro... sufro como si fuese el llanto de una madre que ha perdido a su hijo...»

«¡Y tú al contrario lo encuentras, mamá!» dice Judas de Keriot apareciéndose a sus espaldas junto con Simón y haciendo dar a todos un brinco de sorpresa.

«¡Maestro! Bendícenos ahora que hemos regresado, así como nos bendijiste al partir.»

«Sí, Judas» y Jesús abraza a ambos.

«La tuya, mamá...»: también María besa y abraza a su hijo.

«No pensábamos que te encontraríamos ya aquí, Maestro. Caminamos sin detenernos, y casi siempre por atajos para que no nos encontrásemos con alguien. Encontramos sí a algunos discípulos y avisamos a Juana y a Elisa que pronto nos veremos» dice Simón.

«Es verdad todo eso. Y además, Simón caminaba como un joven. Maestro, cumplimos con tu encargo. Lázaro está muy mal. El calor lo hace sufrir mucho más. Te ruega que vayas pronto a su casa... Maestro, fuera de la Antonia a donde fui por caridad a Egla, antes de que se vaya a Jericó y para agradecer a Claudia, no fui a ningún otro lugar. ¿No es verdad, Simón?»

«Cierto. Fuimos a la torre Antonia a la hora de siesta. Hacía un calor terrible, que obligaba a todos a que permaneciesen en casa. Mientras Judas hablaba con Claudia, a quien Albula Domitila había llamado al jardín, yo hablé con las otras. No creo haber hecho mal en darme a entender como pude, para saber lo que quería.»

«Hiciste bien. Tienen ellas la voluntad de conocer la Verdad.»

«Y Claudia la de ayudarte. Se despidió de Egla, que fue también a saludar a Plautina y las demás conocidas suyas, y me hizo varias preguntas. Si entendí bien, ella quiere persuadir a Poncio de que no crea las calumnias de los fariseos, saduceos y demás. Hasta un cierto punto Poncio se fía de sus centuriones, que son buenos para la batalla, pero no muy aptos para hacer de embajadores. Pide a su mujer que le ayude. Ella es una mujer inteligente hasta la astucia, y que quiere conocer las cosas como son. En realidad que el Procónsul es Claudia. El debe ser una nulidad que está arriba, porque ella es la que vale como fuerza y consejera. Nos dieron dinero para tus pobres. Aquí está.»

«¿Cuándo llegasteis? No parecéis estar ni cansados ni sucios» pregunta Santiago de Zebedeo.

«Antes del mediodía. Fuimos a Keriot para ver si estaba allí mi madre, y para avisar que llegarías. Me porté como quieres, Maestro. No me dejé llevar de los deseos humanos. ¿No es verdad, Simón?»

«Es así.»

«Hiciste bien. Obedece siempre y te salvarás.»

«Así lo haré, Maestro. ¡Bueno! Ahora que sé que Claudia está a nuestro favor, no tengo más mis necias prisas. Ahora son amor tan sólo. Y convendrás en ello. Amor desordenado... Desordenado porque se sentía uno sin protección, sin ayuda para llegar a la meta que es la de hacer que te amen, te respeten como mereces, como *debe* ser. Ahora estoy más tranquilo. No temo más. Hasta me es dulce el esperar...» Judas sueña con los ojos abiertos.

«No te entregues a tus ensueños, Judas. Sigue firme en la verdad. Soy la Luz del mundo, y la luz la odiarán siempre las tinieblas...» le amonesta Jesús.

Ya salió la luna. Su blanco manto cubre la campiña. Hace pálidas las caras, y pinta de plata las casas y los árboles. El nogal se ríe a los besos de la luna. El ruiseñor acepta la invitación y se suelta en sus cantares, largos, melodiosos, que había guardado, para saludar a la noche y para hablar con la luna.

84. Jésus se despide de Keriot

(Escrito el 27 de febrero de 1946)

Jesús está dentro de la sinagoga de Keriot que, increíblemente, está llena de gente. Responde a éste, y a aquel que le pidieron sus consejos íntimos aparte. Luego que todos están satisfechos, empieza a hablar en voz alta.

«Gente de Keriot, escuchad mis palabras de despedida. Les daremos el nombre de "Las dos voluntades".

Un buen padre, intachable, tenía dos hijos. A ambos amaba. A ambos había puesto sobre el recto camino. No hacía diferencia en amarlos y educarlos. Sin embargo, en ellos se daban notables diferencias.

El primogénito era humilde, obediente, sin discutir cumplía con la voluntad de su padre; siempre alegre y contento de su trabajo.

El otro, aunque menor, frecuentemente estaba descontento y discutía con su padre y con sus propios humores. Siempre medía atentamente los consejos y órdenes que se le daban. En lugar de seguirlos como los oía, procuraba modificarlos en todo o en parte, como si quien se los hubiese dado fuese un tonto. El mayor le decía: "No hagas así. Así papá se aflige". Pero él contestaba: "Eres un tonto. Grandote y fuerte como eres, y por añadidura el primogénito, y sobre ello, adulto. Yo no querría estar en el lugar que papá te ha puesto. Quisiera hacer más. Imponerme a los siervos. Que comprendan que soy el patrón. Hasta tú pareces también uno de ellos con tu acostumbrada paciencia. ¿No caes en la cuanta de cómo pasas inadvertido, pese a tu primogenitura? No falta quien se burle hasta de tí..." El menor, — arrastrado de la tentación, y más que de ella, — se convertía en un aliado de Satanás, cuyas insinuaciones ponía en práctica para tentar al primogénito. Pero este, fiel al Señor, respetuoso para con la Ley, se mantenía fiel también para con su padre, a quien respetaba profundamente.

Pasaron los años; y el menor, aburrido de no poder reinar como soñaba, después de haber pedido a su padre muchas veces: "Dame las riendas para obrar en tu nombre, para honra tuya, en lugar de seguirlas dando a ese pedazo de tonto que parece más manso que un borrego"; después de haber tratado de empujar a su hermano a hacer más de lo que el padre les decía para imponerse sobre los siervos, sobre sus conciudadanos y vecinos, se dijo a sí mismo: "¡Basta ya! ¡Aquí se juega hasta nuestro propio nombre! Ya que nadie quiere hacerlo, lo haré yo". Y puso manos a la obra, practicando cuanto le venía en gana, entregándose a la soberbia, a la mentira y a la desobediencia sin escrúpulo alguno.

Su padre le decía: "Hijo mío, debes obedecer a tu hermano mayor. El comprende lo que hace". Añadía: "Me han contado que te portaste así. ¿Es verdad?" El menor respondía, levantando las espaldas, a las palabras de su padre: "¡Bueno, bueno! Es muy tímido, y no se resuelve a nada. ¡Pierde las ocasiones de triunfar!" O bien decía: "No lo hice". El padre agregaba: "No vayas en busca de ayuda a este o a aquel. ¡Qué quieres que te ayuden para dar gloria a nuestro apellido! Son falsos amigos que te instigan para reirse luego a tus espaldas". El menor replicaba: "¿Estás celoso de que sea yo quien tome la iniciativa? Por otra parte yo sé lo que me hago, y lo hago bien".

Pasó el tiempo. El primogénito crecía cada vez más en rectitud y el otro en malas pasiones. En fin el padre dijo: "Es hora de señalar la raya. O te doblegas a lo que se te dice, o pierdes mi amor". El rebelde fue a decirlo a sus falsos amigos: "¿Y te preocupas de ésto? ¡Pero no, hombre! Hay modo de hacer que el padre no pueda preferir a un hijo más que al otro. Ponlo en nuestras manos, y ya pensaremos. Tu no tendrás ninguna culpa material; y la posesión de las riquezas florecerá nuevamente porque, quitado de en medio tu hermano bueno, podrás dar mayor gloria. ¿No sabes que es mejor una acción decidida, aunque cueste dolor, que la indecisión?" le dijeron.

El menor, empachado ya de mala voluntad, hizo caso del infame complot.

Decidme ahora. ¿Se puede culpar al padre de haber dado diversa clase de educación a sus dos hijos? ¿Se puede decir que sea él cómplice? No. Y entonces, ¿cómo es posible que el uno sea santo y el otro un malvado? ¿Es acaso que la voluntad de antemano se da de modo diverso? No. Se da de igual modo. Mas el hombre la cambia como le viene en gana. Y quien es bueno, hace su voluntad buena; y quien es malvado, malvada.

Os exhorto a vosotros de Keriot — y será la última vez que os exhorto a seguir los senderos de la sabiduría — a seguir únicamente la buena voluntad. Ya casi al fin de mi ministerio os digo las palabras que se cantaron cuando nací: "Hay paz para los hombres de buena voluntad". ¡Paz! Esto es, éxito, victoria en la tierra y en el cielo, *porque Dios está con quien tiene buena voluntad de obedecerle. Dios no mira las obras rimbombantes que el hombre emprende por iniciativa propia, sino la humilde obediencia, pronta, leal, a las obras que El quiere.*

Os voy a recordar dos episodios de la historia de Israel. Dos pruebas de que Dios no está donde el hombre hace lo que quiere, despreciando órdenes recibidas.

Veamos lo de los Macabeos [1]. Se refiere que mientras Judas Macabeo con Jonatás se había ido a combatir a Galaad, y mientras Simón había partido para libertar a los de Galilea, se había ordenado a José de Zacarías y a Azarías, jefes del pueblo, que estuviesen en Judea para defenderla. Judas les había dicho: "Cuidad del pueblo y no trabéis ninguna batalla con los pueblos hasta que regresemos". Pero José y Azarías, al conocer las grandes victorias

[1] Cfr. 1 Mac. 5, 17-61.

de los Macabeos, quisieron hacer lo mismo diciendo: "Ganémonos también nosotros una fama, y vayamos a combatir a los pueblos que están a nuestro alrededor". Y fueron vencidos y destruídos. "La derrota del pueblo fue grande, porque no atendieron las órdenes de Judas ni de sus hermanos, pensando que podían ser otros héroes". La soberbia es la desobediencia.

¿Y qué leemos en la historia de los Reyes? [2]. Se lee que Saúl fue reprendido un vez. Y la siguiente tanto lo fue, por haber desobedecido, que fue elegido David en su lugar. ¡Por haber desobedecido! Recordadlo, recordadlo. "¿Quiere acaso el Señor holocaustos o víctimas, y no más bien que se le obedezca? La obediencia vale más que los sacrificios; el hacer caso más que el ofrecer cebados machos cabríos; porque la rebelión es como un pecado de magia; el no querer sujetarse es como un crimen idolátrico. Ahora bien, como tú no seguiste las órdenes del Señor, el Señor te ha rechazado y no serás más rey".

¡Recordadlo, recordadlo! Cuando Samuel, obediente, llenó su cuerno de aceite y fue a la casa de Isaí en Belén, porque allí el Señor había escogido otro para rey; Isaí después del sacrificio entró en la sala de comer con sus hijos y los presentó a Samuel. Eliab fue el primero. Era bello de cara, de edad, de estatura. Pero el Señor dijo a Samuel: "No tengas en cuenta su cara, ni su estatura, porque no lo elijo a él. Yo no juzgo conforme juzgan los hombres. Estos miram las cosas que ven con sus ojos, pero el Señor mira en el corazón". Samuel no tomó a Eliab por rey. Se le presentó Abinadab, y Samuel repuso: "El Señor no ha elegido a este tampoco". Isaí le presentó a Samma. Samuel dijo: "Ni siquiera este es el elegido del Señor". Y así pasaron sucesivamente los siete hijo de Isaí, que estaban en la sala de comer. Samuel preguntó: "¿Son estos todos tus hijos?" "No" respondió. "Hay todavía uno que es muchacho y que apacienta las ovejas". "Mándalo llamar para que así podamos comer". Llegó David. Era rubio, era hermoso. Era un jovenzuelo. El Señor dijo: "Ungelo. El será el rey".

Tened siempre en cuenta que *Dios escoge al que quiere, y deshecha al que lo merece por su voluntad corrompida con la soberbia y desobediencia.* No volveré a venir acá. El Maestro está para terminar su ministerio. Después de él será más que Maestro. Preparad vuestros corazones para esa hora, porque no olvidéis que como mi voluntad sirvió de provecho a los que tuvieron buena voluntad, de igual modo cuando se me haga subir [3] lo será para los que

[2] Cfr. 1 Sam. 13, 1-14; 15, 1-16, 13.

[3] Esta expresión: «Cuando se me haga subir», que también aparece en Juan 8, 28; 12, 32, significa no sólo cuando Jesús sea enclavado en la Cruz (se le haga subir, cfr. Ju. 3, 14), sino que también por ella, será glorificado. La Escritora aparece muy conocedora aun de los términos técnicos juaninos. (*N.T.*)

habrán tenido buena voluntad en seguir mi doctrina, a Mí, y para los que me seguirán después de que ya no esté.

¡Adiós, varones, mujeres, niños de Keriot! ¡Adiós! No nos olvidemos. Procuremos que nuestros corazones, el mío y el vuestro, se fundan en abrazo de amor y de despedida, y que el amor continúe siempre vivo, aun después de que ya no esté entre vosotros...

La primera vez que vine, un hombre justo lanzó su último suspiro en el beso del Salvador, en medio de una visión de gloria... Ahora, la última vez que os veo, os bendigo con el amor...

¡Adiós!... Que el Señor os dé fe, esperanza y caridad según lo necesitéis. Os dé amor y más amor. Para que Le améis, para que Me améis. Amor hacia los infelices, los culpables, los que llevan el peso de una culpa que no es suya...

Recordadlo. Sed buenos. No seáis injustos... Recordad que siempre he perdonado no sólo a los culpables, sino que he esparcido amor en todo Israel. Israel que está compuesto de buenos y de no buenos, así como en una familia hay buenos y no buenos, y sería una injusticia decir que toda una familia es mala porque uno de sus miembros lo sea.

Me voy... Si alguien quiere hablarme en particular que venga antes de que atardezca a la casa de campo de María de Simón.»

Jesús levanta su mano y bendice; luego sale ligero, por la puerta secundaria. Los suyos le siguen.

La gente cuchichea: «¡No regresa más!»

«¿Qué habrá querido decir?»

«Tenía lágrimas cuando se despedía...»

«¿Oísteis? Dice que cuando se le haga subir.»

«Entonces Judas tiene razón. Es claro que como rey, no estará más entre nosotros, como ahora...»

«Yo hablé con sus hermanos. Dicen que no será rey como pensamos, sino un Rey redentor como dicen los profetas [4]. Será, en una palabra, el Mesías.»

«El Rey Mesías, ¡claro es!»

«Eso no. El Rey redentor. El hombre de dolores.»

«Sí.»

«No.»

Jesús se va prontamente en dirección de la campiña.

[4] Cfr. vol. 1°, pág. 468, not. 1.

85. Ana y María de Keriot. Adiós a la madre de Judas

(Escrito el 28 de febrero de 1946)

«¿Señor, no querrías venir conmigo solo a la casa de una madre que es infeliz? Esto es lo que más deseo» dice María de Simón respetuosamente a Jesús, mientras después de la comida del mediodía, los apóstoles se han esparcido para descansar, antes de emprender nuevamente el camino cuando llegue la tarde. Jesús está bajo la sombra de manzanos cuyos frutos pronto madurarán, y parece como que si las palabras de María, sean continuación de algo anterior.

«Sí, mujer. Yo también tengo deseo de estar contigo, solos en estas últimas horas como las primeras cuando estuve aquí. Vamos.» Entran en la casa. Jesús toma su manto, y María su velo y manto.

Van por veredas que hay entre los campos, entre los manzanares y otros árboles. Todavía hace calor. De los trigales se respira el bochorno. Pero el viento de la montaña suaviza el calor que de otro modo en la llanura sería insoportable.

«Me desagrada hacerte caminar con este calor. Pero después... ya no se podrá. Tanto que deseé ésto, y no me atrevía a pedírtelo. Hace poco me dijiste: "María, para darte prueba de que te amo como si fueses mi madre, te digo: pídeme lo que quieras que te contentaré", y así me he atrevido. ¿Señor, sabes a dónde vamos?»

«No, mujer [1].»

«Vamos a la casa de aquella que debía haber sido la suegra de Judas... (María lanza un suspiro doloroso). Debía... No lo fue ni lo será jamaś porque Judas abandonó a su hija, la que murió de dolor. Y la madre me guarda rencor y también a mi hijo. Siempre nos maldice... Judas es muy... muy flaco... en el mal, no tiene necesidad más que de bendiciones. Yo quisiera que le hablases... Tú la puedes persuadir, decirle que fue un bien que no se hubieran celebrado las bodas... decirle que yo no tuve la culpa... decirle que muera sin odiarme; porque se va muriendo poco a poco y con este nudo en el alma. Quisiera que hubiera paz entre nosotras... porque he sufrido, y he sufrido vergüenzas por lo que pasó, y veo con dolor que se destruye la amistad de una que fue mi compañera desde que yo me casé. Tu sabes, en fin, Señor...»

«Sí. No te angusties. Tu petición es justa y cumplo los encargos buenos.»

Suben a un lugar en que está situado el pequeño poblado, después de haber atravesado por un vallecillo.

«Ana vive aquí desde que murió su hija. En sus posesiones. Antes vivía en Keriot, y cuando nos encontraba, sus reproches me destrozaban el corazón.»

Dan vuelta por una vereda un poco antes de entrar al poblado, y llegan a una casa baja que hay en el campo.

«Hemos llegado. Me da saltos el corazón desde que he venido. No me querrá ver... me despachará... se intranquilizará... y su pobre

[1] Cfr. vol. 1°, pág. 428, not. 15.

corazón sufrirá mucho más... Maestro...»

«Así es. Voy Yo. Tú quédate aquí hasta que te llame. Y ruega para ayudarme [2].»

Jesús se acerca solo a la puerta que está semiabierta, y entra saludando con dulzura.

Le sale al encuentro una mujer: «¿Qué se te ofrece? ¿Quién eres?»

«Vengo a dar alivio a tu patrona. Condúceme a donde está.»

«¿Eres médico? ¡De nada sirve! No hay ya esperanzas. Su corazón se le está marchitando.»

«Todavía se le puede curar su alma. Soy el Rabbí.»

«No le harás ningún provecho. Está mohina con el Eterno y no quiere oir sermones. Déjala en paz.»

«Precisamente porque está mohina, por eso he venido. Déjame pasar y sus últimos días no los pasará en la desventura.»

La mujer se encoge de hombros, y dice: «¡Entra!»

Un corredor semioscuro y fresco. Hay puertas. En el fondo, la última está semientreabierta, y de ella salen lamentos. La mujer entra diciendo: «Señora, hay un rabbí que quiere hablarte.»

«¿Para qué?... ¿Para decirme que estoy maldecida? ¿Que no tendré paz ni siquiera en la otra vida?» responde jadeante, inquieta.

«No. Para decirte que tendrás paz completamente, con tal de que quieras, y serás dichosa para siempre con tu Juana» dice Jesús asomándose en el umbral.

La enferma, amarilla, hinchada, jadeante sobre su camastro, recostada sobre muchos almohadones, lo mira y dice: «¡Qué palabras! Es la primera vez que un rabbí no me reprende... ¡Qué esperanza!... Mi Juana... conmigo... en la bienaventuranza... no más dolor... el dolor que causó un maldito... a quien su madre no impidió el haber nacido... que me traicionó... después de haberme hecho cobrar esperanzas... ¡Infeliz hija mía!...» Su agitación es mayor.

«¿Lo ves? Le causas mal. Lo sabía yo. Vámonos.»

«No. Vete tú. Déjame solo...»

La mujer sale, moviendo la cabeza. Jesús se acerca al lecho poco a poco. Seca bondadosamente al sudor de la enferma que no puede hacerlo con sus manos enormemente hinchadas. Le da aire con un abanico de palma. Le da de beber, porque ella busca consuelo en la bebida que está sobre la mesita. Jesús parece un hijo al lado de su madre enferma. Luego se sienta, decidido a cumplir con toda suavidad su encargo.

[2] Jesús, verdadero Dios y verdadero Hombre, Cabeza de su Iglesia, de la Humanidad entera y de todo lo Creado, no sólo no desprecia o excluye la colaboración de sus creaturas, sino la *quiere*, sobre todo la cooperación amorosa, de oraciones y obras de parte de nosotros los hombres, sus hermanos, sus miembros, su Cuerpo místico. Cfr. pág. 167 not. 2, pág. 277 not. 3.

La mujer, mientras toma respiro, lo observa. Y, con una sonrisa de enfermo, le dice: «Eres hermoso y bueno. ¿Quién eres, Rabbí? Tienes la delicadeza de mi amada hija en proporcionarme consuelo.»

«¡Soy Jesús de Nazaret!»

«¿Tú?... ¿Tú en mi casa?... ¿Por qué?»

«Porque te amo. También tengo Yo un madre, y en cada madre veo a la mía, y en las lágrimas de las madres, veo las de la mía...»

«¿Por qué? ¿Llora acaso tu Madre? ¿Por qué? ¿Se le ha muerto algún hermano tuyo?»

«Todavía no. Soy el único suyo y todavía no me muero. Pero Ella llora porque sabe que *debo* morir.»

«¡Oh, infeliz! ¡Saber de antemano que un hijo va a morir! ¿Pero, cómo lo sabe? Estás sano. Estás fuerte. Eres bueno. Yo me hice ilusiones hasta que se murió mi hija que estuvo muy enferma... ¿Cómo puede tu Madre saber que debes de morir?»

«Porque soy el Hijo del hombre, del que hablaron los profetas [3]. Soy el Hombre de los dolores que vió Isaías, el Mesías del que cantó David y describió sus torturas de Redentor. Soy el Salvador, el Redentor, mujer. Me espera una muerte horrible... y mi Madre asistirá a ella... y mi Madre sabe, desde que nací, que su corazón será traspasado de dolor como el mío... No llores... Con mi muerte abriré las puertas del Paraíso a tu querida Juana...»

«¡También a mí! ¡También a mí!»

«Sí, cuando llegue tu tiempo; pero antes debes de aprender a amar y a perdonar. A volver a amar. A ser justa. A perdonar... De otro modo no podrás entrar en el cielo con Juana, conmigo...»

La mujer llora angustiosamente. Entre gemidos dice: "Amar... amar cuando los hombres me enseñaron a odiar... cuando Dios no nos amó, ni tuvo piedad. Es difícil... ¿Cómo amar cuando los hombres nos han atormentado, las amigas herido, Dios abandonado?...»

«No. Jamás te ha abandonado. Estoy Yo aquí, para hacerte promesas celestiales; para asegurarte que tu dolor terminará en gozo con sólo que lo quieras. Ana, escúchame... Lloras por unas bodas que no se celebraron, les echas la culpa de tu dolor; de ello acusas a un hombre y dices que es asesino, y de cómplice acusas a su pobre madre. Escucha, Ana. No pasarán muchos meses que no veas que fue un gran favor del Cielo que Juana no se hubiera casado con Judas...»

«No me lo nombres» grita la mujer.

«Lo he hecho para decirte que debes agradecer al Señor. Y, dentro de pocos meses, lo harás...»

[3] Cfr. vol. 1°, pág. 468, not. 1.

«Ya estaré muerta...»

«No es verdad. Estarás viva y te acordarás de Mí, y comprenderás que hay dolores más grandes que el tuyo...»

«¿Mayores? ¡No es posible!»

«¿Dónde pones el de mi Madre que me verá morir en una cruz?» Jesús se ha levantado. Es imponente. «¿Y dónde el de la madre del que traicionará a Jesucristo, el Hijo de Dios? Piensa, mujer, en esa madre... Tú... Toda Keriot, la campiña y otras más te han acompañado en tu dolor. De ello te has gloriado como si fuese una corona de mártir. ¡Pero esa madre! Como Caín, pero sin serlo, antes bien siendo cual Abel, porque será la víctima de su hijo traidor, del asesino de Dios, sacrílego, maldito, ella no podrá soportar la mirada de los otros porque en cada mirada verá como una piedra que se le arroja para lapidarla, y en cada palabra que pronuncien los hombres, le parecerá escuchar una maldición, un insulto; y jamás encontrará refugio sobre la tierra, sino hasta que muera, hasta que Dios, que es justo, venga a llevarse consigo a la mártir, borrándole de su memoria el haber sido la madre del asesino de Dios al darle su eterna posesión de Sí mismo... ¿El dolor de esta madre, no es acaso mayor?»

«Un inmenso dolor...»

«Lo comprendes... Sé buena, Ana. Reconoce que Dios fue bueno en su modo de obrar...»

«Pero mi hija está muerta. Judas me la hizo morir por ambición de otra dote mayor... Su madre lo aprobó.»

«No. Esto no es cierto. Yo te lo aseguro, Yo que veo en los corazones. Judas es mi apóstol y con todo afirmo que hizo mal y que recibirá su castigo. Su madre es inocente. Te ama. Quisiera que también tú la amases... Ana, sois dos madres infelices. Tú te glorías de tu hija muerta, inocente, pura a quien el mundo respeta... María de Simón *no puede* gloriarse de su hijo. Los hombres reprueban sus acciones.»

«Es verdad. Pero si se hubiese casado con Juana, nada le reprocharían.»

«Pero poco después verías morir a Juana de dolor, porque Judas perecerá de muerte violenta.»

«¿Qué dices? ¡Oh, infeliz María! ¿Cuándo? ¿Cómo? ¿Dónde?»

«Presto. Y de una manera horrenda... ¡Ana! ¡Ana! Tú eres buena. Tú eres madre. Conoces qué es el dolor de una madre. Ana, vuelve a ser amiga de María. Que el dolor os junte, como debía juntaros la alegría. Déjame irme contento, sabiendo que ella tendrá una amiga, *una sola, por lo menos...*»

«Señor... amarla... Quiere decir perdonarla... Es muy duro... Me parece que nuevamente vuelvo a enterrar a mi hija... Que yo misma la mato...»

«Pensamientos que las Tinieblas te sugieren. No los escuches. Escúchame a Mí, Luz del mundo. La Luz te dice que menos amarga ha sido la suerte de Juana muriendo virgen que si muriese siendo viuda de Judas. Créemelo, Ana. Y piensa que María de Simón es mucho más infeliz que tú...»

La mujer piensa, piensa, lucha, llora, y luego dice: «Pero yo la he maldecido. A ella y al fruto de sus entrañas. Pequé...»

«De ello te absuelvo. Y entre más la ames, más serás absuelta en el cielo [4].»

«Pero si me hago su amiga... encontraré a Judas. No puedo, Señor, hacer esto...»

«Nunca lo volverás a ver. No regresaré más a Keriot, ni tampoco Judas. Nos hemos despedido ya de la gente...»

«¿Dijiste que...?»

«Que no tornaré jamás. Judas dijo que no podrá venir más hasta que yo desaparezca. El piensa que voy a subir a algún trono, pero no es así, me espera la muerte. *Tú no dirás esto. Jamás.* Que María lo ignore hasta que todo se haya cumplido. Tú misma acabas de decir que es "infeliz de antemano la madre que sabe que su hijo *debe* morir". Si los sufrimientos de mi Madre, porque lo sabe, van a aumentar los méritos de mi Sacrificio [5], para María de Simón el silencio es una cosa que debe de dársele por compasión. *No dirás ni una palabra de esto.*»

«No, Señor. Te lo juro en nombre de mi Juana.»

«Quiero otra promesa más. Es grande. Es santa. Tú eres buena. Me amas ya...»

«Sí. Mucho. Desde que estás aquí, siento tener paz.»

«Cuando María de Simón no tenga más a su hijo, y cuando el mundo la cubra de... desprecio, tú, tú sola le abrirás tu casa y el corazón. ¿Me lo prometes? En nombre de Dios y de Juana. Ella lo habría hecho porque María fue siempre para ella la madre del siempre amado» insiste Jesús.

«¡Sí!» y se escucha el llanto...

«Dios te bendiga, mujer, y te dé paz... y salud... Ven. Vamos a ver a María, a darle el beso de paz...»

«Pero... Señor... No puedo caminar. Tengo las piernas hinchadas

[4] En esta parte del diálogo entre Jesús y la mujer, aparecen ordenada y lógicamente expuestos los conceptos (o la realidad) del pecado, de examen, dolor, confesión, perdón, expiación. Del pecado: «Pensamientos que las Tinieblas te sugieren...»; de examen: «Piensa... piensa...»; de dolor: «...llora...»; de confesión: «Pequé...»; de perdón: «De ello te absuelvo»; de eficaz expiación por el pecado que se detesta, que se confiesa y que es perdonado: «Y entre más la ames, más serás absuelta en el cielo». Con respecto del pecado, dolor, confesión, perdón, expiación, cfr. 2 Sam. 11, 2-12, 22; a propósito del valor expiatorio del amor, cfr. Prov. 10, 12; Lc. 7, 47-48; 1° Cor. 13, 7; Sant. 5, 20; 1 Ped. 4, 8.

[5] Cfr. Lc. 2, 33-35.

y paralizadas. ¿Ves? Estoy aquí, vestida, pero no soy más que un leño...»

«Lo fuiste. ¡Ven!» y le extiende la mano, invitándola a dejar su lecho.

La mujer, con sus ojos fijos en los de El, mueve las piernas, las saca del lecho, pisa la tierra descalza, se levanta, camina... Parece como hechizada. No cae ni siquiera en la cuenta de su curación... Sale, asida a la mano de Jesús, al corredor semi-oscuro... Se dirige a la salida. Casi está llegando cuando la sirvienta es la primera en verla, y da un grito que no es de espanto, sino de gozo... Acuden otros siervos, temiendo que esté por morir, pero ven que su patrona — que antes estaba como agonizante y que guardaba rencor a María de Simón — anda rápida, con los brazos extendidos, desprendiéndose de Jesús, hacia la mortificada María, y la llama, y la estrecha contra su corazón. Ambas lloran.

...Al regresar a su casa, después de la despedida de paz, María de Simón da gracias al Señor y le pregunta: «¿Cuándo vendrás a hacer otro bien?»

«Nunca más volveré, mujer. Lo dije ya a los del pueblo. Pero mi corazón estará siempre contigo. Acuérdate de que siempre te he amado y que te amo. Recuerda que sé que eres buena, y que Dios por esto te ama. Tenlo siempre presente, y también cuando lleguen días de horas amarguísimas. Nunca llegue a tu mente el pensamiento de que Dios te juzgue culpable. Ante sus ojos tu alma está adornada y lo estará siempre de joyas de virtudes y de perlas de tus dolores. María de Simón, madre de Judas, te voy a bendecir; quiero abrazarte y besarte para que tu beso maternal, sincero, leal, me consuele de otro... para que mi beso te compense de tus dolores. Ven, madre de Judas. Y gracias, por que me has amado y honrado» y la abraza y la besa en la frente, como hace con María de Alfeo.

«Nos veremos otra vez. Iré a la Pascua...»

«No. No vayas. Te lo ruego. ¿Quieres hacerme feliz? No vayas. A la próxima Pascua las mujeres, no.»

«¿Por qué...?»

«Porque... en la próxima Pascua habrá en Jerusalén un terrible espectáculo, al que no está bien que asistan mujeres. Más bien... diré a tu pariente que venga a estar contigo. Que se quede para siempre. Tendrás necesidad... de hoy en adelante Judas no podrá ayudarte más, ni venir...»

«Haré como dices... ¿Luego no volveré, no volveré jamás a ver tu rostro en que se refleja la paz del Cielo? ¡Cuánta serenidad ha brotado de tus ojos y se ha derramado sobre mi corazón que sufre!...» María llora.

«No llores. La vida es breve. Después me verás para siempre en mi Reino.»

«¿Crees entonces que tu humilde sierva vaya a entrar en él?...»

«Veo ya tu lugar entre los ejércitos de mártires y de corredentoras [6]. No tengas miedo, María. El Señor será tu eterna recompensa. Sigamos. La tarde ya baja, y es hora de ponernos en camino...»

Tornan por el camino entre los manzanos y campos. Llegan a la casa donde esperan los apóstoles. Jesús es breve en la despedida. Bendice a todos y se pone a la cabeza de los suyos... Se va... María, de rodillas, llora.

[6] Cfr. nota anterior.

86. Jesús se despide de Yutta

(Escrito el 5 de marzo de 1946)

Jesús habla en una serena mañana al pueblo de Yutta. Y puedo casi afirmar que toda Yutta está a sus pies. Los pastorcillos, que suelen vagar con sus ovejas por los montes, están allí, a la periferia de la gente con sus rebaños; los que suelen irse a los campos, a los bosques, al mercado, están allí. Están allí los viejos a su alrededor como los pequeños que le sonríen; las doncellas, las que se acaban de casar; las que acaban de ser madres, como las que tienen el fruto todavía en sus entrañas. Toda Yutta.

Hay una saliente en el monte que se extiende hacia el sur. En este lugar se ha reunido la multitud. Unos están sentados sobre la hierba, otros sobre las piedras a horcajadas. Se ve el extenso horizonte, el arroyo allá abajo, que ríe y brilla a la luz del sol matinal; la belleza de los montes cubiertos de hierba, con sus bosques. Los de Yutta escuchan al Maestro que está de pie, apoyado contra un tronco parduzco de nogal. Resalta su blanca vestidura de lino. Su rostro tiene la sonrisa que le brota de los ojos, al ver que se le ama. Sus cabellos resplandecen a la caricia del sol. En medio de un silencio que sólo rompen los trinos de los pajarillos, y la charla del río allá abajo, descienden sus palabras en los corazones, y su voz fuerte llena el aire con su melodía.

Mientras escribo, está repitiendo una vez más, que es necesario obedecer al Decálogo, que se perfecciona al aplicársele en los corazones con su doctrina de amor «para construir en las almas la mansión donde el Señor habitará hasta el día en que, los que fueron fieles a la ley, irán a habitar con El en el Reino de los Cielos.» Luego prosigue: «Porque así es. El modo con que vive Dios en los hombres y ellos en El es por medio de la obediencia a su Ley, que empieza con un mandamiento de amor; y *toda* la Ley es amor, desde el primero hasta el último mandamiento de la misma. Así es la verdadera casa que Dios ama, en que El habita; y el premio del cielo, que se obtiene por medio de la obediencia a la Ley, es la verdadera Casa en que viviréis con Dios para siempre.

Porque, como está dicho — (Isaías, cap. 66) — Dios no tiene morada sobre la Tierra, que es escabel de su inmensidad, ni su trono en el cielo, que es pequeño, insuficiente, para que pueda contener al Infinito. Una nonada. Su morada la tiene en el corazón de los hombres. Sólo la perfectísima bondad del Padre amoroso puede conceder a sus hijos, el que lo acojan en sí; y es un misterio infinito, que siempre se perfecciona más, el que Dios Uno y Trino, el purísimo Espíritu Triniforme [1] puede estar en el corazón de los hombres. ¿Cuándo, cuándo, oh Padre Santo, me concederás hacer de estos que te aman, no tan solo un templo de nuestro Espíritu, sino, que por tu perfecto amor y perdón, un tabernáculo, de modo que cada corazón fiel sea el arca en que esté el verdadero Pan del Cielo, como lo estuvo en el seno de la Bendita entre las mujeres?

Oh, amadísimos discípulos de Yutta, la que preparó un justo, recordad lo que el profeta dice — y es el Señor el que habla — al dirigirse a los que edifican templos vacíos de piedra, en que no hay justicia, no hay amor, y no saben edificar dentro de sí el trono para su Señor obedeciendo sus mandamientos. Dice el Profeta: "¿Qué es esta casa que me edificáis, y qué este lugar para mi reposo?" Esto es: "¿Creéis que estaré con vosotros porque me levantáis pobres muros? ¿Creéis poderme dar alegría con prácticas mentirosas, en las que no hay santidad?" No. A Dios no se le compra con exterioridades que cubren llagas y vacío, como un manto de oro que se echa sobre un leproso, o sobre una estatua de arcilla, que no tiene vida en sí.

El Señor, Dueño del mundo, declara que es pobre porque tiene pocos súbditos, El que es el Padre de muchos hijos que se han fugado de su mansión: "¿A quién volveré la mirada sino al pobrecito, al contrito de corazón que tiembla ante mi palabra?" ¿Por qué tiembla? ¿Por miedo a Dios? No. Por un profundo respeto, por un verdadero amor. Por humildad de súbdito, de hijo, que dice, que reconoce que el Señor es el Todo y él, la nada; y tiembla de emoción al sentirse amado, perdonado, ayudado por el Todo.

No busquéis a Dios entre los soberbios. No está. No lo busquéis

[1] La frase: «Espíritu Triniforme», recuerda la otra que aparece en el ritual romano: «Espíritu Septiforme» y «septiforme gracia» que se lee en la consagración de una iglesa. Y como «Espíritu Septiforme» es el solo y Unico Espíritu, pero que se manifiesta por estos dones, que se dicen ser siete (cfr. 1 Cor. 12, 4-11); de igual modo «Espíritu Triniforme» significa sin duda alguna (cfr. contexto), Dios, purísimo Espíritu, uno en cuanto a la Naturaleza, y trino en cuanto a las Personas.

entre los duros de corazón. No está allí. Ni lo busquéis entre los impenitentes. No está allí. El está con los sencillos, con los puros, con los misericordiosos, con los pobres de espíritu, con los dóciles, con los perseguidos, con los pacíficos. Allí está Dios. Y con los que se arrepienten y quieren el perdón y tratan de expiar. Esos que no sacrifican el buey o la oveja, o presentan sus ofrendas por soberbia, deseosos de aparecer perfectos. Sino que hacen el sacrificio de un corazón contrito y humillado, si es que son pecadores; de un corazón obediente hasta el heroísmo, si son justos. Esto es lo que agrada al Señor. Ved con qué ofertas se entrega: con sus inefables tesoros de amor y delicias sobrenaturales. No se las da a los otros. Tienen ellos ya sus *pobres* delicias en las abominaciones, y es inútil que Dios los llame a su camino, porque ellos ya han escogido el suyo. No les enviará sino abandono, terror y castigo, porque no le respondieron, no le obedecieron. A los ojos de Dios cometieron el mal por desdén, por negra perversidad.

Pero vosotros, amados de Yutta, vosotros que tembláis de amor porque conocéis a Dios, vosotros a quienes por mi causa escarnecen como a necios los poderosos, y que persistís en amarme, no obstante los escarnios; vosotros a quienes se os rechaza, y lo seréis cada vez más por causa de mi Nombre, que se os señala cual bastardos hijos de Israel, cual bastardos de Dios, cuando es todo lo contrario porque El que tiene su raíz en el Padre, ha puesto en vosotros, sí en vosotros, el injerto de la Vida eterna, por el que formáis parte de Dios; de su jugo vivís, vosotros a quienes se trata de persuadir que os encontráis en el error; a vosotros, de ojos sencillos pero iluminados por la gracia, a quienes se os trata de justificar para que no aparezcáis cual sacrílegos y malhechores, a vosotros se os dijo: "Múestrenos el Señor su gloria y lo reconoceremos con vuestro mismo gozo" [2], vosotros seréis los únicos en participar de esa alegría. Los otros estarán llenos de vergüenza.

Ya me parece oir, después de la afrenta con que se les arrojará, y con todo no se harán buenos; ya me parece oir a las víboras que no dejan de ser peligrosas cuando se les aplasta su horrible cabeza, y que muerden y matan aunque se les parta en dos, y que pese a la aplastante manifestación de Dios, osan levantar su cabeza; ya los oigo gritar: "¿Cómo puede el Señor haber dado a luz, de pronto, a un nuevo pueblo suyo, si nosotros, a quienes hace mucho tiempo nos lleva en su seno, no ha podido todavía dar a luz? ¿Puede una mujer parir sin que llene la casa de sus gritos? ¿Pudo el Señor haber dado a luz antes de tiempo? ¿Puede acaso la tierra parir en un solo día; y puede acaso ser dado a luz todo un pueblo junto?"

Yo respondo, e igual respuesta dad a los que os persiguieren y es-

[2] Cfr. Is. 66, 5 ss.

carnecieren: "Nunca habrían podido haber nacido los que son un fruto muerto en el seno de Dios, un fruto cortado, porque se separó de la matriz y quedó muerto, como un tumor oculto en el vientre, más bien que cual embrión que se desarrolla. Y, para arrojar el feto muerto de su seno y tener hijos, para que no perezca su Nombre sobre la tierra, Dios se ha hecho fecundo con nuevos hijos, señalados con su Tau, en secreto, en silencio, para que Satanás y los satanases servidores de Lucifer, no les puedan hacer daño. Y, llevado de su amor ardiente, el Señor ha dado a luz un Varón y juntamente un nuevo pueblo suyo, porque todo lo puede el Señor". El lo dice por boca del profeta Isaías: "¿Y qué, acaso no podré Yo dar a luz, Yo que hago que las hembras paran? Yo que concedo a los seres la fecundidad, ¿voy a ser estéril?"

Alegraos con la Jerusalén celestial. Regocijaos con ella, vosotros los que amáis al Señor. Saltad de gozo con ella, vosotros que esperáis, vosotros que sufrís.

¡Volved a Mí, volved a Mí, palabras! Palabras salidas del Verbo de Dios. Palabras que pronunció el portavoz de Dios: Isaías. Venid, regresad a la Fuente, oh palabras eternas, para que se os esparza sobre este jardincito de Dios, sobre esta grey suya, sobre esta prole suya.

¡Venid! Esta es una de las horas y de las reuniones por cuya causa se os pronunció, ¡oh, palabras proféticas, oh, sonido de amor, oh, voces de verdad!

Ved que vienen, ved que tornan a Quien las inspiró. Yo, en nombre del Padre, de mi Ser, y del Espíritu, las digo a estos amados de Dios, escogidos de entre su grey, que debía de constar sólo de corderitos, y se ha corrompido con machos cabríos y bestias aun más inmundas. Vosotros beberéis y seréis saciados de la consolación divina, y abundantes delicias obtendréis de la múltiple gloria de Dios.

Ved que os dice el Señor [3]: Yo derramaré sobre vosotros la paz cual un río, como un torrente que todo inunda, y será más que la gloria de las naciones. La gloria del Cielo os inundará. De ella participaréis cuando os lleve entre brazos, ella os acariciará cuando estéis en sus rodillas. Como una madre acaricia a su niño — como acaricio a este pequeñín a quien he puesto mi nombre (y Jesús toma al pequeño Yesaí de los brazos de su madre, que está a sus pies en medio de sus tres hijos) — así os consolaré a vosotros que me amáis y continuáis amándome, y pronto vendrá el día en que seáis consolados en mi Reino. Lo veréis y vuestro corazón se llenará de júbilo. Vuestros huesos reverdecerán como la hierba. Os veréis libres de todo temblor porque, siéndome fieles, cuando el Señor venga con el

[3] Cfr. Is. 66, 11-13.

fuego, en un carruaje, semejante a un torbellino, para guiar en el fuego del amor y de la justicia, y para castigar y honrar; y separará los corderos de los lobos, esto es, de los que creían ser santos y puros y por el contrario no eran más que idólatras.

El Señor, que parte ahora, regresará, y bienaventurados a los que encontrare perseverando todavía.

Esta es mi despedida y con ella os doy mi bendición. Arrodillaos, para que con ella os dé fuerzas. El Señor os bendiga y os guarde. El Señor muestre su Rostro y tenga misericordia de vosotros. El Señor os dé su paz. Ios. Dejadme que me despida de los mejores entre los buenos de Yutta.»

La gente se va de mala gana. Pero cuando un niño es el primero en decir: «Señor, permíteme que bese tu mano» y Jesús se lo consiente, todos quieren besar esa mano bendita. Los que ya se habían ido, regresan. Los niños le besan en el rostro, los ancianos en las manos, las mujeres en los pies desnudos. Y caen lágrimas y palabras de despedida y de bendición.

Jesús los recibe pacientemente, y para cada uno de ellos tiene un saludo especial.

Todos han sido contentados... Se queda la familia en que se hospedó... Se estrecha a Jesús. Sara dice: «¿No volverás más?»

«No, mujer. Jamás. Pero no estaremos separados. Mi amor estará siempre contigo, con vosotros, y el vuestro conmigo. Sé que no me olvidaréis. Oíd esto: aun en las horas de mayor amargura, que vendrán, no aceptéis la mentira ni como huésped de paso, ni como a un invasor imprevisto... Dame aquí tu niño, Sara.»

La mujer le entrega a Yesaí y Jesús se sienta sobre la hierba con el niño sobre sus rodillas y con su rostro sobre la cabecita del pequeñuelo y dice: «Acordaos siempre que soy el Cordero que Isaac os enseñó a amar antes de que me conocierais. Acordaos de que un cordero es siempre inocente, como este pequeñuelo, aun cuando se le ponga piel de lobo para hacerlo pasar como malhechor. Acordaos que soy más inocente que este pequeñuelo... y que él, dichoso por su inocencia y por su edad, no podrá comprender la calumnia que arrojarán los hombres sobre su Señor, y por esto, no perderá la serenidad... y continuará amándome de igual modo... como ahora... Procurad tener un corazón como el suyo, y tenedlo para el Cordero, para vuestro Amigo, para el Inocente, para vuestro Salvador, que os ama y bendice de una manera especial. Adiós, María. Ven a darme un beso... Adiós, Manuel... Ven tú también... Adiós, Yesaí, corderito del Cordero... Sed buenos... Amadme...»

«¡Pero Tú estás llorando, Señor!» dice admirada la niña al ver brillar una lágrima entre las guedejas de Yesaí.

«¿Llora?» pregunta el marido de Sara.

«Sí que estás llorando, Maestro ¿por qué?» pregunta la mujer.

«No os preocupéis de mi llanto. Es amor y es bendición... Adiós, Sara. Adiós, tú. Venid, como los demás a besar a vuestro Amigo que parte...» Una vez que los dos esposos le besan las manos, devuelve al pequeñuelo a su madre, y los bendice nuevamente. Y luego, rápido, empieza a descender por la misma vereda por la que vino.

Las voces de adiós de los que se quedan le siguen en pos: honda es la del marido, llena de emoción la de la mujer, vibrante la de los pequeñuelos. Después sólo es el arroyo, por el que sube Jesús, el que lo despide, que le da también el último adiós de Yutta.

87. Jesús se despide de Hebrón

(Escrito el 7 de marzo de 1946)

He ahí a Hebrón entre sus montes de selvas y prados. Los primeros que ven a Jesús se llenan de alborozo y corren a esparcir la noticia por el pueblo.

Acude el sinagogo, acuden los que fueron curados el año anterior, acuden los principales. Cada uno quiere hospedar al Señor, pero Jesús a todos agradece diciendo: «No me detendré aquí, sino el tiempo necesario para hablaros. Vamos a la casa pobre y santa del Bautista. Quiero despedirme de ella... Es un lugar de milagros. Vosotros lo sabéis.»

«Lo sabemos, Maestro. Los curados están aquí entre nosotros...» dicen varios.

«Mucho antes de hace un año fue un lugar de milagros. Lo fue por primera vez hace treinta y tres años cuando la gracia del Salvador hizo que fueran fértiles las entrañas de la que engendró mi Precursor. Lo fue hace treinta y dos años cuando por obra misteriosa lo santifiqué Yo, cuando ambos estábamos en el seno materno. Y luego cuando hice que dejara de ser mudo su padre. A estas obras mías, se agrega otra, de apenas hace dos años, que es un gran milagro y que ignoráis. ¿Os acordáis de la mujer que vivía allí dentro?...»

«¿Te refieres a Aglae?» preguntan varios.

«Exactamente. Su alma reverdeció, su alma pagana salió del pecado, y se ha hecho fecunda en la justicia con su buena voluntad. Os la propongo como modelo. No os escandalicéis. En verdad os digo que puede citarse como ejemplo de imitación, porque pocos en Israel han avanzado en el camino hacia las fuentes de Dios como ella, pagana y pecadora.»

«Nosotros nos la imaginábamos escapada con otros amantes...

Alguien dijo que había cambiado de vida, que era buena... Pero contestábamos: "¡Es un capricho!" No faltó quien dijera que había ido a buscarte para pecar...» dice el sinagogo como explicación.

«Fue a donde yo estaba, para que la redimiese.»

«Pecamos de prejuicio...»

«Por esto os he dicho que no juzguéis.»

«¿Y dónde está ahora?»

«Sólo Dios lo sabe, pero sin duda alguna está haciendo una dura penitencia. Rogad para que continúe... Te saludo, casa santa de mi Pariente y Precursor. ¡La paz sea contigo! Aunque estés abandonada, siempre sea contigo la paz, tú que fuiste mansión de paz y de fe.» Jesús entra en ella bendiciéndola. Sigue por el jardín inculto, entre hierbas. Camina por donde un tiempo hubo emparrados de laureles y de bojes, y ahora un desorden en que pulula la hiedra, el convólvulo, que se han echado encima de ellos. Llega al fondo, donde queda lo que fueron restos del sepulcro. Se detiene ahí.

La gente en orden y en silencio se acerca a El.

«Hijos de Dios, pueblo de Hebrón, escuchad.

Para que no os azoréis, ni os dejéis arrastrar en el engaño con respecto a vuestro Salvador, como os engañasteis con respecto a la pecadora, he venido a confirmaros y fortificaros en la fe. He venido a daros la fuerza de mi palabra para que, luminosa, persista entre vosotros en la hora de las tinieblas y para que Satanás no os haga perder el camino que lleva al Cielo.

Pronto vendrán horas en que vuestros corazones recordarán las palabras del salmo de Asaf, el profeta cantor [1] y diréis: "¿Por qué, Señor, nos has arrojado para siempre? ¿Por qué tu ira se enciende contra tus ovejuelas que apacentabas?" y podréis con todo derecho levantar el grito pidiendo que os proteja la Redención que ya se realizó, y gritar: "¡Este es tu pueblo que redimiste!" para invocar protección contra los enemigos que habrán hecho todo el mal posible al verdadero santuario donde Dios está como en su cielo, contra el Mesías del Señor. Y, derribado el Santo, como primer paso, tratarán de derrumbar sus muros que son sus fieles. Verdaderos profanadores y perseguidores de Dios, más que Nabucodonosor [2] y Antíoco [3], más que los que están por venir, levantan ya sus manos para destruirme, llevados de su soberbia sin límites antes que convertirse, y no quieren tener fe, ni caridad, ni justicia, y que, como fermento en un montón de harina, se hincha y sale ya del Santuario, que los enemigos de Dios han convertido en su fortaleza.

[1] Cfr. Sal. 73. Numerosos versículos aparecen como perífrasis, como adaptación y constituyen la columna vertebral del discurso.

[2] Cfr. Dan. 1-4.

[3] Cfr. 1 Mac. 6, 1-16; 2 Mac. 1, 11-17; 9; Dan. 8, 25; 11, 21-45.

Escuchad, hijos. Cuando se os persiguiere porque me amáis, robusteced vuestro corazón y pensad que antes que vosotros lo fuerais, yo lo fui. Acordaos que tienen ya en sus gargantas el grito de triunfo, y preparan las banderas que floten al aire anunciando la victoria; y en cada bandera habrá una mentira contra Mí, que pareceré ser el Vencido, el Malhechor, el Maldito.

¿Sacudís la cabeza? ¿No me creéis? Vuestro amor os lo impide. ¡Mucho vale el amor! Es una gran fuerza... y un gran peligro. Sí, peligro. *El choque de la realidad en la hora de las tinieblas será violento, sobrehumanamente fuerte en los corazones que el amor, todavía no perfecto, hace ciegos.* No podéis creer que Yo, el Rey, el Poderoso, pueda convertirme en un nada. No lo podréis creer, cuando surja la duda: "¿Era en realidad El? ¿Y si era así, cómo pudo ser vencido?"

Fortaleced el corazón para aquella hora. Tened en cuenta que si "en un momento" los enemigos del Santo despedazaron las puertas, metieron el terror por doquier, prendieron fuego de odio en el Santo de Dios, abatieron y echaron por tierra al Tabernáculo del Nombre Santísimo, diciendo en sus corazones: "Hagamos que sobre la tierra no haya más las fiestas de Dios" porque fiesta es para vosotros tener a Dios. Decían: "No se vean más enseñas. Que no haya más profeta alguno que nos conozca por lo que somos". Pero mucho más pronto todavía, El que ha dado fuerza a los mares y ha aplastado en las aguas, las cabezas inmundas de los cocodrilos sagrados y de sus adoradores, El que ha hecho que las fuentes y ríos abunden en agua, y ha secado a los arroyos que antes rebosaban de ella, El que es dueño del día y de la noche, del verano y de la primavera, de la vida y la muerte, de todo, hará resucitar, como dicho está, a su Mesías, que será Rey, y Rey para siempre. Los que hubieran permanecido firmes en la fe, reinarán con El en el Cielo.

Recordadlo. Cuando me viereis colocado en alto e injuriado, no vacile vuestra fe. Cuando lo fuereis vosotros, tampoco.

Padre, Padre mío, te ruego, en nombre de estos a quienes amas y a quienes también Yo amo, escucha a tu Verbo, escucha al Propiciador. No abandones a las bestias las almas de los que te alaban y me aman, no olvides para siempre las almas de tus pequeñuelos. Dirige, oh buen Dios, una mirada a tu pacto porque los lugares oscuros de la tierra son cuevas de iniquidad, de donde sale el terror que espanta a tus pequeñuelos. Padre, Padre mío, que el humilde que en Tí confía, no se vea afrentado. Que el pobre y el necesitado alaben tu Nombre, por el auxilio que les darás.

Levántate, oh Dios, para esa hora, para esas horas. Te lo ruego. Levántate, oh Dios, por el sacrificio de Juan y la santidad de tus patriarcas y profetas. Defiende esta grey tuya y mía, oh Padre, por causa de mi sacrificio. Dale luz en las tinieblas, fe y fortaleza contra los seductores. Date a ellos, ¡oh Padre! Danos a ellos, mañana y siempre, hasta que entren en tu Reino. Danos a su corazón hasta el momento en que donde estamos, estén ellos también por los siglos de los siglos. Y así sea.»

Como no hay ningún enfermo a quien se deba curar, Jesús pasa en medio de la gente extática y bendice a uno por uno. Emprende su caminata bajo un sol que se entibia bajo los frondosos árboles y el aire de los montes. Detrás, en grupo, los apóstoles hablan.

Conversan animadamente. «¡Qué discursos! ¡Hacen a uno temblar!» dice Bartolomé.

«Están llenos de tristeza. ¡Lo hacen a uno llorar!» suspira Andrés.

«Es su despedida. Tengo razón yo. Va derecho a su trono» exclama Judas Iscariote.

«¿Trono? ¡Uhm! Me parece que sus discursos hablan más bien de persecuciones que de honras» advierte Pedro.

«No hombre. Ya se acabó el tiempo de las persecuciones ¡Ah, que si soy feliz!» grita Iscariote.

«¡Mejor para tí! Más me gustan los días en que éramos unos desconocidos hace dos años... o cuando estábamos en Aguas Claras... Tengo miedo por los días que se nos vienen encima...» dice Juan.

«Porque tienes un corazón de cervatillo. Pero yo veo ya en el futuro... Cortejos... cantores... pueblo postrado... Honores que tributarán otros pueblos... ¡Oh, es la hora! Y vendrán los camellos de Madián [4] y las turbas de todas partes... y no serán los tres pobres Magos... sino una muchedumbre... Israel grande como Roma. Más que Roma... Las glorias de los Macabeos, de Salomón han quedado atrás... todas las glorias... El, el Rey de los reyes... y nosotros sus amigos... ¡Oh, Altísimo Dios! ¿Quién me dará fuerza para aquella hora?... ¡Si viviese todavía mi padre!...» Judas está exaltado. Irradia, pensando en el futuro en que sueña que vivirá...

Jesús va muy adelante. Se detiene ahora el futuro rey, según Judas, y sediento, toma agua de un riachuelo con sus manos y bebe como lo hace el pajarillo del bosque o el corderillo que pace. Luego se vuelve y dice: «Aquí hay frutos silvestres. Recojámoslos para calmar el hambre...»

«¿Tienes hambre, Maestro?» pregunta Zelote.

«Sí» confiesa humildemente Jesús.

«¡Apuesto a que ayer noche le diste todo a aquel pordiosero!» dice Pedro.

«¿Por qué no quisiste detenerte en Hebrón?» pregunta Felipe.

«Porque Dios me llama a otra parte. No lo sabéis.»

Los apóstoles se encogen de hombros y empiezan a recoger frutillas todavía agrias de árboles silvestres que hay por los montes.

[4] Cfr. Is. 60.

Parecen pequeñas manzanas. Y el Rey de los reyes se alimenta de ellas, y de lo mismo sus compañeros que hacen tamaños gestos en tragarse las frutillas. Jesús absorto, come y sonríe.

«Me causas hasta irritación» exclama Pedro.

«¿Por qué?»

«Porque podías haberte estado en Hebrón, cómodamente en Hebrón, y haber contentado a sus habitantes. Y ahora te aprietas el estómago y te chupas los dientes con este veneno amargo y ácido más que si fuera la parietaria.»

«¡Os tengo a vosotros que me amáis! Cuando sea Yo levantado, tendré sed y pensaré con ansias en esta hora, en este alimento, en vosotros que ahora estáis conmigo y que entonces...»

«Pero, entonces no tendrás ni sed, ni hambre. Un Rey tiene de todo. ¡Y nosotros estaremos muy cerca de tí!» exclama Iscariote.

«Tú lo dices.»

«¿Y Tú piensas, Maestro, que no será así?» pregunta Bartolomé.

«No, Bartolomé. Cuando te vi bajo la higuera, sus frutos eran tan agrios que si alguien hubiese tratado de comérselos, le hubiera ardido la lengua y le hubieran raspado la garganta... Pero más dulces que un panal de miel son los frutos de la higuera o de estos árboles en comparación a lo que me sabrá el momento cuando sea levantado... Vámonos...» Y se pone en camino. Va delante de todos, pensativo. Los doce le siguen haciendo comentarios en voz baja, haciendo comentarios...

88. Jesús se despide de Betsur

(Escrito el 9 de marzo de 1946)

Apenas si ha empezado el día cuando los infatigables viajeros llegan a la vista de Betsur. Vienen cansados, con sus vestidos arrugados del lugar sin duda incómodo donde durmieron. Con júbilo miran la pequeña ciudad que está ya cercana y donde seguramente encontrarán hospitalidad.

Los campesinos, que son los primeros en irse a sus faenas, ven a Jesús, y creen que vale la pena dejarlas así, regresar a la ciudad y escuchar al Maestro. Igual piensan los pastores, después de que le preguntaron si se detiene o no.

«Al atardecer me iré de Betsur» responde Jesús.

«¿Vas a hablar, Maestro?»

«Ciertamente.»

«¿Cuándo?»

«Ahora mismo.»

«Traemos nuestro ganado... ¿No podrías hablar aquí en la campiña? Las ovejas comerían hierba y nosotros no nos perderíamos tu palabra.»

«Seguidme. Hablaré en los pastizales que dan al norte. Primero voy a ver a Elisa.»

Los pastores con sus cayados hacen volver a las ovejas, y siguen a los demás. Atraviesan el poblado. Pero la noticia ya ha llegado a la casa de Elisa. En la plaza, que está enfrente a su hogar, están ella y Anastásica. Presentan sus respetos al Maestro como discípulas. Jesús las bendice.

«Entra a mi casa, Señor. La libraste del dolor, y cada uno de los que viven en ella, cada mueble de su ajuar te quiere dar alivio» dice Elisa.

«Lo sé, pero mira cuánta gente me sigue. Hablaré a todos, y después de las nueve, vendré a tu casa y me estaré en ella hasta el atardecer, en que me iré. Hablaremos entre nosotros...» promete Jesús a Elisa para consolarla, pues ella esperaba que la permanencia de Jesús fuese un poco más larga. Elisa, al ver la intención de Jesús, pone cara de desconsuelo; pero es buena y no replica más. Pide permiso sólo de dar órdenes a sus siervientes antes de ir con los demás, a donde va Jesús. Lo hace pronto. No es más la mujer abúlica del año pasado...

Jesús se encuentra en una extensa dehesa en la que el sol juguetea filtrándose entre la fronda deldaga de los altos árboles, que — si no me equivoco — son fresnos. Acaba de curar a un niño y a un anciano. El niño estaba enfermo de algo que traía dentro de su cuerpecito; el anciano estaba enfermo de los ojos. No se presentan a Jesús otros enfermos. Bendice a los pequeñuelos que le presentan sus madres. Pacientemente espera a que Elisa con Anastásica lleguen.

Ya están ahí. Jesús da principio a su discurso.

«Escucha, pueblo de Betsur.

El año pasado os dije qué cosa haya que hacer para ganar el Reino de Dios. Hoy os lo confirmo, para que no perdáis lo que ganasteis. Es la última vez que el Maestro os habla de este modo, en una asamblea en que no falta nadie. Después podré encontraros por casualidad [1], uno por uno, o en grupos pequeños, por los caminos de esta patria nuestra. Poco más tarde, después, os podré ver en mi Reino. No será nunca como lo es ahora.

En el porvenir os dirán muchas cosas de Mí, contra Mí, acerca de vosotros y contra vosotros. Os querrán infundir miedo.

Con Isaías os digo [2]: No tengáis miedo porque Yo os he redimido

[1] Cfr. vol. 1°, pág, 353, not. 2.
[2] Cfr. Is. 43, 1-25. Este trozo del profeta debe tenerse en cuenta para comprender todo este discurso.

y os he llamado por vuestro nombre. Sólo los que quieran abandonarme, tendrán razón de temer, pero no los que, permaneciendo fieles, son míos. No temáis. Sois míos y Yo soy vuestro. No las aguas de los ríos, ni las llamas de las hogueras, ni las piedras, ni la espada os podrán separar de Mí, a condición de que perseveréis en Mí; antes bien las llamas, las aguas, la espada y las piedras os unirán a Mí, y seréis otros Yo, y alcanzaréis mi premio. Estaré con vosotros en las horas de los tormentos, con vosotros en la prueba, con vosotros hasta la muerte; y luego nada nos podrá separar.

Oh, pueblo mío, pueblo a quien llamé y reuní; al que volveré a llamar y reunir mucho mejor cuando sea Yo elevado, atrayendo hacia Mí todo. Oh, pueblo elegido, pueblo santo, no tengas miedo, porque estoy, estaré contigo y tu me anunciarás, pueblo mío, y por esto vosotros que lo formáis seréis llamados mis ministros y desde ahora os doy la orden de decir al norte, al oriente, al occidente y al sur que devuelvan los hijos e hijas del Dios Creador, aún los que se encuentren en los confines del mundo, para que todos me conozcan como su Rey y me invoquen por mi verdadero Nombre, y consigan la gloria para la que fueron creados y sean la gloria de quien los hizo y formó.

Isaías dice que para creer las tribus y naciones invocarán los testimonios de mi gloria. ¿Y dónde podré encontrar testigos, si el Templo y el Palacio, si las castas que mandan me odian y mienten antes que querer decir que Yo Soy Quien Soy? ¿Dónde los encontraré? ¡He aquí, oh Dios, mis testigos! Son éstos a quienes instruí en la Ley, éstos a quienes curé en el cuerpo y en el alma, éstos que estaban ciegos y que ahora ven; sordos y que ahora oyen; mudos y que ahora saben pronunciar tu Nombre; éstos que eran los oprimidos y ahora son libres; todos, todos éstos para quienes tu Verbo ha sido Luz, Verdad, Camino, Vida.

Vosotros sois mis testigos, los siervos que elegí para que conozcáis y creáis, y entendáis que Soy en realidad Yo. Yo soy el Señor, el Salvador. Creedlo por vuestro bien. Fuera de Mí no hay otro que sea el Salvador. Procurad creer en ésto, pese a toda insinuación humana o satánica. No hagáis caso de cualquier otra cosa que os diga otra boca que no sea la mía, y que no sea conforme a mis palabras. Rechazad cualquiera enseñanza contraria que en el porvenir os fuese dicha. Responded a quien quiesiere haceros abjurar del Mesías: "Sus obras hablan a nuestro corazón", y perseverad en la fe.

Me he esforzado en daros una fe intrépida. Curé a vuestros enfermos; curé vuestros dolores. Como un Maestro bueno os instruí, y como un Amigo en quien se tiene confianza, departí el pan y departí la bebida con vosotros. Estas obras las puede hacer también un santo y un profeta. Haré otras, y tales que os quitarán cualquier duda que las tinieblas puedan suscitar, a la manera que el torbellino levanta nubes que se convierten en tempestad en un cielo sereno de estío. Defendeos de la tempestad, permaneciendo firmes en la caridad por amor a vuestro Jesús, por Mí que dejé al Padre [3] para venir a salvaros y que entregaré mi vida para daros la salvación.

Vosotros, vosotros a quienes he amado y amo más que a Mí mismo, porque no hay amor más grande que el de inmolarse por el bien de aquellos a quienes se ama. No tratéis de ser inferiores a los que Isaías llama bestias salvajes, dragones y avestruces, esto es, gentiles, idólatras, paganos, inmundos, los cuales dirán cuando hubiere mostrado la potencia de mi amor y de mi Naturaleza al vencer Yo sólo la muerte — cosa que podrá comprobarse, y que nadie, que no sea la mentira misma, podrá negar — dirán: "El era el Hijo de Dios". Y, venciendo los obstáculos, al parecer infranqueables, de siglos y siglos de paganismo inmundo, de tinieblas, de vicio, vendrán a la Luz, a la Fuente, a la Vida. No seáis como muchos de Israel que no me ofrecen holocausto, que no me honran con sus víctimas, sino que me afligen con sus iniquidades y me hacen víctima de su duro corazón; y corresponden a mi amor, que perdona, con un odio oculto que me pone zancadilla para que caiga, y así pueden decir: "¿Lo estáis viendo? Cayó porque Dios lo fulminó".

Habitantes de Betsur, sed fuertes. Amad mi Palabra porque es verdadera, y mi Señal porque es santa. El Señor esté siempre con vosotros y vosotros con los siervos del Señor. Todos unidos. Para que cada uno de vosotros esté donde Yo voy y haya una mansión eterna en el cielo para todos los que, superada la tribulación y vencido en la batalla, mueran en el Señor y en El resuciten para siempre.»

«Pero ¿qué has querido decir, Señor? Gritos de triunfo y gritos de dolor ha sido tu discurso» preguntan varios de los de Betsur.

«Parece como si estuvieses rodeado de enemigos» dicen otros.

«Y como que si también nosotros lo estuviésemos» dicen otros.

«¿Qué te espera en tu futuro?» preguntan los de más allá.

«¡La gloria!» grita Judas de Keriot.

«¡La muerte!» suspira Elisa con lágrimas en los ojos.

«La Redención. El término de mi misión. No tengáis miedo. No lloréis. Amadme. Soy feliz de ser el Redentor. Ven, Elisa. Vamos a tu casa...» Y es el primero en abrirse paso entre la gente que está presa de emociones opuestas.

«¿Señor, por qué siempre estos discursos?» protesta Judas con aire como de reprehensión. Y añade: «No son propios de un rey.»

Jesús no le responde. Se dirige más bien a su primo Santiago que

[3] Cfr. vol. 1°, pág. 766, not. 5.

le pregunta con los ojos llenos de lágrimas: «¿Por qué, hermano, citas siempre trozos del Libro cuando te despides?»

«Para que el que me acuse no diga que deliro o blasfemo, y para que el que no quiere darse cuenta de la realidad de las cosas, comprenda que la Revelación siempre me ha presentado como Rey de un reino que *no es humano*, sino que se delinea, se construye y se cimienta con la inmolación de la Víctima, de la Unica Víctima que puede volver a crear el Reino de los cielos que Satanás y los primeros padres destruyeron. La soberbia, el odio, la mentira, la lujuria, la desobediencia, lo hicieron. La humildad, la obediencia, el amor, la pureza, el sacrificio lo reconstruirán... No llores, mujer. A los que amas y esperan, suspiran por la hora de mi inmolación...»

Entran en la casa, y mientras los apóstoles descansan y comen Jesús se dirige al bello jardín, donde Elisa le dice: «Maestro, soy la única en saber que Juana te quiere hablar en secreto. Me mandó a Jonatás. Dijo: "¿Por algo muy grave?". Ni siquiera la hija que me diste — y por ello sé siempre bendito — lo sabe. Juana mandó a varios sirvientes a que te buscasen por todas partes, pero no te encontraron...»

«Estaba muy lejos, y hubiera ido mucho más, si mi corazón no me hubiese empujado a regresar... Elisa, vendrás conmigo y con Zelote. Los otros se quedarán por dos días descansando y luego irán a Béter. Tu regresarás con Jonatás.»

«Sí, Señor mío...» Elisa lo mira con ojos maternales, lo contempla con ansias... No es capaz de contener su pregunta: «¿Sufres, verdad?»

Jesús sacude la cabeza sin que sea una señal clara de que lo niegue, pero sí de desconsuelo evidente.

«Soy una mujer que fui madre... Tu eres mi Dios... pero... ¡Oh, Señor mío! ¿Qué crees que quiera Juana? Hablaste de muerte, y lo he comprendido, porque en el Templo las vírgenes leían mucho las Escrituras donde se habla de Tí, Salvador, y me acuerdo de las palabras. Hablaste de muerte y tu rostro resplandecía de gloria celestial... Ahora ya no resplandece... María para mí fue como una hija... y Tú eres su Hijo... Por esto, si no peco en decírtelo, te considero como un poco hijo mío... Tu madre está lejos... Pero tienes a una madre a tu lado. Bendito de Dios ¿no puedo aliviar tu aflicción?»

«Lo estás haciendo con amarme. Que ¿qué pienso que me dirá Juana? Mi vida es como este rosal. Vosotras las discípulas buenas sois las rosas. Pero cortad las rosas y ¿qué queda? Espinas...»

«Te seremos fieles hasta la muerte.»

«Es verdad. Hasta la muerte. Y el Padre os bendecirá por el consuelo que me brindáis. Vamos adentro. Descansemos. Al atardecer partiremos para Béter.»

89. En Béter

(Escrito el 12 de marzo de 1946)

Jesús, a quien sigue Zelote que lleva de las riendas el asno sobre el que viene montada Elisa, llama a la puerta del jardín de Béter. No tomaron el camino de la vez anterior. Llegaron a las posesiones de Juana por el pequeño poblado derramado por las pendientes occidentales del monte sobre el que se yergue el castillo.

El guardián, que reconoce al Señor, se apresura a abrir el cancel, que está al lado de su casita, y que conduce al jardín situado frente a las habitaciones, y que es el principio de ese lugar de ensueño, el jardín de rosas de Juana. Un intenso aroma de rosas frescas, y de esencia de rosas llena el aire cálido del crepúsculo, y cuando llegan las primeras brisas de la noche, que vienen del oriente, la brisa pasa haciendo ondular los rosales en flor; y el aroma es más fuerte, más fresco, porque sopla de oteros en que hay rosales, y el perfume de esencia que emana de un tinglado bajo y largo contra el muro occidental es fuertísimo.

El guardián dice: «Mi patrona está allí. Cada tarde se va allá, a donde se reúnen los cortadores y los que trabajan en la esencia, y les habla, les pregunta, los cura, los consuela. Siempre fue buena nuestra patrona, y ahora mucho más, desde que es tu discípula... Voy a llamarla... En este tiempo hay mucho trabajo, y los cortadores de costumbre no se dan abasto, aun cuando desde Pascua hayan aumentado nuevos trabajadores y trabajadoras que ha tomado a su servicio. Espérame, Señor...»

«No. Voy Yo mismo. Dios te bendiga y te dé su paz» dice Jesús, levantando la mano para bendecir al viejo guardián, a quien pacientemente escuchó. Lo deja y se dirige al tinglado bajo y largo.

El ruido de los pasos en la tierra dura de la vereda hacen que Matías levante su cabecita por curiosidad y dando un grito se lanza afuera con los brazos abiertos y en alto, pidiendo su abrazo. «¡Llegó Jesús! ¡Llegó Jesús!» grita. Cuando está en los brazos de Jesús que lo besa, se asoma Juana en medio de sus trabajadores.

«¡El Señor!» grita a su vez, y cae de rodillas en el lugar donde se encuentra para venerarlo. Se levanta. Su cara refleja emoción pintada de un color púrpura ligero, cual de una rosa viva. Se acerca a Jesús. Se postra una vez más y le besa los pies.

«Las paz sea contigo, Juana. ¿Querías hablarme? Heme aquí.»

«Sí, Señor...» Juana se pone pálida y seria. Jesús lo nota.

«Levántate. ¿Está bien Cusa?»

«Sí, Señor mío.»

«Y la pequeña María ¿dónde está que no la veo?»

«También está bien, Señor... Fue con Ester a traer medicinas pa-

ra un sirviente enfermo.»
«¿Por el siervo me mandaste llamar?»
«No, Señor... Por... Tí.» Se ve claramente que Juana no quiere hablar en presencia de todos los que le rodean.
Jesús lo comprende y dice: «Está bien. Vamos a ver tus rosales...»
«Estarás cansado, Señor. Tendrás apetito... y sed...»
«No. Durante las horas de calor nos detuvimos en la casa de uno de los discípulos de los pastores. No estoy cansado...»
«Entonces, vamos... Jonatás, prepararás todo para el Señor y para quienes vinieron con El... Bájate, Matías...» dice al mayordomo que respetuoso está cerca de ella y al pequeñuelo que de los brazos de Jesús ha hecho un nido, y tiene reclinada su cabecita negruzca sobre el cuello de Jesús, como un palomito bajo el ala paterna. El niño no quisiera, pero se apresura a obedecer.
Jesús dice: «Que se quede. Vendrá con nosotros y no nos dará molestia. Será el pequeño ángel ante quien no puede hacerse o decir cosa que no este bien, y que hará que no haya ninguna sospecha en los corazones. Vamos...»
«¿Maestro, quieres que Elisa y yo entremos adentro, o que estemos contigo?» pregunta Zelote.
«Podéis entrar.»
Juana lleva a Jesús a través de la larga avenida que divide el jardín. Se va por los rosales que bajan y suben por las pendientes que son las posesiones en flor de la discípula. Juana sigue adelante. Como si quisiera en realidad estar sola donde haya tan sólo rosales y árboles, pajarillos entre las ramas que se pelean por tener un lugar donde pasar la noche, o que dan las ultimas pinceladas a sus nidos.
Las rosas que mañana se habrán abierto completamente, y que caerán bajo las tijeras de los cortadores, esparcen un fuerte perfume antes de descansar bajo el rocío. Se detienen en un vallejuelo entre dos dobladuras del terreno, sobre el que a festones ríen de un lado rosas encarnadas, y del otro rosas como con manchas de sangre. Hay allí una piedra que hace de silla, y sirve para que sobre ella pongan los cortadores los cestos. Se ven rosas y pétalos tirados entre la hierba y sobre la piedra, lo que es prueba de que trabajaron este día.
Juana, con su mano en que se ven los anillos, retira de la piedra las flores y pétalos que había y dice: «Siéntate, Maestro. Debo hablarte y largamente.»
Jesús se sienta y Matías se pone a correr aquí y allá sobre la hierba, hasta que encuentra algo que le llama la atención: un gordo sapo, que vino a tomar el aire fresco de la tarde. Echando gritítos y saltos de alegría va y viene detrás del pobre sapo, hasta que ve un nido de grillos y cogiendo un palito se pone a sacarlos.
«Juana, estoy aquí para escucharte... ¿No hablas?» pregunta Je-

sús después de algunos momentos de silencio. Deja de mirar al niño para mirar a la discípula que está delante de El, de pie, seria y silenciosa.

«Sí, Maestro. Pero... es muy difícil... y creo que te vaya a hacer sufrir.»

«Habla con sencillez y confiadamente.»

Juana se deja caer sobre la hierba, y doblando sus piernas, se sienta sobre calcañales. Está abajo respecto de Jesús que está sentado sobre la piedra, austero y rígido, como si estuviese separado por varios metros de la mujer, y cercano a ella como Dios y Amigo por su bondad en la mirada y en el rostro. Juana lo mira, lo mira en el crepúsculo suave de una tarde de mayo. Finalmente abre su boca: «Señor mío... antes de hablar... tendría necesidad de preguntarte... de conocer tu pensamiento... de comprender si me he equivocado en entender tus palabras... Soy una mujer y una mujer tonta... tal vez soñé... y sólo ahora conozco la realidad de las cosas... de las cosas como las dices, como las preparas, como las quieres que sean para tu Reino... Tal vez tenga razón Cusa... y yo esté equivocada...»

«¿Te ha regañado Cusa?»

«Sí y no, Señor. Sólo me dijo, aprovechando su derecho de marido, que si los últimos hechos son como lo hacen pensar, *debo* dejarte, porque él que es un dignatario de la corte de Herodes, no puede permitir que su mujer conspire contra el rey.»

«Pero ¿cuándo has conspirado? ¿Quién piensa en hacer daño a Herodes? Su pobre trono, tan despreciable, vale menos que este asiento de piedra entre los rosales. Aquí me siento, en el suyo jamás. Tranquiliza a Cusa. Ni el trono de Herodes, ni siquiera el de César me provocan para nada. ¡No son estos mis tronos, ni estos mis reinos!»

«¡Oh, sí, Señor! ¡Seas bendito! ¡Qué paz me das! Hace días que sufro por esto. Maestro mío, santo y divino, querido Maestro mío, mi Maestro de siempre como te entendí, te vi, te he amado, como en el que he creído, tan alto, tan superior a la tierra; así, así, divino, Señor mío y Rey celestial.» Y Juana toma una mano de Jesús, le besa respetuosamente el dorso, poniéndose de rodillas, como en adoración.

«¿Pero qué pasó? ¿Es capaz de turbarte una cosa que Yo ignoro [1], de empañar en tí la limpidez de mi figura moral y espiritual? Habla.»

«Maestro, los humos del error, de la soberbia, de la ambición, de la testarudez se levantaron como de fétidos cráteres y te han empañado en el concepto en que te tenían algunos, algunas... y lo mismo quería suceder en mí. Pero yo soy tu Juana, tu beneficiada,

[1] Cfr. vol. 1°, pág. 356, not. 7; pág. 428, not. 15.

oh Dios. No me habría extraviado; por lo menos así lo espero, conociendo cuán bueno es Dios. Pero quien no es más que una pequeñez de corazón que lucha por formarse, puede muy bien morir por un desengaño. Quien trata de salir de un mar de fango, de un mar de fuerzas violentas, por llegar al puerto, a la playa para purificarse, conocer los lugares de paz, de justicia, el cansancio puede vencerlo, si pierde la confianza en esta playa, en estos lugares, y dejar que las corrientes, que el fango lo arrebaten. Sentía dolores, me sentía torturar al pensar en la ruina de las almas, para las que impetro tu Luz. Las almas que instruímos para la Luz eterna son mucho más queridas que los cuerpos que damos a luz. Ahora comprendo qué significa ser madre de un cuerpo humano, y madre de un alma. Lloramos por la creaturita que se nos muere; pero es sólo *nuestro* dolor. Por un alma que tratamos de que crezca en tu Luz y que se muere, se sufre no sólo por nosotras, sino contigo, con Dios... porque en el dolor que experimentamos con la muerte espiritual de un alma está también tu dolor, tu infinito dolor de Dios... No sé si me explico bien...»

«¡Y muy bien! Pero habla con orden, si quieres que te consuele.»

«Sí, Maestro. Mandaste a Simón Zelote y a Judas de Keriot a Betania ¿no es verdad? Fue por esa niña hebrea que las romanas te regalaron y que Tú enviaste a Nique...»

«Así, ¿y qué?...»

«Ella quiso despedirse de sus buenas patronas, y Simón y Judas la acompañaron a la Antonia. ¿Lo sabías?»

«Sí, ¿y luego?»

«Maestro... debo darte un dolor... ¿Maestro, verdad que no eres sino más que un Rey del espíritu, y que no piensas en reinos terrenales?»

«Exacto, Juana. ¿Cómo puedes pensarlo de otro modo?»

«No quiero pensarlo, Maestro, para tener nuevamente la alegría de verte divino, sólo divino. Pero, porque eres tal debo darte un dolor... Maestro, el hombre de Keriot no te entiende, y no entiende a quien te respeta como a un sabio, a un gran filósofo, como a la Virtud existente sobre la tierra, y que sólo por esto te admira y dice ser tu protectora. Es extraño que haya paganas que comprendan lo que un apóstol tuyo no ha comprendido después de estar tanto tiempo contigo...»

«Lo ciega su ser humano, su amor humano.»

«Lo excusas... pero te causa daño, Maestro. Mientras Simón habló con Plautina, con Lidia y con Valeria, Judas habló con Claudia, en tu nombre, como tu embajador. Le quiso arrancar la promesa de un restablecimiento del reino de Israel. Claudia le hizo *muchas* preguntas... El habló *mucho*. Ciertamente que piensa encontrarse en los umbrales de su necio sueño, donde este se cambia en realidad. Maestro, Claudia está irritada por esto. Es hija de Roma... Lleva el imperio en sus venas... ¿Se puede por ventura pretender que ella, hija de los Claudios, combata contra Roma? Se sintió tan airada que duda de Tí, de la santidad de tu doctrina. Ella no puede comprender la santidad de tu Origen... Pero llegará, porque hay en ella buena voluntad. Llegará cuando se le asegure acerca de tus intenciones. Por ahora apareces a sus ojos como un rebelde, un usurpador, un ambicioso, un falso... Plautina y las otras mujeres han tratado de disuadirla... pero ella quiere una respuesta inmediata, que salga de Tí.»

«Dile que no tema. Yo soy Rey de reyes, El que los crea y juzga; y que no tendré un trono que no sea el del Cordero, primero inmolado, y luego triunfante en el cielo. Hazle saber al punto.»

«Sí, Maestro. Iré yo personalmente, antes de que salgan de Jerusalén porque Claudia está tan indignada que no quiere quedarse un momento más en la torre Antonia... para no... encontrarse con los enemigos de Roma, dice.»

«¿Quién te lo dijo?»

«Plautina y Lidia. Vinieron aquí... y Cusa estaba presente... y luego... me puso el dilema. O Tú eres el mesías espiritual o yo debo de abandonarte.»

Jesús sonríe cansadamente. Su rostro está pálido por lo que acaba de oir de Juana. Dice: «¿No viene Cusa aquí?»

«Mañana, sábado, vendrá.»

«Yo lo tranquilizaré. No temas. Que nadie se preocupe de algo. Ni Cusa por su puesto en la corte; ni Herodes de una eventual usurpación; ni Claudia por amor de Roma; ni tu tengas miedo de ser engañada, ni de que vayas a separarte... Nadie debe de temer... Yo sólo debo temer... y sufrir...»

«Maestro, no quería darte este dolor. Pero quedarme callada, habría sido un engaño... ¿Cómo te vas a conducir con Judas?... Tengo miedo por Tí... siempre por Tí, de sus reacciones...»

«Me comportaré lealmente. Le haré comprender que sé todo, y que desapruebo sus acciones y su terquedad.»

«Me odiará porque comprenderá que te enteraste por mí...»

«¿Te aflige eso?»

«Que me odiases me afligiría, no él. Soy una mujer, pero con mayor valor que él para servirte. Te sirvo porque te amo, no por obtener honores de Tí. Si el día de mañana perdiese por tu causa las riquezas, el amor de mi esposo, y aun la libertad y la vida, te amaría mucho más, porque entonces no tendría a quien amar más que a Tí, y no tendría sino a Tí que me amaras» dice Juana impulsivamente, poniéndose de pie.

También Jesús se pone de pie y dice: «Sé bendita, Juana, por estas palabras. Quédate en paz. Ni el odio, ni el amor de Judas pueden alterar lo que está escrito en el cielo [2]. Mi misión se realizará como está decidido. No tengas jamás remordimientos. Quédate tranquila como Matías, que después de haber quedido hacer una casa, según él, la más hermosa para su grillo, se ha quedado dormido con la frente sobre pétalos y sonríe... creyendo que la tiene sobre rosas. Cuando es uno inocente la vida es hermosa. También Yo sonrío, aun cuando la vida humana no tenga flores, sino pétales caídos, marchitos. Pero en el cielo tendré todas las rosas que serán los salvados... Ven... Ya empezó a oscurecer, y todavía podemos distinguer el sendero.»

Juana quiere tomar al niño en brazos.

«Déjalo... Yo lo hago. ¡Mira cómo sonríe! Ciertamente que sueña en cielo, en su mamá, en tí... También Yo, en mis penas diarias, sueño en el cielo, en mi Mamá y en las buenas discípulas.»

Se dirigen despacio a la casa...

[2] Cfr. vol. 2°, pág. 644, not. 3.

90. Jesús con Pedro y Bartolomé en Béter

(Escrito el 13 de marzo de 1946)

Jesús pasea por entre los vergeles de rosas donde los cortadores trabajan y así encuentra modo de hablar con este, con aquel, y con la mujer viuda y con sus hijos que Juana tomó como sirvienta, en la Pascua, después del banquete, por amor a El. No parecen ser los de aquellos días. Se les ve el vigor en el cuerpo, la serenidad en la cara. Cumplen alegres su trabajo; cada uno según su capacidad. Los más pequeños, que todavía no saben distinguir entre una rosa y la otra, por su color, frescura, exquisitez, juegan con otros compañeritos, y sus vocecillas se confunden con los gorgoritos de los polluelos que pían en las ramas de los árboles saludando a sus padres que regresan con la presa en el pico.

Jesús se dirige a esta nidada humana, se agacha, se interesa por lo que hacen, acaricia, no los deja que se peleen, levanta al que se cayó y sucio de tierra en la carita y en las manos lloriquea. Los llantos, las peleas, las envidias desaparecen bajo la caricia y la palabra de Jesús, y terminan algunas veces con ofrecerle el objeto que pudo haber sido la culpa de la competencia, riña o caída, como lo es el escarabajo de concha dorada, la piedra de colores y brillante, la flor caída al suelo... Jesús tiene las manos llenas y la cintura, y hace que no vean cuando deja en libertad a los escarabajos y a las mariquitas. Muchas veces he visto el tacto perfecto de Jesús, aun para con los pequeñuelos, en no causarles pena, ni en engañarlos. Tiene el arte y el encanto de hacer que sean mejores y de que le amen aparentemente por cualquier cosa, pero en realidad son exquisiteces de amor que se adapta a la pequeñez del niño...

Como conmigo. Siempre me ha tratado como a un «niño» para mejorar mi miseria, para hacerse amar. Después de que lo amé con todo mi ser, me tomó de la mano, me trató como adulta, sordo a mis súplicas de que: «¿No ves que no sirvo para nada?» Sonrió y me obligó a hacer cosas propias de personas de edad... Sólo cuando la pobrecita María está llena de aflicciones, vuelve Jesús a ser el Jesús de los niños para con mi pobre alma, tan inútil, y se contenta con... mis escarabajos, piedrecitas... florecillas... con lo que logro darle... y me dice que le gustan... que me ama porque soy «la nada que se fía, se pierde en el Todo.»

¡Mi Jesús amado, amado hasta la locura! ¡Amado con todo mi ser! Sí que puedo proclamarlo. En la vigilia de mis 49 años de edad, al examinarme atentamente, a la vigilia del juicio humano acerca de la obra que he ecrito como portavoz, al escudriñar mi corazón, toda mi persona para descifrar las palabras verdaderas que existen en mí, puedo decir ahora que amo, que comprendo amar con todo mi ser a mi Dios. Han sido necesarios 48 años para que llegase a este amor total, amor tan grande que no tengo ni un pensamiento de temor personal en el caso de una condenación, sino sólo una inmensa preocupación por lo que pudiere suceder a las almas que he llevado a Dios, que están convencidas de haber sido redimidas por Jesús que vive en mí, y que se separarían de la Iglesia, anillo de unión entre el género humano y Dios. Dirán algunos: «¿No te avergüenzas de habernos tenido así?» No. Que no me avergüenzo. Era yo tan débil, una nada, que os he tenido todo este tiempo. Por otra parte estoy convencida de que os he tenido el tiempo que Jesús ha querido. Ni un minuto de más, ni uno de menos; porque, puedo afirmar, que desde que empecé a entender qué cosa sea Dios, no le he negado nada. Desde cuando llegué a la edad de cuatro años, *lo sentía omnipresente,* creía que estaba sobre la madera del respaldo de mi sillita, y le pedía excusa de volverle la espalda y de apoyarme sobre El; desde la edad de cuatro años, hasta en el sueño pensaba que nuestros pecados lo habían herido y matado; y me levantaba sobre mi camita, le pedía, vestidita con mi camisita de noche, sin mirar ninguna imagen, sino tan sólo volviéndome a mi Amado que había muerto por nosotros, y le suplicaba: «¡No fui yo! ¡No fui yo! ¡Haz que muera pero no digas que yo te herí?» Tú lo sabes, Amor mío. Conoces mis ansias. Ninguna de ellas ignoras... Tú sabes que tan sólo bastaba entrever algo que querías, que al punto tu María lo aceptaba. Lo mismo que cuando me proponías que te diese mi amor de novia — y así fue en la Navidad del '21, en que reafirmé dártelo — el amor por mis padres, la vida, la salud, el bienestar... y de convertirme cada vez más en un «nada» en la vida social, un deshecho que el mundo mira con compasión y desdén, una que no puede valerse por sí misma para tomar un vaso de agua y aplacar la sed, una enclavada como Tú, como Tú, y ¡cómo deseé serlo! ¡cómo quisiera volver a serlo si me curases!

Todo. La creatura que no es nada, ha dado todo, todo su ser... Y también ahora, también ahora, que puedo ser mal comprendida, mal juzgada, que se me puede prohibir el contacto con los sacramentos, sentenciárseme ¿qué puedo decirte? «Dáteme a mí, dame tu gracia. Todo lo demás no es nada. Tan sólo te ruego que no me quites tu amor y que no permitas que los que te entregué, vuelvan a caer en las tinieblas.»

¿Pero, a dónde he ido a parar, Sol mío, mientras Tú andas entre los rosales? A dónde me lleva mi corazón, que se ha esforzado en amarte. Y palpita, y prende la sangre de mis venas. La gente dirá: «Tiene fiebre y cardiopalmo.» No es eso, lo que pasa es que esta mañana has llegado a mí con la fuerza de un huracán de amor, y yo... yo hago que no sea nada, para que penetres en mí, y no reflexiono más como creatura, sino que pruebo lo que debe ser vivir como un serafín... y ardo y deliro y te amo, te amo. ¡Ten piedad de mí por tu amor! ¡Piedad si quieres que viva todavía para servirte, oh Amor divinisímo, eterno! ¡Oh Amor dulcísimo, Oh Amor de los Cielos y de la Creado, Dios,

Dios, Dios!...

¡Pero no, que no haya piedad! Antes bien, mucho más; sí, mucho más; hasta la muerte en la hoguera del amor. ¡Fundámonos! ¡Amémonos! Hasta que esté en el Padre, como dijiste al rogar por nosotros: «Que estén (los que me aman) donde nosotros estemos. *Una sola cosa.»* [1].

¡*Una sola cosa!* He aquí una de las palabras del Evangelio que me han hecho ahondar en un abismo de adoración amorosa.

¡Qué pediste por nosotros, Divino Maestro mío y Redentor! ¡Qué cosa pediste, oh Divino insensato de amor! Que nosotros *seamos una sola cosa* contigo, con el Padre, con el Espíritu Santo; porque quien esté en Uno, está en los tres, oh indivisible, y con todo, libérrima Trinidad del Dios Uno y Trino.

¡Bendito! ¡Bendito! ¡Bendito con todo el anhelo de mi corazón!... Pero continuemos la visión porque estoy

viendo que a paso veloz, tanto que sus vestidos se agitan al aire como agita la vela de una barca, Pedro avanza. Le sigue Bartolomé más calmado.

Cae a las espaldas del Maestro que está agachado, acariciando a los pequeñuelos, hijos sin duda alguna de los cortadores de flores, quienes los pusieron en colchonetitas para que les de pegue el aire de los árboles. «¡Maestro!»

«¿Simón, por qué aquí? ¿Y también tú, Bartolomé? Mañana por la tarde deberíais de partir, después del crepúsculo del sábado...»

«Maestro, no nos regañes... Escucha primero.»

«Hablad. No os regaño, porque pienso que desobedecisteis por un motivo grave. Decidme para tranquilizarme que ninguno de vosotros está enfermo o herido.»

«No, Señor. Ninguna desgracia nos ha sobrevenido» se apresura a decir Bartolomé. Pero Pedro, siempre sincero y siempre impetuoso dice: «¡Uhm! Por mi parte diría que hubiera sido mejor que todos nos hubiésemos quebrado las piernas, hasta la cabeza, si quieres, antes que...»

«¡Antes que! ¿Qué pasó?»

«Maestro, pensamos que era mejor venir para terminar con...» empieza a decir Bartolomé, cuando lo interrumpe Pedro: «¡Pero, dile más aprisa!» Y concluye: «Judas se ha hecho como un demonio, apenas partiste. No se podía hablar con él, ni razonar. Se peleó con todos... Y ha escandalizado a todos los sirvientes de Elisa y a otros más...»

«Tal vez se puso celoso porque te trajiste a Simón...» dice Bartolomé como excusando, al ver que el rostro de Jesús se ha puesto enérgico.

«No es cuestión de celos. Déjate de excusarlo... O me peleo contigo por no haberme desahogado con él... Pues, Maestro, logré tener callada la boca. ¡Piénsalo! ¡Tuve la boca callada! Por obediencia y porque te amo... Pero ¡si me costó! Bien. En un momento en que

[1] Cfr. Ju. 17, especialmente v. 21.

Judas salió golpeando las puertas, tomamos nuestra decisión... y pensamos que era mejor irnos para poner fin al escándalo en Betsur... y evitar que... lo cacheteásemos... Bartolomé y yo nos salimos al punto. Les dije a los otros que me permitiesen venirme, antes de que regresase... porque... sentía que no podía aguantarme más... Bueno, ya dije todo. Ahora regáñame si crees que me equivoqué.»

«Hiciste bien, como también los demás.»

«¿También Judas? ¡Oh, no Señor mío! ¡No lo digas! Dió un espectáculo indigno.»

«El no hizo bien. Pero no lo juzgues.»

«...No, Señor...» El «no» le sale a Pedro con un gran esfuerzo. Se hace un silencio. Luego Pedro pregunta: «¿Pero, puedes decirme al menos por qué Judas de un solo golpe se ha hecho así? ¡Parecía haberse hecho tan bueno! ¡Estábamos tan bien! De mi parte he ofrecido oraciones y sacrificios para que continuase así... Porque no puedo verte afligido. Y Tú te afliges mucho cuando nos pasa algo... A partir de las Encenias sé que hasta una cucharada de miel tiene valor... Tuvo que enseñárme esta verdad un discípulo, el discípulo más pequeño, un pobre niño, a mí que soy un tonto apóstol tuyo. Pero no la olvidé, porque he visto sus frutos; porque he comprendido también yo, que soy una calabaza, a la luz de la Sabiduría que benigna se ha inclinado sobre mí, que ha descendido hasta mí, rústico pescador, hombre pecador. Comprendí que hay que amarte no sólo con las palabras, sino salvando las almas con nuestro sacrificio, para darte alegría; para no verte como estás ahora, como estabas en scebat, tan pálido y triste, Señor y Maestro mío, que no somos dignos de tenerte; que no te comprendemos, nosotros que somos gusanos ante Tí, Hijo de Dios; que somos fango ante Tí, Estrella; nosotros que somos oscuridad ante Tí, que eres Luz. Pero de nada sirvió. Es la verdad. Mis pobres oblaciones... tan pobres... tan malhechas... ¿Para qué sirvieron? Soberbiamente creí, que te podían servir para algo... Perdóname. Te he dado cuanto tengo. Me he ofrecido para darte cuanto poseo. Creía haberme justificado porque te he amado, oh Dios mío, con *todo* mi ser, con todo mi corazón, con toda mi alma, con todas mis fuerzas, como está mandado [2]. Ahora comprendo también ésto y también lo afirmo como lo asegura siempre Juan, nuestro ángel, y te ruego (se arrodilla a los pies de Jesús) que aumentes tu amor en tu pobre Simón, para que aumente mi amor por Tí, Dios mío.» Pedro se arrodilla a besar los pies de Jesús, y así se queda. Bartolomé, que ha quedado sorprendido de las palabras de Pedro y las ha aprobado, lo imita.

«Levantaos, amigos. Mi amor crece siempre en vosotros, y crece-

[2] Cfr. Deut. 6, 4.

rá cada vez más. Sed benditos por el corazón que tenéis. ¿Cuándo llegarán los demás?»

«Antes del crepúsculo.»

«Está bien. También Juana, Elisa y Cusa regresarán antes del crepúsculo. Pasaremos aquí el sábado y luego partiremos.»

«Sí, Señor. ¿Por qué te llamó Juana con tanta urgencia? ¿No pudo haber esperado? Estaba dicho que vendríamos aquí. Su imprudencia nos hizo este infortunado mal...»

«No la acuses, Simón de Jonás. Obró prudentemente y por amor. Me llamó porque había almas a las que se debía reafirmar en su buena voluntad.»

«¡Ah, entonces no chisto ni una palabra más!... ¿Pero, Señor, por qué Judas ha cambiado así?»

«¡No te preocupes de ello! ¡No te preocupes! Goza de este paraíso que es flor y que es paz. Goza de tu Señor. Olvídate de lo que es el hombre bajo todos sus aspectos más horrorosos, de lo que hace sufrir al corazón de tu pobre compañero. Acuérdate sólo de rogar por él, y mucho, mucho. Venid. Vamos con aquellos pequeñuelos que nos miran espantados. Hace poco les estaba hablando de Dios; de corazón a corazón; con amor; y a los más grandecillos les hablaba de las bellezas de Dios...» Toma del cordón que traen los apóstoles a la cintura, y se dirige con ellos a un círculo de niños que lo están esperando.

91. Jesús se despide de Béter

(Escrito el 16 de marzo de 1946)

No sé como lograré a escribir. ¡Estoy tan acabada con los continuos ataques cardíacos de día y de noche!... Pero veo y debo escribir.

Estoy viendo a Jesús ante el palacio de Juana en Béter. El jardín situado ante de la casa se alarga, formando como dos alas verdes a la manera de tenazas. Forman una plazuela semicircular, en cuyo centro no hay árboles; en su periferia los hay muy altos, viejos y frondosos que se mueven levemente a la caricia de la brisa que sopla en las cimas de las colinas y proyectan su sombra benigna para protegerse del sol cuando está en el occidente. Bajo los árboles hay un seto de rosas que ofrece sus colores y fragancia. Está próximo el crepúsculo porque se ve claramente que el sol desciende en medio de un arco, pues el castillo está en un lugar elevado, y que va a esconderse detrás de los montes que están más allá. Andrés hace señas a Felipe recordando el miedo que tuvieron en Betginna cuando anunciaron al Señor. Se colige que sobre estos montes está Betginna donde el Señor, hace un año, curó a la hija del hospedero, cuando empezaba su peregrinación hacia las costas mediterráneas, si es que mal no recuerdo. Estoy sola. No puedo ver los cuadernos para confrontar lo que estoy diciendo, y mi cabeza apenas si puede recordar algo.

Todos los apóstoles están presentes. No sé cómo tuvo lugar el encuentro entre Jesús y Judas. Parece que se desenvolvió en la mejor manera posible, porque no noto inquietud y sobresalto en las caras, y Judas se muestra desenvuelto, alegre, como si nada hubiese pasado; de modo que muestra toda educación aun con los más humildes, cosa muy difícil para él, que se retira cuando se siente intranquilo.

Todavía está Elisa, y con ella su sirvienta y Anastásica que de seguro vinieron con los apóstoles. Está también Cusa, que se deshace en obsequios, y que tiene de la mano a Matías. Juana, que está al lado de Elisa, tiene a María a su lado. Jonatás está detrás de su patrona.

Han puesto una tienda de cuerdas y palos para que defienda a Jesús del sol que viene del poniente, algo así como un baldaquín. Todos los siervos y jardineros de Béter y hasta los que antes no habían estado allí, los que fueron contratados por la temporada, están reunidos allí. El grupo de árboles en semicírculo les da aire, los defiende del sol. Ellos, silenciosos, en línea, esperan la bendición de Jesús que parece que está a punto de partir, tan pronto como el crepúsculo dé la señal de que el día de descanso, el sábado, ya terminó.

En lugar separado Jesús habla con Cusa. No sé qué le dice, porque hablan en voz baja, pero veo que Cusa se inclina y se inclina una vez más y que lleva la mano derecha al pecho como para decir: «Te doy mi palabra. Te aseguro que por lo que me toca...» etc. etc.

Los apóstoles se han ido discretamente a un ángulo, y nadie puede impedirles ver. Si por ejemplo en la cara de Pedro y de Bartolomé no hay más que una mirada sencilla de alguien que ve algo que ya sabe; en la cara de los otros, menos en la de Judas, hay inquietud, un sabor a tristeza, sobre todo en la cara de Santiago de Alfeo, de Juan, de Simón y Andrés, entre tanto que Judas de Alfeo parece sentirse intranquilo y fuerte; y el otro Judas, que se muestra despreocupado y que mira más que todos los demás, y que parece como si quisiera descifrar el movimiento de las manos, de los labios, de lo que Jesús y Cusa dicen entre sí.

Las discípulas, en silencio, respetuosas, también miran. Juana sin querer se sonríe. Su sonrisa es un tantico irónica, mezclada de tristeza, y que parece como si compadeciera a su esposo Cusa, que levantando la voz, dice claro: «Mi agradecimiento es tal que de ningún modo podré olvidarlo. Por esto te doy lo que para mí es más querido: mi Juana... Pero debes comprender que mi amor trataba de prever por ella... El desprecio de Herodes... el defender sus propios derechos... se hubieran desencadenados contra nuestras posesiones... contra nuestra... influencia... y Juana está acostumbrada a estas cosas, es delicada... tiene necesidad de ello... Yo protejo sus intereses. Pero te juro que desde el momento en que estoy seguro de que Herodes no tendrá razón alguna por despreciarme, como un serviente cómplice de un enemigo suyo, no haré otra cosa que servirte con todo mi corazón, y que daré a Juana toda la libertad...»

«Está bien. Pero recuerda que trocar los bienes eternos por un sencillo honor humano es como cambiar la primogenitura por un plato de lentejas [1]. Y peor todavía...»

Las discípulas han oído las palabras, lo mismo que los apóstoles. Y mientras a los demás parece que les produjeron el efecto de un discurso académico, Judas de Keriot parece como si experimientase un sabor especial. Cambia de color y de fisonomía. Lanza miradas de temor y de ira a Juana. Intuyo que hasta el momento Jesús no ha dicho ni una palabra de lo ocurrido, y que sólo Judas es el único que sospecha que su jugada ha sido descubierta.

Jesús se vuelve a Juana y la dice: «Bueno, ahora demos contento a la buena discípula. Hablaré, como lo deseaste, a tus sirvientes antes de partir.»

Avanza hasta el límite de la sombra que se alarga más, cuanto más el sol baja, baja lentamente, que parece una naranja cortada en la base, que siempre se alarga más la cortadura, cuanto más el astro rey desciende detrás de los montes de Betginna, dejando un color rojizo de fuego en el cielo azul.

«Cusa y Juana, amigos amados, sirvientes de esta casa, que ya conocéis al Señor por boca de mi discípulo Jonatás desde hace muchos años, y por boca de Juana desde que se convirtió en mi discípula fiel, escuchad.

Me he despedido de todos los poblados judíos donde mis discípulos son más numerosos por obra de mis primeros discípulos, los pastores; y que por medio de ellos el Verbo ha pasado instruyendo. Ahora me despido de vosotros porque nunca más regresaré a este Edén, tan hermoso, que no lo es tan sólo por los rosales y quietud que en ellos hay, ni por el buen orden que en él existe, sino porque se cree en el Señor y se vive según su Palabra. ¡Un paraíso! No cabe duda. ¿Qué fue el paraíso de Adán y Eva? Un espléndido jardín donde se vivía sin pecado, y donde resonaba la voz amada de Dios, la voz que sus primeros hijos acogían con júbilo [2]...

[1] Cfr. Gén. 25, 29-34.
[2] Cfr. Gén. 1-3.

Así pues, os exhorto a que no suceda lo que sucedió en el Edén: que no se introduzca la serpiente de la mentira, de la calumnia, del pecado y mordiéndoos en el corazón os separe de Dios. Vigilad y estad firmes en la Fe... No perdáis el control. No os entreguéis a la incredulidad. Lo cual puede suceder, porque el Maldito podría entrar, procurará entrar por todas partes, como ya entró en muchos lugares para destruir la obra de Dios. No importa que entre en los lugares, el Sutil, el Astuto, el Incansable; que escudriñe, pare sus orejas, insidie, eche baba, trate de seducir. Nadie se lo puede impedir. Lo hizo en el Paraíso terrestre... *Pero es un mal muy grande dejar de arrojarlo. El enemigo a quien no se expulsa, termina por adueñarse del lugar, porque pone trampas, levanta sus trincheras y sus ataques.* Echadlo afuera al punto; hacedlo huir con las armas de la Fe, de la Caridad, de la Esperanza en el Señor. Con todo el mal, el peor mal, el máximo, no es cuando sólo se le deja vivir en paz entre los hombres, sino cuando se le permite que penetre en el interior, y se le deja que haga su nido en el corazón del hombre. ¡Oh, es una desgracia! Y sin embargo muchos hombres lo han aceptado ya en sus corazones: contra el Mesías.

Han acogido a Satanás con sus malvadas pasiones, arrojando al Mesías. Si no hubieran conocido todavía al Mesías en lo que es, si su conocimiento fuese superficial, como sucede entre los viajeros, que por acaso se encuentran [3] en el camino, que muchas veces tan sólo se miran por un momento; desconocidos que se ven por primera y última vez, tan sólo cuando preguntan por una calle, o bien piden un puñado de sal, la yesca para prender fuego, o el cuchillo para cortar la carne; si hubiera sido de esta forma el conocimiento del Mesías en estos corazones, que ahora, y mañana ciertamente y con mayor decisión, arrojan al Mesías para dar lugar a Satanás, podrían ser compadecidos y tratados con misericordia porque no conocían al Mesías. Pero ¡ay! de aquellos que saben lo que soy, que se han alimentado de mi palabra y de mi amor, y ahora me arrojan, acogiendo a Satanás que los seduce con promesas mentirosas de triunfos humanos, pero que no conseguirán sino su eterna condenación.

Vosotros, que sois humildes y no soñáis con tronos y coronas, vosotros que no buscáis glorias humanas, sino la paz y el triunfo de Dios, su Reino, su amor, la vida eterna, y nada más esto, no queráis imitarlos jamás. ¡Vigilad, vigilad! Conservaos puros de la corrupción, fuertes contra las sugestiones, amenanzas, contra de todo.»

Judas, que ha comprendido que Jesús sabe algo, tiene cara de ceniza y de bilis. Sus ojos lanzan flechas de odio contra el Maestro y contra Juana... Se va detrás de sus compañeros para apoyarse

[3] Cfr. vol. 1°, pág. 353, not. 2.

contra el muro; pero lo que pretende es que no se le note su estado de ánimo.

Jesús, como si hubiera querido dividir su discurso en dos partes, ha hecho una interrupción. Ahora continúa nuevamente: «Nabot el yezraelita tenía una viña cerca del palacio de Acab, rey de Samaría [4]. Una viña que había heredado de sus padres. La estimaba muchísimo, era algo sagrado para él, porque era la herencia de su padre, el cual la había recibido de su abuelo y así sucesivamente. Generaciones habían sudado en aquella viña para hacerla bella y fértil. Nabot la quería mucho. Acab le dijo: "Cédeme tu viña que está cerca de mi casa, y que me servirá para convertirla en un huerto para mí y para los que viven conmigo. En cambio te daré otra viña mejor o el dinero, si quieres así". Nabot respondió: "Me desagrada mucho no poder contentarte, oh rey. No puedo darte gusto. Esta viña la recibí en herencia de mis padres y para mí es algo sagrado. Dios me guarde de darte la herencia de mis padres".

Meditemos esta respuesta, que muchos israelitas no lo hacen. Aquellos de los que hablé primero, que fácilmente arrojan al Mesías para acoger Satanás, no les importa gran cosa la herencia de sus padres y con la condición de tener mucho dinero, o muchos terrenos, esto es, honores y seguridad de que no se les sustituya con facilidad, consienten en ceder la herencia de sus padres, esto es, la verdadera idea mesiánica, como fue revelada [5] a los santos de Israel y que debería ser algo sagrado hasta en sus mínimos detalles, sin ajarla, sin alterarla, ni envilecerla con pretextos humanos. Muchos, muchos hay que trocan la idea luminosa mesiánica, que es santa y espiritual, por un fantoche de realeza humana, que es perjuicio contra la autoridad, blasfemia contra la verdad.

Yo, la Misericordia, no puedo maldecirlos con las terribles maldiciones que Moisés lanzó contra los transgresores de la Ley [6]. Pero detrás de la Misericordia está la Justicia. Cada uno recuérdelo.

Por mi cuenta recuerdo a estos — y si entre los presentes hubiere alguno, tome nota de ello — les recuerdo otras palabras que Moisés dijo a aquellos que querían ser más de lo que Dios les había determinado. Dijo Moisés a Coré, a Datán y a Abirón, que se decían santos como Moisés y Aarón y que no querían contentarse con ser solo hijos de Leví en medio del pueblo de Israel: "Mañana el Señor hará conocer quien le pertenezca y hará que se acerquen a Sí los santos, a los que eligió para que lo hiciesen. Poned fuego en vuestro incensario y sobre él incienso, ante el Señor, y venid vosotros y vuestros partidarios con Aarón. Veremos a quién elige el Señor. ¡Os enorgullecéis bastante, hijos de Leví!" [7].

[4] Cfr. 3 Rey. 21.
[5] Cfr. vol. 1°, pág. 468, not. 1.
[6] Cfr. Lev. 26, 14-46; Deut. 27; 28, 15-46.
[7] Cfr. Lev. 10, 1-3; Núm. 16, 4-7.

Vosotros, buenos israelitas, conocéis cuál fue la respuesta que el Señor dió a los que se enorgullecían bastante, olvidando que sólo El es el que destina los lugares a sus hijos, y elige, y elige justamente, y elige en el momento preciso. También Yo debe decir: "Hay algunos que se quieren enorgullecer bastante y se les castigará de modo que los buenos comprenderán que blasfemaron contra el Señor".

Los que trocan la idea mesiánica, como la reveló el Altísimo, por una pobre idea suya, humana, insufrible, limitada, vengativa ¿no son acaso semejantes a los que quisieron juzgar al Santo que estaba en Moisés y Aarón? *Aquellos que con tal de lograr sus fines, la realización de su pobre idea, quieren tomar la iniciativa por sí mismos, que la creen más justa que la de Dios ¿no os parece que quieren enorgullecerse bastante, e ilegalmente convertirse de estirpe de Leví en descendencia de Aarón?* Los que sueñan en un pobre rey de Israel y lo prefieren al Rey de reyes espiritual, *aquellos cuyas pupilas están enfermas de soberbia y ambición, con las que ven deformadas las verdades eternas escritas en los libros santos, y a los que la fiebre de una humanidad llena de concupiscencia hace incomprensibles las palabras clarísimas de la Verdad revelada, ¿no son acaso los que cambian por una nada la herencia de toda su estirpe?* ¿La herencia más sagrada que pueda haber?

Pero si ellos lo hacen, *Yo no trocaré* la herencia del Padre y de nuestros padres, sino leal moriré a esta promesa que se dió desde que fue necesaria la redención, leal a la obediencia que *siempre he tenido*, porque jamás he desilusionado a mi Padre, y jamás lo desilusionaré por temor a la muerte por horrible que sea. Pueden mis enemigos preparar los falsos testigos, pueden fingir celo y prácticas irreprehensible. Esto no cambiará su delito ni destruirá mi santidad. Pero el que o los que fueron sus cómplices después de haber sido los que lo corrompieron, creyeron poder extender su mano contra lo que es *mío*, encontrarán perros y buitres que se alimentarán de su sangre, de su cuerpo echado por tierra, y a los demonios que se apacentarán de su alma sacrílega, deicida, en el Infierno.

Esto os lo digo para que lo tengáis en cuenta. Cada uno medítelo. Quien comprenda que es culpable, todavía puede arrepentirse, imitando a Acab [8], y quien es bueno no pierda el control de sí en la hora de las tinieblas.

Hijos de Béter, hasta la vista. El Dios de Israel esté siempre con vosotros y la Redención haga que bajen sus rocíos sobre un campo limpio, a fin de que germinen en él todas las semillas que el Maestro que os ha amado hasta la muerte esparció en vuestros corazones.»

[8] Cfr. 3 Rey. 21.

Jesús los bendice, y ve cómo se van poco a poco. El crepúsculo llegó ya. Un color rojizo, que se cambia en violeta, es el recuerdo único del sol. El reposo sabático acaba de terminar. Jesús puede ponerse ya en marcha. Besa a los pequeñuelos, saluda a las discípulas, saluda a Cusa. En el umbral del cancel se vuelve una vez más y con voz fuerte dice, para que todos oigan: «Hablaré con esas creaturas, mientras pueda hacerlo. Juana, procura decirles que no vean en Mí sino al enemigo del Pecado y al Rey del espíritu. Acuérdate también de esto, Cusa, y no tengas miedo. Nadie debe tener miedo de Mí, ni siquiera los pecadores, porque Yo soy la Salvación. Sólo los que sean impenitentes hasta la muerte [9] tendrán que tener miedo del Mesías, Juez después de haber sido todo Amor... La paz sea con vosotros.» Y es el primero en salir hacia la bajada.

[9] Cfr. vol. 2°, pág. 310, not. 6 y las notas que allí se señalan.

92. Simón de Jonás en lucha y victoria espirituales

(Escrito el 25 de marzo de 1945)

En nombre del Señor.

Simón de Jonás en una lucha y victoria espirituales.

Vuelvo a verte, dulce Evangelio, santa sombra de mi Maestro por los caminos de Palestina.

Vuelvo a tí, después de haber cumplido con todo lo que me ordenaron. Mejor dicho: «Vuelves a tomarme.» No sé si haya alguien que reflexione sobre la lección muda, pero muy instructiva, que da el Señor con su silencio, provocado por tres motivos:

1°. compasión hacia la debilidad del portavoz enfermo y algunas veces que se siente agonizar;

2°. castigo de quien no se comporta bien con sus dones;

3°. lección que me da, y es de la que quiero hablar, de mi obligación de obedecer siempre, aun cuando si pudiere pensarse que la obediencia es inferior al trabajo, que por causa de ella no hacemos. En realidad que no es fácil cosa hacerla de «voces». Se vive siempre en un continuo ejercicio de vigilancia y obediencia. Jesús, que es el Dueño del mundo, no permite que deje de obedecer su instrumento que realiza su tarea.

En estos días, debo obedecer a lo que me dijo el P. Migliorini. Se trataba de cosas un tanto burocráticas, y por esto un poco molestas. Y Jesús no intervino, porque yo *debía* cumplir con la obediencia, y obediencia *completa,* como dijo ayer Azarías en su explicación de la S. Misa.

Y ahora que todo está cumplido,

puedo verte, Señor mío, bajar por los senderos escabrosos que llevan a un fértil valle, dejando a las espaldas el castillo de Béter, que resplandece más en los últimos momentos del día, allá arriba sobre la cima de su colina en flor... Allá ha dejado el amor de las discípulas, de los pequeñuelos, de los humildes, y sigue las veredas que conducen a Jerusalén, al mundo, abajo... Estos vericuetos no son oscuros porque se encuentran en el valle, y porque la luz solar hace tiempo ya que no las alumbra, sino porque sobre todo allá abajo, en el mundo están la artimaña, el odio, el mal que te esperan, Señor mío...

Jesús va a la cabeza de todos. Un bulto blanco, silencioso que majestuosamente camina aun cuando baja por senderos difíciles y escabrosos para acortar el camino. En la bajada, su vestido largo, su ancho manto, va rozando la pendiente y Jesús parece como si viniese envuelto en un manto que detrás de sus pasos fuese desgarrándose.

Detrás de El, menos majestuosos, pero sí silenciosos, los apóstoles... El último es Judas, que viene un poco separado, embutido en su rabia negra que lo hace feo. Los más sencillos, Andrés y Tomás, se voltean a mirarlo, y Andrés hasta le pregunta: «¿Por qué vienes tan atrás? ¿Te sientes mal?» La respuesta es un áspero: «¡Qué te importa!» que sorprende a Andrés y mucho más porque le acompaña un epíteto muy desagradable.

Pedro es el segundo de la fila de los apóstoles, detrás de Santiago de Alfeo que inmediatamente sigue al Maestro. Pedro ha oído, en el profundo silencio de la tarde que se siente en los montes. Se vuelve al punto, y ya va a irse contra Judas. Luego se detiene en seco. Piensa un momento, corre hacia Jesús, lo toma bruscamente de un brazo, y lo sacude con ansia diciendo: «¿Maestro, me aseguras que es exactamente como me dijiste la otra noche? ¿Que los sacrificios y las oraciones jamás dejan de tener su resultado, aun cuando parece que no sirvan para nada?...»

Jesús, dulce, triste, pálido, mira a su Simón que está sudando con el esfuerzo de no reaccionar contra el insulto, que está morado, que hasta tiembla, que tal vez hasta lo aprieta demasiado, y responde con una sonrisa mezclada de paz: «Jamás dejan de tener su premio. Puedes estar seguro.»

Pedro lo deja y se va, no a su lugar, sino a la pendiente del monte, entre los árboles, y se desahoga quebrando lo que encuentra a su paso, quebrando los arbolillos con una fuerza que quería haberla empleado contra otro, y que se descarga sobre los troncos.

«¿Qué estás haciendo? ¿Estás loco?» le preguntan varios.

Pedro no responde. Quiebra, rompe, despedaza. Deja que lo pasen todos... y despedaza y rompe y quiebra. Parece como si estuviera trabajando a destajo, tal es la velocidad que desarrolla. A sus pies hay ya una maraña de ramas que bastarían para asar un becerro. Se lo carga a duras penas, y corre a alcanzar a sus compañeros. No sé cómo lo hace con el manto, con el peso, con la alforja, con este sendero escarpado. Baja agachado, muy agachado, como si llevara el yugo...

Judas, viéndolo venir, se ríe y le dice: «¡Pareces un esclavo!»

Pedro voltea a duras penas su cabeza, y está por decir algo, pero se calla, rechina los dientes y sigue adelante.

«¿Te ayudo, hermano?» pregunta Andrés.

«No.»

«Si es para un cordero, la leña es más que suficiente» advierte Santiago de Zebedeo.

Pedro no responde. Sigue adelante. Se ve que ya no puede, pero es terco. Sigue.

Finalmente, cerca de una caverna que está casi a los pies de la bajada, Jesús se detiene y con El todos: «Nos quedaremos aquí para partir a los primeros rayos de la aurora» dice. «Preparad la cena.»

Pedro arroja por tierra su carga, se sienta sobre ella, sin dar a nadie explicación de lo que hizo, pues leña hay por todas partes.

Cuando todos se han ido, unos por acá, otros al arroyo para traer agua, o bien para limpiar el suelo de la caverna, para lavar el cordero que van a asar, Pedro se ha quedado solo con su Maestro. Jesús, de pie, pone su mano sobre la cabeza entrecana de Simón y se la acaricia... Entonces Pedro coge esa mano, la besa, se la pone en la mejilla, se la besa otra vez y la acaricia... Una gota desciende sobre la blanca mano, una gota que no es sudor del rústico y honrado apóstol, sino su llanto silencioso de amor y aflicción, de victoria por el esfuerzo hecho. Jesús se inclina, y lo besa diciéndole: «Gracias, Simón.»

En realidad, Pedro no es un hombre hermoso, pero cuando vuelve hacia atrás su cabeza para mirar a su Jesús que lo ha besado, y le ha dado las gracias porque El sólo comprendió todo, la veneración, la alegría lo hacen bello...

Y con esta transformación termina lo que estoy viendo.

93. Caminando hacia Emmaús de la llanura

(Escrito el 27 de marzo de 1946)

El alba pone una claridad tenuísima de verde en el firmamento que se eleva alto sobre el valle fresco y silencioso. Y luego su claridad, tan indefinible, que no se sabe si ya es luz o no, baña las crestas de las dos pendientes. Parece como si acariciara delicadamente las partes más altas de los montes judíos, como si dijese a los viejos árboles que las coronan: «Ved que ya bajé del cielo. Vengo del oriente. Precedo la aurora. Arrojo las sombras, traigo la luz, la actividad, la bendición de un nuevo día que Dios os concede.» Y las cimas se despiertan con un suspiro de su follaje, con él los primeros trinos de los pajarillos también despertados al contacto suave del follaje, de la primera claridad. Y el alba desciende gradualmente sobre los matorrales, sobre la hierba, sobre las laderas. Cada vez más baja. La saludan numerosos trinos entre el follaje y el ruido que producen las lagartijas que se han despertado. Luego llega hasta el arroyo, transforma sus aguas de color oscuro en un opaco centelleo de plata que cada vez se hace más limpio, más brillante. Y allá arriba, en el cielo que apenas si se iba quitando el color violeta oscuro de la noche e iba poniéndose el color verdecillo de cielo, la aurora anuncia su llegada y pinta el cielo con un tinte rosado... Y luego allá una nubecilla, delgada, cual vellón, comienza a navegar, sumida en una espuma de rosa...

Jesús sale de la gruta y mira... Luego, se lava en el arroyo, se arregla, vuelve a ponerse sus vestidos, se asoma a la caverna... No llama a nadie... Sube por el monte, y se va a orar sobre un pico saliente, que es bastante elevado, de donde se puede ver un extenso panorama todo de color de rosa allá por el oriente, mientras que en el occidente todavía el color violeta sigue dominando. Ruega, ruega ardientemente. Se ha puesto de rodillas. Tiene los codos sobre la tierra, casi agachado... Y ruega así hasta que de allá abajo los gritos de los doce, que se despertaron, lo llaman.

Se levanta. Responde: «Ya voy.» El eco de su voz resuena perfecto en el estrecho valle. Parece que el valle propague hacia la llanura, que se entreve allá en el occidente, la palabra del Señor: «Ya voy», porque la llanura se alegra de antemano.

Jesús con un suspiro y una frase que compendia toda su oración y la explica dice: «Y Tú, Padre, dame fuerzas...»

Rápido baja, y al llegar a los suyos, los saluda con una dulcísima sonrisa y con sus habituales palabras: «La paz sea con vosotros en este nuevo día.» «Y también contigo, Maestro» le responden ellos. Todos. Hasta Judas, que no sé si se haya tranquilizado por el silencio que ha observado Jésús, y que no lo ha regañado, antes bien lo trata como a todos los demás, o porque reflexionó en la noche sobre su conducta, está menos torvo, y menos separado; más bien él quien pregunta por todos: «¿Vamos a Jerusalén? Si es así, hay que regresar un poco atrás y pasar aquel puente. Más allá hay un sendero que va directo a Jerusalén.»

«No. Vamos a Emmaús de la llanura.»

«¿Por qué? ¿Y Pentecostés?»

«Hay tiempo. Quiero ir a la casa de Nicodemo y de José, a través de las llanuras, hacia el mar...»

«¿Por qué?»

«Porque no he estado todavía allí y esa gente me espera... Y porque los buenos discípulos lo desean. Tendremos tiempo para todo.»

«¿Esto fue lo que te dijo Juana? ¿Para eso te mandó llamar?»
«No hubo necesidad. Ellos, en los días de Pascua, me lo deijeron a Mí directamente. Y mantengo mi palabra.»
«Yo no iría... Tal vez se encuentren ya en Jerusalén... La fiesta se aproxima... Y luego... Podrías encontrarte con enemigos y...»
«Enemigos siempre los encuentro por todas partes, y los tengo vecinos...» y Jesús lanza una mirada al apóstol que es su dolor... Judas no habla más. Es muy peligroso continuar. Lo comprende y calla.
Vuelven Juan y Andrés con unas pequeñas frutas, que parecen ser de la familia de las frambuesas, o de los fresones, pero más negras, como moras todavía no maduras, y las ofrecen al Maestro: «Te gustan. Ayer al atardecer las vimos, y fuimos a cortártelas. Cómetelas, Maestro. Están buenas.»
Jesús acaricia a sus dos buenos y jóvenes apóstoles que le ofrecen las frutillas en una hoja lavada en el río, y más que las frutillas, le ofrecen su amor. Escoge las mejores y a cada uno da unas pocas que se comen con el pan.
«Buscamos leche para Tí, pero todavía no se ve ningún pastor...» se excusa Andrés.
«No importa. Vámonos pronto para llegar a Emmaús antes de que arrecie el calor.»
Se van. Los que tienen más apetito, siguen comiendo, al ir caminando por el valle fresco que cada vez se alarga más, y termina desembocando en una fértil llanura donde hierve la actividad de los segadores.
«No sabía que Nicodemo tuviese casas en Emmaús» advierte Bartolomé.
«No en Emmaús. Más allá. Campos que recibió en herencia» dice Jesús.
«¡Qué hermosos campos!» exclama Tadeo.
Es un mar de espigas de oro separado por viñas que, orgullosas, presentan ya sus racimos. Tiene agua en abundancia, gracias a los montes cercanos de donde descienden cientos y cientos de arroyuelos en el período en que más se necesitan. Debe también haber aguas subterráneas, Es en verdad un paraíso de mieses.
«¡Uhm! Está más bella que la del año pasado» refunfuña Pedro. «Por lo menos hay agua y fruta...»
«La de Sarón también es bella» le responde Zelote.
«¿Pero no es esta?»
«No. Está más alta. Pero ya algo tiene de...» Los dos apóstoles se ponen a hablar entre sí, alejándose un poco.
«Cosa de fariseos, ¿eh?» pregunta Santiago de Zebedeo señalando la bella campiña.
«Sin duda de judíos. Se apoderaron de los mejores, usurpándo-

los, de mil modos, a sus legítimos dueños» responde Tadeo que tal vez vienen a su memoria los bienes paternos que tuvieron en Judea, de donde los arrojaron, y así perdieron mucha hacienda.

A Iscariote no le gusta: «Si se os quitaron fue porque vosotros, galileos, sois menos santos, sois inferiores...»

«Oye, acuérdate que Alfeo y José eran de la estirpe de David. Tanto que el Edicto los obligó a ir a empadronarse a Belén de Judá. Y El por eso nació allí» responde con calma Santiago de Alfeo, previendo la respuesta mordaz de su fogoso hermano, y señalando al Señor que en estos momentos habla con Mateo y Felipe.

«Bueno. Yo me digo para mí mismo que el bien y el mal están donde quiera. Con ocasión de nuestro comercio teníamos oportunidad de tratar a personas de diversas razas y os aseguro que encontré honrados y sinvergüenzas en ellas. Y luego... ¿Por qué gloriarse de ser judíos? ¿Acaso lo quisimos *nosotros*? ¡Uhm! ¿Sabía yo acaso, cuando estaba en el vientre de mi madre que iba a ser judío o galileo? Estaba allí... y no más... Y cuando nací, me envolvieron en pañales, muy calientes, y no me preguntaron si el aire que respiraba era judío o galileo... No conocía más que la teta de mi mamá... Y así como yo, todos. ¿Ahora, por qué tomar tan en serio que yo nací allá, más arriba y tú, allá, más abajo? ¿No somos todos de Israel?» dice justamente el bonachón de Tomás.

«Tienes razón, Tomás» le dice Juan. Y termina: «Y ahora todos somos de una sola estirpe: de la de Jesús.»

«Así es. El — y me imagino que el Altísimo de este modo lo haya determinado para enseñarnos que las divisiones son contra el amor del prójimo, y que El fue mandado a reunir a *todos* como amorosa gallina de la que hablan los libros santos [1] — El es de estirpe judía, pero fue concebido y reside en Galilea, después de haber nacido en Belén, como para enseñarnos con la voz de los hechos, que El es el Redentor de *todo* Israel, desde el norte hasta el sur. Sólo porque a El se le llama: "Galileo" no debería haber desprecio hacia los galileos» dice cortés pero enérgico Santiago de Alfeo.

Jesús, que parecía estar distraído hablando con Mateo y Felipe, unos pocos metros delante, se voltea y dice: «Dijiste bien, Santiago de Alfeo. Tú comprendes la Verdad y los procedimientos y los designios de Dios. Porque El, recordadlo todos y siempre, no hace nada jamás sin motivo, así como no deja sin premio ninguna acción que hacen los rectos de corazón. Bienaventurados los que saben ver los motivos de Dios en los sucesos aun más pequeños y las respuestas de Dios a los sacrificios de los hombres.»

Pedro se vuelve y hace como si quisiera hablar. Luego cierra su boca y se limita a sonreir a su Maestro que se ha puesto en camino

[1] Cfr. Deut. 32, 11; Rut. 2, 12; Salm. 16, 8-9; 35, 8; 60, 5; 62, 7-9; 90, 4; Mt. 23, 37.

por un sendero ancho en medio de campos de oro.

Continúan hacia Emmaús que no está ya muy lejos: un monstruo de blancura entre campos de trigo maduro y de árboles verdes en fruto.

«¡Maestro, Maestro, espera! Tus discípulos» se oyen gritos lejanos. Un puñado de hombres, sin decir más, dejan a los campesinos que descansan bajo la sombra de un manzano, y corren hacia Jesús por un vericueto lleno de sol. Son Matías y Juan, y pastores, que fueron discípulos del Bautista, y con ellos están Nicolás, Abel, el que fue leproso, Samuel, Ermasteo y otros más.

«La paz sea con vosotros. ¿Estáis aquí?»

«Sí, Maestro. Caminamos por todas las orillas del mar. Ahora vamos de regreso a Jerusalén. Más allá están Esteban y los demás. Y todavía más allá Hermas y los otros. Isaac, nuestro maestro en "pequeño", mucho más. O por lo menos estaba allí; como Timoneo que estaba en el Transjordán. Pero casi todos están por ir a la fiesta de Pentecostés. Nos dividimos así, en diversos grupos, pequeños pero activos. De modo que si nos persiguen, pueden capturar a algunos, pero no a todos» dice Matías.

«Hicisteis bien. Me causaba sorpresa el no haberos encontrado en la Judea meridional.»

«Maestro... Tú fuiste allá.... ¿Y quién mejor que tú? Además... ¡esa ha recibido más para que sea santa!... y al revés... Apedrea a quien le lleva las palabras del cielo. Elías y José, en las barrancas del Cedrón, fueron apedreados, y se fueron a la casa de Salomón, que está en el Transjordán. A José le dieron en la cabeza, que casi lo matan. Durante ocho días vivieron en una caverna profunda con uno que enviaste, y que conocía todos los secretos de los montes. Luego, por la noche, poco a poco se cambiaban de una parte a la otra...»

Los discípulos y los apóstoles se desasosiegan al recordar estas persecuciones y al conocerlas. Jesús los calma diciendo: «Los inocentes tiñeron con su sangre pura el sendero del Mesías. Y ese sendero tiene que volver a ser bañado en púrpura, para borrar las huellas del Mal que hay en él. Es el camino real. Los mártires por mi amor lo cubrirán de púrpura. Bienaventurados los que por mi causa sufrieren persecuciones.»

«Maestro, hablamos a aquellos campesinos. ¿No les dirás alguna palabra?»

«Id a decirles que al atardecer hablaré cerca de la puerta de Emmaús. Ahora el sol nos lo impide. Ios, y que Dios esté con vosotros. Estaré en la punta de este sendero.»

Los bendice y sigue caminando en busca de sombra, porque el sol quema por este sendero blanco, en el que se ven dos flacas líneas de sombra que arrojan los plátanos plantados a su vera, e indican los límites.

94. Predicación en Emmaús de la llanura

(Escrito el 28 de marzo de 1946)

Cerca de la puerta de Emmaús hay una casa de campesinos, silenciosa, porque todos están en los campos trabajando. En la era están amontonadas las gavillas del día anterior. Hay heno en los henales. El sol abrasador del mediodía arrastra olor de heno, de gavillas. Ningún otro ruido más que el que hacen los palomos, y el parloteo de los pájaros, siempre comadreros y peleadores. Unos y otros vuelan sin descanso del techo a los árboles cercanos, a las gavillas de mies como de heno, y son los primeros en probar el fruto, picotean entre las espigas, riñen a aletazos, pelean por coger los granos, por robarse lo más delicado del heno, ambiciosos, peleadores, despreocupados. Son los únicos ladrones que se ven por todo Israel, donde, conforme lo he notado, hay un gran respeto por la propiedad ajena. De buena gana las casas se quedarían abiertas y las áreas, como los viñedos sin que se les custodiase. Fuera de los rarísimos bandidos de oficio, los verdaderos ladrones que asaltan entre las escarpaduras de los montes, no hay ladronzuelos, ni siquiera... golosos que extiendan su mano a la fruta o al pichoncito de otros. Cada uno se va por su camino, y, aunque atraviese la propiedad ajena, lo hace como si no tuviese ni ojos, ni manos. La razón es que la hospitalidad se da en tal grado que no hay necesidad de robar para comer. Tan sólo con Jesús, y por causa de un odio que es tan grande poder hacer olvidar una costumbre secular para con el peregrino, sólo con El no se cumple: se le niega hospitalidad y comida. Pero sí la hay para los otros, en general; siempre hay compasión y sobre todo en las clases más humildes.

Por esto y casi sin miedo alguno, los apóstoles, después de haber tocado a la puerta de la casa que está cerrada y al no haber encontrado a nadie, fueron a protegerse en un desván, en que hay instrumentos agrícolas y tinajas y, como si fuesen los dueños, han tomado heno para sentarse, los cubos para sacar agua del pozo, pocillos para beber y mojar los pedazos de pan y cordero que comen casi en silencio, por lo atontados y soñolientos que están del sol. Y con la misma libertad con que han tomado heno y pocillos, se acuestan sobre él y pronto no se oye más que una orquesta de tonos desiguales.

También Jesús está cansado, pero más que ésto, triste. Por unos momentos mira a los doce que duermen. Ora. Piensa. Piensa siguiendo maquinalmente con los ojos los pleitos de los pájaros y de las palomas y el vibrar de golondrinas por la era. Parece que los chirridos de estos veloces maestros del vuelo diesen una respuesta clara a las preguntas penosas que Jesús se hace. También El se acuesta sobre el heno, y pronto sus dulces y tristes ojos de zafiro los cubren sus párpados. Su rostro se tranquiliza con el sueño. Pero tal vez porque en el sueño encuentra la tristeza en su corazón, su rostro se cubre con la expresión cansada y dolorosa que tendrá en su muerte...

Regresan los campesinos, dueños de la casa. Hombres, mujeres, niños. Y con ellos los discípulos de la mañana. Ven que Jesús y los suyos están durmiendo sobre el heno; bajan la voz para no despertarlos. No falta mamá que dé un coscorrón al niño que no quiere callarse, o que quiere hablar. Un pequeñín con el dedo en la boca y pasitos de tórtola va a contemplar a Jesús, «el más hermoso» dice, que está durmiendo con la cabeza sobre el brazo que le sirve de almohada. Y todos, descalzos, de puntillas, lo imitan. Los primeros son Matías y Juan, que se llenan de emoción al verlo así dormido sobre el heno. Matías dice: «Como en su primer sueño, así ahora nuestro Maestro, no es tan feliz... También le hace falta la mamá...»

«Es verdad. Lo persiguen siempre y por todas partes, pero lo amaremos nosotros, lo amamos como en aquella hora...» dice Juan.

«Mucho más, Matías. Mucho más. Entonces amábamos por la fe, y porque siempre es delicioso amar a un pequeñín. Ahora amamos también porque lo conocemos...»

«Juan, desde niño lo odiaron. Acuérdate de lo que sucedió para matarlo...» Matías se pone pálido al recordar lo acaecido.

«Es verdad... ¡Pero bendito sea aquel dolor! Todo perdimos, menos a El. Y esto es lo que vale. ¿De qué nos hubieran servido los familiares, la casa, nuestras reducidas propiedades, si El hubiera muerto?»

«Tienes razón, Matías. ¿Y de qué nos servirá tener el mundo, si nos falta El?»

«No hables de eso... Entonces sí que estaremos abandonados... Ios vosotros. Nosotros nos quedamos con el Maestro» dice Juan, despidiendo a los campesinos.

«Nos desagrada que no pensásemos en haberles dado la llave. Podían haber entrado en casa, estar mejor...» dice el más anciano de la casa.

«Se lo diremos... Pero El estará contento con vuestro amor. Ios, ios...»

Los campesinos entran, y pronto el humo que sale de la chimenea anuncia que están preparando la comida. Pero lo hacen con delicadeza, sin ruido... e igualmente sin ruido llevan de comer a los discípulos y en voz baja dicen: «Tenemos para ellos... para cuando se despierten...»

Luego el silencio envuelve la casa. Tal vez los segadores, que trabajan desde el alba, se han echado sobre sus camas para descansar en estas horas en que sería imposible estar bajo el sol abrasador.

También los discípulos comienzan a cabecear. También los palomos y los pajaritos... Tan sólo las golondrinas incansables asaetean el aire y con su rápido vuelo escriben palabras azules en él, palabras de sombra en la blanca era...

El pequeñín de antes, que es una belleza con su camisita, a lo que se ha reducido todo su vestido en esta hora abrasadora, saca su cabecita por la puerta de la cocina, ojea, avanza con mucho cuidado con sus piecitos que se queman bajo un sol tropical. Su camisita, sin el cinturón, se le mueve por la espalda gordita. Llega a donde están los discípulos y trata de pasar sobre ellos, para ir otra vez a ver a Jesús. Pero sus piernecitas son muy cortas para pasar sobre los cuerpos musculosos de los adultos, y tropieza y cae sobre Matías que se despierta y ve la carita apenada, que está por romperse en lágrimas. Sonríe y dice, comprendiendo lo que el pequeñín pensaba hacer: «Ven aquí. Te pondré entre mí y Jesús. Pero estáte quieto y callado. Déjalo que duerma. Está casado.» El niño, dichoso, se sienta en adoración del hermoso rostro de Jesús. Lo mira, lo estudia, le dan ganas de acariciarlo, de tocarle los cabellos de oro, pero Matías que lo vigila, sonriendo, le dice que no. El niño en voz queda le pregunta: «¿Así duerme siempre?»

«Siempre» responde Matías.

«¿Está cansado? ¿Por qué?»

«Porque camina mucho y predica mucho.»

«¿Por qué predica y camina?»

«Para enseñar a los niños a que sean buenos, a amar al Señor para que vayan con El al cielo.»

«¿Allá arriba? ¿Cómo se logra? Está lejos...»

«El alma. ¿Sabes qué es el alma?»

«¡Nooo!»

«Es lo más hermoso que hay en nosotros, y...»

«¿Más hermoso que los ojos? Mamá me dice que por ojos tengo dos estrellas. Las estrellas son bellas ¿sabes?»

El discípulo sonríe y responde: «Es más bella que las estrellitas de tus ojos, porque el alma buena es más hermosa que el sol.»

«¡Oh! ¿Y dónde está? ¿Dónde la tengo?»

«Aquí. En el corazoncito. Y ve todo, y siente todo, y no se muere nunca. Y si uno nunca es malo y muere como un justo, su alma vuela hacia allá, hacia el Señor.»

«¿A dónde está El?» y el pequeñín señala a Jesús.

«A donde está El.»

«¿Pero también tiene El alma?»

«El tiene alma y es Dios. Porque ese Hombre que tu estás viendo es Dios.»

«¿Cómo lo sabes? ¿Quién te lo dijo?»

«Los ángeles.»

El niño que se había sentado contra Matías, no puede aceptar sin réplica alguna esta nueva, se pone de pie diciendo: «¿Viste tú a los ángeles?» y mira a Matías abriendo tamaños ojos. Tal sorprendente es la noticia que por un momento se olvida de Jesús, y no ve que El entreabre sus ojos, al despertarse con el gritito del niño, y luego, con una sonrisa, los cierra, volviendo la cabeza al otro lado.

«Silencio. ¿Lo ves? Lo despiertas... Te mando afuera.»

«No hago ruido. ¿Pero cómo son los ángeles? ¿Cuándo los viste?» La vocecita es menos de un murmullo. Matías con paciencia le cuenta la Noche de su Nacimiento. El niño ha vuelto a sentarse sobre su pecho, extático. Con toda calma responde a todos los por qués: «De porqué nació en un establo. De por qué no tenía casa. De por qué era tan pobre que no pudo encontrar una casa. Y de por qué ahora no tiene casa; ni tiene la mamá. ¿Que dónde está la mamá? Por qué lo deja solo, Ella que sabe que lo quieren matar. ¡No lo ama ya?»... Una tormenta de preguntas y una lluvia de respuestas. Y la última a la que Matías responde: «Su santa Mamá quiere mucho a su divino Hijo. Pero ofrece su dolor en dejarlo ir para que los hombres se salven. Para consolarse piensa que todavía hay hombres buenos y capaces de amarlo...» suscita esta respuesta: «¿Y no sabe que hay niños buenos que le aman? ¿Dónde está Ella? Dímelo para que vaya a donde está y le diga: "No llores. A tu Hijo le doy mi amor". ¿Qué piensas? ¿Estará contenta?»

«Mucho, niño» dice Matías besándolo.

«¿Y El estará contento?»

«Mucho, mucho. Se lo dirás cuando se haya despertado.»

«¡Oh, sí!... ¿Pero, cuándo se va a despertar?» El niño está ansioso...

Jesús no resiste más. Se vuelve, con los ojos bien abiertos y con el rostro lleno de sonrisa. Dice: «Ya me lo dijiste, porque lo oí todo. Ven aquí.»

El pequeñín no espera a que se lo digan dos veces. Se echa sobre Jesús acariciándolo, besándolo, tocándole con sus deditos la frente, las cejas, las cejas de oro, se mira en sus ojos azules, le toca la suave barba y la cabellera de seda. Cada vez repite: «¡Qué bello eres! ¡Qué bello eres!»

Jesús sonríe. También Matías. Según van despertándose los discípulos, porque el pequeñín no tiene más reservas, se sonríen ellos y los apóstoles al ver ese estudio tan pormenorizado que hace el pequeñín que está casi semidesnudo, que parece una bola por lo gordo, que garbosamente mira el cuerpo de Jesús, y le ve su rostro, sus miembros, sus pies, y concluye con: «¡Voltéate!» y luego: «para ver las alas» y desilusionado pregunta: «¿Por qué no tienes alas?»

«No soy un ángel, ¡oye!»

«Pero eres Dios. ¿Cómo puedes ser Dios sino tienes alas? ¿Cómo vas a poder ir al cielo?»

«Soy Dios. Y por esto no tengo necesidad de alas. Hago lo que quiero, porque todo lo puedo.»

«Entonces hazme unos ojos como los tuyos. Son hermosos.»

«No. Los que tienes te los di Yo y me gustan así. Di mejor que te haga un alma justa para que me ames siempre más.»

«También esa me diste. Entonces te gustará como es» dice con lógica infantil el pequeño.

«Mucho me gusta, porque es inocente. Pero mientras tus ojos de aceituna madura pueden tener el mismo color, tu alma, que es blanca, puede hacerse negra, si tú te haces malo.»

«Malo, no. Mucho te quiero, y quiero hacer lo que los ángeles dijeron cuando naciste: "Paz a Dios en el cielo y gloria a los hombres de buena voluntad"» dice el pequeñuelo bostezando, lo que provoca una risotada entre los demás, y a él le apena y le hace enmudecer.

Jesús lo consuela, dándole ánimos: «Dios es siempre paz, pequeñín. Es la Paz. Los ángeles lo glorificaban porque había nacido el Salvador, y daban a los hombres la primera regla para obtener la paz que con mi venida llegaría: "tener buena voluntad". La que tienes.»

«Entonces, dámela. Métemela aquí, donde, dice ese, que tengo el alma» y con los dos deditos se pellizca varias veces el pechecito.

«Con gusto. ¿Cómo te llamas?»

«¡Miguel!»

«Nombre del poderoso Arcángel. Entonces que se te de buena voluntad, Miguel. Y que llegues a ser un confesor de Dios diciendo a los perseguidores como tu ángel patrono: "Quién como Dios?" [1]. Sé bendito ahora y siempre» y le impone las manos.

Pero el pequeñín no se ha persuadido. Dice: «No. Bésame aquí. En el alma. Y entrará tu bendición y quedará cerrada aquí», descubre su pechito para que se lo bese y se levanta su camisita.

Todos los presentes se sonríen conmovidos casi. La fe maravillosa del pequeñín, que algunos llamarían "instinto", y que lo mueve a ir a Jesús, es verdaderamente conmovedora y Jesús lo dice claro: «¡Si todos tuviesen el corazón de los niños!...»

Entre tanto, el tiempo se ha pasado. La casa vuelve a cobrar vida. Voces de mujeres, de niños, de hombres se oyen por todas partes. Una mamá grita: «Miguel, Miguel, ¿dónde estás?» y se asoma espantada, mirando al pozo. con un pensamiento que le destroza el corazón.

«No tengas miedo. Tu hijo está aquí, conmigo.»

«Oh, pensaba... Le gusta mucho el agua...»

«Y así lo hizo al acercarse al Agua Viva que desciende del cielo y

[1] Cfr. Dan. 10-12; Jud. 9; Apoc. 12.

da vida a los hombres.»

«Te molestó... Se me escapó tan despacito que no lo sentí...» dice la mujer a modo de excusa.

«No me ha dado ninguna molestia. Al revés me ha consolado. Los niños jamás proporcionan dolor a Jesús.»

Se acercan los hombres, las demás mujeres. El cabeza de familia dice: «Entra un rato, y perdona que no te hicimos dueño de la cosa apenas te vimos...»

«No tienes por qué pedir excusa. Aquí estoy y me siento bien. Tu respeto me honra. Teníamos comida, agua fresca de tu pozo y heno. Más de esto no necesita el Hijo del Hombre. No soy un sátrapa sirio.»

Jesús, seguido de los suyos, entra en una cocina amplia para comer, mientras que afuera en el patio, los varones preparan lugar para los que van a venir a oir al Maestro. Otros se dan prisa en preparar bebidas, alimentos y a pelar un corderito que se lleven para el camino los evangelizadores. Las mujeres traen huevos y mantequilla, lo que hace que Pedro proteste, pues dice justamente que no puede llevarse en las alforjas, porque se derrite con este calor. Pero las anforitas sirven para algo... Y en una de ellas meten mantequilla, la cierran y la bajan al pozo para que esté fresca.

Jesús da las gracias y no quisiera que le diesen tanto. Pero es inútil. Inútil es que hable. De todas partes le llegan ofertas y cada uno pide perdón de que no pueda dar más.

Pedro, en voz baja, dice: «Se ve que aquí estuvieron los pastores. Terreno abonado... terreno bueno.»

El patio está lleno de gente, que no tiene miedo al calor que todavía se siente.

Jesús empieza a hablar de este modo: «La paz sea con vosotros. Me encuentro en un lugar donde estoy viendo que la doctrina del Maestro ya es conocida por obra de los buenos discípulos. No voy a repetir lo que sabéis. Dejo a los buenos discípulos la gloria y la tarea de haberos instruído y de hacerlo siempre hasta que consigáis la seguridad completa de que Yo soy el Prometido de Dios y que mi Palabra viene de Dios.»

«Tu milagros vienen de Dios, ¡oh Bendito!» grita una mujer de entre la multitud. Muchos se vuelven a ver de dónde salió el grito. La mujer levanta su niño en sus brazos, un niño robusto y sonriente. Nuevamente grita: «Maestro, es el pequeño Juan que curaste en Aguas Claras. El niño de las piernas destrozadas que ningún médico podía curar y que te llevé con fe, y al que curaste cuando lo tuviste sobre tus rodillas.»

«Me acuerdo, mujer. Tu fe merecía el milagro.»

«Ha aumentado, Maestro. Toda mi parentela cree en Tí. Ve, hijo, a dar gracias al Salvador. Dejadlo que se acerque a El...» ruega la mujer. La multitid se separa; deja pasar al pequeñuelo que ligero va a Jesús con los brazos extendidos para poder abrazarlo. Esto suscita gritos de alegría entre la gente de la ciudad o advenidiza, pues los de la campiña conocen el milagro y no dan muestras de maravilla.

Jesús toma al niño de la mano. «He aquí como mi Naturaleza la confirma una madre agradecida, y como Dios siente en su carazón el poder de la fe de sus hijos que le dirigen peticiones confidenciales y justas.

Os invito a que recordéis a Judas Macabeo cuando llegó a esta llanura y vió el formidable ejército de Gorgias. Traía a su órdenes este general cincuenta mil infantes y mil de caballería. Adiestrados en la guerra. Traían corazas, armas, torres de guerra [2]. Judas los contemplaba con sus tres mil infantes. No tenían ni escudo ni espada. Sentía que el miedo penetraba en el corazón de sus soldados. Entonces habló, apoyado en el derecho que Dios también aprobaba porque defendía una Patria invadida y profanada. Dijo: "No os llene de temor su número, ni tengáis miedo de su ataque. Acordáos cómo nuestros padres fueron salvados en el Mar Rojo, cuando Faraón los perseguía con su numeroso ejército". Y reanimada la fe en el poder de Dios, que siempre está con los justos enseñó a los suyos los medios para obtener la ayuda divina. Les dijo: "Así pues, levantemos la voz al cielo, y el Señor tendrá piedad de nosotros, y al acordarse de la alianza que hizo con nuestros padres, destruirá hoy ante nosotros este ejército, y todas las naciones conocerán que hay un Salvador que liberta a Israel".

Así pues, dos puntos principales os señalo para que tengáis a Dios con vosotros cuando emprendáis algo justo. El primero: para tenerlo como aliado, hay que tener el corazón justo de nuestros padres. Recordad su santidad, la pronta obediencia de los patriarcas en obedecer al Señor, bien se trate de algo que cueste poco o mucho. Recordad con qué fidelidad fueron leales al Señor. Muchos en Israel se lamentan de que no tengamos más al Señor con nosotros, al que en otros tiempos era benigno. ¿Pero, acaso Israel tiene el corazón de sus padres? ¿Quién es el que quebranta y sigue quebrantando la alianza con el Padre?

El segundo punto principal para tener a Dios consigo es la humildad. Judas Macabeo era un gran israelita, y era un gran soldado. No dijo: "Hoy destruiré este ejército y las naciones sabrán que yo soy el salvador de Israel". No. Dijo: "El Señor destruirá este ejército a nuestra vista; nosotros que somos incapaces de hacerlo, nosotros que sómos débiles". Porque Dios es Padre y se preocupa de sus pequeñuelos y para que no perezcan manda sus poderosos ejér-

[2] Cfr. 1 Mac. 4, 6-11.

citos a combatir con armas sobrehumanas a los enemigos de sus hijos. Cuando Dios está con nosotros, ¿quién puede vencernos? Repetid esto ahora y en lo futuro, cuando querrán venceros, y no porque se trate de una batalla nacional, sino de algo mucho más extenso en el tiempo y en sus consecuencias como es vuestra alma. No os dejéis sorprender ni del miedo, ni de la soberbia. Ambas cosas son dañinas. Dios estará con vosotros cuando fuereis perseguidos por causa de mi Nombre y os dará fuerza en las persecuciones. Dios estará con vosotros si sois humildes, si reconociereis que vosotros, y por vosotros, no sois capaces de nada provechoso; sino que todo lo podréis, si estáis unidos al Padre.

Judas no se pavoneaba con el título de Salvador de Israel, sino que este título lo atribuyó al Dios eterno. De hecho, inútilmente los hombres pierden su control, si Dios no está con sus esfuerzos. Pues sin perder su control vence quien confía en el Señor, que sabe cuándo hay que premiar con victorias y cuándo con derrotas. Necio es el hombre que quiera juzgar a Dios, aconsejarlo o criticarlo. Imaginaos una hormiga que, al ver la obra de un trabajador de mármol, dijese: "No sabes cómo hacerlo. Yo lo haría mejor y más pronto que tú". Igual ridículo hace el hombre que quiere pasar por maestro ante Dios. Y a sus ridícula figura junta la de un desagradecido y abusivo que se olvida de lo que es: una creatura, y se olvida de lo que Dios es: el Creador. Así pues si Dios creó un ser que puede creerse capaz de aconsejar al mismo Dios, ¿cuál será la perfección del Autor de todo lo creado? Este solo pensamiento debería bastar para tener agachada la soberbia, para destruirla, para acabar con esta planta malvada y satánica, esta hierba parásita que, al introducirse en una inteligencia, la invade, aplasta, sofoca y acaba con todos los árboles, esto es, con todas las virtudes que hacen al hombre grande sobre la tierra, verdaderamente grande, no por las rientas, ni por las coronas, sino por la justicia y sabiduría sobrenaturales, y bienaventurado en el cielo por toda la eternidad.

Consideremos otro consejo que nos dan el Gran Macabeo y los acontecimientos de aquel día en esta llanura [3].

Trabada la batalla, los escuadrones de Judas, con quienes estaba Dios, vencieron y destruyeron a los enemigos: a unos los pusieron en fuga hasta Yezerón, Azoto, Idumea y Yammía — dice la narración — y a otros matándolos a espada, los dejaron tirados por los campos. Fueron más de tres mil. A sus soldados, ebrios con la victoria, Judas les dijo: "No cojáis presa porque la guerra no ha acabado. Gorgias está cerca de nosotros con su ejército en los montes. Todavía debemos combatir contra nuestros enemigos y vencerlos del todo; y luego, luego, con toda calma, cogeremos el botín". Así

[3] Cfr. 1 Mac. 4, 1-25.

lo hicieron. Obtuvieron una victoria completa, tomaron un botín inmenso, y sacudieron el yugo. Al regresar, entonaron bendiciones a Dios porque "es bueno, porque su misericordia es eterna".

También el hombre, cualquier hombre, es como los campos que están alrededor de la ciudad santa de los judíos. Enemigos externos e internos, ambos crueles, están confiados en presentar batalla a la ciudad santa de cada hombre, esto es, a su alma, y en atacarla improvisadamente para tomarla con miles de astucias y destruirla. Las pasiones que Satanás cultiva y excita, que el hombre no vigila con toda su voluntad para tenerlas sujetas al freno, peligrosas si no se logra domarlas; inofensivas si se les tiene el ojo encima como a un ladrón encadenado, y con las que el mundo conspira desde afuera con sus seducciones de la carne, de bienes, de orgullo, se asemejan muy en mucho a los poderosos ejércitos de Gorgias, con corazas, con torres de guerra, con arqueros expertos, con su veloz caballería, siempre prontos a atacar bajo las órdenes del Mal.

¿Pero qué puede el Mal, si Dios está con el hombre que quiere ser justo? Sufrirá, quedará herido, pero gazará de libertad y de vida, y cosechará la victoria después de haber dado una buena batalla, la que no se traba una sola vez, sino que siempre continúa, mientras dure la vida, o hasta que el hombre se despoja de su fisonomía humana, o se convierte en espíritu, en un espíritu fundido con Dios, al que ni las flechas, ni las heridas, ni las hogueras de guerra, pueden causarle ningún daño en su ser, y caen sin fuerza alguna, impotentes de poderle hacer algún mal, como lo haría una gota de agua al caer sobre duro jaspe.

No os detengáis a recoger el botín. No perdáis el tiempo hasta que no estéis en los umbrales de la vida, no de esta terrenal, sino de la verdadera Vida, la del cielo. Entonces, victoriosos, recogeréis vuestro botín, llenos de gloria entraréis ante al Rey de reyes y le diréis: "Vencí. Aquí está mi botín. Lo hice con tu ayuda y con mi buena voluntad. Te bendigo, Señor, porque eres bueno y tu misericordia es eterna".

Esto es para todos en general, pero a vosotros, a vosotros que creéis en Mí, os espera otra batalla oculta. Os esperan otras batallas. Como las de la duda, las de las palabras que os dirán, las de las persecuciones.

Pronto seré elevado al lugar por el que vine del Cielo. Tal lugar os inspirará miedo, os parecerá ser un mentís a mis palabras. Pero ved lo que suceda con los ojos del espíritu, y comprobaréis que lo que acaezca será la confirmación de lo que soy en realidad. De que no soy el pobre rey de un reino pobre, sino el Rey que predijeron los profetas [4], a los pies de cuyo trono único, inmortal, acudirán,

[4] Cfr. vol. 1°, pág. 468, not. 1.

como los ríos al océano, todos los pueblos de la tierra, diciendo: "Te adoramos, oh Rey de reyes y Juez eterno, porque por tu santo Sacrificio redimiste el mundo".

Resistid las dudas. Yo no miento. Soy Aquel de quien han hablado los profetas. Como la madre de Juan lo hizo hace poco, recordad lo que hice y decid: "Estas obras son de Dios. Nos las dejó como recuerdo, para que nos confirmásemos en la fe, para que nos ayudasen a creer, y creer en estos propios momentos". Luchad y venceréis la duda que ahoga vuestras almas. Luchad contra las palabras que os dijeren. Recordad a los profetas y mis obras. Responded a las palabras de los enemigos con el texto de los profetas y con los milagros que me habéis visto hacer. No tengáis miedo. No seáis ingratos ocultando lo que hice. Luchad contra las persecuciones; pero no persigáis a quien os persiguiere, sino mostrad heroísmo en confesar mi fe ante quien os amenace con la muerte si no renegáis. Luchad siempre contra los enemigos. Contra todos. Contra vosotros mismos, contra vuestros miedos, contra los compromismos indignos, alianzas utilitarias, presiones, amenazas, torturas, la muerte.

¡La muerte!

Yo no soy el jefe de un pueblo que diga a su pueblo: "Sufre por mí mientras yo gozo". No. Soy el primero en sufrir para daros ejemplo. No soy un jefe de ejércitos que les diga: 'Combatid por defenderme. Morid para que yo viva". No. Soy el primero en combatir. Moriré el primero para enseñaros a morir. Así como siempre practico antes lo que digo. Predico la pobreza siendo pobre, la continencia siendo casto, la templanza siendo moderado, la justicia siendo justo; el perdón, perdonando y siempre perdonaré. Os enseñaré cómo se redime. Os lo enseñaré no con las palabras sino con los hechos. Os enseñaré a obedecer, obedeciendo a la más terrible de las órdenes: la de morir...

Os enseñaré a perdonar, perdonando en medio de las últimas congojas como he perdonado ya desde la paja de mi cuna al Linaje humano que me arrancó de los cielos [5]. Perdonaré como siempre he perdonado. *A todos. Por mi cuenta a todos.* A los enemigos pequeños, a los inactivos, indiferentes, volubles, a los enemigos grandes que no sólo me causan dolor con ser apáticos a mi poder y a mi deseo de salvarlos, sino que me hacen mal y me darán el tormento de ser deicidas. Perdonaré. Y, como a los deicidas impenitentes no podré [6] dar la absolución, volveré a rogar por ellos aún,

[5] Cfr. vol. 1°, pág. 766, not. 5; este volumen, pág. 183 not. 7, pág. 209 not. 5. El Linaje humano, creado por Dios y al que Dios amó más que pueda amar un padre a su propia hija, o un esposo a su propia esposa, al pecar obligó prácticamente al que es todo Bondad, Amor y Misericordia a hacerse hombre para salvarlo; así como un náufrago obliga (sin quitar la libertad) a un hombre generoso a arrojarse al agua para sacarlo afuera.

[6] Cfr. pág. 383 not. 3 y las notas que allí se alegan.

con mis últimas congojas, al Padre... para que los perdone... ebrios como estarán de odio satánico... Perdonaré... Y vosotros perdonad en mi nombre. Amad como Yo amo, como os amo y amaré en la eternidad.

Adiós. La tarde ya comienza a bajar. Oremos juntos, y luego cada uno regrese a su casa con la palabra del Señor en su corazón y la convierta en un oloroso pan para el tiempo que sufráis el hambre, cuando deseéis oir nuevamente al Amigo, al Maestro, a vuestro Salvador, y sólo al proyectar vuestro corazón al cielo, podréis encontrar al que os ama más que a Sí mismo.

Padre nuestro que estás en los cielos...» Y Jesús, con los brazos abiertos en forma de cruz, teniendo a su espalda la pared oscura que da al norte, lentamente empieza a recitar al Padre nuestro.

Luego recita sobre ellos la bendición mosaica [7]. Besa a los pequeñines. Otra vez los bendice. Se despide y se dirige hacia el norte, sin entrar en la ciudad de Emmaús.

El color violeta del crepúsculo envuelve poco a poco la dulce figura del Maestro que camina siempre, gradualmente, hacia su destino. En medio de la semioscuridad reina un profundo silencio de serenidad dolorosa... Como de espera.

Luego el llanto del pequeño Miguel, como de un corderito que se encontrase solo, rompe el encanto. Y muchos, con los ojos bañados en lágrimas, repiten las inocentes palabras del pequeño: «¿Por qué te vas? ¡Regresa! ¡Regresa!... ¡Hazlo regresar, Señor!» Y cuando Jesús desaparece, la madre trata inútilmente de consolar a su pequeño, que parece como si se le hubiese muerto algo más que ella, y que no deja de seguir con la mirada fija el punto donde desapareció el Maestro y con los brazos extendidos, grita: «¡Jesús, Jesús!»... Jesús aguarda, está un poco separado; luego dice: «Vamos a Joppe. Los discípulos trabajaron muy bien, y allá aguardan la palabra del Señor.»

No se ve que haya mucho entusiasmo de alargar el camino, pero Simón Zelote hace notar que de Joppe a las posesiones de Nicodemo y José se va por un buen camino. Juan está contento de volver a ver el mar. Los demás, arrastrados por estas consideraciones, terminan con ir más gustosos por el sendero que lleva al mar.

Dice Jesús:

«Pondréis aquí la visión del 20 de septiembre de 1944: "Jesús y los Gentiles en una ciudad marítima», que intitularéis: «Jesús en Joppe habla a Judas de Keriot y a gentiles», porque este episodio sucedió después de un día de milagros y de predicación.»

[7] Cfr. Núm. 6, 22-27.

95. Jesús en Joppe habla a Judas de Keriot y a gentiles

(Escrito el 20 de septiembre de 1944)

Veo a Jesús sentado en un patio de una casa de aspecto decente, aunque no lujoso. Parece muy cansado. Está sentado sobre un banco de piedra situado sobre el brocal de un pozo, que no es muy profundo, y sobre el que está en forma de arco un emparrado. Los granitos de uva son muy pequeños. Jesús tiene apoyado sobre su rodilla derecha su brazo derecho y el mentón en el hueco de su mano. Algunas veces, como para encontrar mayor reposo, apoya el brazo sobre el brocal y sobre él su cabeza, como si quisiese dormir. Los cabellos, en forma de velo, le caen sobre el rostro cansado, que de otro modo parece pálido y tristón en medio de los mechones de su cabellera rubio-rosada.

Una mujer va y viene con las manos llenas de harina. Pasa de una habitación de la casa a un cuchitril que está en el lado opuesto del patio y que debe de ser el horno. Cada vez que pasa, mira a Jesús, pero no le dice nada. Pronto va a atardecer, según parece, porque el sol apenas si toca la cima de la terraza del techo, y cada vez menos, hasta que desaparece.

Una decena de palomos vuela hacia el patio para su última comida. Revolotean alrededor de Jesús como para percatarse de quién sea el desconocido, y, desconfiados, no se atreven a posarse en el suelo. Jesús abandona sus pensamientos y sonríe; extiende una mano con la palma volteada y dice: «¿Tenéis hambre? Venid» como si hablase a seres humanos. El más atrevido se posa sobre su mano, y luego otro y otro. Jesús sonríe. «No tengo nada» dice. Luego en voz alta llama a la mujer: «¡Oye! Tus palomos tienen hambre. ¿Tienes comida para ellos?»

«Sí, Maestro. Está en el costal, bajo el pórtico. Ahora voy.»

«Déjalo. Yo lo haré. Me gusta.»

«No se acercarán. No te conocen.»

«¡Los tengo hasta en la espalda y hasta en la cabeza!...»

En realidad, Jesús lleva sobre su cabeza un palomo, cual morrión, cuyo buche es de color plomizo, que parece una coraza preciosa, por su color tornasolado.

La mujer, que no creyó lo que le había dicho Jesús, se asoma y lanza un «¡Oh!»

«¿Lo ves? Los palomos son mejores que los hombres. Conocen a quien los ama. Los hombres... no.»

«No pienses más en lo que pasó, Maestro. Son pocos los que te odian. Los demás, si no todos, te aman, o por lo menos te respetan.»

«No me desanimo por esto. Lo digo para hacerte ver cómo frecuentemente los animales son mejores que los hombres.»

Jesús abre el saco, mete su larga mano y saca semillas que deposita en el extremo de su mano. Lo cierra y regresa a la mitad del patio, apartando los palomos que por sí mismos quieren servirse y a sus anchas. Retira la punta del manto y tira al suelo las semillas, y ríe por las riñas con que se traban. Pronto terminan todo. Beben agua en un plato cóncavo que está cerca del pozo y miran nuevamente a Jesús.

«Ios. No hay más.»

Los palomos aletean un poco más sobre las espaldas y las rodillas de Jesús. Y luego regresan a sus nidos. Jesús vuelve a su meditación.

Alguien llama a la puerta. La mujer va a ver. Son los discípulos.

«Entrad» dice Jesús. «¿Distribuísteis el dinero entre los pobres?»

«Sí, Maestro.»

«¿Hasta el último céntimo? Recordad que lo que se nos da, no es para nosotros, sino para la Caridad. Somos pobres y vivimos de la compasión de los demás, *¡Infeliz el apóstol que se aprovecha de su misión por fines humanos!»*

«¿Y si un día se queda uno sin pan, y se le acusa a uno de violar la Ley [1], porque se imita a los pájaros arrancando las espigas?»

«¿Te ha faltado algo, Judas? ¿No has tenido todo lo necesario desde que estás conmigo? ¿Te has caído alguna vez de hambre por el camino?»

«No, Maestro.»

«Cuando te dije: "Ven", ¿te prometí comodidades y riquezas? ¿He dicho alguna vez a quien me escucha, que daré a los "míos" bienes en la tierra?»

«No, Maestro.»

«¿Entonces, Judas? ¿Por qué has cambiado tanto? ¿No sabes, no comprendes que tu descontento, tu frialdad me causan dolor? ¿No ves que tu descontento se esparce entre tus hermanos? ¿Por qué, Judas, amigo mío, tú que has sido llamado a una gran honra, que viniste a Mí, a Mí, Luz, con tanto entusiasmo, y ahora me abandonas?»

«Maestro, no te abandono. Soy el que más me preocupo de Tí, de tus intereses, de tu éxito. Quisiera verte triunfar por todas partes, créemelo.»

«Lo sé. Tú lo quieres desde el punto de vista humano y ya es mucho. Pero no quiero esto, Judas, amigo mío. No vine por un triunfo humano, por un reino humano... No vine a dar a mis amigos migajas de un triunfo humano... sino a daros una recompensa inmensa, copiosa, una recompensa que lo es más porque es la coparticipación en mi Reino eterno, es la posesión de los derechos de

[1] Cfr. vol. 1°, pág. 513, not. 1.

los hijos de Dios... ¡Oh, Judas! ¿Por qué no te llena de entusiasmo esta herencia, a la que se llega renunciando a todo, y que no conoce fin? Acércate más, Judas.

¿Lo ves? Estamos solos. Los otros han comprendido que quería hablarte, a tí que distribuyes mis... riquezas, que son las limosnas que el Hijo del Hombre, el Hijo de Dios recibe para darlas en nombre de Dios y del Hombre al hombre. Se fueron adentro. Estamos solos, Judas, en esta hora tan suave de la tarde en la que nuestro corazón vuela a nuestros hogares lejanos, a nuestras mamás que al preparar su cena solitaria, ciertamente piensan en nosotros y acarician con la mano el lugar donde nos sentábamos a esta hora de Dios antes de que nos hubiese tomado su Santísima Voluntad para hacerlo amar en espíritu y en verdad.

¡Nuestras mamás! La mía, tan santa y pura, que os quiere tanto y ruega por vosotros, amigos de su Jesús... La mía, que no tiene sino esta paz, en medio de sus preocupaciones de ser la Madre del Mesías, al saber que estoy rodeado de *vuestro* cariño... No quitéis las ilusiones, no engañéis este corazón de Madre, amigos míos. No lo destrocéis con vuestras malas acciones. Tu mamá, Judas. Tu mamá que la última vez en que pasamos por Keriot no acababa de bendecirme y que quería besarme los pies, porque se siente feliz de que su Judas esté en la Luz de Dios, y que me dijo: "¡Oh, Maestro! ¡Haz santo a mi Judas! ¿Qué otra cosa quiere el corazón de una Madre sino el bien de su hijo? ¿Y qué bien es mayor del Bien eterno? ¿Qué mayor bien, Judas, que a donde te quiero llevar, y a donde se llega, siguiendo mi Camino? Judas, tu mamá es una santa mujer. Una verdadera hija de Israel. No permití que me besase los pies, porque sois mis amigos, y porque en cada madre vuestra, en cada madre buena, veo a la mía. Yo quisiera que en la vuestra vieseis a la mía con su *tremendo* destino de Corredentora [2], y que no quisierais, no quisierais matarla, porque os parecería matar a la vuestra propia.

No llores, Judas. ¿Por qué lloras? Si no tienes nada en el corazón que te remuerda contra tu mamá y contra la mía ¿por qué brota ese llanto? Ven aquí, pon tu cabeza sobre mi espalda, y di a tu Amigo tus ansias. ¿Has faltado en algo? ¿Te sientes cercano a hacerlo? ¡No estéis solo! Vence a Satanás con la ayuda de quien te ama. Soy Jesús. Soy el Jesús que cura las enfermedades, que arroja a los demonios. Soy el que salva... que te quiere mucho, que se aflige por verte así tan débil. Soy el Jesús que enseña a perdonar setenta veces siete. Pero Yo, de mi parte, no setenta, sino setencientas, siete mil veces os perdono... *y no hay culpa, Judas, no hay culpa, no hay culpa, Judas, que no perdone Yo, que no perdone, que no perdone,* si

[2] Cfr. Lc. 2, 33-35.

arrepentido el culpable me dice: "Jesús, he pecado", o por lo menos: "¡Jesús!" o todavía menos, si suplicante sólo me mira. ¿Sabes, amigo mío, a quién perdono primero las culpas? ¿a quién se las perdono? *A los más culpables, y a los más arrepentidos.* Y las primerísimas que perdono sabes cuáles son: *las que se me hacen a Mí.*

¿Judas... no encuentras una respuesta que dar a tu Maestro? ¿Tanta es tu angustia que te impide la palabra? ¿Temes que te denuncie? ¡No tengas miedo! Hace tanto tiempo que te quería hablar así, apoyado sobre mi Corazón, como dos hermanos nacidos de una misma madre, como si fuésemos una sola cosa, como dos que se alternaron en mamar la dulce leche de igual seno. Ahora estás conmigo y no te dejo sino hasta que me digas que te he curado. No tengas miedo, Judas. Quiero tu confesión. Tus compañeros pensarán que es una conversación de íntima amistad, porque verán que en nuestros rostros se refleja el afecto, después de ella. Y haré que cada vez más lo crean, teniéndote cerquita de Mí en la cena de esta noche, mojándote Yo mismo el pan y dándotelo con predilección, y serás el primero a quien dé la copa, después de haber alabado a Dios. Serás el rey del convite, Judas. Lo serás en realidad. Te amo Judas, amo tu alma, si te limpias y te liberas, dejando tu polvo sobre mi corazón que todo purifica.

«¿Todavía no me dices la causa de tu llanto?»

«Me has hablando tan dulcemente... de mamá... de la casa... de tu amor... Un momento de debilidad... ¡Estoy muy cansado!... Me parecía desde hace tiempo que ya no me amabas...»

«*No. No es esto.* En tus palabras no hay más que una parte de la verdad. Estás cansado, pero no del camino, del polvo, del sol, del fango, de la gente. *Estás cansado de tí mismo.* Tu alma está cansada de tu carne y de tu mente. Tan cansada que terminará por apagarse de cansancio mortal. ¡Pobre alma a la que llamé Yo para los resplandores eternos! ¡Pobre alma que sabe que te amo y que te reprocha el que la arranques de mi amor! ¡Pobre alma que te reprocha inútilmente, como inútilmente te acaricio con mi amor, de que te comportas engañosamente con tu Maestro! Pero no eres tú quien lo haces. Es el que te odia y me odia. Por esto te decía hace un ratico: "No estéis solo". Oye esto: bien sabes que paso gran parte de mis noches en oración. Si alguna vez sientes en tí el valor de ser un ser humano, y la voluntad de ser mío, ven a Mí, mientras tus compañeros duermen. Las estrellas, las flores, los pajarillos serán testigos prudentes y buenos, compasivos. Se horrorizan por el crimen que se comete bajo sus rayos, pero no lanzan su voz para decir a los hombres: "Este es un Caín de su hermano". ¿Has entendido, Judas?»

«Sí, Maestro. Pero créeme: no tengo otra cosa que cansancio y

emoción. Te amo con todo el corazón y...»
«Está bien. Es suficiente.»
«¿Me das un beso, Maestro?»
«Sí, Judas. Este y más te daré...»
Jesús lanza un profundo suspiro, suspiro de tristeza. Pero da el beso a Judas en su mejilla. Luego le toma la cabeza entre sus manos, y se la acerca a Sí, de modo que no hay más que unos cuantos centímetros de separación entre ambos, y le mira a la cara fijamente, lo escudriña, lo traspasa con su mirada magnética. Judas, este condenado, no se conmueve. Se queda aparentemente imperturbable. Solo palidece por un momento y por un instante cierra sus ojos.
Y Jesús lo besa en sus cerrados párpados, luego en la mejilla, y luego en el pecho. Le dice: «Esto es para arrojar las tinieblas, para que comprendas la dulzura de Jesús, por fortificar tu corazón.» Luego lo suelta. Jesús penetra en la casa. Judas lo sigue.
«Muy bien, Maestro. Todo está listo. Te esperábamos tan sólo» dice Pedro.
«Estaba hablando con Judas sobre varias cosas... ¿Verdad, Judas? Habrá que pensar también en el pobre anciano a quien mataron su hijo.»
«¡Ah!» Judas aprovecha la ocasión al vuelo para serenarse completamente y desviar las sospechas de los demás, si las hubiese. «Ah, ¿sabes, Maestro? Un grupo de gentiles nos detuvo hoy. Venían mezclados con judíos de las colonias romanas de Grecia. Querían saber muchas cosas. Respondimos como pudimos. Pero no creo que los hayamos persuadido. Fueron buenos y nos dieron mucha plata. Aquí la tienes, Maestro. Podremos hacer mucho bien.» Y Judas pone una bolsa gruesa de piel suave, que al golpear la mesa, suena el retintín de plata. Es grande como la cabeza de un niño.
«Está bien, Judas. Distribuirás el dinero equitativamente. ¿Qué deseaban saber los gentiles?»
«Cosas sobre la vida futura... que si el hombre tiene alma, y que si esta es inmortal. Citaban nombres de sus maestros. Pero nosotros... nosotros ¿qué podíamos decir?»
«Debisteis haberles dicho que viniesen aquí.»
«Se lo dijimos, y tal vez vendrán.»
La cena continúa.
Jesús tiene cerca de Sí a Judas, y le da el pan mojado en el caldo que hay en el plato de la carne asada. Están comiendo pequeñas uvas negras cuando se oye que alguien llama a la puerta. Poco después regresa la mujer diciendo: «Maestro, quieren verte.»
«¿Quién?»
«Unos extranjeros.»

«¡Pero es imposible!» «¡El Maestro está cansado!» «Todo el día camina y habla.» «Y luego, ¡gentiles en casa! ¡Qué horror!» Los doce parecen un avispero.

«¡Psss! ¡Calma! No me produce fatiga escuchar a quien me busca. Es mi descanso.»

«Podría ser una trampa. ¡A esta hora!...»

«No. *No lo es.* Estaos tranquilos y descansad. Descansé cuando os estuve esperando. Voy. No, no os pido que vengáis conmigo... aun cuando... aun cuando a los gentiles llevaréis algún día vuestro judaísmo que no lo será más sino cristianismo. Esperadme aquí.»

«¿Vas solo? ¡Ah, eso, nunca!» dice Pedro y se levanta.

«Quédate donde estás. Voy solo.»

Sale. Se asoma a la puerta que da a la calle. A la luz crepuscular se ve que son varias las personas que le esperan.

«La paz sea con vosotros. ¿Me necesitabais?»

«Salve, Maestro.» Habla un viejo imponente vestido a la romana, y que sobre su cabeza trae un mantelete a la manera de capucha, en forma circular. «Hablamos este día con tus discípulos. Pero no supieron contestarnos gran cosa. Querríamos hablar contigo.»

«¿Sois los que les disteis una cuantiosa limosna? Gracias. Será para los pobres de Dios.» Jesús se vuelve a la dueña de la casa y le dice: «Mujer, voy a salir con estos. Di a los míos que vengan a reunirse conmigo cerca de la costa, porque si no me equivoco, creo que estos son comerciantes...»

«Y navegantes. Bien lo has notado, Maestro.»

Se van. La luna les alumbra el camino.

«¿Venís de lejos?» Jesús va en el centro del grupo. De un lado viene el hombre que le habló. Un buen tipo de perfil latino. Del otro, uno que sin duda alguna es de origen hebreo; luego otros dos o tres tipos delgados, de color oliva, de ojos agudos y un poco irónicos; y otros más, diversos por la complexión de su cuerpo, y por su edad. Son una decena.

«Somos de las colonias romanas de Grecia y Asia. Parte judíos y parte gentiles... Por esto no nos atrevíamos a venir... Pero nos aseguraron que no desprecias a los gentiles... como hacen los demás... los judíos observantes, quiero decir, los de Israel, porque en otras partes hay judíos... que no son tan austeros. Tanto que yo, que soy romano, me casé con una mujer judía de Licaonia; y este que es hebreo de Efeso está casado con una romana.»

«No desprecio a nadie... Pero hay que compadecer a los que todavía no saben pensar que: *si uno solo es el Creador, todos los hombres tienen una sola sangre.»*

«Sabemos que eres grande entre los filósofos. Y cuanto dices, lo confirmas. Grande y bueno.»

«Bueno es quien posee el bien, no quien habla bien.»

«Tú hablas bien y haces bien. Por esto eres bueno.»
«¿Qué queríais preguntarme?»
«Perdona, Maestro, si te cansamos hoy con nuestras inoportunidades, pero son buenas porque buscan con amor la Verdad... Preguntamos a los tuyos sobre la verdad de una doctrina de la que hablaron en cierta forma los filósofos antiguos de Grecia y que Tú, se nos dijo, vuelves a predicar más extensamente, más hermosamente. Mi mujer Eunique conversó con varios judíos que te oyeron hablar, y me repitió sus palabras. ¿Sabes? Eunique es griega, y culta. Conoce los dichos de los sabios de su patria, y ha encontrado un cierto paralelo entre tus palabras y las de un famoso filósofo griego. A Efeso también han llegado esas palabras tuyas. Nos hemos vuelto a encontrar aquí en este puerto, a donde hemos venido por razones de comercio o de religión, y hablamos de ello. Los negocios no obligan a uno a no pensar en otras cosas más altas. Terminados los negocios y llenas las bodegas tenemos tiempo de dar una solución a nuestra duda. Tú dices que el alma es eterna. Sócrates dijo que es inmortal. ¿Conoces las palabras del maestro griego?»
«No [3]. No he estudiado en las escuelas de Roma o de Atenas. Pero habla. Te escucho igualmente. No ignoro el pensamiento del filósofo griego.»
«Sócrates, contrariamente a lo que creemos los de Roma, y a lo que creen vuestros saduceos, admite y sostiene que el hombre tiene un alma y que esta es inmortal. Dice que, siendo así, la muerte no es más que liberación, es un paso de esta cárcel a la libertad en que se encuentra uno con aquellos a quienes amó, y conoce allí a los sabios de cuya cordura oyó hablar y a los hombres famosos, a los héroes, a los poetas, y no encuentra allí más ni injusticia ni dolor, sino una felicidad eterna en una morada de paz, abierta a las almas inmortales que vivieron justamente. ¿Qué dices de ello, Maestro?»
«En verdad te digo que el maestro griego, aun cuando permaneció en el error de una religión no verdadera, estuvo en lo cierto al afirmar que el alma es inmortal. Pionero de la Verdad y amante de la Virtud, sentía en el fondo de su ser hablar en voz baja la Voz del Dios Desconocido, del Verdadero Dios, del Dios Unico: el Padre Altísimo de quien vengo Yo para llevar a los hombres a la Verdad. El hombre tiene un alma. Una. Verdadera. Eterna [4]. Libre y no esclava. Merecedora de premio o castigo. Dueña de sí misma. Creada por Dios. Destinada, en el Pensamiento Creador, a regresar a Dios. Vosotros gentiles, os entregáis mucho al cuidado del cuerpo, obra admirable, en realidad, en la que está el sello del Dedo eterno. Admiráis mucho la inteligencia, joya encerrada en el cofrecito de

[3] Cfr. vol. 1°, pág, 356, not. 7; pág. 428, not. 15.
[4] Cfr. vol. 1°, pág. 807, not. 5.

vuestra cabeza y de allí derrama sus sublimes rayos. Grande, excelentísimo don del Dios Creador que os ha hecho según su Pensamiento, obras perfectas de órganos y miembros, y os ha concedido que os asemejéis al Pensamiento y al Espíritu. *Pero la perfección de la semejanza está en el espíritu,* porque Dios no tiene miembros ni cuerpo, como no tiene sentidos, ni algo que le atraiga a la lujuria. Es Espíritu purísimo, eterno, perfecto, inmutable, incansable en el obrar, siempre renovando sus obras que paternalmente adapta al camino ascendente de su creatura. El espíritu, a quien una misma Fuente de poder y bondad creó para todos los hombres, no conoce cambios de perfecciones iniciales. Uno sólo es el Espíritu increado perfecto y tal ha quedado. Tres son los espíritus perfectos creados...»

«Tú eres uno de ellos, Maestro.»

«Yo, no. Yo en mi cuerpo tengo al Espíritu que no fue creado, sino engendrado por el Padre por abundancia de Amor.»

«¿Cuáles son, pues?»

«Los dos primeros seres humanos de quienes proceden todos, seres perfectos que después cayeron voluntariamente en la imperfección. El tercero, creado para delicia de Dios y del Universo, es muy superior para que el pensamiento y fe humanos puedan comprenderlo. Decía Yo que los espíritus creados por una misma Fuente con igual medida de perfección, sufren después, por su mérito y voluntad, una doble metamorfosis.»

«¿Entonces admites otras vidas?»

«*No hay más que una sola.* En esta el alma, que tuvo la semejanza inicial con Dios, pasa, al practicar fielmente la justicia en todas las cosas, a una semejanza más perfecta, diría, a una segunda creación de sí misma, por la que llega a una doble semejanza con su Creador, haciéndose capaz de pasar a poseer la santidad, *la cual es perfección de justicia y semejanza de hijos con el Padre.* Esta existe en los bienaventurados, esto es, en los que vuestro Sócrates dice que viven en el Hades. Pero Yo digo que cuando la Sabiduría haya dicho sus palabras, y con su sangre las haya sellado, estos serán los bienaventurados del Paraíso, del Reino, esto es, de Dios.»

«¿Y qué hacen ahora?»

«Esperar.»

«¿Qué?»

«El sacrificio, el perdón, la liberación.»

«Se dice que el Mesías será el Redentor, y que Tú lo eres... ¿Es verdad?»

«Así es. Soy Yo quien os está hablando.»

«¿Entonces, tienes que morir? ¿Por qué, Maestro? El mundo tiene mucha necesidad de Luz y ¿quieres Tú dejarlo?»

«¿Tú, griego, me preguntas esto? ¿Tú, en quien las palabras de

Sócrates encuentran su apoyo?»

«Maestro, Sócrates fue un hombre justo. Tú eres santo. Mira de cuánta santidad necesita la Tierra.»

«Aumentára infinitamente su poder por cada dolor, por cada herida, por cada gota de mi Sangre.»

«¡Por Júpiter! Ningún estoico ha sido más grande que Tú, que no te limitas a predicar que la vida no vale nada, sino que Tú mismo la desprecias.»

«Yo no desprecio la vida. La amo como la cosa más útil para obtener la salvación del mundo.»

«Todavía eres joven, Maestro, para morir.»

«Tu filósofo dijo que los dioses aman lo que es santo, y tú así me has llamado. Si soy santo, debo tener sed de tornar a la Santidad de donde vine. Por lo tanto no soy muy joven para no tener esta sed. Dice también Sócrates que quien es santo desea hacer cosas que agraden a los dioses. ¿Qué cosa puede haber más agradable que devolver al abrazo del Padre los hijos a los que la culpa tiene alejados y hacer que el hombre tenga paz con Dios, fuente de todo bien?»

«Dijiste que no conocías los dichos socráticos. ¿Cómo entonces sabes estas cosas que dijiste?»

«Yo sé todo [5]. *El pensamiento de los hombres, en cuanto es pensamiento bueno, no es más que reflejo de un mi pensamiento.* En cuanto no lo es, no es mío, pero lo he leído en los siglos, y *supe, sé y sabré,* cuándo fue dicho, cuándo lo es, y cuándo lo será. Yo lo sé.»

«Ven a Roma, Señor, faro del mundo. Aquí el odio te rodea; allá la veneración te seguirá.»

«Seguirá al hombre, no al Maestro de lo sobrenatural. Vine por lo sobrenatural. Debo conducir los hijos del Pueblo de Dios, por más crueles que sean con el Verbo.»

«¿Entonces, Roma y Atenas no te conocerán?»

«Me conocerán. No tengáis miedo. Me conocerán. Los que me quieran, me conocerán y tendrán.»

«Pero si te matan...»

El espíritu de cada hombre es inmortal y ¿no va a serlo el mío, Espíritu del Hijo de Dios? Iré con mi Espíritu que obrará... Iré... Veo ya las turbas infinitas y las Casas levantadas a mi Nombre... Estoy por doquier... Hablaré en los templos y en los corazones... Nunca terminaré de predicar... El Evangelio recorrerá la Tierra... todos los buenos vendrán a Mí... y he aquí... que me pongo a la cabeza de mi ejército de santos y lo llevo al Cielo. Venid a la Verdad...»

«¡Oh, Señor! Tenemos el alma envuelta en fórmulas y errores.

[5] Cfr. pág. 31 not. 1 y pág. 107 donde se lee que Jesús lee en los corazones y conoce el futuro.

¿Cómo haremos para abrirle la puerta?»
«Yo descorreré las puertas del Infierno; abriré las puertas de vuestro Hades y de mi Limbo. ¿No podré abrir las vuestras? Decid: "Quiero" y como cerraduras hechas con alas de mariposa, caerán pulverizadas bajo el paso de mi Rayo.»
«¿Quién vendrá en tu Nombre?»
«¿Veis ese hombre que viene dando la vuelta, junto con uno más joven? Ellos irán a Roma, a muchas partes. Y con ellos muchos más. Así como ahora, entonces también empujados por el Amor que me tienen y que no los deja descansar sino a mi lado irán por amor a los que fueron redimidos con mi Sacrificio, irán a buscaros, a juntaros, a llevaros a la Luz. ¡Pedro! ¡Juan! Venid. Ya terminé, por lo que veo, y regreso con vosotros. ¿Tenéis algo más que preguntarme?»
«No, Maestro. Nos vamos llevando con nosotros tus palabras.»
«Que en vosotros echen raíces eternas. Ios. La paz sea con vosotros.»
«Salve, Maestro.»
Y la visión termina.

Me pregunta Jesús una vez más: «¿Estás agotada? Un dictado pesado. Más bien dictado que visión. Pero es un argumento que algunos querían. ¿Quiénes? Lo sabrás en *Mi Día.* Ahora también tu quédate en paz.»

De parte mía agrego que la conversación entre Jesús y los gentiles acaeció cerca de la costa de una ciudad marítima. A la luz de la luna, bien que se distinguían las plácidas ondas que iban a morir con su ruido entre los escollos del antemuro de un amplio puerto. No pude decirlo antes porque el grupo habló siempre y si hubiera descrito lo que veía, hubiera perdido la hilación. Caminan a lo largo de la costa yendo y volviendo. El lugar está solitario, pues todos han regresado ya a sus naves, cuyos fanales rojos brillan como estrellas de rubí en la noche. Qué ciudad sea, lo ignoro [6], pero parece bella e importante.

[6] Es la ciudad de Joppe, como se dijo en el anterior capítulo.

96. En la casa de campo de Nicodemo

(Escrito el 29 de marzo de 1946)

Jesús llega allí en un fresco amanecer. Son bellos estos fértiles campos del buen Nicodemo a las primeras horas del sol. Bellos, no obstante que muchos de ellos estén ya segados y presenten el aspecto cansado de tierras en que ya no hay mieses, sino gavillas de oro, o que si las hay están tiradas por el suelo como despojos mortales, y que esperan que se les lleve a las eras. Y con ellas han muerto la flor de lis, la llamada boca de león de color morado, las delicadas corolas de la escabiosa, el frágil cáliz de las campánulas, la alegre aureola de las camamilas y margaritones, la amapola morada, y cientos más de flores que como estrellas, en espigones, en racimos, no ha poco reían y ahora están muertas. Los árboles frutales consuelan a los campos de su duelo, cargados como están de sus frutos que a esta hora brillan con un color diamantino que el rocío les ha regalado y que con el sol desaparecerá.

Los campesinos están ya trabajando. Alegres porque pronto terminará su faena. Cantan mientras siegan la mes, ríen alegres, se estimulan para ver quién es más rápido y más experto en manejar la hoz o en hacer gavillas. Grupos y más grupos de trabajadores bien alimentados, que alegres trabajan por su buen patrón. Y a las orillas de los campos, o detrás de los que hacen las gavillas, están los niños, las viudas, los ancianos, que esperan para poder espigar por su parte, o bien que esperan sin preocupación porque saben que habrá para todos, como siempre «por orden de Nicodemo», como dice una viuda a Jesús que le preguntó.

«El procura» — dice — «que se tiren a propósito espigas que recogeremos. Y, no contento con ello, después de haber nosotros cosechado, nos reparte lo demás. Oh, no espera hasta el año sabático [1], sino que siempre ayuda al pobre con sus mieses, y también con sus olivos y viñedos. Por esto Dios lo bendice con cosechas tan maravillosas. Las bendiciones de los pobres son como rocío en sus mieses y en sus campos, y hacen que sus mieses produzcan más trigo y cada campo rinda mayores frutos. Este año nos dijo que nos lo concede todo, porque es un año de gracia. De qué gracia hable no lo sé. Se dice entre nosotros los pobres, y entre sus siervos que lo quieren, que él es discípulo secreto del que llaman el Mesías, el cual predica el amor a los pobres para mostrar así el amor a Dios... Tal vez Tú lo conoces, si eres amigo de Nicodemo... Pues los amigos frecuentemente tienen los mismos afectos... José de Arimatea, por ejemplo, es gran amigo de Nicodemo, y también se dice que él es amigo del Rabbí... Oh, pero ¿qué he dicho? ¡Dios me perdone! He causado mal a los dos buenos de la llanura...» La mujer está consternada.

Jesús sonríe y pregunta: «¿Por qué, mujer?»

«Porque... Oh, dime, ¿eres Tú verdadero amigo de Nicodemo y de José, o eres uno del Sanedrín, uno de los falsos amigos que causarían mal a los buenos, si estuviesen seguros que son ellos amigos del Galileo?»

«Puedes estar segura. Soy un verdadero amigo de ambos dos. Pe-

[1] Cfr. Ex. 23, 10-11; Lev. 25, 1-7, 20-22; Deut. 15, 1-11; cfr. también vol. 1°, pág. 513, not. 1.

ro tú sabes muchas cosas. ¿Cómo las sabes?»

«¡Todos las sabemos! Arriba, está el odio; abajo, está el amor. Aun cuando no conocemos al Mesías, pero lo amamos nosotros los abandonados por que El sí ama y enseña a amar... Tenemos miedo por El... ¡Son tan pérfidos los judíos, los fariseos, los escribas y los sacerdotes!... Te estoy escandalizando... Perdóname. Es lengua de mujer y no sabe estar callada. Pero es que todas nuestras desgracias nos vienen de ellos, de los poderosos que nos oprimen sin compasión alguna, y nos obligan a ayunos no prescritos por la Ley, sino que nos los imponen para tener que buscar plata con qué pagar todas las décimas que ellos, los ricos, han impuesto a los pobres. Y es porque toda la esperanza se sitúa en el Reino de este Rabbí, que si ahora que es perseguido es tan bueno, ¡qué no será cuando llegue a ser rey!»

«Su Reino no es de este mundo. No tendrá ni palacios, ni ejércitos. No impondrá leyes humanas. No distribuirá plata, sino enseñará a los mejores que lo hagan. Los pobres no encontrarán a dos, diez o cien amigos entre los ricos, sino que todos los que crean en el Maestro reunirán sus riquezas para ayudar a los hermanos que no las tienen. Porque de hoy en adelante no se llamará "prójimo" al que es semejante a uno mismo, sino "*hermano*" en nombre del Señor.»

«¡Oh!...» La mujer está sorprendida; sueña con esos futuros días. Acaricia a sus niños, sonríe, levanta la cabeza y dice: «¿Me aseguras entonces que no he causado ningún daño a Nicodemo... al hablar contigo? Se me vino tan sin querer... ¡Tus ojos son tan dulces!... ¡Tan sereno tu rostro!... No sé... Me sentí segura como si estuviese cerca de un ángel de Dios... Por esto lo dije...»

«Ningún mal le causaste. Puedes estar cierta, antes bien has alabado a mi amigo, al que también Yo alabaré, y querré mucho más... ¿Eres de estos lugares?»

«¡No, Señor! Soy de entre Lida y Bettegón. Pero cuando uno está necesitado, corre aunque el camino sea largo. Más largos son los meses de invierno y de hambre...»

«Y más largo que el de la vida es el de la eternidad. Sería necesario preocuparse del alma, así como se preocupa uno del cuerpo, y correr a donde hay palabras de vida.»

«Voy a donde están los discípulos del Rabbí Jesús, ese hombre bueno. El único bueno entre los muchos rabbíes que tenemos.»

«Haces bien, mujer» dice Jesús sonriente. Hace una señal a Andrés y Santiago de Zebedeo que están con El — pues los otros se han ido a la casa de Nicodemo — de no decir nada a la mujer acerca de su identidad.

«Seguro que hago bien. No quiero tener el pecado de no haber creído en El y de no haberlo amado... Dicen que es el Mesías... No lo conozco, pero quiero creer, porque pienso que vendrán infortunios sobre los que no lo quieran aceptar como tal.»

«¿Y si sus discípulos estuviesen engañados?» pregunta Jesús.

«No puede, Señor. Son muy buenos, humildes y pobres para pensar que sean seguidores de uno que no sea santo. Y luego... He hablado con gente a quien El curó. No cometas, Señor, el pecado de no creer. Se condenaría tu alma... En fin... yo pienso que si aún todos estuviésemos engañados y que El no fuese el Rey prometido, con seguridad que es santo y amigo de Dios, si dice tales cosas y cura las almas y los cuerpos... Siempre es provechoso estimar a los buenos.»

«Dijiste bien. Continúa firme en tu fe... He allí Nicodemo...»

«Sí. Con los discípulos del Rabbí. Andan por los campos evangelizando a los segadores. También ayer comimos de su pan.»

Nicodemo, con el vestido arremangado, se acerca sin haber visto al Maestro y manda a los campesinos no levantar una espiga de las segadas. «Nosotros tenemos pan... Damos el regalo de Dios a quien no lo tiene. Y lo damos sin temor. Podían nuestras mieses haber sido destruídas con la helada tardía, y con todo no se perdió ni siquiera una semilla. Devolvamos a Dios su pan, dándolo a sus hijos que carecen de él. Os aseguro que mucho más abundante, al mil por ciento, será la cosecha del año próximo porque El ha dicho que "algo inimaginable será dado a quien dé".»

Los campesinos, respetuosos y contentos, escuchan a su patrón asintiendo con la cabeza. Nicodemo repite sus órdenes en todos sus campos, en todos los grupos.

Jesús que está oculto ligeramente detrás de un cañaveral que hay cerca de un foso que hace de límite, aprueba y sonríe, y su sonrisa es mucho mayor cuando Nicodemo más se acerca y más inminente es el encuentro y la sorpresa.

Ahora salta el foso para ir a otros campos... y se queda como petrificado al encontrarse frente a Jesús que le extiende los brazos.

El aliento vuelve a su boca. Dice: «Maestro santo, y ¿cómo es posible que hayas venido a mí?»

«Para conocerte, aunque no era necesario, pues aquellos que reciben tus beneficios, lo habían dicho...»

Nicodemo está de rodillas, inclinado hasta el suelo, y de rodillas los discípulos a quienes hacen de cabeza Esteban y José, del Emmaús que está entre montes. Los campesinos comprenden. Comprenden los pobres y todos también están en tierra, en medio de un respeto sumo.

«Levantaos. Hasta hace poco era el Viajero que inspira confianza... Tenedme por tal todavía. Y amadme sin miedo. Nicodemo, mandé los otros diez, que no están aquí, a tu casa...»

«He dormido fuera para vigilar que no faltase nada...»

«Dios te bendice por esto. ¿Quién te dijo que este año es de gracia, y no el venidero, por ejemplo?»

«No lo sé... No soy profeta, pero cierto que tonto no lo soy. A mi inteligencia ha venido en su ayuda una luz del cielo. Maestro mío... quería yo que todos los pobres gozasen de los bienes de Dios. mientras Dios está todavía entre los pobres... esperaba que vinieras a mi casa, para impartir el suave olor y tu poder santificador a estas mieses, a mis olivares, viñedos, árboles, que daré a los pobres hijos de Dios, mis hermanos... Pero ahora que estás aquí, levanta tu mano bendita, y bendice para que junto con el alimento del cuerpo, baje sobre los que comerán la santidad que de Tí emana.»

«Con gusto, Nicodemo. Es justo deseo que el cielo aprueba.» Jesús abre sus brazos para bendecir.

«Oh, espera a que llame a los campesinos» y con un pito silba tres veces; silbido que se propaga por el aire tranquilo. Los segadores, los que espigaban, los curiosos corren de todas partes. Un buen grupo.

Jesús abre los brazos y dice: «Por la virtud del Señor, por el deseo de su siervo, que la gracia para el espíritu y para el cuerpo descienda en cada grano, en cada racimo, aceituna o fruta, y haga prósperos y santos a los que de ellos comieren con espíritu recto, limpio de concupiscencias y odios, y deseosos de servir al Señor obedeciendo a su Voluntad divina y perfecta.»

«Así sea» dicen Nicodemo, Andrés, Santiago, Esteban y los demás discípulos... «Así sea» repite el grupo, que se pone de pie, pues se había arrodillado para recibir la bendición.

«Di que dejen por un momento sus labores. Quiero hablarles.»

«Gracias, Maestro, muchas gracias por este favor más que haces.»

Se van a la sombra de un bosquecillo y esperan para que se les junten los diez que habían ido a la casa, y que regresan jadeantes y desilusionados de no haber encontrado a Nicodemo.

Jesús empieza a hablar:

«La paz sea con vosotros. Os quiero proponer una parábola. Cada uno saque la enseñanza que más le convenga.

Escuchad: Un hombre tenía dos hijos. Se acercó al primero y le dijo: "Hijo mío, ve a trabajar hoy a mi viña". Era una gran honra que le daba el padre. El creía que su hijo sería capaz de trabajar en la viña en que él había trabajado hasta el presente. Señal era que veía en su hijo buena voluntad, constancia, capacidad, experiencia y amor. Pero el hijo, un poco disipado con las cosas del mundo, temeroso de que se le viese vestido como un siervo — Satanás se aprovecha de estos miramientos para alejar del Bien — de que se burlasen de él, o aun de que los enemigos de su padre tomasen la venganza en él, respondió: "No voy. No tengo ganas". El padre fue al otro hijo, y le repitió lo que había dicho al primero. El segundo respondió al punto: "Sí, padre. Inmediatamente voy".

¿Y qué sucedió? El primer hijo, que tenía buen corazón, después de un momento de debilidad en la tentación, de rebelión, se arrepintió de haber dado ese disgusto a su padre, y sin decir palabra alguna fue a la viña y trabajó todo el día hasta la noche; regresó satisfecho a su casa con la paz en el corazón por su labor cumplida. El otro, al revés, mentiroso y débil, salió de la casa, pero no fue a la viña, sino que se fue a vagabundear y a buscar amigos influyentes de los que esperaba recabar alguna utilidad. Decía en su corazón: "Mi padre está ya viejo y no sale de casa. Le diré que le obedecí y él se lo creerá..."

Al llegar la noche también él regresó a casa, con la cara cansada de la ociosidad, con los vestidos arrugados, y sin tener el valor seguro de saludar a su padre que lo veía fijamente y lo comparaba con el primero que había regresado cansado, sucio, despeinado, pero jovial y sincero en su mirada, humilde, que sin querer gloriarse de su deber realizado, quería decir a su padre: "Te amo. Y con el corazón. Tanto te amo que vencí la tentación". El padre comprendió bien las cosas. Al abrazar a su hijo cansado, le dijo: "¡Bendito eres, porque comprendiste mi amor!"

Qué os parece: ¿cuál de los dos amó? Ciertamente diréis: "El que cumplió la voluntad de su padre". ¿Y quién la hizo: el primero o el segundo?»

«El primero» respondieron todos.

«El primero. Así es. También en Israel y vosotros os lamentáis de ello, no son como el primero los que dicen "¡Señor, Señor!" y se golpean el pecho, sin tener en el corazón verdadero arrepentimiento de sus pecados, tanto es verdad que cada vez lo endurecen más; no son los que hacen ostentación de prácticas religiosas, para que se les tome por santos, y en privado no tienen caridad, no tienen justicia; no son los que se rebelan contra la Voluntad de Dios, y la atacan como si fuese voluntad de Satanás, lo que no les será perdonado; no son estos tales los que son santos a los ojos de Dios. Sino los que, reconociendo que Dios hace bien todo lo que practica, acogen al Enviado de Dios y escuchan su palabra para saber portarse mejor, para hacer siempre bien lo que el Padre quiere. Estos tales son los santos y los amados del Altísimo.

En verdad os digo: los ignorantes, los pobres, los publicanos, las de vida ligera precederán a muchos de los que son llamados "maestros", "poderosos", "santos" y entrarán en el Reino de Dios. Y será lo justo. Porque Juan vino a Israel para conducirlo por los senderos de la Justicia, y gran parte de Israel no le creyó, esta gran parte que se llama a sí misma "docta y santa", pero los publicanos y las meretrices le creyeron. Yo he venido, y los doctos y santos no me creen; pero me creen los pobres, los ignorantes, los pecadores. He hecho milagros; y ni siquiera con esto me creen, ni sienten arrepentimiento de no creer en Mí; mas bien ne odian y odian a quien me ama.

Pues bien Yo os digo: "Benditos los que saben creer en Mí y hacen la voluntad del Señor en que está la salvación eterna". Aumentad vuestra fe y sed constantes. Poseeréis el cielo, porque habréis sabido amar la Verdad.

Ios. Dios sea con vosotros, y siempre.»

Los bendice, luego se despide, y al lado de Nicodemo, se dirige a la casa de éste para descansar y esperar hasta que el sol baje...

97. En casa de José de Arimatea

(Escrito el 31 de marzo de 1946)

También acá la actividad de los segadores se nota por todas partes, mejor dicho, se notó, porque en los campos no queda una sola espiga en pie, en estos campos más cercanos a la costa mediterránea que los de Nicodemo. Jesús no fue a Arimatea, sino a las posesiones que tiene José en la llanura, cerca del mar y que, antes de la siega, tuvieron que ser un mar de espigas en miniatura porque son muy extensas.

Hay una casa baja, larga, blanca en el centro de los campos desnudos de su adorno. Una casa de campiña, pero bien vista. Sus cuatro eras están llenas de gavillas y más gavillas, como forman los soldados sus carros cuando hacen alto en el campo. Carretas y carretas transportan el trigo de los campos a las eras, y hombres y más hombres descargan, amontonan. José va de una era a la otra. Cuida que todo se haga bien.

Un campesino, desde lo alto de la carretta anuncia: «Hemos acabado, patrón. Todo el trigo está en las eras. Esta es la última carretada.»

«Está bien. Descarga y luego desyunta los bueyes y llévalos a que beban agua. Y luego a sus establos. Trabajaron bien y merecen su descanso. También vosotros habéis trabajado y merecéis vuestro descanso. Y vuestra fatiga será llevadera porque para los corazones buenos es descanso la alegría ajena. Ahora vamos a hacer a que vengan los hijos de Dios y les daremos el regalo del Padre. Abraham, ve a llamarlos» dice, dirigiéndose a un campesino de aspecto patriarcal, que tal vez sea el primero entre los servidores de José; y lo creo porque veo que los demás le tratan con respeto. Este hombre no trabaja como los demás, sino que vigila y aconseja, ayudando a su patrón.

Abraham va... Veo que se dirige a una especie de inmenso galerón, con dos gigantescos portones que llegan hasta los canelones. Me imagino que es una clase de bodega donde se meten las carretas e instrumentos agrícolas. Entra, y sale seguido de una multitud heterogénea y pobre en que hay de todas las edades y de todas las miserias. Hay quienes parecen esqueletos, hay otros que están lisiados, ciegos, mancos, enfermos de la vista... Muchas viudas con no pocos huerfanitos a su alrededor; y también mujeres casadas cuyo marido está enfermo. Mujeres de aspecto triste, abatido, escuálidas por las vigilias y sacrificios por curar al marido.

Salen con ese aire particular de los pobres cuando van a un lugar en que se les va a dar algo: temor en las miradas, hurañía del pobre honrado, y con todo una sonrisa que emerge de la tristeza que días de dolor imprimieron sobre las caras gastaldas; y con toda una chispa mínima de triunfo, como una respuesta a la mala suerte de días tristes, continuos, algo como si dijesen: «Hoy, es un día de fiesta también para nosotros. Hoy es fiesta. Hoy, alegría. Hoy, socorro.»

Los pequeñuelos abren tamaños ojos ante los montes de gavillas, más altos que la casa y dicen, señálandolos a sus mamitas: «¿Para nosotros? ¡Qué grandes!» Los viejos murmuran: «¡El Bendito bendiga al misericordioso!» Los mendigos, lisiados, ciegos, mancos o enfermos de la vista: «Tendremos finalmente pan también nosotros, sin tener que extender la mano.» Los enfermos a sus familiares: «Al menos podremos curarnos sabiendo que no sufriréis por nosotros. Las medicinas nos harán bien ahora.» Y los familiares a estos: «¿Lo veis? Ahora no diréis que ayunamos para daros el pedazo de pan. ¡Estad, pues, alegres!...» Y las viudas a los pequeñuelos: «Hijitos, hay que bendicir mucho al Padre de los cielos que os hace de padre, y al buen José que es su administrador. Ya no os oiremos llorar más de hambre, vosotros que no tenéis más ayuda que vuestras mamitas... Las pobres mamitas que no tienen más riqueza que su corazón...»

Un coro y un espectáculo que causa alegría, pero que también arranca lágrimas de los ojos...

José pasa lista a estos infelices, pregunta a cada uno cuántos sean de familia, desde cuándo hayan empezado a ser viudas, cuándo enfermos, etc... y toma nota de ello. Luego según el caso dice a sus siervos: «Da diez.» «Da treinta.»

«Da sesenta» dice después de haber escuchado a un viejo semiciego que le sale al frente con diecisiete nientos, todos bajo los doce años, hijos de dos hijos suyos, que murieron uno en la siega del año anterior, y la otra de parto... «y» dice el viejo «su esposo ya se consoló y se ha casado otra vez después de un año de viudez. Me ha devuelto a los cinco diciendo que yo los tomará a mi cargo. Jamás un céntimo... Ahora mi mujer se me murió y me quedé solo... con estos...»

«Da sesenta a este viejo padre nuestro. Y tú, padre, quédate aquí, que te daré vestidos para los pequeñuelos.»

El siervo hace notar que si se dan 60 gavillas cada vez, no alcanzará para todos.

«¿Y dónde está tu fe? ¿Acaso amontoné las gavillas para mí? No. Para los hijos más queridos a los ojos del Señor. El proveerá para que todos tengan algo» responde José a su siervo.

«Está bien, patrón, pero el número es número...»

«Pero la fe es fe. Para mostrarte que la fe puede todo, ordeno que se les dé doble, empezando por los primeros. Quien recibió diez, recibirá otras diez, y el que veinte otras veinte; y da ciento veinte al padre. ¡Hazlo! ¡Hacedlo!»

Los siervos se encogen de hombres y ejecutan las órdenes.

La distribución continúa en medio de una admiración gozosa de los pobrecitos que ven que se les da algo que jamás habían creído.

José sonríe. Acaricia a los pequeñuelos que se apresuran a ayudar a sus mamás, o ayuda a los lisiados que hacen su pequeño montón; o bien a los muy viejos incapaces de hacerlo, o a las mujeres demasiado flacas, y hace que dos enfermos se pongan a un lado para darles más ayuda, como hizo con el abuelo que tiene diecisiete nietos. Lo que antes llegaba hasta el techo, ahora ha desparecido. Todos han recibido lo que querían y en modo abundante. José pregunta: «¿Cuántas gavillas quedan todavía?»

«Ciento doce, patrón» responden, después de haber contado.

«Bien. Tomaréis cincuenta para semilla, porque es una semilla santa» dice después de haber pasado lista a los presentes. «Las otras sesenta y dos son para cada cabeza de familia aquí presente, que sois ese número.»

Los siervos obedecen. Llevan bajo el pórtico las cincuenta gavillas y distribuyen el resto. En las eras no se ven ya los montones de color dorado, pero en el suelo hay sesenta y dos montones de diverso tamaño y sus dueños se apresuran a ligarlos, a cargarlos sobre primitivos carretones o sobre asnos que han ido a traer de detrás de la casa donde los tenían amarrados.

El viejo Abraham, que ha estado hablando con los siervos más principales, se acerca con ellos al patrón que le pregunta: «¡Y bien! ¿Habéis visto? ¡Alcanzó para todos y hasta sobró!»

«Pero patrón, ¡aquí hay algo misterioso! Nuestros campos no pueden haber producido el número de gavillas que has distribuido. Nací aquí y tengo setenta y ocho años. Hace sesenta y seis años que siego, y sé. Mi hijo tenía razón. Sin un ayuda misteriosa no habríamos podido haber dado tanto...»

«Pero lo dimos, Abraham. Tú estuviste a mi lado. Los siervos entregaron las gavillas. No hay sortilegio alguno. No es algo imaginario. Las gavillas pueden contrarse todavía. Están todavía allí, divididas en partes.»

«Así es, patrón, pero... no es posible que los campos hayan producido tantas.»

«¿Y la fe, hijos míos? ¿Y la fe? ¿Dónde ponéis la fe? ¿Podía mentir el Señor a su siervo, que prometía en su Nombre y por un motivo santo?»

«Entonces ¡tú hiciste un milagro!» dicen los siervos, prontos a tributarle honor.

«No hago ningún milagro. Soy un pobre hombre. El Señor lo hizo. Leyó en el corazón y vió dos deseos: el primero el de llevaros a la misma fe; el segundo el de dar mucho, mucho a estos hermanos míos infelices. Dios accedió a mis deseos... y lo hizo. ¡Sea bendito!» dice José con una inclinación reverente como si estuviese ante un altar.

«Y su siervo con El» dice Jesús que ha estado oculto detrás de una casita que tiene una valla, que no sé si sea horno o molino de aceitunas, y que sale a la era donde está José.

«¡Maestro mío y Señor mío!» exclama José cayendo de rodillas para venerar a Jesús.

«La paz sea contigo. Vine a bendecirte en nombre del Padre, a premiar tu caridad y tu fe. Soy tu huésped por esta noche. ¿Me aceptas?»

«Oh, Maestro, ¿lo preguntas? Aquí... aquí no puedo honrarte... me encuentro en medio de siervos y campesinos en mi casa de campo... No tengo vajilla... ni maestresalas... ni siervos que sepan tratarte... No tengo comida especial... ni vinos exquisitos... No tengo amigos... Será una hospitalidad muy pobre... Pero Tú lo comprendes... ¿Por qué, Señor, no me avisaste? Habría proveído a todo... Antier estuvo aquí Hermas con los suyos... Y hasta me ayudó para avisar a estos a que viniesen para que les diese lo que es de Dios... Y no me dijo nada. ¡Si lo hubiera yo sabido!... Permíteme, Maestro, que de órdenes, que trate de hacer lo posible... ¿Por qué sonríes de ese modo?» pregunta finalmente José que no sabe qué hacer por la alegría imprevista y por el caso presente que piensa ser... desastroso.

«Me sonrío de tus inútiles aflicciones. ¿José, buscas lo que tienes?»

«¿Qué tengo? No tengo nada.»

«¡Cómo has cambiado! ¿Por qué no eres más el José espiritual de hace poco, en que hablabas como un sabio; cuando prometías en nombre de la fe, y cuando prometías darla?»

«Oh, ¿estuviste oyendo?»

«Oí y vi, José. Esa valla de laureles es muy útil para ver que lo que sembré no ha muerto en tí. Y por esto te digo que te entregas a aflicciones inútiles. ¿No tienes maestresalas, ni siervos apropiados? Donde se ejercita la caridad, allí está Dios; y donde está Dios, están sus ángeles. ¿Y qué mejores maestresalas que ellos? ¿No tienes alimentos especiales, ni vinos exquisitos? ¿Y qué alimento mejor y qué bebida especial puedes darme que el amor que has tenido para con estos, y que tienes para conmigo? ¿No tienes amigos que me honren? ¿Y estos? ¿Qué amigos más amados que los pobres y que los infelices para el Maestro que lleva por nombre Jesús? ¡Ea, José! Ni aunque Herodes se convirtiese y me abriese sus salones para hospedarme y honrarme y con él estuviesen los jefes de todas las castas para darme honra, no tendría yo algo más precioso que esta gente a la que quiero decir una palabra y hacer un regalo. ¿Me permites?»

«¡Oh, Maestro! Todo lo que quieres, lo quiero. Da órdenes.»

«Diles que se reunan. Para nosotros siempre habrá un pedazo de pan... Ahora es mejor que escuchen mi palabra más bien que andar de acá para allá entregados a quehaceres inútiles.»

La gente se reune. Está sorprendida...

Jesús empieza a hablar: «Habéis comprobado que la fe puede multiplicar la cosecha cuando este deseo se inspira en el amor. No limitéis vuestra fe a las necesidades materiales. Dios creó el primer grano de trigo, y de allí viene el pan que alimenta al hombre. Pero creó también el Paraíso que está en espera de sus ciudadanos. Fue creado para los que viven en la Ley y le son fieles no obstante las dolorosas pruebas de la vida. Tened fe y lograréis conservaros santos con la ayuda del Señor, así como José logró distribuir trigo y en doble ración para que os sintieseis felices y para confirmar en la fe a sus siervos. En verdad, en verdad os digo que si el hombre tuviese fe en el Señor, y por un justo motivo, ni siquiera las montañas que están enclavadas en la tierra con sus entrañas de roca, podrán resistir, y a la orden de quien tiene fe en el Señor se quitarían de su lugar. ¿Tenéis fe en Dios?» pregunta dirigiéndose a todos.

«¡Sí, Señor!»

«¿Quién es Dios para vosotros?»

«El Padre santísimo, como enseñan los discípulos del Mesías.»

«¿Y quién es el Mesías para vosotros?»

«¡El Salvador, el Maestro, el Santo!»

«¿Tan sólo esto?»

«El Hijo de Dios. Pero no hay que decirlo porque los fariseos nos persiguen, si lo declaramos.»

«Pero ¿creéis que El lo sea?»

«Sí, Señor.»

«Así pues, creced en vuestra fe. Aunque callaréis, las piedras, las plantas, las estrellas, el suelo, todas las cosas proclamarían que el Mesías es el verdadero Redentor y Rey. Lo proclamarán cuando sea levantado, cuando esté con la púrpura santísima y con la guirnalda de la Redención. Bienaventurados los que sepan creer esto ya desde ahora, pues entonces creerán con más fuerzas, y tendrán fe en el Mesías y con ello la vida eterna. ¿Tenéis esta fe inquebrantable en el Mesías?»

«Sí, Señor. Enséñanos dónde está El, y le pediremos que aumente nuestra fe para ser bienaventurados.» La última parte de esta súplica la hacen no sólo los pobres, sino también los siervos, los apóstoles y José.

Si tuviereis tanta fe como un grano de mostaza, y conserváis esta fe, cual joya preciosa, en el corazón sin permitir que alguien os la robe, bien sea un humano, bien una fuerza sobrehumana y malvada, podréis todos decir también a esa gigante morera que hace sombra al pozo de José: "Arráncate de allí y transplántate entre las ondas del mar".

«Pero ¿dónde está el Mesías? Lo estamos aguardando para que nos cure. Sus discípulos no nos curaron, pero nos dijeron: "El lo puede". Queremos curarnos para trabajar» dicen los enfermos o imposibilitados.

«¿Y creéis que el Mesías lo pueda?» pregunta Jesús haciendo señal a José de que no diga que El lo es.

«Lo creemos. El es el Hijo de Dios. Todo lo puede.»

«Todo lo puede... y ¡todo lo quiere!» dice Jesús extendiendo con imperio su brazo derecho y lo baja como para jurar. Termina con un grito poderoso: «¡Se haga así, para gloria de Dios!»

Hace como que se va a la casa, pero los curados, que serán unos veinte, gritan, corren, lo estrechan en una selva de manos que quieren tocarlo, que buscan las suyas, sus vestidos para besárselos, para acariciarlos. Lo separan de José, de todos...

Jesús sonríe, acaricia, bendice... Lentamente se desprende de ellos y, siempre seguido de ellos, desaparece en la casa, mientras los gritos de alegría suben al cielo que empieza a pintarse de morado en el crepúsculo.

98. El sábado en casa de José de Arimatea. Juan el sinedrista

(Escrito el 2 de abril de 1946)

José de Arimatea está descansando en una habitación semioscura porque, para protegerse del sol, se han bajado todas las cortinas. Reina un silencio absoluto en todas partes. José dormita sentado en una especie de sillón cubierto de cuero... Entra un siervo, se dirige a él, lo toca para despertarlo. José abre sus ojos y mira al siervo con ojos semidespabilados.

«Señor, aquí está tu amigo Juan...»

«¿Mi amigo Juan? ¿Cómo es posible, cuando todavía no termina el sábado?»

José acaba de despabilarse completamente a la noticia de que un sinedrista haya venido a visitarlo en día de sábado. Dice: «Dile que pase al punto.» Sale el siervo y José, mientras espera, se pone a pasear pensativo por la habitación semioscura y fresca...

«¡Dios sea contigo, José!» dice Juan el sinedrista, al que vimos en el primer banquete ofrecido en Arimatea a Jesús, y también en la casa de Lázaro en la última Pascua. Si no es discípulo de Jesús, por lo menos no le es contrario.

«Y contigo, Juan. Pero... conociéndote como justo, me admiro que hayas venido antes del crepúsculo...»

«Es verdad. He quebrantado la ley sabática [1]. He pecado sabiendo que pecaba. Mi pecado es grande... Y grande será el holocausto que ofreceré para que sea yo perdonado, pero también es muy grande el motivo que me movió a cometer tal pecado... Yaavé, que es justo, tendrá compasión de su siervo culpable, teniendo en cuenta el gran motivo que me obligó a él...»

«Antes no hablabas así. Para tí el Altísimo no era más que rigor, inflexibilidad. Y te creías perfecto porque lo temías como a un Dios inexorable...»

«¡Oh, perfecto!... José, nunca te he confesado mis culpas secretas... Pero es verdad. Juzgaba a Dios como inexorable. Como muchos en Israel. Así nos enseñaron a creer en El como en un Dios vengativo...»

«Y tú has seguido creyéndolo aun después de que el Rabbí ha venido a dar a conocer a su pueblo el verdadero Rostro de Dios, su verdadero Corazón... Un Rostro, un Corazón de Padre...»

«Es verdad. Estoy de acuerdo. Pero... todavía no le había oído hablar largamente... Acuérdate que desde que lo vi en tu casa en aquel banquete, tomé una actitud de... respeto, aunque no de amor para con El.»

«Recuerdo. Tú sabes que quiero tu bien, y quisiera que lo amases. El respeto es muy poca cosa...»

«Tú lo amas, ¿verdad, José?»

«Sí, y te lo confieso aun cuando sé que los Príncipes de los Sacerdotes odian a quienes aman al Rabbí. Pero tú no eras capaz de delatarme...»

«No. No soy capaz de ello... Quisiera ser como tú. ¿Lo lograré?»

«Rogaré para que lo logres. Será tu salvación eterna, amigo...»

[1] Cfr. vol. 1°, pág. 513, not. 1.

Un silencio profundo. Ambos piensan.

José pregunta: «Me acabas de decir que un gran motivo te empujó a quebrantar el sábado. ¿Cuál pudo haber sido? ¿Puedo preguntártelo sin faltar a la discreción? Me imagino que viniste a pedir mi ayuda... Y para ayudarte, debo saberlo...»

Juan se pasa la mano sobre la frente, se aprieta su amplia frente en cuyas sienes empiezan a verse los cabellos grises. Se acaricia sus cabellos, algunos de los cuales, son canos. Se acaricia su barba tupida y cuadrada... Alza su cabeza, mira a José: «Sí. Un gran motivo. Y penoso. Y... una gran esperanza...»

«¿Cuáles?»

«¿José, puedes imaginar que mi casa sea un infierno y que pronto no será sino un hogar... un hogar destruído, disperso, arruinado?»

«¿Qué dices? ¿Estás en tus cinco?»

«Estoy muy cuerdo... Mi mujer se me quiere ir... ¿Te sorprende?»

«...Sí... porque... siempre la he conocido por buena y... porque vuestro hogar ha sido para mí ejemplar... lleno todo de finezas...lleno todo de virtudes...»

Juan se sienta, con la cabeza entre las manos.

José prosigue: «Ahora... esta... esta decisión de ella... No puedo creer que Ana haya faltado... o que tú... Pero mucho menos me imagino que ella lo haya hecho... Tu hogar. Tus hijos. No. ...Ella no puede tener culpa alguna...»

«¿Estás seguro? ¿Estás seguro?»

«¡Pobre amigo mío! No tengo los ojos de Dios, pero por lo que puedo decir, creo que así es...»

«¿No piensas que Ana sea... infiel?»

«¿Ana? Pero ¡amigo mío! ¿Te quemó el sol los sesos? ¿Infiel con quién? Jamás sale de su casa, prefiere la campiña a la ciudad. Trabaja como la mejor de las esclavas. Es humilde, silenciosa, diligente, cariñosa para contigo, con los niños. La mujer de ligeros cascos nunca hace estas cosas. Créemelo. ¿Juan en qué te basas para tener estas sospechas? ¿Desde cuándo?»

«Desde un principio.»

«¿Desde un principio? Entonces ¡tú has estado enfermo!...»

«¡Sí... José! Yo he cometido varios errores. Pero no te los quiero confesar a tí solo. Anteayer pasaron unos discípulos por mi casa y con ellos unos pobres. Me dijeron que el Rabbí vendría a tu casa... Y ayer... ayer sobre mi casa la racha de tempestad sobre ella se abatió... tanto que Ana tomó la decisión que te acabo de decir... En la noche... tanto que pensé... Y llegué a la conclusión que sólo El, el Rabbí perfecto...»

«Pero, ¡Juan, Juan!»

«Lo que tú quieras... Sólo El puede curarme y reparar... reconstruir mi hogar, devolverme mi Ana... mis hijos... todo...» Juan llora y entre sollozos continúa: «Porque sólo El ve la verdad y la dice... y creeré en El... José, amigo mío, permíteme que me quede aquí a esperarlo...»

«El Maestro está aquí. Partirá después del crepúsculo. Te lo voy a llamar.» José sale.

Pocos minutos después, la cortina se recorre y Jesús entra... Juan se pone de pie. Se inclina con respeto para saludarlo.

«La paz sea contigo, Juan. ¿Qué te pasa?»

«He venido a que me ayudes a ver... a que me salves. Soy muy infeliz. He pecado contra Dios y contra mi mujer. Y de pecado en pecado he llegado a violar la ley del sábado. Absuélveme, Maestro.»

«La ley del sábado. ¡Es una grande y santa Ley! Lejos de Mí pensar que no tenga valor y que se le desprecie. Pero, ¿por qué la antepones al primero de los mandamientos? Pides que se te absuelva de haber violado el sábado, ¿y no la pides de haber faltado al amor y atormentado a una inocente, de haberla llevado a la desesperación y empujado a los umbrales del pecado? De esto te deberías de angustiar más que de otra cosa. De la calumnia que contra ella has lanzado...»

«Señor, sólo José lo sabe, porque se lo dije hace poco. A ninguno otro se lo había manifestado. Créemelo. Tan adentro y escondido tenía mi dolor que ni siquiera José, tan buen amigo mío, había caído en la cuenta de ello, y se quedó sorprendido. Ahora él te lo acaba de decir, para poderme ayudar. El justo José no se lo dirá a ninguna otra persona.»

«El no me ha dicho ni una palabra. Tan sólo me dijo que me buscabas.»

«Oh, entonces ¿cómo lo sabes?»

«Que ¿cómo lo sé? Como sabe Dios los secretos de los corazones. ¿Quieres que te diga el estado del tuyo?»...

José quiere retirarse, pero el mismo Juan lo detiene, diciéndole: «No. Quédate. ¡Tú eres mi amigo! Puedes ayudarme ante el Rabbí, tú, que me acompañaste cuando me casé...» José no se va.

«¿Quieres que te lo diga? ¿Quieres que te ayude a conocerte? ¡Oh, no tengas miedo! Mi mano no es dura. Sé descubrir las heridas; pero no las hago sangrar para curarlas. Sé comprender. Sé compadecer. Sé curar con la condición de que haya voluntad de ser curado. Esta vez la tienes, pues has venido a buscarme. Siéntate aquí, a mi lado, entre Mí y José. El fue tu paraninfo en tus bodas terrenas. Yo quisiera ser el tuyo en tus espirituales... ¡Oh, que si lo quiero!... Escúchame, y respóndeme con franqueza a todo lo que te preguntaré. ¿Qué piensas: hizo Dios bien o mal al unir al hombre y a la mujer? ¿Crees que haya sido un acto bueno o malo?» [2].

[2] Para comprender bien todos estos pasajes, cfr. Gén. 1, 26 - 5, 5.

«Bueno, Señor. Como todas las cosas que hizo Dios.»
«Bien respondido. Ahora dime: si el acto fue bueno ¿cuáles deben ser sus consecuencias?»
«Igualmente buenas, Señor. Y lo fueron, no obstante que Satanás se hubo introducido para destruirlas, porque Adán siempre tuvo la ayuda de Eva, y ésta de él. Y más sensible y clara fue la ayuda, cuando ambos, desterrados por la tierra, tuvieron que sostenerse el uno al otro. Buenas fueron las consecuencias materiales, esto es, los hijos por los que se propagó el hombre, y a través de los cuales brilló el poder y bondad de Dios.»
«¿Cuál poder? ¿Cuál bondad?»
«Bueno... su condescendencia en favor de los hombres. Si miramos hacia atrás... claramente... hubo castigos justos, pero más numerosas fueron las veces de su bondad... Bondad infinita es el pacto que hizo con Abraham, pacto que repitió con Jacob [3] y así sucesivamente... hasta el día de hoy. Lo repitió a través de la boca sincera de los profetas... hasta Juan...»
«Y de la del Rabbí, Juan» interrumpe José.
«Esa no es boca de profeta... No es boca de un Maestro... Es... algo más.»
Jesús levemente se sonríe ante la tenue... profesión de fé del sinedrista que no es capaz de decir: «Es boca divina», pero que ya lo piensa.
«Así pues, Dios hizo bien en unir al hombre y a la mujer. Tú lo has dicho. ¿Y cómo quiso que fuesen el hombre y la mujer?» pregunta Jesús.
«Una sola carne, un solo cuerpo.»
«Está bien. ¿Puede entonces el cuerpo odiarse a sí mismo?»
«No.»
«¿Puede un miembro odiar al miembro?»
«No.»
«¿Puede un miembro saparararse del otro?»
«No. Tan sólo la gangrena, la lepra o una desgracia pueden hacer que un miembro se le corte del resto del cuerpo.»
«Perfectamente bien. Entonces sólo una cosa muy dolorosa o perversa puede separar lo que Dios quiso que fuese una "unidad única".»
«Es así, Maestro.»
«Entonces, ¿por qué tú, que estás convencido de estas cosas, no amas a tu cuerpo? ¿Por qué lo odias hasta hacer que brote una gangrena entre uno y otro miembro; y llegado a esto, que el más débil se separe y te deje solo?»
Juan inclina su cabeza. Guarda silencio. Nerviosamente estruja

[3] Cfr. Gén. 15; 17; 28, 10-22.

su vestido.

«Te diré el por qué. Porque Satanás se interpuso, el que todo lo perturba, entre tí y tu mujer. Aun más: se metió en tí, con un amor desordenado hacia ella. El amor cuando es desordenado engendra odio, Juan. Satanás se ha aprovechado de tu sensualidad de varón para hacerte pecar. Aquí fue donde empezó tu pecado. De un desorden que ha sido causa de nuevos y más graves desórdenes. No has visto en tu mujer a la buena compañera, a la madre de tus hijos, sino al objeto de placer. Y esto te hizo que tus pupilas apareciesen ser como las del buey que todo ve cambiado. Has visto como *tú veías*. Así has visto a tu mujer. Como la consideraste como un objeto de placer, así creíste que lo fuese para los demás. De acá arrancaron tus celos, tu miedo irracional, tu orgullo pecaminoso que hicieron de ella una mujer atemorizada, encarcelada, atormentada, calumniada. Nada importa que no la apalees, que no la injuries públicamente. Tus sospechas son el palo. Tu duda la calumnia. La calumnias al pensar que sea capaz de llegar a traicionarte. ¿Qué importa que la trates como crees que debe ser tratada? Peor que una esclava es para tí en lo íntimo de tu hogar, por tu bestial lujuria que la envilece hasta el no poder más, la que ha soportado siempre en silencio y dócilmente esperando que te persuadiría, te calmaría, te haría bueno, pero que no ha servido sino para exasperarte más, hasta convertir tu casa en un infierno en que rugen los demonios de la lujuria y de los celos. ¡Los celos! ¿Qué crees que pueda ser la cosa más calumniosa para una casada sino los celos? ¿Y cuál puede ser el verdadero estado de un corazón celoso? Créeme que donde los celos anidan, los celos que son algo necio, irracional, injurioso, terco, no hay amor del prójimo, ni de Dios, sino egoísmo. De esto te debes afligir y no de haber violado unos cuantos minutos del sábado. Debes reparar el mal que has provocado, si quieres ser perdonado...»

«Pero, ella se quiere ir ya... Ven a persuadirla. Si la oyes hablar, Tú... Tú sólo puedes juzgar por Tí mismo si es inocente...»

«¡Juan! ¿Quieres curarte y no quieres creer en lo que te digo?»

«Tienes razón, Señor. Cámbiame el corazón. Es verdad. No tengo motivo para basar mis sospechas. La amo mucho... con lujuria, es verdad. Bien dijiste... Todo es oscuridad para mí...»

«Entra a la Luz. Líbrate de la maraña ardiente de los sentidos tan prepotentes. Al principio te costará... Pero mucho más te costaría perder a una buena esposa y peor sería que te ganases el infierno para expiar con él tu pecado de falta de amor, de calumnia, y adulterio, y el de ella, porque, recuérdalo bien y lo he dicho que quien empuja a una mujer al divorcio se pone él en peligro y pone a ella también en peligro de adulterio. Si pudieses resistir por un mes, al menos por un mes, al demonio que te oprime, te prometo que tu pesadilla se habrá desvanecido. ¿Me lo prometes?»

«¡Señor, Señor! Yo quisiera... pero hay un fuego... apágamelo Tú. ¡Tú que eres poderoso!...» Juan el sinedrista ha caído de rodillas ante Jesús y llora, con la cabeza entre las manos puestas sobre el suelo.

«Te lo apagaré. Te lo frenaré. Pondré frenos y barreras a este demonio. Mucho has pecado, Juan, y debes trabajar por tí mismo para que te levantes. Los que Yo convierto, han venido a Mí con voluntad decidida de llegar a ser nuevos, de verse libres... Con sus solas fuerzas habían ya dado los primeros pasos de su redención [4]. Por ejemplo, Mateo, María la hermana de Lázaro y otros más. Tú viniste aquí para saber sólo si Ana era culpable y para que te ayudase a no perder la fuente en que se abreva tu pasión. Pondré barreras al poder de tu demonio no por un mes, sino por tres. Durante este tiempo medita y elévate. Propónte llevar nueva vida de marido. Una vida de hombre que tiene alma, y no la vida de un animal, como hasta ahora has llevado. Fortificado con la oración y meditación, con la paz que te doy por tres meses, procura luchar y conquistarte la Vida eterna y conquistar nuevamente el amor y la paz de tu esposa y de tu hogar. Vete.»

«Pero ¿qué diré a Ana? Tal vez cuando regrese estará ya a punto de marcharse... ¿Qué palabras puedo decirle, después de tantos años de... ofensas, para persuadirla de que la amo y que no quiero perderla? Ven Tú...»

«No puedo [5]. Pero todo es sencillo. Sé humilde. Llámala aparte y confiésale tu tortura. Dile que viniste a verme porque querías que Dios te perdonase. Pídele que te perdone porque el perdón de Dios descenderá sobre tí, si ella lo pide por tí, y es la primera en perdo-

[4] «Habían dado ya...» Para comprender debidamente esta afirmación, hay que considerarla en el contexto, y con otros lugares que se encuentran. La doctrina que se desprende puede compendiarse de este modo: a) Dios es quien da al hombre la libre voluntad, esto es, el libre albedrío, y lo respeta; b) Dios es quien da al libre albedrío la fuerza de querer, y con ayudas sobrenaturales, lo ayuda a querer el bien; c) pero el querer de hecho el bien o el mal depende del hombre, esto es, del libre albedrío que libremente escoge y va detrás del bien o del mal; mereciendo por el bien la vida eterna, y por el mal, el privarse de ella. Para convencerse que tal sea el genuino pensamiento de la Obra, baste recordar un pequeño trozo de un diálogo entre Jesús y Judas que aparece en la pág. 703: «...Yo soy Dios y respeto tu libre albedrío. Te daré las fuerzas para que llegues a "querer". Pero no querer ser esclavo debe salir de tí.» Los otros pasajes que pueden tenerse en cuenta, se encuentran en las págs. 721-747. Así pues la frase anterior debe entenderse y completarse de este modo: «Los que Yo convierto... Habían dado con sus propias fuerzas, recibidas de Dios, los primeros pasos, que Dios sobrenaturalmente ayudó, pero fueron ellos los que se decidieron por el bien, al principio de su redención.» De hecho Dios, que es Amor, quiere siempre, promueve y ayuda a la redención de todos (cfr. 1 Tim. 2, 3-6): desde el momento en que el hombre libremente empieza a amar tal voluntad de Dios y a colaborar con ella, ha empezado de hecho a dar los primeros pasos de su redención.

[5] Cfr. vol. 1°, pág. 539, not. 2.

narte... ¡Oh, infeliz! ¡Cuántos bienes, cuánta paz has destruído con tu fiebre! ¡Cuántos males crea el desorden de los sentidos, el desorden en el cariño! ¡Ea, levántate! Vete tranquilo. ¿No comprendes que ella, buena y fiel como lo es, está más angustiada que tú con el pensamiento de abandonarte y no espera sino una palabra tuya para decirte: "Todo te perdono"? ¡Ea, vete! El crepúsculo ha llegado. No cometes ningún pecado al regresar a tu casa... Y tu Salvador te absuelve del que cometiste por venirlo a ver. Vete en paz. Y no peques más.»

«¡Oh, Maestro, Maestro!... No soy digno de estas palabras... Maestro... yo... yo quisiera amarte de hoy en adelante...»

«Está bien. Vete. No tardes. Y recuerda esta hora en aquella otra en que Yo, Inocente, seré calumniado.»

«¿Qué quieres decir?»

«Nada. Vete. Adiós» y Jesús se retira dejando a los dos sinedristas conmovidos y que se mueren en elogios que le tributan al tenerlo por un santo y un sabio, como sólo Dios puede serlo.

99. Los apóstoles hablan entre sí

(Escrito el 5 de abril de 1946)

«¡No veo la hora de llegar a los montes!» exclama Pedro bufando y secándose el sudor que le corre por las mejillas y cuello.

«¡Cómo! ¿A tí que antes no te gustaban, ahora sí?» pregunta sarcásticamente Judas Iscariote, cuyo temor de haberse visto descubierto se ha desvanecido, y vuelve a ser autoritario y petulante.

«¿Y qué quieres? Ahora sí los busco. En estos calores es lo mejor. Pero nunca como mi mar... ¡Ah, ese! ...No comprendo por qué los campos sean más calientes después de la siega. El sol siempre es el mismo, y vete a...»

«No es que sean más calientes, es que son más tristes y se cansa uno con verlos así, más que cuando tienen todavía la mies» responde con su sentido común Mateo.

«No. Simón tiene razón. Son insoportablemente calientes después de la siega. Jamás había sentido tanto calor» replica Santiago de Zebedeo.

«¿Jamás? ¿Y dónde pones el que sentimos cuando fuimos a la casa de Nique?» dice Judas volviendo a la pelea.

«Jamás como este» le responde Andrés.

«¡Apuesto a que no! Hace cuarenta días que el verano está encima y por eso el sol quema» insiste Judas.

«Es un hecho que el rastrojo despide más calor que los campos con espiga. El sol, que antes se abatía sobre las espigas, ahora lo hace directamente contra el suelo desnudo y caliente y por eso reverbera su calor hacia arriba, como respondiendose a sí mismo que baja de lo alto, y el hombre se encuentra en medio de dos fuegos» dice Bartolomé con tono grave.

Iscariote irónicamente se ríe y le presenta sus respetos diciendo: «Rabbí Natanael, te saludo y te agradezco tu docta lección.» Sus palabras son mordaces. Lo mismo que su voz.

Bartolomé lo mira... pero no dice nada. Mas Felipe: «No hay por qué burlarse. Es como él dijo. No podrás negar una verdad que miles de cabezas con buen sentido han dicho que así es.»

«¡Claro que sí, claro que sí! Sé, muy bien sé que sois de los doctos, de los expertos, de los sensatos, de los buenos, de los perfectos... ¡Sois todo! ¡Todo! ¡Tan sólo yo soy la oveja negra de la blanca manada!... Yo sólo soy el cordero bastardo, el oprobio que se ve, y que echa cuernos de cabro... Yo sólo soy el pecador, el imperfecto, la causa de todo el mal que existe entre nosotros, en Israel, en el mundo... y tal vez hasta en las estrellas. ¡No puedo más! No puedo ver que sea yo el último, ver que nulidades tan grandes como esos dos necios que están hablando con el Maestro, sean admirados como dos santos oráculos. Estoy cansado de...»

«Oye, muchacho...» empieza a decir Pedro con el color en sus mejillas; pero no termina porque Judas Tadeo lo interrumpe: «¿Mides a los demás con tu medida? Trata tú de ser una "nulidad" como son mi hermano Santiago y Juan de Zebedeo, y no habrá más imperfecciones en nuestro grupo de apóstoles.»

«Esto es lo que yo estaba diciendo. ¡Que la imperfección soy yo! ¡Oh, es demasiado! Es...»

«También yo lo creo. Porque demasiado fue el vino que nos hizo beber José... y con este calor te hace mal... Tan sólo quieres burlarte...» calmadamente dice Tomás para que la disputa se convierta en chiste.

Pero Pedro, que ha acabado con su paciencia, y con los dientes apretados y los puños cerrados para dominarse un poco más, dice: «Oye, muchacho. Una sola cosa te aconsejaría. Sepárate un poco de nosotros...»

«¿Yo? ¿Separarme yo? ¿Por que tú me mandas? Tan sólo el Maestro puede darme órdenes. Sólo a El obedezco. ¿Quién eres tú? Un pobre...»

«Pescador, ignorante, vulgar, inútil para cualquier cosa. Tienes razón... Soy el primero en decírmelo. Y ante nuestro Yeové, omnipresente y omnividente, digo que preferiría ser el último y no el primero; digo que quisiera verte, o a cualquier otro, en mi lugar, pero más que todo a tí, para que te vieses libre del monstruo de los celos que te hace tan duro, y no tuvieses que obedecer, sino que yo lo hiciese... Créeme que menos me costaría hablarte como al "primero", que no ahora. Pero el Maestro, me puso de "primero" entre vosotros... Y debo obedecerlo ante todo y sobre todo... Y tú debes obedecer. Con mi sentido común de pescador te digo que no te separes. Así como tú al ver fuego en las palabras que menos lo tienen lo pensaste que lo tenían, te digo que te dejes por un poco de tiempo, que te estés solo, que reflexiones... Te encontrabas a tus anchas solo desde Béter hasta el valle. Continúa haciéndolo... El Maestro va a la cabeza... tú a la cola... En medio nosotros... los "nada"... Ninguna cosa es mejor para *comprender* y calmarse que estar solos... Acepta mi consejo... Es mejor para todos, y sobre todo para tí...» Lo toma de un brazo, lo saca fuera del grupo, diciendo: «Quédate allí, mientras nosotros damos alcance al Maestro. Y luego... vente despacio, despacio... y verás que se te habrá pasado... el temporal.» Lo deja plantado y se une a sus compañeros que han adelantado algunos metros.

«¡Uff! He sudado más hablándole, que caminando. ¡Qué tipo! ¿Se podrá sacar algo bueno de él?»

«No lo creo, Simón. Mi hermano se obstina en conseguirlo. Pero... de él no sacará cosa buena» le responde Judas Tadeo.

«¡Es un buen castigo que se nos ha venido encima!» dice en voz baja Andrés, y que concluye con: «Yo y Juan tenemos casi miedo de él, y nos callamos por temor a las discusiones.»

«Es lo mejor que podéis hacer» dice Bartolomé.

«Yo no logro hacerlo» confiesa Tadeo.

«Yo muy mal... Pero he encontrado el secreto» dice Pedro.

«¿Cuál es? Dínoslo...» le preguntan todos.

«Trabajando como un buey que tira al arado. Un trabajo, tal vez, inútil... pero que me ayuda a no echar contra Judas lo que por dentro me bulle...»

«¡Ah! Ahora entiendo por qué hiciste aquel destrozo de arbustos cuando bajábamos hacia el valle. Por esto ¿no es verdad?» le pregunta Santiago de Zebedeo.

«Exacto... pero hoy... no tenía por aquí qué romper, sin causar daño alguno. No hay más que árboles frutales y sería un pecado atacarlos... Me he cansado más con vencerme... con vencer al viejo Simón de Cafarnaúm... que de haberme puesto a quebrar ramas... Los huesos me duelen...»

Bartolomé y Zelote hacen el mismo gesto y dicen las mismas palabras. Le dicen a Pedro cariñosamente: «¿Y te sorprendes de que El te ha hecho el primero entre nosotros? Eres un maestro...»

«¿Yo? ¿Por esto? ¡Tonterías!... Soy un pobre hombre... Sólo os pido que me ayudéis con vuestros doctos consejos, con vuestras ideas cariñosas y sencillas. ¡Amor y sencillez! para que sea como vosotros... Y sólo por amor de El, que bastantes aflicciones tiene ya consigo...»

«Tienes razón. Por lo menos no hay que dárselas» dice Mateo.

«Yo estuve muy preocupado cuando lo mandó llamar Juana. Vosotros no sabéis cosa alguna, ¿vosotros que vais adelante?» pregunta Tomás.

«Claro que no. Pero dentro de nosotros habíamos pensado que ese... que nos sigue... había hecho una buena» responde Pedro.

«¡Chitón! Lo mismo pensé al escuchar al Maestro el sábado» confiesa Judas Tadeo.

«Igualmente yo» añade Santiago de Zebedeo.

«¡Vamos! No me lo había imaginado... ni siquiera cuando vi a Judas que estaba ten negro aquella tarde, tan grosero, si así puede decirse» dice Tomás.

«Bueno. No hablemos de eso más, y procuremos... hacer que se haga mejor con nuestro cariño, con nuestros sacrificios. Como nos enseñó Marziam...» dice Pedro.

«¿Qué estará haciendo Marziam?» pregunta sonriendo Andrés.

«¡Bah!... pronto estaremos con él. No veo la hora... Estas separaciones me cuestan mucho.»

«Quién sabe por qué el Maestro las quiere... No estaría mal... Marziam podría estar con nosotros. No es más un niño, ni tan endeble» advierte Santiago de Zebedeo.

«Y luego... Caminamos con él el año pasado y cuánto... ahora con mayor razón podría caminar con nosotros» dice Felipe.

«Yo me imagino que es para que no asista a ciertas tonterías...» dice Mateo.

«Y no se junte con ciertos tipos...» refunfuña Tadeo, que realmente no soporta a Iscariote.

«Tal vez vosotros dos tenéis razón» dice Pedro.

«¡Eso no! Querrá sólo que se haga más fuerte. Veréis que para el año que entra estará con nosotros» asegura Tomás.

«¡El año que entra! ¿Estará todavía el año próximo el Maestro con nosotros?» pregunta pensativo Bartolomé. «Sus discursos... me parecen que...»

«¡No lo digas!» le ruegan los demás.

«No quisiera decirlo. Pero no decirlo no sirve de nada para desterrar lo que ha sido determinado [1].»

«Entonces... con mayor razón debemos de tratar de ser mejores en estos meses... Para no causarle ningún dolor y estar prontos. Quiero pedirle que ahora que descansemos en Galilea, nos instruya mucho, mucho a nosotros los doce... Dentro de poco estaremos allá...»

«Y no veo la hora. Ya estoy viejo y las caminatas con este calor

[1] Cfr. vol. 2°, pág. 644, not. 3.

me causan incomodidades secretas» confiesa Bartolomé.

«También a mí. Fui un vicioso y soy más viejo de lo que se puede pensar, si se tienen en cuenta los años. Las crápulas... Ahora todo lo sufro en los huesos... Nosotros los hijos de Leví sufrimos dolores por naturaleza...»

«¿Y yo? Estuve enfermo por años... y aquella vida en las cuevas con poca comida, y eso, miserable. ¡Todo eso se deja ver ahora!...» dice Zelote.

«Pero siempre nos has dicho que desde que te curó, te has sentido siempre fuerte» dice a sus espaldas Judas que ya se les juntó. «¿Ya se te acabó tan pronto el efecto del milagro?»

Zelote muestra en su feo rostro algo típico en él, parece como si dijere: «¡Señor, ven aquí! ¡Dame paciencia!» Pero con una cortesía sin igual responde: «No. No ha terminado el efecto del milagro. Y todos pueden verlo. No he vuelto a enfermarme. Me siento fuerte. Duro. Pero los años son años y las fatigas, fatigas. Y luego estos calores que nos hacen sudar como si estuviésemos metidos en un foso. Estas noches, que podría decir que son hielo, con respecto al calor del día, y que nos congelan el sudor en las espaldas, mientras el rocío acaba con humedecer nuestros vestidos, empapados ya de sudor, es claro que no me hacen bien. Por eso no veo la hora en que podamos descansar un poco. Por la mañana, sobre todo cuando se duerme bajo las estrellas, estoy hecho una piedra de duro. Si me enfermo ¿para qué sirvo?»

«Para que sufras. El dice que el sufrimiento vale igual que el trabajo y la oración» le responde Andrés.

«Es cierto, pero preferiría servirle cual apóstol y...»

«Y también tú estás cansado. Confiésalo. Estás cansado de continuar con esta vida sin perspectiva de horas mejores, antes bien con la perspectiva de persecuciones... de derrotas. Empieza a reflexionar que corres el peligro de volver a ser el proscrito» dice Judas de Keriot.

«No reflexiono en nada. Lo que digo es que me siento mal.»

«¡Oh, como te curó una sola vez!...» Judas lo dice con una sonrisa irónica.

Bartolomé presiente otra agria disputa y la evita llamando a Jesús. «¿Maestro, no nos toca nada a nosotros? Siempre vas adelante...»

«Tienes razón, Bartolomé. Ahora vamos a detenernos. ¿Ves aquella casucha? Vamos allá porque el sol, ¡que si quema! Cuando atardezca, nos pondremos en camino. Hay que darnos prisa para estar de regreso en Jerusalén, porque Pentecostés está ya a las puertas.»

«¿De qué veníais hablando?» pregunta Judas Tadeo a su hermano.

«¡Imáginate! Empezamos por hablar de José de Arimatea y terminamos con hablar de las antiguas posesiones que tenía Joaquín en Nazaret y de cómo acostumbraba, mientras pudo hacerlo, tomar la mitad para sí y la otra mitad para los pobres, cosa que los viejos de Nazaret todavía recuerdan. ¡Cuánta abstinencia la de aquellos dos ancianos: Ana y Joaquín! ¡Con razón lograron el milagro de tener a una Hija, a una Hija como es Ella!... Y volví a acordarme con Jesús de cuando éramos niños...» Continúa hablando de ello, mientras todos los demás se van a la casita que se encuentra en medio del campo.

Dice Jesús: «Aquí intercalaréis la visión del milagro del rebusco de espigas en favor de la viejilla (en la llanura entre Emmaús de la llanura y los montes que llevan a Jerusalén) ocurrida el 27 de septiembre de 1944.»

100. Milagro de la reespigadora en la llanura

(Escrito el 27 de septiembre de 1944)

Jesús con sus discípulos pasa por en medio de mieses de color de oro. El calor es fuerte, aunque sean las primeras horas del día. Los segadores trabajan entre los surcos llenos de espigas, y haciendo desaparecer el oro que antes había. Las guadañas brillan por un instante para desaparecer en el siguiente en medio de los altos trigales, y así hasta que se forma la gavilla y caen al suelo las espigas, como cansadas de que por varios meses hayan estado en pie, y caen la tierra que el sol quema.

Pasan mujeres, atando las gavillas. Por doquier se ve que todos hacen el mismo trabajo. La mies ha sido muy buena y los segadores se alegran de ello.

Cuando el grupo apostólico pasa por el sendero, los segadores que están cerca de él suspenden por un momento su trabajo, se apoyan sobre las guadañas, se secan el sudor, miran. Lo mismo hacen las mujeres que atan las gavillas. Con su blanca vestidura, con la cabeza cubierta con una tela blanca, parecen cual flores que naciesen de la tierra en que no hay ya trigo, ni amapolas, abulejos, o margaritones. Los varones, con túnicas de color gris o amarillento, no son muy bien parecidos. Nada de claro más que lo que llevan amarrado en la cabeza y que les cae por el cuello y mejillas. En medio de esa blancura, sus caras bronceadas parecen más negras.

Jesús, cuando nota que le miran, saluda diciendo: «La paz y bendición de Dios esté con vosotros», y aquellos responden: «La bendición de Dios vuelva sobre Tí», o con palabras más cortas: «También esté contigo.»

Algunos, con más ganas de hablar, tratan de que Jesús se interese por su trabajo. Le dicen: «Este año ha sido buena la siega. Mira qué espigas tan gordas y qué bien están en los surcos. Da trabajo segarlas. Pero es el pan...»

«Dad gracias al Señor por ello. Y recordad que debe mostrarse el agradecimiento con hechos y no con palabras. Sed misericordiosos al pensar que el Altísimo lo fue con su rocío, con su sol para que obtuvieseis esta siega. Acordaos de lo que dice el Deuteronomio [1]. Pensad, cuando recojáis la abundancia que Dios os ha concedido, en quien no tiene, y dejadles un poco de lo vuestro. Es una santa mentira caritativa para con vuestro prójimo que Dios ve. Estad prontos más bien a dejar que a recoger por ambición. Dios bendice a los generosos. *Es mejor dar que recibir* [2], porque obliga al justo Dios a ser más propicio con quien fue más compasivo.»

Mientras va pasando, Jesús va repitiendo sus consejos caritativos.

Se hace más fuerte el calor. Los segadores dejan su trabajo; los que están más cerca de las casas se meten en ellas; los que están más lejos se acogen a la sombra de los árboles y allí se echan a descansar, a comer, y a dormir.

También Jesús se acoge a un bosquecillo tupido que hay en medio de los campos. Se sienta en la hierba, después de haber orado, y ofrecido el parco alimento que consiste de pan, queso y olivas. Lo distribuye en partes y come, mientras habla con los suyos.

Sombra, frescura, silencio. Silencio de las horas en que arde el sol. Silencio que invita a estirar las piernas y a dormir. Casi todos dormitan después de la comida.

No así Jesús. Está apoyado con las espaldas sobre el tronco de un árbol y se interesa al ver la actividad de los insectos que vuelan sobre las flores. En un cierto momento hace señal a Juan, a Judas Iscariote y a uno de los mayores de edad, a quien llama con el nombre de Bartolomé. Cuando están junto a Sí, les dice: «Ved este pequeño insecto. Ved qué trabajo está realizando. Miradlo. Hace minutos que lo veo. Quiere arrancar a este cáliz el pólen que tiene, y como no lo logra, mirad cómo alarga primo una patita y luego la otra, la moja en el néctar y luego lo recoge. Dentro de poco habrá acabado con todo. Ved qué admirable sea la Providencia de Dios. No ignorando que sin ciertos miembros el insecto, que fue creado para ser un milagro de cristal en los aires, sobre los verdes prados, no podría haberse nutrido, por eso le dió estos pequeñísimos pelitos que tiene en sus patitas. ¿Los veis? ¿Tú, Bartolomé? ¿No? Mira.

[1] Cfr. Deut. 24, 19.

[2] Cfr. Hech. 20, 33-35, donde se cita igual frase del Señor, que no aparece en los Evangelios.

Lo voy a coger y te lo enseño contra la luz.» Delicadamente toma al escarabajo, que parece ser un monumento de oro bruñido y lo pone sobre el dorso, patas para arriba, en la mano. El escarabajo hace el muertito y los tres observan sus patitas. Luego se pone a patalear para huir. No lo logra como es natural, pero Jesús lo ayuda y se pone en pie. Camina sobre la palma, llega a la punta de los dedos, se balancea, abre las alas. Pero tiene sospechas. «No sabe que Yo no quiero sino el bien de todos los seres. No tiene más que su natural instinto. Perfecto si se le compara, suficiente para sus necesidades. Pero inferior, ciertamente, al pensamiento humano. Por esto el insecto no es responsable si comete una mala acción. El hombre sí que lo es. El hombre goza de una inteligencia superior y tanto lo será cuanto más comprenda las cosas de Dios. Por esto el hombre es responsable de sus acciones.»

«Entonces, Maestro» dice Bartolomé «a nosotros a quienes nos adoctrinas, tendremos mayor responsabilidad.»

«Grande. Y mayor la tendréis en lo futuro, cuando se realice el Sacrificio y venga la Redención, y con ella la Gracia que es fuerza y luz. Después de ella vendrá quien os dará mayores fuerzas para querer. Quien no quisiere, tendrá que responder, ¡y en qué forma!»

«Entonces, muy pocos serán los que se salven.»

«¿Por qué, Bartolomé?»

«Porque el hombre es muy débil.»

«Pero si robustece su debilidad confiando en Mí, se hace fuerte. ¿Creéis que no comprendo Yo vuestras luchas? ¿Que no compadezco vuestras debilidades? Ved. Satanás es como esa araña que está tejiendo su tela de esta ramita a aquella flor. ¡Tan sutil, tan engañosa! Ved cómo brilla el hilito. Parece de plata, parece una filigrana impalpable. En la noche no se le puede ver. Cuando el alba nace, brillará como una piedra preciosa, y las moscas imprudentes que vuelan por la noche en busca de alimento, caerán dentro de la telaraña, y también las mariposítas, que se sienten atraídas por lo que brilla...»

Se han acercado más apóstoles que escuchan la lección que Jesús saca del reino vegetal y animal.

«...¡Pues bien! Mi amor hace con Satanás lo que ahora mi mano, que destruye la tela. Mirad como huye la araña y se esconde. Tiene miedo del más fuerte. *También Satanás tiene miedo del más fuerte. Y el más fuerte es el Amor.»*

«¿No sería mejor acabar con la araña?» pregunta Pedro, que saca conclusiones de todo.

«Sería mejor. Pero esa araña no hace más que cumplir con lo que debe. Es verdad que mata a las pobres mariposítas tan bonitas, pero acaba también con muchas moscas feas que acarrean enfermedades y contaminan a los sanos, a los vivos.»

«Pero en nuestro caso ¿qué cosa hace la araña?»

«¿Que qué hace, Simón? (también Simón es ya avanzado en años y es el que se lamentaba de reumas.) Hace lo que hace la buena voluntad en vosotros. Destruye las vacilaciones, la flojedad, la vana presunción. Os obliga a que estéis vigilantes. ¿Qué cosa es la que os hace dignos de premio? La lucha y la victoria. ¿Podéis conseguir la victoria si no tenéis lucha? La presencia de Satanás hace que se vigile continuamente. El Amor, por su parte, hace que su presencia no sea del todo dañosa. Si os quedáis cerca del Amor, Satanás os tentará, pero no será capaz de haceros daño en realidad.»

«¿Nunca?»

«Nunca. Ni en las cosas pequeñas, ni en las grandes. Por ejemplo, veamos una cosa pequeña: te aconseja a que no tengas cuidado de tu salud. Un consejo engañoso para poderte separar de Mí. El Amor te tiene junto, Simón, y tus dolores dejan de existir aun ante tus ojos.»

«¡Oh, Señor! ¿Lo sabes?»

«Sí, pero no pierdas tu valor. ¡Ea, arriba! El Amor te dará tantas fuerzas, que es el primero en reírse de tí, que tiemblas por causa de tus reumas...» Jesús sonríe al avergonzado discípulo. Lo abraza para consolarlo. Y aun en medio de la sonrisa de Jesús hay dignidad. Los demás también se ríen.

«¿Quién va a ayudar a esa pobre viejecita?» pregunta Jesús señalando a una mujer que desafiando el solazo busca espigas en los surcos segados.

«Yo» dicen Juan, Tomás y Santiago.

Mas Pedro coge a Juan de una manga, lo lleva aparte, y le dice: «Pregunta al Maestro porqué se siente tan contento. Se lo pregunté, pero no me respondió más que: "Mi felicidad es ver que un alma busque la Luz". Pero si se lo preguntas... El te dice todo.»

Juan se encuentra entre el sí y el no. Entre saber y decírselo a Pedro o el respeto para con el Maestro. Se acerca poco a poco a Jesús, que está ya en el sembrado y recoge las espigas dejadas. La viejecita, al ver a tanta juventud, mueve tristemente la cabeza, pero trata de darse prisa.

«¡Mujer, mujer!» grita Jesús. «Estoy respigando por tí. No estés en el sol, madre. Ahora voy.»

La viejecita, coartada con tan gran bondad, le mira fijamente; luego obedece y se lleva consigo sus cuantas espigas. Camina inclinada, temblorosa, a lo largo de la flaca sombra que hay a la orilla. Jesús, rápido, recoge espigas. Juan lo sigue de cerca. Más atrás vienen Tomás y Santiago.

«¿Maestro» dice jadeando Juan «cómo haces para encontrar tantas espigas? Yo en este surco no encuentro sino muy pocas.»

Jesús sonríe, pero no le dice nada. No podría jurarlo, pero me parece que donde los ojos divinos se detienen broten de allí espigas que no fueron recogidas. Jesús recoge. Sonríe. Tiene ya un verdadero manojo de espigas en sus brazos.

«Ten, Juan, las mías, y así tendrás muchas tambén tú, y mamá será feliz.»

«Pero, Maestro... ¿estás haciendo algún milagro? ¡No es posible que encuentres tantas!»

«¡Pssst! Es por la mamita... porque pienso en la mía y en la tuya. ¡Mirad qué acabada está!... El buen Dios que da de comer al pajarillo hambriento apenas nacido, quiere llenar el pequeño granero de esta ancianita. Tendrá pan durante estos meses que le quedan. La nueva siega no la verá. Pero no quiero que tenga hambre en su último invierno. Ahora vas a oir sus gritos. Prepara, Juan, tus orejas como Yo me preparo para que me bañe en lágrimas y en besos...»

«¡Qué contento estás, Jesús, desde hace algunos días! ¿Por qué?»

«¿Eres tú quien lo quiere saber o hay quien te lo haya mandado?»

Juan que estaba ya colorado del trabajo, se pone de color carmesí.

Jesús comprende: «Di a quien te mandó que se trata de un hermano mío que está enfermo y que quiere curarse. Su voluntad de estar sano, me llena de alegría.»

«¿Quién es, Maestro?»

«Un hermano tuyo, uno a quien Jesús ama, un pecador.»

«Entonces no es uno de nosotros.»

«¿Juan, crees que entre vosotros no hay pecado? ¿Crees que tan sólo por vosotros no me alegre?»

«No, Maestro. Sé que también nosotros somos pecadores y que quieres salvar a todos los hombres.»

«¿Entonces?... Te dije: "No investigues" cuando se trató de no descubrir el mal. Te repito lo mismo ahora que brilla una aurora de bien... ¡La paz sea contigo, madre! Aquí están nuestras espigas. Mis compañeros vienen detrás.»

«Dios te bendiga, hijo. ¿Cómo encontraste tantas? Es verdad que no veo bien, pero estos son unos verdaderos manojos, grandes... grandes...» La anciana los palpa. Su temblorosa mano los acaricia... los quisiera levantar... pero no puede.

«Te ayudamos. ¿Dónde vives?»

«Allí.» Señala una casucha entre los sembradíos.

«Vives sola ¿no es verdad?»

«Sí. ¿Cómo lo sabes? ¿Quién eres?»

«¿Soy uno que tiene una mamá?»

«¿Es este un hermano tuyo?»

«Es mi amigo.»

El amigo hace, detrás de la espalda de Jesús, muchos señales a la anciana. Pero como no puede ver bien, tampoco las ve. Trata más bien de mirar a Jesús. Su corazón de madre ya anciana se conmueve.

«Estás sudando, hijo. Ven a la sombra de este árbol. Siéntate. ¡Mira, cómo te corre el sudor! Sécate con mi velo. Es una garra, pero limpia. Tenla, tenla, hijo mío.»

«Gracias, mamá.»

«Bendita sea la que te engendró. Dime cómo te llamas y cómo se llama Ella. Quiero decir vuestros nombres a Dios para que os bendiga.»

«María y Jesús.»

«María y Jesús... María y Jesús... Espera. Una vez lloré mucho... Mi nieto lo mataron porque defendió a su hijito, y su padre, mi hijo, murió de dolor por esto... y se dijo entonces que el inocente fue matado porque se buscaba a uno de nombre Jesús... Ahora estoy bajo las alas de la muerte y ese Nombre vuelve a sonar...»

«En ese entonces lloraste por ese Nombre. Ahora ese Nombre te bendice...»

«¿Eres Tú ese Jesús?... díselo a una que está muriendo y que ha vivido sin maldecir lo que se le dijo, de que su dolor servía para salvar al Mesías de Israel.»

Juan hace más gestos. Jesús no dice nada.

«¡Oh, dímelo! ¿Eres Tú? ¿Has venido a bendecirme cuando me encuentro ya a las puertas de la muerte? En nombre de Dios, habla.»

«Yo soy.»

«¡Ah!» La anciana se arrodilla en el suelo. «¡Salvador mío! He vivido con esta esperanza. Con la esperanza de verte. ¿Veré tu triunfo?»

«No, madre. Morirás como Moisés [3] sin ver ese día. Pero te doy de antemano la paz de Dios. Yo soy la Paz. Yo soy el Camino. Yo la Vida. Me verás, tú que has sido abuela de justos, me verás en otro triunfo mío, eterno, y te abriré las puertas, a tí, a tu hijo, a tu nieto y a su hijo. Para el Señor ese niño es cosa sagrada, porque murió por Mí [4]. ¡No llores, madre!...»

«¡Te he tocado! Tú recogiste para mí las espigas. ¡Qué gran honor para mí! ¿Cómo es posible que haya sido digna de ello?»

«Por tu santa resignación. Vete a tu casa. Este trigo te dará pan más para el alma que para el cuerpo. Yo soy el Pan verdadero que bajó del cielo para quitar el hambre que tienen los corazones. Tomás, Santiago (quienes habían seguido a Jesús con sus manojos) tomad estas gavillas y vamos.»

Cargan con las gavillas. Jesús camina con la ancianita que llora y

[3] Cfr. Deut. 32, 48-52.
[4] Para entender estas afirmaciones, cfr. Gén. 22; Ex. 13, 11-16; Núm. 18, 8-19, etc.; cfr. también Núm 6.

bendice. Han llegado a la casita. Dos habitaciones pequeñas. Un horno también pequeño. Una higuera, una vid. Limpieza y pobreza.

«¿Es este tu refugio?»

«Sí. ¡Bendícelo, Señor!»

«Llámame: hijo. Y ruega porque mi Madre tenga consuelo en su dolor, tu que conoces el dolor de una madre. Adiós, madre. Te bendigo en nombre del Dios verdadero.»

Jesús levanta la mano, bendice la pequeña casa, luego se inclina, abraza a la viejecita, la estrecha contra su corazón, la besa en la cabeza en que hay cabellos grises. La anciana llora, y pega sus labios sobre las manos de Jesús. Lo venera. Lo ama...

... y yo no puedo con el dolor, porque me acuerdo que mi madre tuvo miedo cuando te vió, Jesús... ¿Por qué pudo haber tenido miedo de Tí?

Dice Jesús:

«¿Por qué? ¿Por qué hay muchos después de este dictado en tu corazón? Comencemos por el último [5].

El otro dolor que te atormenta es que Yo sabía que Judas no se salvaría, pese a los esfuerzos hechos para salvarlo.

Lo sabía.

Y entonces ¿por qué me sentía feliz?

Porque aun el solo deseo que tenía Judas, deseo cual flor en su corazón desierto, hacía que mi Padre mirase con ojos benignos a este discípulo que amaba y que *no* podía Yo salvar [6]. ¡La mirada de Dios posada sobre un corazón! ¡Qué otra cosa querría yo, sino que el Padre os guardase a todos con amor!

Y debía ser Yo feliz para dar al desgraciado aun este medio de levantarse. El estímulo de mi alegría al verlo que regresaba a Mí.

Hubo un día después de mi muerte en que Juan supo esto y lo dijo a Pedro, Santiago, Andrés y a los demás, porque así se lo había dicho a él para quien no tuve *ningún* secreto en mi corazón. Juan lo supo y lo dijo para que todos tuviesen una norma con que guiasen a los discípulos y a los fieles.

Por el alma que ha caído, y que se acerca al ministro de Dios y confiesa su error, o por el hijo, amigo, esposo, hermano que por haber cometido un error, vienen y se acercan diciendo: "Tenme contigo. No quiero errar más para no causarte dolor ni a Dios ni a tí" no se debe sino mostrar la satisfacción de nuestra felicidad al hacerles ver que estamos deseosos de que sean felices.

Es necesario un tacto infinito para curar los corazones. Yo, Sabiduría, aun cuando conocía que el caso de Judas era una caso perdido, lo tuve conmigo *para enseñar a todos el arte de redimir, de ayudar a quien se redime.*

Y ahora te digo también a tí como dije a Simón cananeo: "¡Ea, ánimo!" y te estrecho contra Mí para mostrarte que te amo.

De estas manos bajan castigos, pero también nacen caricias, y de mis labios brotan palabras duras, pero también muchas que digo con mucha alegría, muchas envueltas en compasión.

Quédate en paz, María. Ninguna pena has proporcionado a tu Jesús, y esto que te sirva de consuelo.»

Tenía mucho miedo de haberle causado algún dolor en estos días... y mucha aflicción

[5] Se asegura a la Escritora que su madre se salvó.
[6] Cfr. pág. 383 not. 3.

al pensar en mi madre...

Esto se junta con el favor que me hizo de que naciese un flor en mi balcón y que Marta, sin saber lo que hacía, me la trajo. La primera flor que me proporciona alegría después de seis meses, menos quince días, cosa que las flores más bellas me dejaban indiferente. Pobrecita florecilla del enero blanco, pequeña florecilla, de las que mi madre guardaba, de las que crecieron en mi jardincito, de las que trajo mi papá. Pobre flor y tan hermosa ¡qué te hiciste para alegrarme!

¡Cómo te comprendo, oh María, de que te alegres al recibir ese ramo de almendro de tu casa!

Marta no lo sabe. No ha leído las visiones. No tiene tiempo. Pobre Marta que siempre está ocupada, *verdadera* Marta. Nuevamente ha hecho lo que José cuando ofreció a la Virgen esposa el ramo florido. Y Marta no sabe que me ha proporcionado una alegría mayor que si me hubiese regalado un joyel. La última flor que quise tanto fue la violeta que nació en el pinar, y que cultivó Marta. También el no-me-olvides. Es un recuerdo de Viareggio cuando me volvía loca en mi infierno. Esto me hace volver a amar las flores. Primera flor que es de nuevo «una flor» y no algo, que me causaba mal.

Muchos no lo comprenderán... no me importa. Siento con *mi* corazón y amo con *mi* corazón. Con el corazón que sabe entregarse todo a Dios. Si fuese tal vez más frío, razonaría, pesaría el sacrificio. No razona y no pesa cosa alguna porque es el corazón que debe ser. Por esto...

101. Los apóstoles hablan entre sí y con Jesús. Jesús y Pedro

(Escrito el 8 de abril de 1946)

El grupo apostólico abandona la llanura y se dirige a Jerusalén a través de caminos montañosos, entre valles y montes. Para acortar la distancia no caminar por las vías principales, sino por atajos solitarios y difíciles, pero útiles.

En este momento están en un verde vallecillo, abundante en agua y flores, y no faltan los olorosos lirios del valle, que llaman la atención a Tadeo que dice que con toda razón se debe llamar al mugueto «lirio del valle». Alaba su frágil belleza, y su fuerte fragancia pese a su delicadeza.

«Pero son lirios al revés» advierte Tomás. «En lugar de para arriba, están para abajo.»

«¡Y qué chiquitos! Tenemos flores más galanas que éstas. No comprendo por qué deban alabarlos...» dice Judas aplastando un montón de muguetos en flor.

«¡No! ¿Por qué? ¡Son tan apuestos!» interviene Andrés en defensa de las pobres florecillas y se inclina a recogerlas.

«Parecen paja, y no más. Más hermosa es la flor del ágave, que es majestuosa, imponente. Digna de Dios y de brindar sus flores a Dios.»

«Yo veo más bien a Dios en estos cálices pequeñines... ¡Mira qué hermosura!... Con estos como dientecillos, y luego tan cóncavos...

Parecen alabastro, cera virgen, obra de manitas pequeñísimas... Y con todo ha sido el Inmenso quien las creó. ¡Oh, poder de Dios!...» Andrés está casi extático al contemplar y al pensar en las florecitas y en la Perfección creadora.

«¡Pareces una mujercilla enferma de nervios!...» le dice por molestarlo Judas de Keriot con su sonrisa maligna.

«No es eso. Realmente yo también soy del mismo parecer. Soy orfebre y entiendo muy bien de esto. Estos tallos son una perfección. Son muy difíciles de labrarse en mental, más difíciles que el ágave. Porque debes saber, amigo mío, que lo infinitamente pequeño manifiesta la capacidad del artífice. Dame un tallo, Andrés... Y tú, ojo de buey que ve solo lo grande, ven y mira. ¿Qué artífice pude hacer estas copas tan ligeras, tan perfectas, adornarlas con ese minúsculo topacio que está en el fondo y unirlas al pecíolo con este tallo de filigrana que está así encorvado, tan sutil?... ¡Es una maravilla!...»

«¡Oh, qué poetas hay entre nosotros! Hasta tú, Tomás...»

«Oye, ten en cuenta que no soy una mujercilla, ni un tonto, sino un artista; y un artista que comprende la belleza. De ello me glorío. ¿Maestro, te gustan estas flores?» interpela Tomás a Jesús que ha escuchado sin hablar.

«Todo lo de la creación me gusta. Pero estas me gustan más.»

«¿Por qué?» preguntan varios. Y simultáneamente Judas: «¿También te gustan las víboras?» y se ríe.

«También. Sirven para algo...»

«¿Para qué?» preguntan casi todos.

«Para morder. ¡Ja, ja, ja!» sarcásticamente responde Judas.

«Entonces a tí deberían de gustarte muchísimo» le dice Tadeo y con ello le arrebata la risa de sus labios. Ahora son los demás en reírse de la pedrada que recibió Judas.

Jesús no se ríe; más bien está pálido y triste. Mira a sus doce y sobre todo a los dos enemigos que se miran con ira, con rencor. Y a todos contesta, incluyendo sobre todo a Judas.

«Si Dios las hizo, señal es que para algo sirven. No hay nada inútil, nada nocivo en la creación. Sólo el Mal es nocivo y ¡ay de aquellos que se dejan que los muerda! Una de las consecuencias de su mordisco es la incapacidad de distinguir el Bien del Mal; la desviación de la razón y de la conciencia pervertida con cosas que no son buenas; la ceguera espiritual por la que, oh Judas de Simón, no se puede ver resplandecer la potencia de Dios en las cosas, aunque sean pequeñas. En esta flor la potencia de Dios está escrita con su belleza, con su perfume, con su forma diversa de aquella otra flor, de esta gota de rocío que tiembla, que resplandece en el minúsculo pétalo de color de cera, que parece una lágrima de agradecimiento al Creador que todo lo ha hecho y hecho bien, que todo lo ha hecho útil, todo variado. Todo fue bello [1] a los ojos de los primeros padres, hasta que no tuvieron las cataratas del pecado... Todo hablaba a ellos de Dios hasta que en las cosas, mejor dicho, en su pupila de ellos no se instiló lo que les impidió ver a Dios... Aun en estos momentos cuanto más se manifiesta Dios, tanto más el espíritu es soberano en el hombre mismo...»

«Salomón cantó las maravillas de Dios, como también David [2]... y ciertamente no fueron soberanos de su corazón. Maestro, esta vez sí que te he sorprendido en falso.»

«¡Eres un necio! ¿Cómo te atreves a decir esto?» le grita Bartolomé.

«Déjalo que hable... No me preocupo de ello. Palabras que el viento arrastra y de las que ni hierbas ni árboles se escandalizarán. Nosotros, los únicos que las hemos escuchado, les damos el valor que se merecen ¿no es verdad? Y *no* vamos a acordarnos más de ellas. La juventud frecuentemente es irreflexiva, Bartolomé. Ten compasión... Alguien me preguntó por qué prefiero el lirio de los valles... Voy a decir por qué: "Por su humildad". Todo en él habla de humildad... los lugares en que nace, su modo de ser de flor... Me trae a la mente la figura de mi Madre, esta florecilla... ¡tan pequeña! Y oled ¡qué hermoso perfume! El aire se envuelve en él... También mi Madre es humilde, no le gustan las alabanzas, quiso pasar por desconocida... Sin embargo su perfume de santidad fue tan fuerte que me atrajo del cielo...»

«¿Ves en esta flor un símbolo de tu Mamá?»

«Sí, Tomás.»

«¿Y crees que nuestros antepasados, cuando alabaron el lirio del valle la presagiaron?» pregunta Santiago de Alfeo. «La parangonaron más bien con otras plantas y flores. Con la rosa, el olivo, y con animales apuestos: las tórtolas, las palomas [3]...»

«Cada uno decía lo que veía en lo creado de más hermoso. Y de la creación es Ella a no dudarlo la Hermosura Acabada. Me gustaría llamarla Lirio del valle y Olivo de paz, si es que tuviese que cantar sus alabanzas» dice Jesús. Su rostro toma el aire de tranquilidad, se ilumina al pensar en su Madre y se retira para estar solo...

Prosiguen caminando pese al calor, porque en el valle hay muchos árboles que protegen del sol.

Minutos después Pedro aprieta el paso y alcanza al Maestro. En voz baja le dice: «¡Maestro mío!»

«¡Pedro!»

«¿Te molesto si me vengo contigo?»

[1] Alusión a los tres primeros cap. del Gén.
[2] Alusión a algunas secciones de los Libros Sapienciales; en particular a los Salmos.
[3] Alusión a: Gén. 8, 11; Sal. 127, 3; Cant.; Eccli. 24, 16-30; 39, 17-19.

«No, amigo mío. ¿Qué quieres decirme? ¿Qué cosa te empuja a acercarte a tu Maestro?»

«Una cosa... Maestro, yo soy muy curioso...»

«¿Y luego?...» Jesús sonríe al mirar a su apóstol.

«Y me gusta saber todas las cosas.»

«Esto es un defecto, Pedro.»

«Lo sé... pero no creo que esta vez sea un defecto. Si quisiera enterarme de cosas malas, de las sinvergüenzadas para criticar a quien las hizo, entonces sería un defecto. Tú ves que no te he preguntado si Judas tuvo que ver algo con eso de que te llamaron a Béter, ni el por qué...»

«Pero te morías de ganas por saberlo...»

«Es verdad. Pero ha sido un mérito mayor ¿o no?»

«Fue mérito mayor, como lo es también dominarse a sí mismo. Esto demuestra, que quien lo hace, ha avanzado espiritualmente, que tiene un verdadero interés en aprender y asimilar las lecciones del Maestro.»

«¿De veras? ¿Y estás contento con ello?»

«¿Me lo preguntas, Pedro? Me siento feliz.»

«¿De veras? ¿Oh, Maestro mío! Entonces ¿es tu pobre Simón el que te hace que seas así feliz?»

«Sí. ¿Pero no lo sabías ya de antemano?»

«No me atrevía a creerlo. Pero al verte ayer tan contento, hice que te preguntasen, porque pensaba que podía ser también Judas que avanzaba espiritualmente... aunque no tenía pruebas de ello... Yo puedo ver mal. Juan me dijo que le dijiste que eres feliz porque hay uno que se hace santo... Ahora, me acabas de decir que estás contento de mí porque me hago mejor. Ahora comprendo lo que te hace felix y me alegro de ello, yo el pobre Simón... Pero ahora quisiera que mis sacrificios lograsen cambiar a Judas. No soy envidioso. Quisiera que todos fueran perfectos para que fueses feliz de todo. ¿Lo lograré?»

«Ten confianza, Simón. Ten confianza y persevera.»

«¡Lo haré! Que si lo haré. Por Tí... y también por él. Porque ciertamente no puede uno seguir así. Hablando en serio... podría ser mi hijo... ¡Uhm! pero prefiero mejor ser padre de Marziam. Pero... voy a hacer las veces de padre suyo trabajando por darle un corazón digno de Tí.»

«Y de tí, Simón» y Jesús se inclina y le besa sobre su cabellera.

Pedro está que no cabe en sí de contento... Después pregunta: «¿Y no me dices otra cosa? ¿No hay otra cosa, alguna flor que de entre las espinas hayas encontrado?»

«Sí. Un amigo de José que se acerca a la Luz.»

«¿De veras? ¿Un sinedrista?»

«Sí. Pero no hay que decirlo. Hay que rogar mejor por él. Sufrir por este motivo. No me preguntas que ¿quién sea? ¿No sientes curiosidad?»

«¡Y que si la siento! Pero no te pregunto su nombre. Un sacrificio por este desconocido.»

«Bendito eres, Simón. Hoy me haces feliz de veras. Continúa así y te amaré siempre más, y Dios te amará siempre más. Ahora esperemos a los otros...»

102. En Jerusalén para la fiesta de Pentecostés

(Escrito el 9 de abril de 1946)

La ciudad está llena de gente. En el Templo no hay más lugar. Jesús tan pronto como llegó a Jerusalén, se vino a él, y entró por la puerta que está junto a la Probática, y de este modo la gente no pudo caer en la cuenta de que había llegado, antes de que se esparciera la noticia de la casa donde depositaron sus alforjas y donde se quitaron el polvo y el sudor para entrar limpios en el Templo.

La acostumbrada gritería de vendedores y de cambistas. El mismo espectáculo de colores, de caras.

Jesús con los apóstoles, después de haber comprado lo necesario para la ofrenda, se va derecho al lugar de oración y se está allí largamente. Es natural que buenos o malos lo vean. El murmurío vuela como el viento que se mete por todas partes, por donde haya gente.

Y cuando, después de haber orado, se vuelve para continuar su camino, un acompañamiento de gente, que crece cada vez más, lo sigue por los atrios y pórticos, hasta, aumentado inmensamente lo rodea, y le pide que les hable.

«Después, hijos. En otro lugar» dice Jesús y levanta su mano para bendecir y trata de alejarse.

Mientras que los escribas, fariseos, doctores y sus discípulos de ellos, que están mezclados entre la gente, se burlan irónicamente y sueltan frases como estas: «La prudencia lo aconseja» o bien «¡Vamos! Un poco de miedo...» o: «Ha llegado a la edad de comprender» o «Es menos tonto de lo que pensábamos»; la mayoría de los que le rodean, bien sea por agradecimiento hacia El, o por el deseo santo de conocerlo, sin rencor alguno insisten: «No permitirás que esta Fiesta no sea una fiesta para nosotros. Maestro, no puedes hacerlo. Muchos de nosotros hicimos ya el sacrificio para poder haberte esperado...» y algunos están callados o bien en el mismo tono responden a los que hablaron contra Jesús.

No hay duda que la masa sería capaz de acabar con los pocos enemigos, que astutos, hipócritas, comprenden las respuestas que les han dado y no sólo se callan, sino que buscan por alejarse. No obstante que estén dentro de los muros del Templo, muchos no titubean en hacer gestos de befa o de lanzar alguna que otra palabrota a los que se van yendo, o no falta quienes, sea por edad o por buen seso, dicen a Jesús: «¿Pero que pasará a este lugar? Dilo, Tú que sabes. ¿Qué pasará a esta ciudad, a todo Israel que no se rinde a la Voz del Señor?»

Jesús mira con piedad estas cabezas grises o ya plateadas y responde: «Jeremías os anunció [1] ya lo que sucederá a los que al rayo de la ira divina responden con más pecados, los que toman la piedad divina como prueba de que Dios sea débil. Pero de Dios, hijos, nadie se burla. Vosotros, como dijo el Eterno por boca de Jeremías, sois como el barro en las manos del alfarero, como barro son los que se creen poderosos, como barros los habitantes de este lugar y los de palacio. No hay potencia humana que puede resistir a Dios. Y si el barro se opone al alfarero y quiere por sí mismo tomar formas extrañas, horribles, el alfarero lo deshace, y torna a plasmar su jarra hasta que se convenza de que el alfarero es el más fuerte, y de que tiene que rendirse a su voluntad. Y puede suceder que la jarra se haga pedazos porque se obstina en no dejarse modelar, porque no acepta el agua que le echa encima el alfarero para modelarla sin arrugas. Y entonces el alfarero tira el barro caprichoso, los tiestos inútiles, sin valor, a lugares inmundos, y toma nuevo barro y lo plasma para darle las formas que quiere.

¿No dice así el Profeta al hablar del alfarero y de la jarra de barro como símbolo? Y repitiendo las palabras del Señor, dice: "Así como la arcilla está en manos del alfarero, así tú estás, oh Israel, en manos de Dios". Y añade el Señor, como amonestando a los tercos, que sólo la penitencia, y el arrepentimiento pueden conseguir que Dios cambie el decreto de castigar al pueblo rebelde.

Israel no se ha arrepentido; por esto las amenazas de Dios se han recrudecido una y diez veces más contra él, y ni siquiera así se arrepiente ahora que no ya un profeta, sino más que un profeta le habla. Y Dios, que ha usado de inmensa misericordia para con Israel, y que me envió os dice: "Puesto que no queréis escuchar mi Voz que esperabais, me arrepentiré del bien que os hice y prepararé contra vosotros la desventura". Y Yo que soy la Misericordia, aun cuando sepa que inútilmente levanto mi voz, grito a Israel: "Deje cada uno de seguir su camino perverso y regrese. Cada uno rectifique su conducta, rectifique sus inclinaciones. Para que por lo menos cuando el designio de Dios se realice sobre la nación culpable, los mejores de ella, en medio de la pérdida general de los bienes, de la libertad, de la unión, tengan su conciencia libre de culpa, unida a

[1] Para comprender la idea de Jesús hay que leer pausadamente Jer. 18, 1-20; 6, 24.

Dios, y no pierdan los bienes eternos así como habrán perdido los terrenales".

Las visiones de los profetas tienen siempre un objetivo [2]: el de avisar a los hombres lo que puede suceder. Bajo la figura de la jarra de arcilla, quebrada ante los ojos del pueblo, se anuncia lo que espera a la ciudad y a los reinos que no se sujeten al Señor, y...»

Los ancianos, escribas, doctores y fariseos que se fueron antes, probablemente fueron a dar el grito a las guardias del Templo y a los encargados de mantener el orden. Uno de estos, a quien sigue un puñado de guardias títeres que provocan a burla, que no tienen nada de guerrero, sino sus caras, mezcla de bobería y malicia, y una apariencia de dureza, mejor dicho de delincuencia, se llegan a Jesús que está hablando apoyado contra una columna en el patio de los Gentiles, y no pudiendo pasar entre la multitud que rodea a Jesús, grita: «Lárgate, o haré que te echen mis soldados fuera del recinto...»

«¡Uuh, uuh, los moscones verdes! ¡Los héroes contra los corderos! Vosotros que no sois capaces de meter en la prisión a los que convierten a Jerusalén en un lupanar, y al Templo en un mercado. Cara de conejo, vete a donde están las fuinas. ¡Uuh, uuh!» La gente se vuelve contra esos soldados de caricatura, y claramente manifiesta que no está dispuesta a que se haga mal alguno al Maestro.

«Odedezco órdenes recibidas...» dice excusándose el que hace de jefe... de los guardianes del orden.

«Obedeces a Satanás ¿y no caes en la cuenta? Vete, vete ahora a pedir perdón por haberte atrevido a insultar y amenazar al Maestro. ¡Al Maestro no se le toca! ¿Entendido? Sois nuestros opresores, y El es amigo de los pobres. Vosotros, nuestros destructores, El, nuestro santo Maestro. Vosotros, nuestra ruina, El, nuestra Salvación. Vosotros sois unos pérfidos, El es bueno. Largo, u os haremos lo que Matatías hizo en Modín [3]. Os echaremos por la pendiente del Moria como a otros tantos ídolos, y haremos la limpieza, lavando con vuestra sangre al lugar profanado, y los pies del único Santo en Israel pisotearán esa sangre para ir al Santo de los Santos e imperar, pues El lo merece. ¡Largo de aquí, vosotros y vuestros dueños! ¡Largo, esbirros que servís a vuestros iguales!...»

Un tumulto que infunde pavor... De la torre Antonia acuden guardias romanos con un jefe de edad, enérgico y expedito.

«¡Haceos a un lado, apestosos! ¿Qué pasa? ¿Os estáis despedazando por uno de vuestros roñosos corderos?»

«No obedecen a los guardias...» trata de decir el que hace de jefe de los guardias del orden.

[2] Cfr. Jer. 19, 10 ss.
[3] Cfr. 1 Mac. 2, 23-26.

«¡Por Marte invencible! ¿Estos... son soldados? ¡Oh, oh, vas a ir hacer la guerra a los escarabajos, tú, guerrero de cantina! Hablad vosotros...» dice a la gente.

«Querían imponer silencio al Rabbí de Galilea. Querían echarlo afuera. Tal vez detenerlo...»

«¿Al Galileo? Non licet. Os digo en mi lengua lo que decía el degollado [4]. ¡Ah, ah! Márchate a tu cubil con tus mequetrefes. Y avisa que tus mastines se queden en su cueva. La Loba sabe muy bien despedazar también a ellos... ¿Entendido? Sólo Roma tiene el derecho de sentenciar. Y Tú, Galileo, puedes seguir contando tus fábulas... ¡Ah, ah!» y se voltea como un pedazo de piedra. Su coraza resplandece a los rayos del sol. Se va.

«Como a Jeremías...»

«Mejor dicho, como a todos los profetas [5].»

«Pero de todos modos Dios triunfa.»

«Maestro, habla un poco más. Las víboras se han ido.»

«No, dejadlo que se vaya, para que no regresen con mayores fuerzas y lo pongan en prisión los nuevos Fassures [6].»

«No hay peligro... Mientras retumbe el rugido del león no saldrán las hienas...»

La gente habla y hace sus comentarios. Todo es un revoltijo.

«Os engañáis» dice — todo hecho una miel — un fariseo a quien le siguen unos de su ralea y algunos doctores de la Ley. «Os equivocáis. No debéis creer que unos cuantos representen a una casta. ¡Je, je! Buenos y malos se encuentran dondequiera.»

«Tienes razón. Los higos son dulces casi siempre; pero si son agrios o muy maduros, son ásperos o ácidos. Vosotros sois de estos. Como aquellos muy malos del cesto del profeta Jeremías [7]» se oye una voz que parte de en medio de la gente. No conozco al que habló, pero debe ser conocido entre ellos y de valer, porque veo que la gente asiente a sus palabras, y noto que el fariseo se traga el golpe sin reaccionar.

Y ahora con mayor dulzura se dirige al Maestro y le dice: «Espléndido tema para tu Sabiduría. Háblanos, Rabbí, sobre ello. Tus explicaciones son tan... nuevas... tan... doctas... Las saboreamos con hambre sin igual.»

Jesús mira fijamente a este fariseo y le responde. «También tienes otra hambre que no confiesas, Elquías, y que tienen también tus amigos. Pero también se os dará esa comida... Y más agria que los higos. Os echará a perder a vuestro interior como los higos agrios hacen con el estómago.»

[4] Esto es S. Juan Bautista. Cfr. Mt. 14, 3-12; Mc. 6, 17-29; Lc. 3, 19-20.
[5] Cfr. vol. 1°, pág. 389, not. 2.
[6] Cfr. Jer. 20, 1-6.
[7] Cfr. Jer. 24.

«¡No, Maestro, te lo juro en nombre del Dios vivo! Yo y mis amigos no tenemos otra hambre que la de oírte hablar... Dios está viendo que...»

«Basta. El honrado no tiene necesidad de juramentos. Sus acciones le son además de testigos. Pero no voy a hablar de los higos buenos y de los malos...»

«¿Por qué, Maestro? ¿Tienes miedo de que los hechos contradigan a *tus* explicaciones?»

«¡Oh, no! Al revés.»

«¿Entonces nos prevés matanzas, oprobios, la espada, la peste, el hambre?»

«Esto y algo más.»

«¿Algo más? ¿Qué puede ser? ¿Luego Dios no nos ama más?»

«Tanto os ama que ha cumplido con su promesa.»

«¿Tú? ¿Eres Tú la promesa?»

«Lo soy Yo.»

«¿Cuándo fundas tu Reino?»

«Sus fundamentos ya están echados.»

«¿En dónde?»

«En el corazón de los buenos.»

«Pero, eso no es un reino. Es un enseñamiento.»

«Mi Reino, siendo espiritual, tiene por súbditos a los corazones. Y estos no necesitan de palacios, ni de edificios, ni de guardias, ni de murallas; sino de conocer la Palabra de Dios y de ponerla en práctica, lo que está sucediendo entre los buenos.»

«Pero ¿puedes tú acaso decir esta Palabra? ¿Quién te autoriza para ello?»

«El hecho de que la poseo.»

«¿Qué posees?»

«La Palabra. Doy lo que soy. Uno que tiene vida puede dar la vida. Uno que tiene plata, puede dar plata. Yo tengo por mi eterna Naturaleza la Palabra que traduce el Pensamiento divino y Yo doy la Palabra, El Amor que me incita a hacer este don, me incita a dar a conocer el Pensamiento del Altísimo que es mi Padre.»

«¡Ten cuidado con lo que dices! Son palabras audaces. Podrías hacerte daño a Tí mismo.»

«Más me haría si mintiese, porque sería lo mismo que desconocer mi Naturaleza y renegar de Aquel de quien procedo.»

«Luego ¿Tú eres Dios, el Verbo de Dios?»

«Sí.»

«¿Y tan frescamente lo dices? ¿Ante tantos testigos que podrían denunciarte?»

«La Verdad no miente. La Verdad no hace cálculos. La Verdad es heroica.»

«¿Y esto es verdad?»

«La Verdad es el Que os habla. Porque el Verbo de Dios traduce el Pensamiento de Dios, y Dios es Verdad.»

La gente se ha hecho todo orejas. El silencio es profundo. Con toda atención sigue el diálogo. De otras partes ha llegado más gente. El patio está a reventar. Centenares de caras están fijas en un solo punto. Y se asoman más y más caras por las salidas que se comunican con otros patios. Miran con el cuello alargado, escuchan atentos.

El sinedrista Elquías y sus compinches miran... Hay una verdadera red de miradas. Pero se controlan. Hasta un viejo doctor pregunta todo cortesía: «Y para evitar los castigos que prevees, ¿qué se debería hacer?»

«Seguirme. Y sobre todo creer en Mí. Y todavía más, amarme.»

«¿Eres un amuleto que traiga fortuna?»

«No. Soy el Salvador.»

«Pero no tiene ejércitos...»

«Me tengo a Mí mismo. Acuérdate, y acordaos por bien vuestro, por compasión a vuestras almas, acordaos de las palabras del Señor dichas a Moisés y a Aarón cuando todavía estaban en tierra de Egipto: "Cada uno del pueblo de Dios tome un cordero sin defecto, de un año. Uno por cada hogar, y si no alcanza el número de los de familia para comerse todo el cordero, llame a sus vecinos. Lo inmolaréis el catorce de Abid, que ahora se llama Nisán, y con su sangre rociaréis los postigos, y arquitrabes de las puertas de vuestros hogares. En la misma noche comeréis sus carnes asadas al fuego, con pan sin levadura y lechugas silvestres. Y lo que sobrare lo quemaréis. Comeréis con los vestidos ceñidos, con las sandalias calzadas, con el bordón en la mano, de prisa, porque es el 'pasar al otro lado' del Señor. Y esa noche pasaré, hiriendo a todo primogénito bien sea de hombre, bien de bestia, en que no esté puesta la señal de la sangre del cordero [8]. Ahora en el nuevo 'pasar' de Dios, el *realmente verdadero*, porque Dios está pasando entre vosotros de una manera visible, que podéis reconocerlo por sus señales, se salvarán los que estén señalados con la Sangre del Cordero, señal salutífera. En verdad que *todos* seréis señalados pero solo los que amen al Cordero, y amen su Señal, obtendrán la salvación por medio de esa Sangre. Para los otros, no será más que la marca de Caín. Sabéis muy bien que Caín no vió más el rostro del Señor, ni jamás tuvo reposo. Llevando sobre sus espaldas el remordimiento, el castigo que le había infligido Satanás su cruel tirano, huyó, escapó por la faz de la tierra mientras vivió sobre ella [9]. Es una figura, una figura expresiva de lo que sucederá al pueblo que asesine al nuevo

[8] Cfr. Ex. 12, 1 ss. y vol. 2°, pág. 180, not. 6.
[9] Cfr. Gén. 4, 1-16.

Abel...»

«También Ezequiel habla de la Tau [10]... ¿Crees que tu Señal sea la Tau de Ezequiel?»

«Es esa.»

«¿Nos acusas entonces de que en Jerusalén haya abominaciones?»

«No quisiera hacerlo, pero así son las cosas.»

«Y entre los señalados con la Tau ¿no hay pecadores? ¿Puedes jurarlo?»

«No juro nada. Pero os aseguro que si entre los señalados hubiere pecadores, su castigo será peor, porque los adúlteros del espíritu, los renegados, los asesinos de Dios, serán los más grandes en el Infierno después de que le sirvieron a éste en la tierra.»

«Pero los que no puedan creer que Tú eres Dios, no tendrán ningún pecado. Serán justificados...»

«No. Si no me hubierais conocido, si no hubierais podido comprobar mis obras, si no hubierais podido examinar mis palabras, no tendríais culpa. Si no fuerais doctores en Israel, no tendríais culpa. Pero conocéis las Escrituras y estáis viendo mis obras. Podéis sacar la conclusión. Y si lo hacéis honradamente, vedme en las palabras de la Escritura, y las palabras de ella vedlas trasladadas en acciones mías. Por esto no seréis justificados de no haberme conocido. Me habéis odiado. Demasiadas abominaciones, demasiados ídolos, demasiadas fornicaciones hay dónde sólo Dios debería estar. Y las hay en cada lugar donde estáis. La salvación la tenéis si dejáis aquellas y acogéis a la Verdad que os habla. Y por esto donde vosotros asesináis, o tratáis de hacerlo, seréis asesinados. Y por esto seréis sentenciados a muerte en los límites de Israel, allí donde para nada sirve el poder humano u sólo el Eterno es el Juez de sus creaturas.»

«¿Por qué hablas en esta forma, Señor? Estás irritado.»

«Digo la verdad. Soy la Luz. La Luz fue enviada para que iluminase las Tinieblas. Brilla por todas partes. Hubiera sido inútil que el Altísimo hubiese enviado su Luz, si luego la hubiese ocultado bajo la fanega. Ni siquiera los hombres lo hacen cuando encienden la luz, porque entonces sería inútil el haberla prendido. Si la prenden es para que ilumine y para que quien entra, vea. Yo, en la casa terrena de mi Padre que está oscurecida, he venido a encender la Luz para que quien esté en ella, vea. Y la Luz brilla. Bendecidla si con sus rayos limpísimos descubre reptiles, escorpiones, trampas, telarañas, hendiduras. Lo hace porque os ama. Para que podáis conoceros, limpiaros, para que arrojéis a los animales dañinos: las pasiones y los pecados, y os volváis a formar antes de que sea muy tarde, para que veáis dónde ponéis el pie: en la trampa que Satanás

[10] Cfr. Ez. 9, 1-7.

os ha puesto y para que no caigáis en ella. Pero para ver, además de la luz clara, se necesitan ojos claros. Por el ojo en que hay pus, no pasa la luz. Limpiaos vuestros ojos. Limpiad vuestro espíritu para que la Luz pueda bajar en vosotros. ¿Qué necesidad hay de perecer en las Tinieblas cuando el que es todo Bondad os ha enviado la Luz y la Medicina para que os curéis? Todavía no es demasiado tarde. Venid, todavía tenéis tiempo. Venid a la Luz, a la Verdad, a la Vida. Acercaos a vuestro Salvador que os tiende los brazos, que os abre el corazón, que os suplica que lo acojáis para vuestro bien eterno.»

Jesús tiene una actitud suplicante, amorosa. No respira más que amor... Aun las fieras más tercas, las más ebrias de odio, sienten el amor; sus armas se doblegan ante él; su veneno pierde su fuerza.

Se miran. Luego Elquías en nombre de todos dice: «Has hablado bien, Maestro. Te ruego que aceptes el banquete que te ofrezco para honrarte.»

«No exijo otra honra que la de conquistar vuestras almas. Déjame en mi pobreza...»

«No creo que vayas a insultarme con no aceptar.»

«No te ofendo. Te ruego que me dejes con mis amigos.»

«También ellos están invitados. ¡Quién puede dudarlo! También ellos contigo. Es una gran honra para mi casa... ¡Un gran honor!... ¡Vas también a la casa de otros poderosos! ¿Por qué no a la mía, la de Elquías?»

«Está bien... iré. Pero ten en cuenta que no podré hablar en lo privado de otro modo del que te he hablado aquí, entre la gente.»

«¡Ni tampoco yo! ¡Ni tampoco mis amigos! ¿Lo dudas acaso?...»

Jesús lo mira fijamente. Luego añade: «No dudo sino de lo que ignoro [11]. Pero no ignoro el pensamiento de los hombres. Vamos.»

Y al lado de Elquías sale fuera del Templo. Lo siguen sus apóstoles, que no tienen muchas ganas de ir, mezclados con los amigos de Elquías.

[11] Cfr. vol. 1°, pág. 356, not. 7 y pág. 428, not. 15.

103. Jesús en el banquete del sinedrista y fariseo [1]

(Escrito el 10 de abril de 1946)

Jesús entra en la casa de su anfitrión, que está un poco retirada del Templo, pero cerca del barrio que está a los pies del Tofet.

[1] Cfr. Lc. 11, 37-52.

Una casa de grandes proporciones, pero ceñuda. Todo en ella es observancia, y una observancia exagerada de la Ley. Pienso que hasta el número de los clavos y su posición es conforme a alguno de los seiscientos trece preceptos. Ni una figura en los vestidos, ni un friso en las paredes, ni una nada... ninguna imitación de la naturaleza, cosas que se ven aun en las casas de José y Nicodemo y de los mismos fariseos de Cafarnaúm. Esta casa... transpira por todas partes el espíritu de su dueño. Fría. Fría. Ningún adorno. La dureza de sus muebles de color oscuro y pesados en forma cuadrada como sarcófagos. No tiene nada de acogedor. Es algo que parece cerrarse detrás de las espaldas del que en ella entra.

Y Elquías lo hace notar orgullosamente. «¿Ves, Maestro, cómo soy yo de observante? Todo lo indica. Mira: Cortinas sin diseños, mueblario sin adorno, ninguna jarra tiene grabados, ni las lámparas tienen forma de flores. Hay de todo, pero todo según el mandamiento: "No te harás ninguna escultura, ninguna representación de lo que está arriba, en el cielo; o acá abajo, en la tierra, o en las aguas, bajo la tierra" [2]. Y así como en el edificio, de igual modo en mis vestiduras y en las de mis familiares. Por ejemplo, yo no apruebo en este discípulo tuyo (Iscariote) esos primores en su vestido y en su manto. Me dirás: "Muchos los llevan"; y añadirás: "No es más que una greca". De acuerdo. Pero con esos ángulos, con esas curvas, se traen al recuerdo las señales de Egipto. ¡Horror! ¡Cifras demoníacas! ¡Signos de nigromancia! ¡Siglas de Beelzebú! No te honra, Judas de Simón, el que las lleves; como tampoco a tu Maestro que te lo permite.»

Judas responde con una sonrisita sarcástica. Jesús contesta humildemente: «Más que no haya señales en los vestidos, vigilo que no haya ninguna de ellas en los corazones. Pero pediré a mi discípulo, mas bien desde ahora le ruego, que lleve vestidos menos adornados, para no escandalizar a nadie.»

Judas reacciona de buen modo: «A decir la verdad, mi Maestra me dijo muchas veces que preferiría más sencillez en mis vestidos. Pero yo... he hecho lo que me gusta, porque me gusta vestirme así.»

«Mal, muy mal. Que un galileo enseñe a un judío está muy mal, y sobre todo a tí, que eras del Templo... ¡Oh!» Elquías muestra estar del todo sorprendido lo mismo que sus amigos.

Judas, cansado de ser bueno, replica: «¡Oh, entonces habría que arrancar tanta pompa aun de vosotros los del Sanedrín! Si tuvierais que quitar todos esos dibujos que habéis puesto sobre la cara de vuestras almas, ¡qué feos os veríais!»

«¡Mira cómo hablas!»

«Como uno que os conoce.»

[2] Cfr. Ex. 20, 1-17; Deut. 5, 1-22.

«¿Maestro, lo oyes?»

«Oigo y digo que es necesaria la humildad en una y otra parte, y que en ambas hay verdad. Es menester una comprensión mutua. Solo Dios es perfecto.»

«¡Bien dicho, Rabbí!» dice uno de los amigos... Cara demacrada, voz única en medio del grupo de fariseos y doctores.

«¡Mal dicho!» replica Elquías. «El Deuteronomio es claro en sus maldiciones. Dice: "Maldito el hombre que hace escultura o imagen fundida. Esto es una cosa abominable. Es obra de mano de artífice y..." [3].»

«Pero aquí se trata de vestiduras, no de imágenes» replica Judas.

«Silencio, tú. Habla tu Maestro. Elquías, sé justo y piensa bien. Maldito el que hace ídolos, pero no el que hace dibujos copiando lo bello que el Creador puso en lo creado. Recogemos flores para adornar...»

«Yo no recojo, ni quiero ver adornadas las habitaciones. ¡Ay de mis mujeres si cometen este pecado, aun en las de ellas! Solo a Dios se debe admirar.»

«Muy bien dicho. Solo a Dios. Pero también se puede admirar a Dios en una flor, al reconocer que El es el Artífice de ella.»

«¡No, no! ¡Paganismo, paganismo!»

«Judit se adornó. Lo mismo hizo Ester por un motivo santo [4]...»

«Mujeres. La mujer ha sido siempre un objeto digno de desprecio. Pero... Maestro, te ruego que entres a la sala del banquete, mientras me retiro un momento, pues debo hablar a mis amigos.»

Jesús asiente sin replicar.

«Maestro... ¡Apenas si puedo respirar!...» dice Pedro.

«¿Por qué? ¿Te sientes mal?» preguntan algunos.

«No. Pero no a mi gusto... como el que cae en una trampa.»

«No te pongas nervioso. Procurad todos vosotros ser prudentes» aconseja Jesús.

Siguen en grupo y en pie hasta que entran los fariseos seguidos de los siervos.

«Tomemos asiento sin demora alguna. Tenemos reunión y no podemos perder tiempo» ordena Elquías. Señala los lugares, entre tanto que los siervos trinchan las viandas.

Jesús está al lado de Elquías y a su lado, Pedro. Elquías ofrece lo que van a comer, y empieza la comida en medio de frío silencio.

Poco a poco comienzan a aflorar las primeras palabras. Como es natural se dirigen a Jesús, porque los doce son tratados como si no estuviesen.

El primero que tiene algo que preguntar es un doctor de la Ley.

[3] Cfr. Deut. 27, 15.
[4] Cfr. Judit 8-16; 10, 3-4; Ester.

«¿Maestro, estás de veras seguro de ser lo que dices?»

«No lo digo Yo por mi boca propia. Los profetas lo dijeron [5] antes de que Yo estuviese entre vosotros.»

«¡Los profetas!... Tú, que no quieres admitir que nosotros seamos santos, puedes pensar que sea cierto mi dicho si afirmo que nuestros profetas pudieron ser unos hombres exaltados.»

«Los profetas son santos.»

«Y nosotros, no. ¿No es verdad? Ten en cuenta que Sofonías pone a los profetas y a los sacerdotes como causa de la condenación de Israel: "Sus profetas son unos exaltados, hombres sin fe, y sus sacerdotes profanan las cosas santas y violan la Ley" [6]. Continuamente nos echas en cara esto. Si aceptas al profeta en la segunda parte de lo que dice, debes aceptarlo también en la primera y reconocer que no hay ninguna base en que apoyes tus palabras, que son de unos exaltados.»

«Rabbí de Israel, respóndeme. Cuando pocas líneas después dice Sofonías: "Canta y alégrate, hija de Sión... el Señor ha retractado su sentencia dictada contra tí... el Rey de Israel está en medio de tí" [7], ¿acepta tu corazón estas palabras?»

«Esta es mi alegría repetirme estas palabras, soñando en ese día.»

«Pero son palabras de un profeta, de un exaltado y por lo tanto...»

El doctor de la Ley por un momento se queda sin poder decir palabra alguna. Viene en su ayuda un amigo suyo: «Nadie puede dudar que Israel reinará. No uno, sino todos los profetas y los preprofetas, esto es, los patriarcas, nos legaron esta promesa de Dios.»

«Y ni uno de los pre-profetas, ni de los profetas ha dejado de señalarme por lo que soy.»

«¡Eso está bien! Pero no tenemos las pruebas. Puedes también ser Tú un exaltado. ¿Qué pruebas nos das de ser el Mesías, el Hijo de Dios? Dame un punto de apoyo para que pueda decidir.»

«No te recito mi muerte que describiéron David e Isaías [8], pero sí te anuncio mi Resurrección.»

«¿Tú? ¿Tú? ¿Vas a resucitar Tú? ¿Y quién lo va a hacer?»

«Ciertamente vosotros, no. Ni el Pontífice, ni el monarca, ni las castas, ni el pueblo. Resucitaré por Mí mismo.»

«No blasfemes, Galileo. No mientas.»

«No hago más que dar honor a Dios y decir la verdad. Con Sofonías te digo: "Espera mi resurrección". Hasta ese momento podrás tener dudas, podréis tenerlas todos vosotros, y podréis tra-

[5] Cfr. vol. 1°, pág. 468, not. 1.
[6] Cfr. Sof. cap. 3.
[7] Cfr. Sof. 3, 14-15.
[8] Cfr. vol. 1°, pág. 468, not. 1.

bajar en inculcarlas entre el pueblo, pero después no lo podréis cuando el Eterno Viviente, por Sí mismo, después de haber redimido, resucite para no morir más, Juez intangible, Rey perfecto que con sus cetro y su Justicia gobernará y juzgará hasta el fin de los siglos y continuará reinando en los cielos por toda la eternidad.»

«Pero, ¿no sabes que estás hablando a doctores y a sinedristas?» pregunta Elquías.

«¡Y qué importa! Vosotros me habéis preguntado, Yo respondo. Vosotros manifestáis deseos de saber, Yo os ilumino la verdad. No vas a querer que a mi mente venga la otra maldición del Deuteronomio que no se refiere a las vestiduras, sino a otra cosa diversa, y que dice: "Maldito quien a escondidas pega a su prójimo" [9].»

«Yo no te he pegado. Te estoy dando de comer.»

«No. Pero tus preguntas llenas de falacia son golpes que me das a la espalda. Ten cuidado, Elquías. Porque las maldiciones de Dios continúan, y después de la que cité viene otra: "Maldito quien acepta regalos para condenar a muerte a un inocente" [10].»

«En este caso, quien acepta los regalos, eres Tú, huésped mío.»

«Yo no condeno ni siquiera a los culpables si están arrepentidos.»

«Entonces no eres justo.»

«No, justo lo es. Porque El piensa que el arrepentimiento merece perdón y por esto no condena» dice el que ya antes se había mostrado estar de acuerdo con Jesús en el atrio de la casa.

«¡Cállate, tú, Daniel! ¿Quieres saber más que nosotros? ¿O acaso te ha seducido uno sobre el que falta todavía mucho que decidir y que nada hace por ayudarnos a que decidamos en su favor?» dice un doctor.

«Sé que vosotros sois los sabios y yo un sencillo judío que ni siquiera sé porque queréis que esté frecuentemente entre vosotros...»

«¡Porque eres mi pariente! Es fácil de comprenderse. Quiero que los parientes míos sean santos y sabios. No puedo permitir que se ignoren las Escrituras, ni la Ley, ni los Halasciot, ni los Midrasciot, ni el Haggada [11]. No puedo soportarlo. Hay que conocer todo. Hay que observar todo...»

«Te estoy muy agradecido por los cuidados con que me rodeas. Pero yo, humilde campesino, que indignamente me he convertido en pariente tuyo, no me he preocupado nunca sino de conocer las Escrituras y los Profetas para tener consuelo en mi vida. Y con la sencillez de un indocto, te confieso que reconozco en el Rabbí al Mesías a quien precedió su Precursor que nos lo indicó... Y el

[9] Cfr. Deut. 27, 24.
[10] Ib. 27, 25.
[11] Cfr. vol. 2°, pág. 341, not. 1; Lc. 11, 51.

Espíritu de Dios, no puedes negarlo, se había apoderado de Juan.»

Un silencio. No quieren negar que el Bautista hubiese dicho la verdad; pero tampoco quieren afirmarlo.

Otro sale al paso diciendo: «Bueno... Digamos que el Precursor es precursor de aquel ángel [12] que Dios envía a preparar el camino a su Mesías. Y... admitamos que en el Galileo hay la suficiente santidad para pensar que sea ese ángel. Después de El vendrá el tiempo del Mesías. ¿No os parece que esta idea mía ponga paz en todo? ¿La aceptas, Elquías? ¿Y vosotros, amigos míos ? ¿Y Tú, Nazareno?»

«No.» «No.» «No.» Los tres «no» son claros y seguros.

«¿Cómo? ¿Por qué no la aprobáis?»

Elquías se queda callado. También sus amigos. Sólo Jesús, sincero, responde: «Porque no puedo aprobar un error. Yo soy más que un ángel. El ángel fue el Bautista, Precursor del Mesías, y el Mesías soy Yo.»

Un silencio sepulcral. Largo. Elquías, con el codo apoyado sobre el sofá, la mejilla apoyada sobre la mano, piensa con dureza, con exclusividad, como lo refleja toda su casa.

Jesús se vuelve, lo mira y lo dice: «Elquías, Elquías, no confundas la Ley y los profetas con mezquindades.»

«Veo que has leído mi pensamiento. Pero no puedes negar que has pecado no observando el precepto.»

«Porque tú, y con astucia, y por lo tanto con mayor culpa, no cumpliste con tu deber que tenías con tu huésped... Lo hiciste *voluntariamente*. Me distrajiste, y luego me mandaste aquí mientras tú con tus amigos te purificabas, y cuando entrastre, nos pediste que estuviésemos prontos, que tenías reunión y todo esto para poderme decir: "Pecaste".»

«Podías haberme recordado mi deber de darte con qué deberías purificarte.»

«Podría recordarte tantas cosas, pero de nada serviría sino para hacerte más intransigente, y más enemigo.»

«No. Dilas. Dilas. Queremos escucharte y...»

«Y acusar ante los Príncipes de los Sacerdotes. Por esto te traje a la memoria la última y penúltima maldición. Lo sé. Os conozco. Me encuentro aquí entre vosotros, inerme. Estoy aquí separado del pueblo que me ama, y ante el que no os atrevéis a atacarme. Pero no tengo miedo. No acepto compromisos, como tampoco soy un villano. Os digo vuestro pecado, el de toda vuestra casta, el vuestro, fariseos, falsos santos de la Ley; el vuestro, doctores, falsos sabios que confundís y mezcláis a sabiendas lo verdadero y lo falso, que exigís de los otros la perfección aun en las cosas exteriores y a vosotros mismos nada. Me echáis en cara vosotros, uni-

[12] Cfr. Ex. 23, 20; Mc. 1, 2.

dos a vuestro anfitrión y mío, el que no me haya purificado antes de comer. Sabéis que he venido del Templo al que no se acerca sino después de haberse purificado de las inmundicias del polvo y del camino. ¿Queréis acaso confesar que el Lugar Santo sea contaminación?»

«Nosotros nos purificamos antes de comer.»

«Y a nosotros se nos dijo: "Id allí y esperad". Y luego: "Sentaos a la mesa sin tardanza". Entre tus paredes limpias de diseño alguno, había con todo un complot: el de arrastrarme al engaño. ¿Qué mano escribió en las paredes el motivo para poder acusarme? ¿Tu espíritu u otro poder que te domina y a quien escuchas? Ahora bien, oídme todos.»

Jesús se pone de pie y con sus manos que se apoyan sobre la orilla de la mesa, empieza su invectiva: «Vosotros fariseos laváis lo exterior de las copas y de los platos. Os laváis las manos y los pies, como si los platos y las copas, las manos y los pies tuviesen que entrar en vuestro corazón y os enorgullecéis de ello proclamándolo puro y perfecto. Pero no os toca a vosotros, sino a Dios el proclamarlo así. Ahora bien, tened en cuenta lo que Dios piensa acerca de vuestro corazón. Piensa que está lleno de mentira, de asquerosidad, de rapiña; está lleno de iniquidad y nada que venga de lo externo puede corromper lo que ya en sí es una corrupción.»

Separa la mano derecha de la mesa, e involuntariamente empieza a moverla mientras continúa: «Pero quien hizo vuestro espíritu, como hizo vuestro cuerpo, ¿no puede exigir, al menos en igual proporción, que respetéis lo interior, así como respetáis lo exterior? O necios que cambiáis estos dos valores e invertís su poder, ¿acaso no deseará el Altísimo que se dé un cuidado mayor al espíritu, hecho a sus semejanza y que por la corrupción pierde la Vida eterna, que no a la mano o al pie, cuyas suciedades pueden lavarse fácilmente, y que aunque quedasen sucios, no influirían en la limpieza interior? ¿Puede acaso Dios preocuparse de la limpieza de un vaso o de una jarra cuando estos objetos no son sino cosas carentes de alma y que no pueden influir en las vuestras?

Estoy leyendo tu pensamiento, Simón Boetos. No. No concluye. No es porque queráis preservar vuestra salud, vuestro cuerpo, vuestra vida, por lo que tomáis estos cuidados, y practicáis estas purificaciones. El pecado carnal, más bien dicho, los pecados de gula, intemperancia, lujuria, son a no dudarlo más dañinos al cuerpo que un poco de polvo en las manos o en el plato. Y con todo los cometéis sin preocuparos de proteger vuestra existencia y la incolumidad de vuestros familiares. Y mayores pecados cometéis porque además de manchar vuestro espíritu y vuestro cuerpo, con el derroche de vuestros bienes, la falta de respeto a vuestros familiares, ofendéis al Señor con la profanación de vuestro cuerpo, templo de vuestro espíritu, que debería ser el trono del Espíritu Santo; y cometéis otro pecado más por el prejuicio que formáis, de que os toca a vosotros defenderos de las enfermedades que provienen de un poco de polvo, como si Dios no pudiese intervenir en defenderos de las enfermedades físicas si acudís a El con espíritu puro.

El que creó lo interior ¿no creó acaso también lo externo y viceversa? ¿Y acaso lo interno no es más noble y lo que más se asemeja a lo divino?

Haced obras dignas de Dios y no roñerías que no se levantan más que el polvo por el que y del que se hicieron; del pobre polvo del que el hombre fue tomado como ser animal, lodo al que se le dió forma, y que regresa al polvo, polvo que el viento de los siglos dispersa. Haced obras que permanezcan, que sean dignas del Rey y santas, obras sobre las que está la bendición divina cual corona. Haced caridad, y haced limosna, sed honestos, sed puros en las obras y en la intención, y sin recurrir al agua de las abluciones todo será puro en vosotros.

Pero, ¿qué estáis imaginando? ¿Que estáis en lo justo porque pagáis los diezmos de los aromas? No. ¡Ay de vosotros, fariseos, que pagáis los diezmos de la menta y de la ruda, de la mostaza y del comino, del hinojo y de otros vegetales, y luego dejáis en olvido la justicia y el amor de Dios! Pagar los diezmos es un deber y hay que hacerlo. Pero hay otros deberes más altos, y que también deben de cumplirse. ¡Ay de quien observa las cosas exteriores y olvida las interiores que se basan en el amor a Dios y al prójimo! ¡Ay de vosotros, fariseos, que buscáis los primeros lugares en las sinagogas y en las reuniones y os gusta que se os reverencie en las plazas, y no os preocupáis en hacer obras que os den un lugar en el cielo y os merezcan la reverencia de los ángeles! Sois semejantes a los sepulcros escondidos que, sin saberlo el viajero, pasa cerca de ellos, los toca y no tiene asco, pero lo tendría si pudiese ver lo que dentro de ellos está encerrado. Pero Dios ve también vuestros actos recónditos y no se engaña al juzgaros.»

Lo interrumpe, poniéndose también de pie, un doctor de la Ley. «Maestro, al hablar así nos ofendes. Y no te conviene, porque nosotros debemos juzgarte.»

«No. No vosotros. Vosotros no podéis juzgarme. Vosotros sois los juzgados, no los jueces. Quién juzga es Dios. Podéis hablar, mover vuestros labios, pero ni siquiera la voz más potente es capaz de llegar al cielo, ni de recorrer la tierra. Apenas un poco distante, se pierde en el silencio... Y luego viene el olvido. Pero el juicio de Dios es una voz que permanece y el olvido no la sepulta. Siglos y siglos han pasado desde que Dios juzgó a Lucifer y juzgó a Adán. La voz de aquel juicio no se ha apagado. Están las consecuencias de aquel juicio. Y si ahora me encuentro entre vosotros para traer a los hombres la Gracia, mediante el Sacrificio perfecto, el juicio sobre la acción de Adán permanece como lo es, y será llamada siempre la "culpa del principio". Los hombres serán redimidos, lavados con una purificación superior a cualquier otra, pero nacerán con esa marca, porque Dios juzgó que esa marca deba estar en todo el que nazca de mujer, menos en Aquel que no por obra de hombre, sino por el Espíritu Santo fue hecho, y en la Preservada y en el Presantificado, vírgenes para siempre. La Primera para poder ser la Virgen Deípara; el segundo para poder ser el precursor del Inocente, naciendo limpio gracias a los méritos infinitos del Salvador Redentor.

Yo os digo que Dios os juzga. Y os juzga al deciros: "¡Ay de vosotros, doctores de la Ley, porque imponéis a la gente pesos insoportables, convirtiendo en castigo el paternal Decálogo del Altísimo que dió a su Pueblo!" El lo dió con amor y por amor, para que el hombre, el eterno, imprudente e ignorante niño, tuviese un guía seguro. Pero vosotros habéis sustituído los amorosos lazos con que Dios había ligado a sus hijos para que pudiesen caminar por su sendero y llegar a su corazón con montañas de piedras agudas, pesadas: un laberinto de prescripciones, una pesadilla de escrúpulos, por lo cual el hombre pierde sus fuerzas, se extravía, se detiene, tiene miedo de Dios como de un enemigo. Vosotros impedís que los corazones vayan a Dios. Vosotros separáis al Padre de sus hijos. Vosotros negáis con vuestras imposiciones, esta dulce, bendita y verdadera Paternidad. Pero vosotros no tocáis ni siquiera con el dedo el peso que sobre los otros imponéis. Os creéis justificados sólo por haberlo impuesto. Pero, oh necios, ¿no sabéis que seréis juzgados por lo que juzgasteis que era necesario para salvarse? ¿No sabéis que Dios os dirá: "Vosotros decíais que vuestra palabra era sagrada, que era justa. Así pues, también Yo la tengo por tal. Y como la impusisteis a todos y juzgasteis a vuestros hermanos del cómo la acogieron y practicaron, ved que Yo os juzgo con vuestra palabra. Y como no hicisteis lo que dijisteis que tenía que hacerse, sois sentenciados"?

¡Ay de vosotros, que levantáis sepulcros a los profetas que vuestros padres mataron! ¿Y qué? ¿Creéis con esto que disminuiréis la enormidad de la culpa de vuestros padres? ¿Que la anularéis a los ojos de las futuras generaciones? No. Al revés. Vosotros testificáis así las obras de vuestros padres. No sólo ésto, sino que las aprobáis, prontos a imitarlos, levantando luego un sepulcro al profeta para deciros mutuamente: "Lo honramos nosotros". ¡Hipócritas! Por esto la Sabiduría de Dios dijo: "Mandaré a ellos profetas y apóstoles. Ellos matarán a algunos y a otros perseguirán, para que pueda exigirse a esta generación la sangre de todos los profetas que ha sido derramada desde la creación del mundo en adelante, desde la sangre de Abel, hasta la de Zacarías, asesinado entre el altar y el Santuario"[13]. En verdad, en verdad os digo que se pedirá cuenta de toda esta sangre de santos a esta generación que no sabe distinguir a Dios donde está; que persigue al justo, y lo aflige porque es un reproche viviente a su injusticia.

¡Ay de vosotros, doctores de la Ley, que os habéis usurpado la llave de la ciencia, y habéis cerrado el templo para no entrar y para que no os juzgue, y no habéis permitido que otros entrasen. Porque sabéis que si el pueblo aprendiese la verdadera Ciencia, esto es, la Sabiduría eterna, podría juzgaros, por lo cual preferís que siga ignorante para que no os juzgue. Y me odiáis porque Yo soy la Palabra de Sabiduría y querríais encerrarme antes de tiempo en una cárcel, en un sepulcro para que no hablase más.

Pero seguiré hablando hasta que a mi Padre le plazca que lo haga, y luego hablarán mis obras mucho mejor que mis palabras. Y hablarán mis méritos más que ellas, y el mundo será adoctrinado y sabrá y os juzgará. Será la primera sentencia contra vosotros; luego vendrá la segunda, cuando cada uno después de su muerte sea juzgado; y finalmente el Juicio Universal. Y os acordaréis de este día y de estos días y vosotros, vosotros solos conoceréis al Dios terrible que habéis tratado de presentar cual una pesadilla ante los espíritus de los sencillos, entre tanto que vosotros, en el interior de vuestro sepulcro, os burlásteis de El, y no habéis tenido ningún respeto ni obedecido a ningúno de los mandamientos desde el primero del amor, hasta el último, que fueron dados en el Sinaí[14].

Inútilmente, oh Elquías, tu casa carece de figuras. Inútilmente, en vuestros hogares no tenéis esculturas. En el interior de vuestro corazón tenéis el ídolo, muchos ídolos: el de creeros dioses, así como los idolos de vuestras concupiscencias. Venid. Vámonos.»

Y haciendo que los doce salgan antes que El, sale el último.

Late un silencio profundo...

Los que se han quedado, forman un alboroto diciendo: «¡Hay que perseguirlo, cogerlo en falso, encontrar motivos con que se le acuse! ¡Hay que matarlo!»

Otro silencio.

Luego, mientras dos, descontentos del odio y de lo que se proponen los fariseos, salen, esto es, el pariente de Elquías y el otro que defendió al Maestro, los que se quedan se preguntan: «¿Y cómo?»

Otro silencio.

Luego con una risita de viejo chocho, Elquías dice: «Hay que trabajar a Judas de Simón...»

[13] Cfr. vol. 1°, pág. 389, not. 2.
[14] Cfr. Ex. 20, 1-17; Deut. 5, 1-22.

«¡Hombre! ¡Buena idea! Pero ¡lo acabas de ofender!...»

«De eso me encargo yo» dice aquel a quien Jesús llamó con el nombre de Simón Boetos. «Yo y Eléazar el hijo de Anás... Lo engatusaremos...»

«Unas cuantas promesas...»

«Un poco de miedo...»

«Mucho dinero...»

«No. Mucho no... promesas, promesas de mucho dinero...»

«¿Y luego?»

«¿Cómo que luego?»

«¡Bueno! Luego. Cuando todo se haga. ¿Qué le daremos?»

«Pues ¡nada! La muerte. Así... *no hablará más»* dice con lenta crueldad Elquías.

«¡Uh! la muerte...»

«¿Te horroriza? ¡Cómo eres! Si matamos al Nazareno que... es un justo... podremos matar también a Iscariote que es un pecador...»

No todos se ponen de acuerdo...

Elquías levantándose dice: «Oiremos también el parecer de Anás... y veréis que... nos dará una buena idea. Y vendréis también vosotros... ¡Oh, ciertamente vendréis!...»

Salen todos detrás de su anfitrión que se va diciendo: «Sí, vendréis... vendréis...»

104. En Betania

(Escrito el 11 de abril de 1946)

Cuando Jesús llega a Betania el sol enrojece el horizonte. Acalorados, llenos de polvo, vienen los suyos tras de El. Jesús y los apóstoles son los únicos que desafían el horno ardiente del camino, que para protegerse de él muy poco ayudan los árboles que hay desde el monte de los Olivos hasta las pendientes de Betania. Un ardiente verano, pero más ardiente y furioso es el odio. Los campos están desnudos de sus mieses. Queman. Son hornos que respiran tan sólo fuego. Pero los corazones de los enemigos de Jesús están todavía más desnudos, no digo de amor, sino de sinceridad, de elemental moral humana. Están encendidos en odio... Y no hay más que una casa para Jesús, que un refugio: Betania. Allí hay amor, frescura, protección, lealtad... El Peregrino, perseguido, con su vestido blanco, con rostro afligido, con su paso cansado, porque no puede estarse sin que por todas partes lo pinchen sus enemigos, con la mirada resignada de quien ya contempla la muerte que se le acerca a cada hora, a cada paso, y que la acepta por obedecer a Dios...

La casa, en medio de su extenso jardín, está cerrada. No se oye ruido alguno. Espera tan sólo que pronto llegue la frescura. En el jardín no hay nadie. Está mudo. Sólo el sol reina despóticamente.

Tomás llama con su voz potente de barítono.

Una cortina se corre. Se asoma una cara... luego un grito: «¡El Maestro!» y los siervos corren. Los siguen las dueñas sorprendidas, porque ciertamente no esperaban que Jesús llegase a esas horas.

«¡Rabboni!» «¡Señor mío!» Marta y María saludan a Jesús desde lejos, y al punto se postran, no apenas se abre el cancel y Jesús se acerca.

«Marta, María: la paz sea con vosotros y con vuestro hogar.»

«La paz sea contigo, Maestro y Señor... Pero ¿cómo a esta hora?» preguntan las hermanas. Y despiden a los siervos para que Jesús pueda hablar con franqueza.

«Para que descanse mi cuerpo, para que repose mi corazón donde no se me odia...» dice con tristeza Jesús. Y tiende sus manos como para decir: «Vosotras que me amáis» y se esfuerza en sonreir, pero es una sonrisa triste, que desmiente la mirada de esos ojos en que se refleja el dolor.

«¿Te han hecho algún mal?» pregunta María, enrojeciendo de ira.

«¿Qué te ha pasado?» pregunta Marta. Y con voz maternal añade: «Ven que trataré de que descanses. ¿Desde cuándo estás caminando, que te ves así tan cansado?»

«Desde las primeras horas del día... Y puedo decirte que todo el día, porque el breve espacio en casa de Elquías, el sinedrista, fue peor que un largo camino...»

«Sí... y antes, en el Templo...»

«Pero ¿por qué fuiste a la casa de esa sierpe?» pregunta María.

«Porque si no hubiera ido, se hubieran aprovechado para justificar su odio con el que me hubieran acusado de que desprecio a los mienbros del Sanedrín. Pero ya ni modos... que vaya o no, la medida del odio de los fariseos ha llegado a su colmo... y no habrá ya tregua...»

«¿Con que esas tenemos? Quédate con nosotros, Maestro. Aquí no te causarán daño alguno...»

«Faltaría a mi misión... Muchas almas esperan al Salvador. Debo ir...»

«¡Pero te lo impedirán!»

«No. Me perseguirán, y me harán que me vaya para poder estudiar cada paso mío, harán que hable para que examinen cada palabra, olfatearán todo como los sabuesos, para atrapar su presa... para tener un qué, que pueda parecer culpa... y todo servirá para algo...»

Marta, siempre respetuosa, se siente tan llena de compasión que levanta su mano como para acariciar esas enflaquecidas mejillas, pero se detiene, llena de vergüenza dice: «¡Perdóname! Me diste la misma impresión que nos da Lázaro. Perdóname, Señor, que te haya amado como a un hermano mío que sufre.»

«Soy el hermano doliente... Amadme con amor puro de hermanas... ¿Y Lázaro qué hace?»

«Languidece, Señor...» responde María. Las lágrimas que estaban ya a punto de salírsele, con estas palabras se unen a la pena de ver a su Maestro tan adolorido.

«No llores, María, ni por Mí, ni por él. Cumplamos con la voluntad divina. Se debe llorar por quien no sabe cumplir con esta voluntad...»

María se inclina. Toma la mano de Jesús y le besa la punta de los dedos.

Han llegado a la casa. Entran al punto a donde está Lázaro. Los apóstoles aguardan, y se refrescan con lo que los siervos les ofrecen.

Jesús se inclina sobre el pálido, sobre el siempre más pálido Lázaro y lo besa sonriente para aliviar la tristeza de su amigo.

«Maestro ¡cómo me amas! Ni siquiera esperaste a que cayese la tarde para venirme a ver. Con este calor...»

«Amigo mío, me siento feliz contigo, como tú conmigo. Lo demás no importa.»

«Es verdad. No importa. Aun mi sufrimiento no es nada... Ahora sé por qué sufro y qué puedo hacer con mi sufrimiento.» Lázaro sonríe con una sonrisa sincera, espiritual.

«Y es verdad, Maestro. Se podría decir que Lázaro ve con placer su enfermedad y...» un sollozo despedaza la voz de Marta.

«Dilo, no tengas miedo: y la muerte. Maestro, diles que deben ayudarme, como los levitas ayudan a los sacerdotes.»

«¿Para qué, amigo mío?»

«Para consumar el sacrificio...»

«Y sin embargo hasta hace poco temblabas ante el pensamiento de la muerte. ¿No nos amas más? ¿No amas al Maestro? ¿No quieres servirle?...» pregunta María con voz fuerte, pero pálida del dolor, acariciando la mano amarillenta de su hermano.

«¿Y me lo preguntas, tú, corazón ardiente y generoso? ¿No soy hermano tuyo? ¿No tengo la misma sangre y tus mismos santos amores: Jesús, las almas, y vosotras, mis dos queridas hermanas?... Pero desde la Pascua mi alma acaparó una gran palabra. Y amo la muerte. Señor, te la ofrezco por la misma intención que tienes.»

«Luego ¿no me pides más que te cure?»

«No, Rabboni... Te pido que me bendigas para que sepa sufrir y... morir... y si no es grande mi petición, para redimir... Tú lo dijiste [1]...»

«Lo dije. Y te bendigo para darte las fuerzas que quieres.» Le impone las manos y luego le besa.

«Estaremos juntos y me instruirás...»

«No ahora, Lázaro. No me voy a detener. Vine tan sólo por unas cuantas horas. Partiré en la noche.»

«¿Por qué?» preguntan los tres hermanos, desilusionados.

«Porque no puedo quedarme [2]... Volveré en otoño. Y entonces... me estaré mucho y haré mucho por aquí... y en sus alrededores...»

Un silencio lleno de tristeza. Luego Marta: «Entonces por lo menos descansas, toma algo...»

«Nada me hace descansar más que vuestro amor. Haced que descansen mis apóstoles y dejadme estarme aquí, con vosotros, así tranquilo...»

Marta sale llorando. Regresa con tazones de leche fría y frutas primerizas...

«Los apóstoles ya comieron y cansados duermen. Maestro mío, ¿no quieres descansar?»

«No insistas, Marta. No se asomará todavía el alba y ya me habrán buscado aquí, en Getsemaní, en casa de Juana, en donde saben que pueden hospedarme. Pero al alba ya estaré lejos.»

«¿A dónde vas, Maestro?» pregunta Lázaro.

«Hacia Jericó, pero no por el camino usual... Doy vuelta hacia Tecua, y luego torno hacia atrás en dirección de Jericó.»

«Es un camino muy duro en la estación en que estamos...» murmura Marta.

«Precisamente por eso es solitaria. Caminaremos de noche. Las noches son claras aun antes de que se levante la luna... Y el alba llega muy pronto...»

«¿Y luego?» pregunta María.

«Luego al otro lado del Jordán. A la altura de Samaría, en la parte norte, pasaré el río que viene de esta parte.»

«Vete pronto a Nazaret. Estás cansado...» dice Lázaro.

«Primero debo ir a las playas del mar... Luego... iré a Galilea. Pero también allí me perseguirán...»

«Tendrás siempre a tu Mamá que te consuele...» dice Marta.

«Sí, mi pobre Mamacita.»

«Maestro, Mágdala es tuya. Lo sabes» le recuerda María.

«Lo sé, María... Sé todo el bien y todo el mal...»

«Separados así... ¡por tanto tiempo! ¿Me rencontrarás vivo, Maestro?»

«No tengas duda. No lloréis... Hay que acostumbrarse aun a las

[1] Cfr. pág. 440.
[2] Cfr. vol. 1°, pág. 539, not. 2; pág. 578, not. 3; en este volumen, pág. 306, not. 3.

separaciones. Son útiles para probar la fuerza de los afectos. Se comprenden mejor los corazones amados, al verlos con ojos espirituales, desde lejos. Cuando el alma no está engañada por el placer humano que produce la cercanía física del ser amado, se puede pensar detenidamente en su espíritu, en su amor... se comprende mucho mejor la personalidad del que está lejos... Estoy seguro que al pensar en vuestro Maestro lo comprenderéis mejor todavía cuando veréis y contemplaréis en paz mis acciones y mis afectos.»

«¡Oh, Maestro, nosotros no dudamos de Tí!»

«Ni Yo de vosotros. Pero me conoceréis mucho más. Y no digo que me améis, porque conozco vuestro corazón. Os digo sólo: rogad por Mí [3].»

Los tres hermanos lloran... Jesús está muy triste... ¿Cómo no llorar?

«¿Qué queréis? Dios había puesto el amor entre los hombres, pero estos lo han substituído por el odio... Y el odio divide no sólo a los enemigos entre sí, sino que también se introduce para separar a los amigos.»

Un largo silencio.

Luego Lázaro dice: «Maestro, vete de Palestina por algún tiempo...»

«No. Mi lugar está aquí. Para vivir, evangelizar, morir.»

«Juan y la griega están bien porque te preocupaste por ellos. Vete allá.»

«No. Ellos se salvaron. Yo *debo* salvar. Esta es la diferencia que explica todo. El altar está aquí, aquí la cátedra. No puedo ir a otra parte. Y bien... ¿creéis que puede cambiarse lo que está decidido? No. Ni en la tierra, ni en el cielo. Tan sólo empañaría la pureza espiritual de la figura mesiánica. Sería Yo "el cobarde" que se salva con la fuga. Debo dar el ejemplo a los presentes y a los futuros que en las cosas de Dios, en las cosas santas, no hay que ser cobardes...»

«Tienes razón, Maestro» suspira Lázaro.

Y Marta, corriendo la cortina, dice: «Tienes razón... Ya atardeció. No hay ya más sol...»

María se pone a llorar angustiosamente como si esta palabra hubiese tenido la capacidad de acabar con su fuerza moral que contenía su llanto. Llora con más amargura que cuando lloró en la casa del fariseo, con esas lágrimas con que pedía perdón al Salvador.

«¿Por qué lloras así?» le pregunta Marta.

«Porque has dicho la verdad, hermana. No hay ya más sol... El

[3] Cfr. pág. 543 not. 2 y las notas allí puestas.

Maestro se va [4]... No hay ya más sol para mí... para nosotros...»

«Sed buenos. Os bendigo. Quede mi bendición con vosotros. Dejadme ahora con Lázaro que está cansado y tiene necesidad de silencio. Velando a mi amigo, descansaré. Ved porque nada falte a los apóstoles y haced que estén prontos para cuando anochezca completamente...»

Las discípulas se retiran y Jesús, meditabundo, se queda sentado junto a su amigo enfermo, que como para pagar la proximidad que siente, se adormece con una leve sonrisa en su cara.

[4] La escritora de esta Obra, María Valtorta, en los últimos año de su vida, cuando ya parecía como ausente de sí misma y no pronunciaba maquinalmente sino pocas palabras o frases, de vez en vez exclamaba y a cualquier hora del día, y hasta varias veces seguidas: «¡Oh, qué sol hay aquí!» Nadie supo lo que quiso dar a entender ella. Probablemente, por las palabras de María Magdalena, para quien el Sol era Jesús, se puede conjeturar el significado de dicha exclamación.

105. Jesús y el mendigo en el camino de Jericó

(Escrito el 17 de mayo de 1944)

Veo a Jesús por un camino lleno de polvo y asoleadísimo. No hay nada de sombra, nada verde. Polvo en el camino. Polvo en los campos sin cultivo.

Aquí no hay las hermosas colinas de Galilea, ni los montes más silvestres de Judea tan abundantes en agua y pasto. Aquí es algo que no es un desierto por naturaleza, sino que el hombre lo ha hecho así con no cultivarlo. Es una llanura. No veo ninguna colina por alguna parte. Como de hecho no conozco Palestina, no puedo decir qué región sea. No cabe duda que es una que nunca he visto en las anteriores visiones. Montones de piedras hay a la vera del camino. Tal vez para repararla, pues se encuentra en condiciones pésimas. Por ahora está sumergida en polvo. Cuando llueva, deberá ser no más que lodo. No veo ninguna casa, ni cerca, ni lejos.

Jesús, como siempre, camina algunos metros delante de los apóstoles que lo siguen en grupo, acalorados y cansados. Para defenderse del sol se han echado encima los mantos y parecen una comunidad de religiosos de colores diferentes. Jesús lleva la cabeza descubierta; parece como si el sol no le hiciese ningún mal. Su vestido es de lino blanco, con mangas cortas hasta el codo. Muy ancho y suelto. No tiene la acostumbrada faja. Es un vestido propio y adaptado para esos lugares tórridos. También el manto es de lino, de color azul. Es muy ligero y le cae sobre el cuerpo, como sin tocárselo. Le cubre la espalda, pero le deja libres los brazos. No sé cómo se lo haya detenido en esta forma.

Sentado, mejor dicho, casi echado sobre un montón de piedras, hay un hombre. Claro, será un mendigo. Está vestido (si así puede decirse) con una tuniquilla sucia y andrajosa, que puede ser que algún dia fue de color blanco, pero ahora tiene el de lodo. Dos miserables sandalias en sus pies, que no tienen casi suela, y que se amarran con pedazos de mecate. En las manos un bastón, que no es otra cosa más que una rama de árbol. En la frente tiene una especie de banda sucia, y en la pierna izquierda, entre la rodilla y la cadera, otra, sucia y manchada de sangre. Está flaco. Un costal de huesos. Sucio, hirsuto, despeinado.

Antes de que llame a Jesús, El se le acerca. Le pregunta: «¿Quién eres?»

«Un pobre que pide pan.»

«¿Por este camino?»

«Voy a Jericó.»

«El camino es largo, y no hay gente por estos lugares.»

«Lo sé, pero es más fácil que me den un pedazo de pan y algo de plata los gentiles que pasan por este camino, que no los judíos, de donde vengo.»

«¿Vienes de Judea?»

«Sí. De Jerusalén. Tuve que dar una gran vuelta para ir a ver a ciertas personas que siempre me ayudan. En la ciudad, nadie me auyda. No existe la compasión.»

«Dijiste bien. No existe la compasión.»

«Tú la tienes. ¿Eres judío?»

«No. Soy de Nazaret.»

«Una vez hubo que los nazaretanos no tenían buen nombre, pero ahora hay que decir que son mejores que los de Judea. También en Jerusalén los únicos buenos son los que se dicen ser seguidores de ese Nazareno a quien llaman el Profeta. ¿Lo conoces?»

«¿Y tú?»

«No. Fui allá porque, come ves, tengo la pierna muerta, entumecida, y me arrastro fatigosamente. No puedo trabajar y me muero de hambre y de golpes. Abrigaba esperanzas de encontrarlo, porque me dicen que cura a quien toque. Es verdad que no pertenezco al pueblo elegido... pero dicen que es bueno con todos. Me dijeron que estaría en Jerusalén para la Fiesta de las Semanas [1]. Pero yo camino muy despacio... y me pegaron y no pude llegar... Cuando llegué a Jerusalén El había ya partido, porque me dijeron que los judíos lo habían tratado mal.»

[1] La Fiesta de las Semanas se celebraba siete semanas después de haber ofrecido el primer manojo de trigo, y se llamaba también Fiesta de las Mieses, de las Primicias, de Pentecostés. Cfr. Ex. 23, 14-19; 34, 22. Lev. 23, 15-22; Núm. 28, 26-31; Deut. 16, 9-12; Hech. 2, 1.

«¿Y a tí?»
«Siempre me maltratan. Solo los soldados romanos me dan un pedazo de pan.»
«¿Y qué se dice, en Jerusalén, entre el pueblo, del Nazareno?»
«Que es el Hijo de Dios, un gran Profeta, un Santo, un Justo.»
«¿Y tú que piensas?»
«Yo soy... un idólatra. Pero creo que es el Hijo de Dios.»
«¿Cómo puedes creerlo si ni siquiera lo conoces?»
«Conozco sus obras. Solo un Dios puede ser bueno y hablar como El.»
«¿Quién te refirió sus palabras?»
«Otros pobres. Enfermos curados. Niños que me llevaban pan... Los niños son buenos y no saben distinguir entre creyentes e idólatras...»
«¿De dónde eres?»
«.....»
«Dilo. No soy como los niños. No tengas miedo. Sé solo sincero.»
«Soy... samaritano [2]. No me pegues...»
«A nadie pego. A nadie desprecio. Con todos tengo piedad.»
«Entonces... entonces, tú eres el Rabbí de Galilea.»
El mendigo se postra, se arroja desde el montón de piedras como un cadáver sobre el polvo ante Jesús.
«Levántate. Soy Yo. No tengas miedo. Levántate. Mírame.»
El mendigo levanta el rostro, siguiendo arrodillado. Su cuerpo torcido trata de erguirse.
«Dadle un pan y algo de beber» dice Jesús a sus discípulos.
Juan le da agua y pan.
«Sentadlo. Que coma tranquilamente. Come, hermano.»
El pobre llora. No come. Mira a Jesús con ojos de un pobre perro extraviado que ve que le acarician y que le dan de comer por primera vez.
«Come» le dice Jesús sonriente.
El pobrecito come con las lágrimas que le humedecen el pan, pero en medio de su llanto hay una sonrisa. Poco a poco cobra confianza.
«¿Quién te hirió aquí?» pregunta Jesús y le toca la benda sucia que lleva en la frente.
«Un rico fariseo. A propósito me arrastró con su carro... Me había puesto en un cruce a pedir pan. Me echó encima los caballos tan de pronto que no pude evitarlos. Casi estuve a punto de morir. Tengo un agujero en la cabeza, y me sale pus.»
«¿Y aquí quién te pegó?»
«Había ido a la casa de un saduceo, donde había banquete, a pedir las sobras, después de lo que sobrase de los perros. Me vió y me

[2] Cfr. vol. 2°, pág. 12, not. 3.

los echó encima. Uno de ellos me dió una dentellada en la costilla.»

«¿Y esta otra cicatriz que te ha lisiado la mano?»

«Fue un golpe que me dió hace tres años un escriba. Supo que era yo samaritano y me golpeó los dedos. Por esto no puedo trabajar. Lisiada la derecha, sin poder mover la pierna ¿cómo quieres que pueda hacer algo para ganarme la vida?»

«Pero ¿por qué saliste de Samaría?»

«El hambre es duro, Maestro. Somos muchos los desgraciados y no hay pan para todos. Si me pudieses ayudar...»

«¿Qué quieres que te haga?»

«Que me cures para poder trabajar.»

«¿Crees que lo pueda hacer?»

«Sí, lo creo; porque eres el Hijo de Dios.»

«¿Lo crees?»

«Lo creo.»

«Tú, samaritano ¿eres capaz de creerlo? ¿Por qué?»

«No lo sé por qué. Sé que creo en Tí, y en quien te envió. Ahora que viniste, no hay más diferencia de adoración. Basta adorarte para adorar a tu Padre, al eterno Señor. Donde estás, está allí el Padre.»

«¿Oís amigos? (Jesús se vuelve a los discípulos). Este habla porque el Espíritu le ilumina la verdad. Este, Yo lo digo, es superior a los escribas y fariseos, a los crueles saduceos, a todos esos idólatras que mentirosamente se llaman hijos de la Ley. La Ley dice: amarás al prójimo, después de Dios. Y ellos golpean al prójimo que sufre y pide pan; al prójimo que suplica, le echan encima los caballos y los perros; al prójimo que se pone abajo, más abajo de los perros del rico, le echan contra él los mismos perros para hacerle saborear su desgracia, más de lo que pueda hacerlo la misma enfermedad. Despectivos, crueles, hipócritas, no quieren que Dios sea conocido, que sea amado. *Si lo quisiesen, lo harían a través de sus obras,* como este acaba de decir. *Son las obras, no la rutina, lo que hace ver a Dios que vive en los corazones de los hombres y que llevan los hombres a Dios.*

¿No tengo razón, Judas, que me reprochas de ser imprudente, no tengo razón acaso de castigarlos? Callar, simular que los apruebo sería aprobar su conducta. No. Por lo gloria de Dios que no puedo, Yo, su Hijo, permitir que la gente humilde, desgraciada, buena, crea que apruebe sus pecados. Vine para que los gentiles sean hijos de Dios. Pero no puedo hacerlo si ellos ven que los que se dicen hijos de la Ley — pero que no son más que unos bastardos — practican un paganismo mucho más culpable que el de ellos, porque estos hebreos han conocido la Ley de Dios y ahora escupen sobre lo vomitado de sus pasiones satisfechas como bestias inmundas. ¿Debo creer, Judas, que eres como ellos? ¿Tú, que me echas en cara la verdad que digo? ¿O debo pensar que estás preocupado por tu vida? *Quien me siga no debe tener preocupaciones humanas.* Ya te lo he dicho. Todavía es tiempo, Judas, de que escojas entre mi modo de obrar y el de los judíos cuyo modo de obrar apruebas. Pero piensa: mi camino va a Dios. El otro al Enemigo de Dios. Piensa y decídete. Pero sé franco.

Y tú, amigo mío, levántate y camina. Quítate esas bendas. Vuelve a tu casa. Estás curado por tu fe.»

El mendigo lo mira sorprendido. No se atreve a extender su mano... pero lo intenta. Está intacta. Igual que la de la izquierda. Suelta el bastón. Apoya las manos sobre las piedras y hace fuerza. Se levanta. Se yergue. La parálisis que tenía muerta su pierna, ha desaparecido. La mueve, la dobla... da un paso, dos, tres. Camina... Mira a Jesús. Lanza un grito de júbilo. Se arranca la benda de la cabeza. Se toca la parte posterior de la cabeza donde tenía el agujero del que manaba pus. No hay nada. Todo está bien. Se arranca la benda sanguinolenta de la cadera: la piel está intacta.

«¡Maestro, Maestro, Dios mío!» grita levantando los brazos. Se arroja a los pies de Jesús y se los besa.

«Regresa a tu casa, y cree siempre en el Señor.»

«¿Y a dónde debo ir, Maestro y Dios, sino detrás de Tí que eres santo y bueno? No me rechaces, Maestro...»

«Vete a Samaría, y habla de Jesús de Nazaret. La hora de la Redención está cercana. Sé un discípulo mío entre tus hermanos. Vete en paz.»

Jesús lo bendice. Luego se separan. El curado se dirige ligero hacia el norte. De cuando en cuando vuelve su cara para mirar al que lo curó.

Jesús con los apóstoles deja el camino principal y entran por los campos incultos hacia el oriente. Caminan por una veredilla que corta el camino principal, y que se hace larga, más larga, cuánto más se adelanta. Tal vez sea el camino que lleva a Jericó. No lo sé.

He vuelto a ver a mi Jesús. ¡Qué feliz soy! ¡Qué hermoso! Su Rostro. Sus manos. Su voz. ¡Qué sed tenía de El! Ayer, es verdad, lo había visto, pero en cuadros. No hablaba ni se movía. Pero hoy no es así. ¡Estoy feliz, feliz!

Pero qué dolor en estos cuarenta días en que no lo vi. Porque son exactos cuarenta días. Lo vi la última vez vivo y que respiraba el Viernes Santo, esto es el 7 de abril, exactamente a esta hora, a las tres y media de la tarde. ¡Cuarenta días de tormento! Ahora comprendo la angustia de María cuando perdió a Jesús. Perder su Presencia, no ver su Rostro, no oir más su Voz, quiere decir locura, muerte, infierno.

¿Por qué, Jesús, me hiciste ésto?

106. La conversión de Zaqueo [1]

(Escrito el 17 de julio de 1944)

Veo una gran plaza, parece como si fuera un mercado. Palmas y árboles frondosos le dan sombra. Las palmas han crecido aquí y allí sin orden, y mueven sus hojas que emiten un chasquido en medio de un viento caliente, que arrastra consigo un polvo rojizo como si viniese del desierto o por lo menos de campos sin cultivo. Los árboles la hacen como de un largo portico, un pórtico sombreado. Bajo ellos están refugiados vendedores y compradores trabados en una confusión de palabras.

En el ángulo de la plaza, donde desemboca el camino principal, se ve algo que parece el lugar de cobro de impuestos. Hay balanzas y pesas. Un hombre de baja estatura está sentado. Observa, colecta el dinero. Todos hablan con él como si fuera una persona conocidísima. Sé que es Zaqueo el de los impuestos, porque muchos lo llaman así. Algunos le preguntan sobre los acontecimientos de la ciudad, y son forasteros; otros para pagarle los impuestos. Muchos se admiran de ver que algo le pasa. En realidad parece como distraído, como absorto en algo. Responde con monosílabos y a veces con señales, lo que llama la atención a varios, porque casi siempre Zaqueo es muy locuaz. Alguien le pregunta si se siente mal, o si alguno de sus familiares está enfermo. Responde que no.

Dos veces tan sólo se interesa vivamente. La primera, cuando pregunta a dos que llegan de Jerusalén y que hablan del Nazareno contando sus milagros y predicaciones. Zaqueo hace más preguntas: «¿Es de veras bueno como dicen todos? ¿Y sus palabras corresponden a sus hechos? ¿Pone en práctica la misericordia que predica? ¿Con todos? ¿También con los recaudadores impuestos? ¿Es verdad que a nadie rechaza?» Escucha. Piensa. Suspira.

La segunda vez es cuando alguien le señala a un hombre barbudo que pasa con su borrico cargado de enseres. «¿Ves, Zaqueo? Ese es Zacarías el leproso. Hace diez años que vivió en un sepulcro. Ahora, curado, compra lo que necesita para su casa, que la Ley vació [2], cuando él y los suyos fueron declarados leprosos.»

«Llámalo.»

Zacarías se acerca.

«¿Eras leproso?»

«Sí. También mi mujer y mis dos hijos, La enfermedad atacó primero a mi mujer y luego a nosotros que no caímos al punto en la cuenta. Los niños la pillaron al dormir con su madre y yo al acos-

[1] Cfr. Lc. 19, 1-10.

[2] Cfr. vol. 1°, pág. 326, not. 1.

tarme con ella. Todos éramos leprosos. Cuando la gente cayó en la cuenta, nos echaron fuera... Podían habernos dejado en nuestra casa. Era la última del camino. No hubiéramos dado ningún fastidio... Había ya levantado la valla, para que nadie nos viese. Era ya un sepulcro... pero siempre nuestra casa... Nos echaron fuera. ¡Afuera! ¡Afuera! Nadie quiso aceptarnos. ¡Y con toda razón! Ni siquiera los nuestros. Nos fuimos cerca de Jerusalén, a un sepulcro vacío. Allí estuvimos. Los niños se murieron de frío. Enfermedad, frío y hambre los mataron... Eran dos varoncitos... eran bonitos antes de la enfermedad. Robustos y hermosos. Morenos como dos moras de agosto, de cabello enrizado, despiertos. Se habían convertido en dos esqueletos cubiertos de llagas... No más rizos. Los ojos se les cerraban bajo las costras. Los piececitos y las manitas arrojaban escamas blancas. ¡Se fueron muriendo a mis ojos!... No tenían figura humana aquella mañana en que murieron, uno después del otro, con pocas horas de diferencia... Los enterré entre los alaridos que daba su madre, bajo poca tierra y muchas piedras encima, como dos carroñas de animales... Después de algún tiempo se me murió mi mujer y me quedé solo...

No tenía más que esperar que la muerte, y, cuando me hubiera llegado, no habría tenido quien hubiese cavado una fosa para mis huesos... Estaba ya casi ciego cuando un día acertó a pasar el Nazareno. Desde mi sepulcro grité: "¡Jesús, Hijo de David, ten piedad de mí!" Me había contado un mendigo, que no había tenido miedo de llevarme parte de su pan, y que él también había sido curado de su ceguera, al invocar al Nazareno con esas palabras. Y me dijo: "No sólo me devolvió la vista a los ojos, sino a los del alma también. Vi que El es el Hijo de Dios y veo a todos a través de El. Por esto no huyo de tí, hermano, sino que te traigo pan y fe. Ve a donde está el Mesías. Que sea uno más que lo bendiga".

No podía caminar. Los pies estaban llagados hasta los huesos. No me permitían moverme... y luego... me hubieran matado a pedradas si me hubieran visto. Estuve pues atento par cuando pasara. Frecuentemente iba a Jerusalén. Un día vi, como pude, una polvareda por el camino y mucha gente y gritos. Me arrastré como pude hacia la orilla del monte donde están las grutas sepulcrales, y cuando creí ver una cabeza rubia que resplandecía entre las demás, grité. Grité con todas mis fuerzas. Grité tres veces, hasta que mi grito le llegó.

Se volteó. Se detuvo. Luego vino a donde estaba yo. Se acercó sólo. Me miró. Era bello, bueno. ¡Qué ojos, qué voz! ¡Qué sonrisa!... Me preguntó: "¿Qué quieres que te haga?"

"Quiero verme limpio."

"¿Crees que lo pueda hacer Yo? ¿Por qué?" me preguntó.

"Porque eres el Hijo de Dios."

"¿Crees esto?"

"Sí" respondí. "Veo que el Altísimo hace brillar su gloria sobre tu cabeza. Hijo de Dios, ¡ten piedad de mí!"

Entonces extendió su mano con una mirada que era todo fuego. Sus ojos parecían dos soles azules y dijo: "Lo quiero. Sé limpio" y me bendijo con una sonrisa... ¡Ah, qué sonrisa! Sentí que una fuerza entraba dentro de mí, como una espada de fuego que corriese a buscarme el corazón, que corriese por las venas. El corazón, que lo tenía muy malo, se me convirtió como de veinte años. La sangre, que me parecía estaba muerta, se tornó caliente, rápida. No más dolores, no más debilidad, sino alegría, alegría... El me miró; con su sonrisa me hizo feliz. Luego dijo: "Ve a mostrarte a los sacerdotes. Tu fe te ha salvado". Comprendí entonces que estaba yo curado y me miré las manos, las piernas. No había más llagas. Donde antes podían verse los huesos, ahora surgía carne color de rosa y fresca. Corrí a un río, y me miré en él. También mi cara estaba limpia. Está limpia. ¡Después de diez años de asco estaba limpia!... Ah, ¿por qué no pasó antes? ¿Cuando vivía mi mujer, cuando vivían mis hijitos? Nos habría curado. ¿Ves, ahora? Compré esto para mi casa... Pero estoy solo...»

«¿No lo volviste a ver?»

«No. Pero sé que está por estas partes y me vine acá a propósito. Quiero bendecirlo otra vez, y quiero que me bendiga para tener fuerzas en mi soledad.»

Zaqueo inclina su cabeza y calla. El grupo se disuelve.

Pasan las horas. El calor aumenta. El mercado se va vaciando de gente. El aduanero, con la cabeza apoyada sobre una mano, piensa, sentado en su banco.

«¡Allá viene el Nazareno!» gritan los niños, señalando el camino principal.

Mujeres, hombres, enfermos, mendigos se apresuran a irle al encuentro. La plaza queda vacía. Tan sólo los asnos y los camellos, amarrados a las palmas se quedan en su lugar. También Zaqueo se queda en su banco. Pero después se yergue, y se sube sobre su banco. No puede ver nada porque muchos han cortado ramas que ondean para mostrar su júbilo y Jesús está inclinado escuchando a los enfermos. Zaqueo se quita el vestido y quedándose con solo la túnica empieza a trepar por uno de los árboles. Con trabajo sube por el grueso y liso tronco contra el que difícilmente pueden aferrarse sus piernas y brazos cortos. Pero lo logra. Se sienta a horcajadas sobre dos ramas. Las piernas le cuelgan hacia abajo; de la cintura arriba se inclina, como quien se asoma por una ventana.

La gente llega a la plaza. Jesús levanta sus ojos, sonríe al solitario espectador encaramado entre las ramas. «Zaqueo, baja pronto. Hoy me quedo en tu casa» dice.

Zaqueo, después de unos instantes de sorpresa, con la cara colorada por la emoción, se deja resbalar como un saco de tierra. Está sin saber qué hacer. Se ciñe otra vez el vestido. Cierra sus registros y su caja con tal prisa que en vez de hacerlo pronto, tarda más. Pero Jesús es paciente. Acaricia a los niños, mientras espera.

Al fin Zaqueo está ya listo. Se acerca al Maestro y lo conduce a una bella casa que tiene un amplio jardín, y que está en el centro del poblado. Un hermoso lugar. Más bien, convendría decir que es una ciudad un poco inferior a Jerusalén por sus edificios, pero no por su extensión.

Jesús entra y, mientras espera que la comida esté pronta, se ocupa de los enfermos y de los sanos. Con una paciencia que sólo El puede tenerla.

Zaqueo va y viene, ocupadísimo. No cabe de júbilo. Quisiera hablar con Jesús, pero Jesús está siempre rodeado de gente.

Por fin termina y despide a todos diciendo: «Cuando el sol haya bajado, regresad. Ahora idos a vuestras casas. La paz sea con vosotros.»

El jardín se vacía. La comida se sirve en una bella y fresca sala que da al jardín. Zaqueo ha construído todo magníficamente bien. No veo a otros parientes suyos, por lo que pienso que Zaqueo es soltero, y vive solo con muchos siervos.

Al final de la comida, cuando los discípulos se han ido a la sombra de los árboles para descansar, Zaqueo se queda con Jesús en la fresca sala. Mejor dicho por unos instantes, porque Zaqueo se retira para que descanse el Maestro; luego regresa y mira por la abertura de una cortina. Ve que Jesús no duerme, sino que piensa. Entonces se le acerca. En sus brazos trae un cofre pesado. Lo pone en la mesa, cerca de Jesús, y dice: «Maestro... me han hablado de Tí. Desde hace tiempo. Un día dijiste en un monte tantas verdades que nuestros doctores no son capaces de decirlas. Se me quedaron grabadas en el corazón... y desde entonces he pensado en Tí... Me dijeron que eres bueno y que no rechazas a los pecadores. Yo soy un pecador, Maestro. Me dijeron que curas a los enfermos. Yo estoy enfermo del corazón, porque he robado, he prestado con usura, porque he sido un vicioso, un ladrón, duro para con los pobres. Pero mira, me he curado porque me hablaste. Te me acercaste y el demonio de los sentidos, de las riquezas, se fue. De hoy en adelante soy tuyo, si no me rechazas. Y, para mostrarte que nazco de nuevo en Tí, mira que me desprendo de las riquezas mal adquiridas y te doy la mitad de mis bienes para los pobres y la otra mitad la emplearé para restituir el cuádruplo de lo que adquirí con el fraude. Sé a quien defraudé. Y, después de que haya restituído a cada uno lo suyo, te seguiré, Maestro, si me lo permites...»

«Te acepto. Vienes. Vine a salvar y a llamar a la Luz. Hoy la Luz y la Salvación vinieron a la casa de tu corazón. Esos que más allá del cancel murmuran porque te he redimido, aceptando tu invitación, olvidan que tú eres hijo de Abraham como ellos y que he venido para salvar lo que está perdido y dar Vida a los muertos del espíritu. Ven, Zaqueo. Has comprendido mis palabras mejor que muchos de los que me siguen sólo para poder acusarme. Por eso de hoy en adelante estarás conmigo.»

La visión cesa aquí.

107. «Zaqueo, aduanero y pecador, no por mala voluntad»

(Escrito el 18 de julio de 1944)

Dice Jesús:

«Hay fermento y fermento. Hay fermento del Bien y del Mal. El de éste, veneno satánico, fermenta con mayor facilidad que el del Bien, porque encuentra materia más preparada para poder fermentar en el corazón del hombre, en el pensamiento del hombre, en el cuerpo del hombre, seducidos los tres por una voluntad egoísta, contraria por lo tanto a la Voluntad universal que es la de Dios.

La voluntad de Dios es universal porque no se limita jamás a un pensamiento personal, sino tiene presente el bien de todo el universo. A Dios nada puede aumentar en modo alguno su perfección, pues siempre ha poseído la suma perfección. Por esto, en El no puede existir el pensamiento de buscar su propia utilidad. Cuando se dice: "Se hace esto para mayor gloria de Dios, por intereses de Dios" no es porque la gloria divina sea capaz en Sí de aumento, sino porque cualquier cosa que en lo Creado lleva una huella de bien y cualquier hombre que realiza el bien, y por lo tanto merece poseerlo, se adorna con la señal de la gloria divina, dando así gloria a la Gloria misma que gloriosamente creó todas las cosas. Es un testimonio, en una palabra, que los hombres y las cosas dan a Dios: el testificar con sus obras el Origen perfecto de donde proceden.

Por esto Dios, cuando algo os manda u os aconseja o bien os inspira una acción, no lo hace por intereses egoístas, sino por un pensamiento altruísta, caritativo, por vuestro bien. Esta es la razón por qué la Voluntad divina jamás es egoísta, sino que es una Voluntad sumergida en el altruísmo, en la universalidad. La única y verdadera Fuerza de todo el mundo que tenga pensamientos de un bien universal.

El fermento del Bien, germen espiritual que viene de Dios, crece por el contrario con mucha dificultad, con mucho trabajo, con muchos esfuerzos, porque tiene contra sí otras reacciones: la carne, el corazón y el pensamiento humano, nutridos con el egoísmo que es la antítesis del Bien que, por su origen, no puede ser sino Amor. Falta en la mayoría de los hombres la voluntad del Bien; y, por ésto, el Bien se hace estéril, muere, o vive tan flaco que no fermenta: se queda allí. No hay culpa grave, pero tampoco hay esfuerzos para cumplir con lo mejor. Por esto el espiritu yace inerte. No está muerto, pero sí es infecundo.

Tened en cuenta que *el no hacer el mal, no es suficiente para escapar del Infierno.* Para gozar al punto del Paraíso hay que hacer el bien. Completamente. Cómo pueda uno hacerlo: luchando contra sí mismo y contra los demás, porque Yo dije que había venido a poner guerra y no paz entre padre e hijos, entre hermanos y hermanas, cuando esta guerra se hiciese por defender la voluntad de Dios y su Ley contra las supercherías de la voluntad humana, que contrarían a lo que quiere Dios.

En Zaqueo el puñado de fermento del bien había fermentado dentro de una grande masa. En su corazón no había caído sino una migaja ordinaria: le habían referido mi discurso del monte; no muy bien, como sucede con lo que se refiere.

Zaqueo, aduanero y pecador, no por mala voluntad. Era como uno de esos que tienen cataratas en sus ojos y que así tratan de ver las cosas; pero que sabe que cuando no haya más, podrán ver muy bien. Y ese enfermo desea que se le quiten. De igual modo Zaqueo. No estaba convencido, ni era feliz. No estaba convencido de las prácticas farisaicas, que habían ya sustituído la verdadera Ley, y no estaba feliz con su modo de vivir.

Buscaba instintivamente la Luz. La verdadera Luz. Vió un rayo de ella en el trozo del discurso, se lo introdujo en el corazón como un tesoro. Y lo quería mucho. Anótalo, María: *porque lo amaba, ese poco se hizo cada vez más fuerte, se agrandó, se hizo impetuoso, y lo llevó a ver claramente el Bien y el Mal y a escoger justamente, cortando con generosidad todos los tentáculos de antes: de las cosas al corazón, y del corazón a ellas que lo tenían envuelto en una red de maligna esclavitud.*

"Porque lo amaba". He aquí el secreto del triunfo o de un mediocre triunfo. Se triunfa cuando se ama. No se triunfa sino poco cuando se ama apenas. No se triunfa del todo cuando no se ama. En cualquier cosa. Con más razón en las cosas de Dios donde, por estar Dios invisible a los sentidos corporales, es necesario tener un amor, que diría, perfecto, en lo que puede una creatura ser perfecta, para triunfar en una empresa. En la santidad, en este caso.

Zaqueo, hastiado del mundo y de la carne, como también de las mezquindades fariseas, tan sofisticadas, intransigentes para los demás, muy condescendientes para consigo mismos, guardó con cariño el pequeño tesoro de un palabra mía, que casualmente llegó hasta él, hablando humanamente; la conservó como el más bello objeto que en su vida hubiese tenido. Y desde ese momento se apoderó de su corazón y de su pensamiento. No solo en el mal, donde está el tesoro está el corazón del hombre. También en el bien. ¿Los santos, no tuvieron acaso, durante su vida, su corazón donde estaba su tesoro: Dios? Así es, y por esto, al quedarse tan sólo con Dios supieron pasar por la tierra sin manchar en el fango de la tierra su alma.

Aquella mañana, si no hubiera ido, hubiera de todos modos logrado un seguidor más, porque las palabras del leproso habían dado el último retoque a la metamorfosis de Zaqueo. En el banco de la aduana no era ya más el aduanero engañador e injusto. Estaba arrepentido y decidido a cambiar de vida. Si no hubiera ido a Jericó, hubiera cerrado su tienducha, y hubiera ido a buscarme, porque no podía estar más sin el agua de la Verdad, sin el pan del Amor, sin el beso del Perdón.

Mis acostumbrados censores que me acechaban para echarme siempre algo en cara, no lo veían, y mucho menos podían comprenderlo; y por esto se admiraban de que comiese con un pecador. ¡Oh, si jamás juzgaseis vosotros, pobres ciegos incapaces de ello, y me lo dejaseis a Mí, Dios.

Jamás estuve entre los pecadores para aprobar su pecado. Iba para arrancarlos de él, frecuentemente porque no tenían más que la apariencia de vivir en pecado: su alma contrita estaba ya cambiada en un nueva alma que quería expiar. ¿Estaba acaso con un pecador? No. Con un redimido que tenía necesidad sólo de guía para saber qué hacer en medio de su debilidad, de su resurrección de la muerte.

¡Cuánto os puede enseñar lo acaecido a Zaqueo! *El poder de la recta intención que hace germinar el deseo. El deseo justo que empuja a buscar siempre un mayor conocimiento del Bien y a buscar a Dios continuamente hasta haberlo conseguido, un arrepentimiento justo que da el valor de la renuncia.* Zaqueo tenía la recta intención de oir las palabras de *verdadera* doctrina. Apenas oyó algo de ella, su deseo honesto lo obligó a un deseo mayor y por lo tanto a la continua búsqueda de esta doctrina; la búsqueda de Dios, oculto en la verdadera doctrina, lo sacó de los mezquinos dioses del dinero y de los sentidos y lo hizo héroe en el renunciamiento.

"Si quieres ser perfecto, ve, vende cuanto tienes, ven en pos de Mí" dije al joven rico, pero no lo hizo. Zaqueo, aunque se había endurecido mucho en la avaricia y sensualidad, lo supo hacer, porque gracias a las pocas palabras que le habían contado, él, como el mendigo ciego y el leproso curado, había visto a Dios.

¿Puede alguna vez un corazón que ha visto a Dios, encontrar atracción alguna en las cosas pequeñas de la tierra? ¿Lo puede algunas veces, oh María, a quien tanto amo?»

108. «Bienaventurados los pobres de espíritu»

(Escrito el 19 de julio de 1944)

Habla Jesús:

«Entre las bienaventuranzas que divulgué, expuse las condiciones necesarias para conseguirlas y los premios que se darán. Pero si diversas fueron las categorías mencionadas, el premio es el mismo, si lo veis bien: gozar de lo mismo de que goza Dios.

Categorías diversas. Enseñé cómo Dios cuida de crear, con su pensamiento, almas de tendencias diversas, para que en la tierra haya un equilibrio justo en todas sus necesidades inferiores y superiores. Si después el hombre se rebela contra este equilibrio y no acata la Voluntad divina, que amorosamente lo guía por un sendero justo, no es de Dios la culpa.

Los hombres, siempre descontentos de su condición, o con supercherías o intentos de ella, invaden o introducen confusión en campos ajenos. ¿Qué son las guerras mundiales y las intestinas o las de religión, sino estas supercherías activas? ¿Qué hacen las revoluciones sociales, qué las doctrinas que se amamantan con el nombre de "sociales" sino un deseo de mando y de anticaridad, porque ni saben querer ni saben practicar lo justo que predican, sino que siempre llegan a las violencias que no auydan a los oprimidos, sino aumentan su número en ventaja de unos cuantos poderosos?

Pero donde reino Yo, Dios, estos cambios no existen. Ni en mis espíritus, ni en mi Reino. Es aquí donde son premiadas las diversas formas de la multiforme santidad de Dios el cual es justo, puro, pacífico, misericordioso, libre de la avaricia de riquezas efímeras, gozoso en su amor.

Entre las almas, unas tienden por una forma, otras por otra. En determinada alma se tiende *de manera principal*, pues en un santo se encuentran todas las virtudes, pero hay una que predomina por la que el santo es particularmente famoso entre los hombres. Yo lo bendigo y lo premio *por todas*, porque el premio es "gozar de Dios" bien se trate de los pacíficos que de los misericordiosos, bien de los que aman la justicia como de los perseguidos por la injusticia, de los puros como de los afligidos, de los mansos como de los pobres de espíritu.

¡Los pobres de espíritu! Cómo entienden mal, aun aquellos que son sinceros, esta definición. Pobre de espíritu para la superficialidad humana, para esos necios que se burlan, para aquellos que se creen sabios, pero son ignorantes, quiere decir "*estúpido*". Los mejores creen que el espíritu sea la inteligencia, el pensamiento; que sea astucia, malignidad lo creen los más materiales.

No. *El espíritu está sobre la inteligencia.* Es el rey de todo cuanto hay en vosotros. Todas las dotes físicas y morales están sujetas y son siervas de este rey. *Es allí donde una creatura filialmente entregada a Dios sabe cómo tener las cosas en su punto justo.* Pero cuando la creatura no está filialmente entregada, entonces sobrevienen las idolatrías, y las esclavas se convierten en reinas, quitan del trono al espíritu que es el rey. Es una anarquía que produce la ruina como todas las anarquías.

La pobreza de espíritu consiste en tener esa libertad soberana de todas las cosas que son la delicia del hombre o por las que el hombre llega hasta al delito material o al impune delito moral que frecuentemente escapa a la ley humana, que no hace víctimas menores, sino más bien numerosas y por consecuencia que no se limitan a quitar la vida de la víctima, sino tal vez la estima y el pan a las víctimas y a sus familiares.

El pobre de espíritu no tiene más la esclavitud de las riquezas. Si no llega a renunciar de ellas materialmente, despojándose de ellas y de toda comodidad, entrando en una orden monástica, sabe usarlas con parsimonia, que es doble sacrificio, para que pueda ser pródigo con los pobres del mundo. El comprendió mis palabras: "Hacéos amigos con las riquezas injustas". Hace siervo al dinero, que podría ser su enemigo conduciéndolo a la lujuria, a la gula, a la falta de caridad, y le hace que le sirva para allanarle el camino del cielo, camino tapizado con sus mortificaciones y sus obras de caridad para ayudar la miseria de sus semejantes.

¡Cuántas injusticias no repara y cura el pobre de espíritu! Injusticias que el cometió, como Zaqueo, cuando no era sino un avaro y duro de corazón. Injusticias contra sus prójimos que viven o que han muerto. Injusticias sociales.

Eleváis monumentos a quien solo fueron grandes por haber sido prepotentes. ¿Por qué no los eleváis a los ocultos bienhechores de la humanidad indigente, pobre, trabajadora, a los que emplean sus riquezas no para hacer de la vida un continuo banquete, sino para hacerla luminosa, mejor, más elevada para el que es pobre, para el que sufre, para el incapacitado, para el abandonado en su ignorancia, de esta de que se aprovechan los prepotentes para que sirva mejor a sus propósitos. Cuántos hay que aunque no nadan en las riquezas, que son menos que pobres, pero que saben sacrificar aun "los dos céntimos" que tienen para aliviar una necesidad.

Son pobres de espíritu los que, perdiendo lo mucho o poco que poseen, saben conservar la paz y la esperanza; que no maldicen ni odian a nadie, ni a Dios ni a los hombres.

La gran categoría de los "pobres de espíritu" que nombré primero — pues podría decir que sin esta libertad de espíritu sobre todas las delicias de la vida, no se pueden tener las otras virtudes que brindan la beatitud — se divide y subdivide en muchas clases.

Humildad de pensamiento que no se hincha, y que no se proclama super-pensamiento, sino que usa el don de Dios, reconociendo su Origen, para el Bien. Sólo por ello.

Generosidad en afectos por lo que sabe despojarse aun de estos para seguir a Dios, aun en la vida. Las riquezas más verdaderas y más instintivamente amadas por el hombre. Mis mártires fueron generosos en el sentido completo, porque su espíritu había sabido hacerse pobre para ser "rico" con la única riqueza eterna: Dios.

Justicia en amar las cosas propias. Es deber amarlas, porque son un testimonio de la Providencia divina para con nosotros. De esto ya hablé en otros lugares, pero no hay que amarlas hasta el punto de amarlas más que a Dios y su Voluntad; amarlas no hasta el punto de maldecir a Dios, si alguien las arrebata.

En fin, repito, libertad de la esclavitud del dinero.

Estas son las diversas formas de esta pobreza espiritual que dije que poseerán, por derecho, el cielo. Pónganse a los pies todas las frágiles riquezas de la vida humana para poseer las riquezas eternas. Poner la tierra y sus frutos de sabor engañoso, que es dulce en la cáscara, pero amargo en la médula, en el último lugar y vivir trabajando para conquistar el cielo. Allí no hay frutos de sabor mentiroso. Allí existe el inefable fruto del gozo de Dios.

Zaqueo comprendió esto. Fue esta frase la que le abrió el corazón a la Luz y a la Caridad; a Mí, que iba a decirle: "Ven". Y cuando llegué a llamarlo, ya era él un "pobre de espíritu". Por esto fue apto para poseer el cielo.»

109. En el poblado de Salomón

(Escrito el 13 de abril de 1946)

Dice Jesús:

«Pondréis aquí la visión de Jesús y el mendigo en el camino de Jericó, acaecida el 17 de mayo de 1944, e inmediatamente la de la conversión de Zaqueo, ocurrida el 17 de julio de 1944.»

Ya es muy de noche cuando Jesús llega. Por la posición de la luna podemos pensar que sea a eso de las dos de la mañana. Una hermosa luna resplandece e ilumina la tierra con suave y tranquila paz. El rocío es abundante, el grueso rocío de tierras calientes, el rocío que tanto bien hace a las plantas después de un día de intenso calor.

Los peregrinos probablemente siguieron el curso del río, que en su orilla está seco, porque las aguas corren tan sólo en el lecho por el estío. Suben por los cañaverales hasta el bosque que limita las orillas y las mantiene con su intensa red de raíces que hay cerca del agua.

«Detengámonos aquí hasta que amanezca» dice Jesús.

«Maestro... no puedo más con mi alma...» dice Mateo.

«Y a mí me parece que he pillado fiebre. El río en verano no es sano... Lo sabes» le reprocha Felipe.

«Peor hubiera sido si hubiésemos subido desde el río a los montes de Judea. También esto lo saben todos» dice Zelote que se compadece de Jesús, a quien todos manifiestan sus pequeños miedos, sus dolores y hasta el mal humor que pueda haber.

«No te preocupes de ello, Simón. Tienen razón. Pero dentro de poco descansaremos... Os ruego. Un poco más de camino... Esperemos un poco aquí. Ved cómo la luna se va acercando al occidente. No hay razón de despertar al viejo, y tal vez José todavía esté enfermo. Dentro de poco amanecerá...»

«Es que aquí todo está empapado de rocío. No sabe uno dónde estarse de pie...» refunfuña Iscariote.

«¿Tienes miedo de que se te echen a perder los vestidos? Con esta caminata de galeotes que hemos hecho entre polvo y rocío, ye no hay por qué pavonearse de ellos. Además... el amable Elquías estará así de plácemes. Tus grecas... ¡ja ja! las de abajo, y las de las mangas se quedaron a trozos entre los espinos del desierto de Judea, y las del cuello te les acabó el sudor... Ahora eres un perfecto judío...» dice Tomás con su incansable buen humor.

«Un perfecto harapiento. Me da asco» le replica enojado Iscariote.

«Bástete tener limpio el corazón, Judas» dice con calma Jesús. «Es lo que importa...»

«¡Lo que importa! ¡Lo que importa! Estamos muertos de cansancio, de hambre... Nuestra salud se va acabando, y es lo único que importa» dice groseramente Iscariote.

«No te detengo a la fuerza. Tú eres el que quieres quedarte.»

«¡Bueno!... Me conviene estarme... Soy...»

«Termina la palabra que te quema: "Estoy comprometido a los ojos del Sanedrín". Pero puedes siempre reparar... y volver a conquistar su confianza...»

«No quiero reparar... porque te amo y quiero estar contigo.»

«Pero lo dices en cierto modo que más bien que amor parece odio...» dice entre dientes Judas de Alfeo.

«Es que... cada uno tiene su modo de manifestar su amor.»

«Oh, sí. Hay quien dice que ama a su mujer, y la mata a palos. No me gustaría esta clase de amor» dice Santiago de Zebedeo tratando de acabar con la discusión con un chiste. Pero nadie se ríe, y gracias a Dios, nadie le replica.

Jesús aconseja: «Vamos a sentarnos al umbral de la casa. Los ale ros sobresalen y defienden del rocío...»

Obedecen sin hablar y llegados a la casucha se sientan en fila. Pero la sencilla observación de Tomás: «Tengo hambre. Estas caminatas nocturnas siempre atormentan el estómago» vuelve a encender la discusión.

«¡No tanto las caminatas! Es que hace días que se vive del aire» le responde Iscariote.

«En casa de Nique y en la de Zaqueo se comió bien. Nique nos dió tanto que tuvimos que darlo a los pobres. porque de otro modo se hubiera echado a perder. No nos ha faltado el pan. Aquel de la caravana nos dió pan y companaje...» advierte Andrés.

Judas que no puede negarlo, se queda callado.

Un gallo lejano saluda los primeros brotes de la alborada.

«¡Qué bueno! Dentro de poco tenemos el alba» dice Pedro estirándose, pues se había adormecido.

Esperan en silencio a que llegue el día.

Balidos...luego un rebuzno lejano por el camino principal... Un cercano curu-cucú de los palomos de Ananías. Una ronca voz varonil entre el cañaveral... Es un pescador que regresa con su pesca nocturna y lanza sus palabrotas al aire porque fue poca. Ve a Jesús y se detiene. Duda, luego dice: «Si te doy lo que traigo ¿me prometes abundancia en lo futuro?»

«¿Por ganancia o por necesidad?»

«Por necesidad. Tengo siete hijos, además tengo mi mujer y a mi suegra...»

«Tienes razón. Sé bueno y te prometo que no faltará lo necesario.»

«Entonces, ten. Allí dentro está también el herido que no puede curarse del todo, pese a los cuidados...»

«Dios te lo pague y te dé su paz» dice Jesús.

El hombre se despide y se va. Deja sus pescados colgados de la boca en una rama de sauce.

Nuevamente silencio, interrumpido apenas por el choque de las cañas, por algún silbido de pájaro... Luego un chirrido cercano. El cancel rústico que Ananías hizo, gira chirriando, y el viejo se asoma y mira el cielo. La oveja viene balando detrás de él...

«¡La paz sea contigo, Ananías!»

«¡Maestro! ¿Pero... desde qué horas estás aquí? ¿Por qué no me llamaste para abrirte?»

«No hace mucho. No quise disturbar a nadie... ¿Cómo sigue José?»

«¿Sabes?... Está mal. Le sale pus de una oreja y sufre mucho en la cabeza. Creo que se morirá. Bueno: creía. Ahora estás aquí y me imagino que vas a curarlo. Iba a buscar hierbas para emplastos...»

«¿Están aquí los compañeros de José?...»

«Dos de ellos. Los otros siguieron adelante. Aquí están Salomón

y Elías.»
«¿Os han molestado los fariseos?»
«Apenas te habías ido. Luego dieron más fastidio. Querían saber a dónde habías partido. Les dije: "A la casa de mi nuera, en Maseda". ¿Hice mal?»
«Hiciste bien.»
«¿Y de veras fuiste?» El viejo tiembla.
«Sí, está bien.»
«¿Te escuchó?»
«No. Hay que orar mucho por ella.»
«Y por los pequeñines... Que los eduque en el temor del Señor...» dice el viejo, y dos lagrimones aclaran lo que su boca calla. Concluye: «¿Los viste?»
«Puedo afirmar que a uno sí lo vi... a los otros no. Todos están bien.»
«Ofrezco a Dios mi sacrificio y mi perdón... Pero... es muy amargo decir: "Que no los veré más"...»
«Pronto verás a tu hijo y con él estarás en el cielo.»
«Gracias, Señor. Entra...»
«Vamos a donde está el enfermo. ¿Dónde?»
«En la mejor cama.»
Entran al huerto, que está muy bien cultivado. De aquí pasan a la cocina y de esta a la habitación. Jesús se inclina sobre el enfermo que duerme entre dolores. Se inclina, se inclina... Sopla en su oreja sobre la que se ven las bendas llenas de pus. Se levanta. Sale sin hacer ruido.
«¿No lo despiertas?» pregunta en voz queda el anciano.
«No. Déjalo que duerma. No sufre más. Se restablecerá. Vamos a donde están los demás.» Jesús abre la puerta sin hacer ruido y pasa al dormitorio donde están los lechos que se compraron la otra vez. Los dos discípulos, cansados, todavía están durmiendo.
«Velan hasta el amanecer. Yo desde el amanecer hasta la noche. Por eso están cansados. Son muy buenos.»
Los dos tal vez duerman con las orejas abiertas porque al punto se despiertan: «¡Maestro, Maestro nuestro! Llegaste a tiempo. José está...»
«Curado. Ya lo hice. Duerme y no lo sabe. Pero no tiene ninguna otra cosa más. Tan sólo que se limpie la podredumbre, y estará tan sano como antes.»
«Entonces límpianos, porque hemos pecado.»
«¿En qué cosa?»
Porque no fuimos al Templo por haber asistido a José.»
«La caridad levanta un templo en cada lugar, y en el templo de la caridad está Dios. Si todos nos amásemos, toda la tierra sería un templo. Quedaos en paz. Vendrá un día que Pentecostés querrá de-

cir "Amor". Manifestación del amor. Vosotros os habéis adelantado al futuro Pentecostés, porque amasteis a vuestro hermano.»

Se oye a José que llama: «¡Ananías! ¡Elías! ¡Salomón! ¡Estoy curado!» y así con su túnica corta, flaco, todavía pálido, pero sin dolor alguno, se asoma. Ve a Jesús y dice: «¡Ah, fuiste Tú, Maestro mío!» y corre a besarle los pies.

«Dios te dé paz, José, y perdóname si sufriste por Mí.»

«Me glorío de haber derramado sangre por Tí, como la derramó mi padre. ¡Te bendigo por haberme hecho digno de ello!» La cara campesina de José esparce alegría con estas palabras y toma el aire de nobleza; se hace bello con una luz que de su interior le brota.

Jesús lo acaricia y dice a Salomón: «Tu casa sirve para hacer mucho bien.»

«¡Oh, porque es tuya! Antes no servía sino para alimentar las pesadillas del que tenía que atravesar el río. Me siento feliz de que te sirva y de que te sirva para lo que quieres. Tendremos ahora contigo algún día de contento.»

«Me desagrada, amigo. Partiréis al punto. No se nos permite descanso. Este tiempo es de prueba y sólo los fuertes de voluntad permanecerán fieles. Ahora vamos a partir juntos el pan, luego os iréis por la orilla del río, con media jornada de ventaja.»

«Sí, Maestro. ¿También José?»

«También, a no ser que tema a que otra vez le hieran...»

«¡Oh, Maestro! ¡Quisiera Dios que pudiese precederte en la muerte, dando mi sangre por Tí!»

Salen al huerto lleno de rocío, brillante con las primeras caricias del sol. Ananías corta los primeros higos maduros, y dice que no puede ofrecer un pichoncito porque los que había los mataron para el enfermo. Pero hay pescado, y todos se dan prisa en preparar la comida.

Jesús pasea entre Elías y José que le cuentan la aventura pasada y la fuerza de Salomón que cargó en su espalda al herido por varios kilómetros, durante varias noches...

«Pero tú, José, perdonas a quien te hirió ¿no es verdad?»

«Nunca sentí rencor por esos infelices. Ofrecí mi perdón y mis sufrimientos para que se rediman.»

«Muy bien hiciste, José. ¿Y Ogla?»

«Ogla se fue con Timoneo. No sé si lo seguirá o se detendrán en el Hermón. Siempre hablaba de que quería ir al Líbano.»

«Bien. Que Dios lo cuide siempre.»

El poblado está ya en actividad. Por todas partes se oyen los trinos de los pájaros en medio de la fronda, los balidos, las voces de niños, las de mujeres, rebuznos, ruido de carretillas de pozos.

En el huerto se distribuyen el pan y los pescados. La comida termina pronto. Parten los tres, después de que Dios los bendice. Ligeros, van por el camino que lleva al río y desaparecen entre el cañaveral fresco y lleno de sombra...

«Ahora vamos a descansar hasta el atardecer y luego los seguiremos» dice Jesús.

Se echan a descansar, algunos sobre los camastros, otros sobre un montón de redes que ha hecho Ananías para no estar de ocioso, según dice, y para ganar así su pan cuotidiano.

Ananías junta los vestidos sudados; sale sin hacer ruido; cierra la puerta y el cancel; baja al río para lavarlos y así estarán frescos y secos para la tarde...

Dice Jesús:

«Aquí pondréis la visión: "Jesús en un pobladillo de la Decápolis" del 2 de octubre de 1944 y luego la otra: "El endemoniado de la Decápolis" del 29 de septiembre de 1944.»

110. Jesús en un pobladillo de la Decápolis

(Escrito el 2 de octubre de 1944)

Un pobladillo ribereño con muchas casuchas. Debe de ser el del que partió Jesús cuando atravesó en barca el Jordán que estaba crecido, porque veo que salen a su encuentro el barquero con sus familiares a quienes había enviado de antemano a avisar, por medio de Iscariote y Tomás.

El barquero, al ver de lejos a Jesús, apresura el paso y al llegar a El se inclina con suma reverencia diciendo: «Bienvenido, Maestro, y a tiempo para nuestros enfermos. Te están esperando. Mucho les he hablado de Tí. Todo el poblado te saluda por mi boca diciendo: "¡Bendito sea el Mesías del Dios Altísimo!".»

«La paz sea contigo y con este poblado. Vine por vosotros. Vuestras esperanzas no quedarán defraudadas. A quien cree, el cielo le será piadoso. Vamos.»

Jesús se pone al lado del barquero. Caminan hacia el centro del poblado.

Mujeres, hombres, niños se asoman a los dinteles de sus casas y luego se unen al pequeño cortejo, según va avanzando. A cada metro aumenta la gente, porque no falta quien se vaya uniendo. Algunos saludan al Maestro, otros lo invocan, otros lo bendicen.

«Maestro» grita una mujer que es madre «mi hijo está enfermo. ¡Ven, bendito!»

Jesús se desvía para ir a una pobre casa, pone una mano sobre la espalda de la mujer que está bañada en lágrimas y pregunta:

«¿Dónde está tu hijo?»
«Aquí, Maestro, ven.»
Entran la madre, Jesús, el barquero, Pedro, Juan, Tadeo y algunos del poblado. Los demás se aprietan en la puerta y alargando su cuello tratan de mirar.
En un rincón de la cocina que es pobre y está tiznada, cerca del fuego, hay un camastro; sobre él un niño como de siete años. Es un cadáver ya, amarillento, que ya no se mueve. De su pecho, lleno de tuberculosis, se oye el respiro dificultoso.
«Mira, Maestro. He acabado con todos mis recursos para salvar al menos a éste. No tengo marido ya; los otros dos hijos se me murieron a la edad de éste. Lo llevé a Cesarea Marítima para que lo viese un médico romano. No supo más que decirme: "Resígnate. La caries lo está consumiendo". Mira...»
La madre descubre a su pobrecito hijo, que está bajo las cobijas. Donde no hay bendas, hay huesos que sobresalen de la piel seca y amarillenta. Poco puede verse del cuerpo, porque casi todo está envuelto en bendas, que, al quitarlas ella, se ven los característicos agujeros que salen de la carcoma de los huesos. Un espectáculo que llena de terror. El enfermito está tan extenuado que ni hace gestos; parece como si al sentirse tocar, no fuese él. Apenas si abre sus ojos sumidos, sin vida, que miran indiferentes, diría yo, hasta cansados, a la gente. Luego los cierra.
Jesús lo acaricia. Le pone su larga mano sobre la cabecita estirada, sin fuerzas. El niño abre los ojos otra vez. Mira con ansias a ese hombre desconocido que lo toca con tanto amor y que le sonríe con mucha compasión.
«¿Quieres curarte?» le pregunta Jesús en voz baja, inclinándose sobre su carita demacrada. Descubre el cuerpecito. Dice a la madre del niño, que quería ponerle otras bendas: «No es necesario mujer. Déjalo así.»
El niño asiente sin decir palabra alguna.
«¿Por qué?»
«Porque así lo quiere mi mamita» dice una vocecita delgada, delgada. La mujer llora con más fuerzas.
«Si te curas, ¿serás siempre bueno? ¿Serás siempre un buen hijo? ¿Un buen ciudadano? ¿Un buen fiel?» Jesús hace estas preguntas en tal modo que da tiempo al niño de ir respondiendo a cada una de las preguntas. «¿Te acordarás de lo que prometes ahora? ¿Siempre?»
Los apenas perceptibles «sí», llenos del deseo de curarse, se oyen uno tras otro, como suspiros de su corazón.
«Chiquillo, dame una mano.» El pequeñín quiere darle la izquierda, que está sana. Jesús le dice: «Dame la otra. No te causaré dolor alguno.»

«Señor» dice la madre « es una llaga. Deja que la bende, por tratarse de Tí.»

«No es necesario, mujer. *No tengo más asco que de la impureza de los corazones.* Dame la mano y di conmigo: ''Quiero ser siempre un buen hijo, como también quiero ser un hombre y un buen fiel para con el Dios verdadero''.»

El niño repite con dificultad. Todos sus esfuerzos se concentran en su vocecilla, en su esperanza... y también en la de su mamá.

Un silencio profundo atraviesa la habitación y llega hasta afuera. Jesús, que con su mano izquierda tiene la derecha del enfermito, levanta su mano derecha, con ese movimiento con que quiere anunciar una verdad, o cuando quiere imponer su voluntad sobre enfermedades, sobre los elementos, y derecho, majestuoso, con voz fuerte dice: «Quiero que te cures. Levántate, niño, y alaba al Señor» y le suelta la manita que ahora está sana completamente, aunque sigue siendo flaca pero no tiene ninguna escocedura. El niño dice a su madre: «Quítame esto de encima, mamá.»

La mujer, que no sabe si es una sentencia de muerte, o un favor, titubeando levanta las cobijas... lanza un grito, se echa sobre el cuerpecito flaquísimo, pero sano, lo besa, se lo estrecha... está loca de alegría, tanto que no nota que Jesús se retira del camastrón y se dirige a la puerta.

El niño lo ve y dice: «Bendíceme, Señor. Permíteme que te bendiga. ¿Mamá, no les das las gracias?»

«Oh, perdón...» la mujer con su hijo en los brazos, se echa a los pies de Jesús.

«Lo comprendo, mujer. Quédate en paz y sé feliz. Adiós, niño. Sé bueno. Adiós a todos.» Y sale.

Mujeres y más mujeres levantan sus niños para que la bendición de Jesús los preserve en el porvenir de todo mal. Los pequeñines se meten por entre los adultos para que Jesús los acaricie, y El los bendice, los acaricia, los escucha. Se detiene, una vez más, a curar a tres enfermos de los ojos y a uno que tiembla como si tuviese el baile de San Vito? Ha llegado al centro de la población.

«Tengo aquí a un familiar mío que es sordo y mudo desde nacimiento. Es inteligente, pero no puede hacer nada por sí. Cúralo, Jesús» dice el barquero.

«Llévame a donde está.»

Penetran en un huertecillo en donde hay un hombre de unos treinta años que saca agua del pozo y siega las verduras. Como está sordo, y además volteado, no cae en la cuenta de lo que pasa y sin preocuparse continúa echando agua, pese a los gritos de la gente, que son tan fuertes que echan a volar a los palomos que hay en el techo.

El barquero lo coge de un brazo y lo lleva a Jesús, quien lo pone ante sí, muy junto, de modo que con su lengua toca la del mudo que tiene la boca abierta y con los dos dedos medios toca las orejas del sordomudo. Por un istante ora con los ojos levantados al cielo, luego dice: «Abríos» y quita los dedos y se separa.

«¿Quién eres que me haces hablar y oir?» pregunta en voz alta el curado.

Jesús hace un gesto y trata de seguir, saliendo por detrás de la casa, pero tanto el curado como el barquero lo detienen. El uno dice: «Es Jesús de Nazaret, el Mesías»; el otro: «¡Oh, quédate para que te adore!»

«Adora al Altísimo Dios y séle siempre fiel. No pierdas tiempo con palabras inútiles, y no hagas del milagro un pasatiempo humano. *Usa tu lengua para el bien; más que con las orejas, con el corazón escucha las voces del Espíritu Creador que te ama y bendice.»*

Pero claro, decir a uno, que ha sido tan desgraciado, que no hable de su felicidad, es cosa inútil. El curado se paga bien de todo el tiempo en que estuvo mudo y sordo y cuenta a todos los que le rodean.

El barquero insiste a Jesús para que entre a su casa a descansar y a tomar algo. Comprende que es la causa de todo lo que pasa a Jesús y quiere se le reconozca su derecho.

«Si el principal del lugar soy yo» dice un viejo imponente.

«Si no hubiese estado con mis barcas, no hubieras visto a Jesús» responde el barquero.

Pedro, siempre franco e impulsivo: «Tienes razón... si no te hubiera dicho yo una cosita, tú... las barcas...»

Jesús atinadamente interviene, dando contento a todos. «Vamos cerca del río. Mientras esperamos allí la comida, que debe ser parca y frugal *porque la comida debe servir al cuerpo, y no estorbarle*, hablaré a todos. El que quiera venir a oírme y a hacerme preguntas, que venga.»

Puedo decir que todo el poblado lo sigue.

Jesús sube a una barca, arrastrada a la arena, y se convierte en su tribuna improvisada. Ante sí tiene, sentados a su alrededor, sobre la orilla y entre los árboles, a sus oyentes.

Toma como punto de partida la pregunta que le hace un hombre: «Nuestra Ley, como que en cierta forma señala que los que nacen con algún mal, han sido castigados por Dios, de modo que les prohibe que le sirvan al altar [1]. Pero ¿qué culpa pueden tener ellos? ¿No sería justo decir que sus padres son los pobres, que los dieron a luz en un estado lamentable? ¿Sobre todo sus madres? ¿Cómo debemos comportarnos con estos desventurados?»

«Escuchad.

[1] Cfr. Lev. 21, 16-24.

Un escultor peritísimo modeló un día una estatua. Era muy perfecta, de modo que dijo: "Quiero que toda la tierra se llene de iguales". Pero él solo no podía hacer todo este trabajo. Llamó para que le ayudasen a otros y les dijo: "Según este modelo, modelad miles y miles de estatuas igualmente perfectas. Yo les daré el último retoque, al darles la fisionomía". Los ayudantes no eran capaces de una obra tan sublime, parte porque eran inferiores en capacidad al maestro, parte porque se habían embriagado al probar un fruto cuyo jugo produce delirios y mareos en la cabeza. Entonces el escultor les dió los moldes y les dijo: "Modelad según estos moldes. Todo saldrá bien. Yo le daré la última mano". Sus ayudantes pusieron manos a la obra.

Pero el escultor tenía un gran enemigo, enemigo personal suyo y de sus ayudantes. Este enemigo buscaba por todos los medios hacer que el escultor fracasase y poner discordia entre él y sus ayudantes. Por esto, en las obras que hacían, no dejaba de emplear su astucia, y cambiaba ahora el material que debía emplearse, ahora haciendo que el fuego soplase menos, o bien alabándolos. Entonces el que rige el mundo, para tratar de impedir lo más posible que su obra se convirtiese en copias imperfectas, puso sanciones graves contra los modelos que eran imperfectos. Y hubo una obra que no podía ponerse en la casa de Dios: donde todo debe, y debería ser perfecto. Digo: debería, porque no sucede esto. Aun cuando la apariencia es buena, en realidad no es una buena obra. Los que están en la casa de Dios, parecen no tener defectos, pero los ojos de Dios descubren en ellos muy grandes defectos, los que hay en el corazón.

¡Oh el corazón! Con él se sirve a Dios. No hay otra cosa. No es necesario ni basta tener los ojos limpios, y las orejas completas, voz armoniosa, miembros proporcionados para cantar las alabanzas que agradan a Dios. No es necesario ni basta tener cara hermosa, limpia, perfumada. El corazón debe ser limpio, perfecto, armonioso, bien proporcionado en la mirada, en los oídos, en la voz, en las formas espirituales, y estas deben estar adornadas de pureza: y para esto sirve el hermoso, el limpio y perfumado vestido de la caridad: este es, el aceite que reboza de esencias que agradan a Dios.

¿Qué caridad sería la de quien, siendo él feliz y viendo un desgraciado, tuviera para éste desprecio y odio? Antes, *hay que rodear con doble y triple caridad al que nació desventurado. La desventura es una aflicción que da méritos a quien la soporta y a quien, junto con el desventurado, ve que se le sobrelleva y que sufre por amor a sus padres, y tal vez se golpea el pecho pensando: "Soy causa de esta desventura por mis vicios". Pero no debe jamás convertirse en causa de culpa espiritual en quien la ve. Se convierte en culpa, si es anticaridad. Por lo que os digo: Nunca dejéis de tener caridad para con vuestro prójimo.* ¿Nació infeliz? *Amadlo porque sobrelleva una gran aflicción.* ¿Es infeliz por su culpa? *Amadlo porque su culpa se cambió en castigo.* ¿Es padre de un infeliz que nació así o que más tarde lo fue? *Amadlo porque no hay pena más grande que el dolor de un padre que se ve castigado en su hijo.* ¿Es una madre que engendró un monstruo? *Amadlo porque ella está literalmente aplastada con tal dolor que piensa ser el más inhumano.* E inhumano lo es. *Pero todavía lo es más el dolor de una que es madre de uno que es mostruo en su corazón, de esa madre que cae en la cuenta de haber dado a luz a un demonio y a algo que es un peligro para la tierra, para la patria, para la familia, para los amigos.* ¡Oh, esta madre en realidad no se atreve ni siquiera a levantar la frente! ¡Pobre madre de un hombre cruel, de un abyecto, de un homicida, de un traditor, de un ladrón, de un desvergonzado!

Pues bien. Yo os digo: *amad aun a estas madres, que son las más infelices.* Esas que en los siglos venideros llevarán el nombre de madres de un asesino, de un traidor.

Por doquier la tierra ha escuchado el llanto de madres desgarradas de dolor ante la muerte cruel de su hijo. Eva y luego cuántas madres han sentido que se les desgarran sus entrañas, más que cuando daban a luz. Pero ¿qué digo! Sintieron que *se les arrancaban las entrañas y con ellas el corazón,* cuando una mano cruel lo hacía al cadáver de su hijo que había sido asesinado, ajusticiado, martirizado. Y gritaron, y enloquecieron de dolor ante los despojos de alguien que no oía más, que no tenía más calor en su cuerpo, que no podía decir ni con la boca, ni con los ojos, ni con el gesto: "Madre, te odio".

Y con todo os digo que la tierra todavía no ha oído el grito y el llanto de la más santa y de la más infeliz de las madres. De esa cuyo recuerdo permanecerá para siempre en la memoria del hombre. La Madre del Redentor Muerto y la madre de quien será el traidor. Estas dos, mártires de un modo diverso, se escucharán, a través de la lejana distancia, se las escuchará llorar. La madre inocente y santa, la más inocente, la Madre inocente del que no es Culpable, será quien diga a su hermana lejana, mártir de un hijo inimaginablemente cruel: "Hermana, te amo".

Amad para que seáis dignos de Esta que amará por todos y amará a todos. El amor es lo que salvará a la Tierra.»

Jesús baja de su rústico púlpito, se inclina a acariciar a un niño semidesnudo, cuya camisita se traba entre la hierba. Después de unas palabras tan sublimes, ¡qué dulce es ver al Maestro, que se preocupa de un pequeñín, de un hombre cualquiera, y que luego distribuye el pan, lo da a los que están más cerca, que se sienta a comerlo, como todos los demás, mientras, a no dudarlo, en su corazón oye el grito de su Madre y ve a Judas a su lado.

A mí, que soy impulsiva, me hace impresión más grande este

control suyo que cualquier otra cosa. Es una lección continua que tengo. Los oyentes parecen que han quedado embebidos. Comen pensativos. Silenciosos, miran con reverencia al dulce Maestro del amor.

111. El endemoniado de la Decápolis

(Escrito el 29 de septiembre de 1944)

Jesús, y los que le siguen, continúan caminando por la campiña. La hoz ha cortado la mies. Los campos están secos. Tan sólo respiran calor. Jesús camina ahora por una vereda llena de sombra. Habla con otras personas que se unieron a los apóstoles.

«Sí» dice uno. «Nadie lo cura. Está más que loco. Y luego, es el terror de todos, sobre todo de las mujeres, y las sigue con muecas obscenas. ¡Ay si cogiese a una de ellas!»

«Nunca se sabe dónde se mete» dice otro. «De improviso sale cual sierpe por los montes, por los bosques, en los surcos, por los prados... Las mujeres tienen mucho miedo. Un día una joven, que regresaba del río, se vió perseguida muy cerca por el loco, y días después murió de grandes fiebres.»

«El otro día mi cuñado había ido al lugar que escogió para su sepulcro y el de los suyos, porque se le había muerto su suegro, a preparar todo lo necesario para la sepultura. Pero tuvo que huir porque adentro estaba ese hombre. Estaba desnudo. Aullaba como siempre, y lo amenazó con arrojarle piedras. Lo siguió hasta casi dentro del poblado, y luego regresó al sepulcro. Tuvo que enterrar a su muerto en mi sepulcro.»

«¿Y qué decir de aquello que se dice de que Tobías y Daniel lo apresaron a la fuerza y lo amarraron y lo llevaron a su casa? Los estuvo esperando escondido entre el cañaveral y fango del río, y cuando subieron a su barca para la pesca, o para ir al otro lado no sé bien, con la fuerza de un demonio levantó en alto la barquichuela y la volcó. No murieron por mero milagro, pero todo lo que había en la barca se perdió y la misma barca quedó con la quilla rota y los remos despedazados.»

«¿No lo llevasteis a los Sacerdotes?»

«Sí. Lo llevaron a Jerusalén como un bulto amarrado. ¡Qué viaje!... Te lo aseguro, porque fui también yo que no tengo necesidad de bajar al infierno para saber lo que pasa allí. De nada sirvió el viaje...»

«¿Fue igual que antes?»

«¡Peor!»

«Pero... ¿El sacerdote?...»
«¡Pero qué dices!... Se necesitaría...»
«¿Qué cosa?... Sigue...»
Silencio.
«Habla pues, no tengas miedo. No te acusaré.»
«Bien... decía... no quisiera pecar... decía... que... ciertamente el sacerdote lo hubiese logrado si hubiese sido...»
«Si hubiese sido santo, quieres decir, y no te atreves. Yo te digo: trate de no juzgar. Pero es verdad lo que dices. Desgraciadamente es verdad...»
Jesús calla y suspira. Un breve silencio embarazoso.
Luego alguien se atreve a decir. «Si lo encontrásemos, ¿lo curarías? ¿Librarías a estas comarcas?»
«¿Esperas que pueda Yo hacerlo? ¿Por qué?»
«Porque Tú eres santo.»
«Santo es Dios.»
«Y Tú eres su Hijo.»
«¿Cómo puedes saberlo?»
«¡Eh! Todos lo dicen. Sabemos lo del río. Fue hace unos dos o tres meses. ¿Y quién puede detener la avenida de un río si no es el Hijo de Dios?»
«¿Y Moisés [1]? ¿Y qué decir de Josué [2]?»
«Lo hicieron en nombre de Dios y para gloria suya. Lo pudieron hacer porque eran santos. Tú eres más que ellos.»
«¿Lo harás, Maestro?»
«Lo haré si lo encontramos.»
Continúan. El calor que aumenta los obliga a dejar el camino y a buscar refresco en un montón de árboles que hay a la orilla del río, que no está tan enfurecido como cuando venía crecido. Ahora todavía arrastra mucha agua, pero es clara, azul, que centellea bajo el sol.
El sendero continúa. Allá en el fondo se ven blanquear unas casas. Es el poblado próximo. A su lado hay construcciones pequeñas, muy blancas. No tienen abertura más que de un lado. Unas están abiertas, pero las más están cerradas herméticamente. No hay nadie alrededor. Las casuchas se encuentran en el área de un terreno baldío, inculto. Sólo se ven hierba y piedras.
«Largo, largo de aquí. ¡Volvéos u os mato!»
«Ahí está el poseído. Nos vió. ¡Yo regreso!»
«Yo también.»
«Yo también.»
«No tengáis miedo. Quedaos y veréis.»

[1] Cfr. Ex. 14, 15 - 15, 21.
[2] Cfr. Jos. 3, 14-17.

Jesús lo dice con tanto aplomo que los más... valerosos obedecen, y caminan detrás de Jesús. También los apóstoles vienen detrás. Jesús camina adelante con majestad, como si nada viese, como si nada oyese.

«¡Largo de aquí!» El aullido penetra hasta los huesos. Parece un gruñido de perro, un aullido de lobo, parece imposible que salga de garganta humana. «¡Largo de aquí! ¡Retrocede! ¡Te mato! ¿Por qué me persigues? ¡No te quiero ver!» El poseído da saltos. Está desnudo. Es de color moreno. Su barba y cabellos largos y desordenados. Las mechas negras e híspidas en que se ve hojarasca, polvo, le corren por los torvos ojos, inyectados de sangre, como si quisieran salírsele de las órbitas. Por la boca corre espuma sanguinolenta, porque el loco se la golpea con una piedra puntiaguda y dice: «¿Por qué no te puedo matar? ¿Quién ata mis fuerzas? ¿Tú? ¿Tú?»

Jesús lo mira y continúa avanzando.

El loco se echa por el suelo, se muerde, espumea, se golpea con la piedra, se levanta, señala a Jesús a quien con ojos desencajados mira y dice: «¡Oíd, oíd! Este que se acerca es...»

«¡Calla demonio! ¡Te lo ordeno!»

«¡No, no, no! No me callo. No me callo. ¿Qué hay entre nosotros y Tú? ¿Por qué no nos ayudas? ¿No te bastó habernos arrojado hasta los infiernos? ¿No te ha bastado haber venido para arrancarnos de las manos a los hombres? ¿Por qué nos echas allá abajo? ¡Déjanos que vivamos dentro de nuestras presas! Tú eres grande, poderoso. Pasa. Conquista, si puedes, pero deja que hagamos lo que queramos, y que podamos hacer daño. Para esto estamos. Oh, mal... ¡No! ¡No puedo decirlo! ¡No quieras que te lo diga! ¡No puedo maldecirte! ¡Te odio! ¡Te persigo! ¡Te espero para atormentarte! Te odio y odio a Aquel de quien procedes, y odio al que es vuestro Espíritu. Odio al Amor. ¡Yo que soy Odio! No puedo más. Pero te espero, Mesías. Te espero. ¡Te veré muerto! ¡Oh, qué momentos de alegría! ¡No, no de alegría! ¿Muerto Tú? No. No muerto. ¡Yo seré el vencido! ¡Vencido! ¡Siempre vencido!... ¡Ah!...» El paroxismo ha llegado a su punto álgido.

Jesús continúa avanzando hacia el poseído. Lo domina con sus ojos. Jesús ahora queda solo. Apóstoles y pueblo han quedado detrás. El pueblo detrás de los apóstoles y éstos alejados unos treinta metros almenos de Jesús.

La gente del poblado, que parece grande, y rico, al oir los gritos se ha acercado, y mira la escena, pronta a huir como los demás. La escena se desenvuelve de este modo: en el centro están el poseído y Jesús, a pocos metros uno del otro; detrás de Jesús, a la izquierda, los apóstoles y la gente que venía con él; a la derecha, detrás del poseído, los del pueblo.

Luego que Jesús intimidió al poseído para no hablar, no lo hace más. Mira fijamente al enfermo. Se detiene, levanta sus brazos, los extiende hacia el endemoniado, va a hablar. Los aullidos son verdaderamente infernales. El poseído se retuerce, salta a derecha, a izquierda, hacia arriba. Parece como si quisiera huir o arrojarse, pero no puede. Está enclavado, y fuera de los movimientos que hace, de ahí no pasa.

Cuando Jesús extiende sus brazos, como si conjurase, el loco aúlla más fuerte que nunca, y luego de haber lanzado injurias, de haber carcajeado, blasfemado, se pone a llorar y a suplicar: «¡En el enfierno, no! ¡No en el infierno! ¡No me mandes allí! Mi vida es horrible aun aquí en esta cárcel humana. Yo quiero recorrer el mundo y despedazar lo que has hecho. Pero ¡allá, allá, allá... no, no, no! ¡Déjame afuera!...»

«Sal de ese. Te lo ordeno.»

«¡No!»

«Sal.»

«¡No!»

«Sal.»

«¡No!»

«¡Sal en nombre del Dios verdadero!»

«¡Oh! ¿Porque me vences? Pero no salgo, no. Tú eres el Mesías, el Hijo de Dios, pero yo soy...»

«¿Quién eres?»

«Soy Belzebú, soy Belzebú, el Dueño del mundo, y no me doblo. ¡Te desafío, oh Mesías!»

El poseído se hace rígido, como hierático, y mira a Jesús con ojos fosforescentes. Apenas si mueve los labios como pronunciando palabras ininteligibles, y se pone las manos en la espalda, con los antibrazos pegados, que apenas si se mueven.

Jesús también se ha detenido. Con los brazos cruzados sobre el pecho, lo mira. También Jesús apenas si abre los labios. No oigo palabra alguna.

Los presentes están a la espectativa. Hablan entre sí.

«¡No puede!»

«Sí, puede. Vas a ver. Es el Mesías.»

«No. Vence el otro.»

«Es muy fuerte.»

«Sí, vence.»

«No vence.»

Jesús abre los brazos. Su rostro resplandece como uno que sabe que manda. Su voz parece un trueno. «Sal. Te lo digo por última vez. Sal, Satanás. ¡Soy Yo quien manda!»

«¡Aaaaah!» (es un aullido larguísimo, horrible. Ni siquiera el que al sentir que la espada le atraviesa el cuerpo lanza uno igual). El aullido se convierte en palabras: «Salgo, sí. Me vences. Pero me vengaré. Tu me arrojas, pero tienes un demonio a tu lado, en él entraré para poseerlo, para revestirlo de mi poder. Y tus órdenes serán incapaces de arrebatármelo. En todos los tiempos, en todos los lugares me hago hijos. Yo, el autor del Mal. Y como Dios se engendró a Sí mismo [3], yo también de mí mismo me engendro. Me concibo en el corazón del hombre, y este me pare, pare un nuevo Satanás que es él mismo, y me lleno de júbilo, de júbilo por tener tanta descendencia. Tú y los hombres encontraréis siempre estos hijos míos que son otros tantos "yo". Me voy, oh Mesías, a tomar posesión de mi nuevo reino, como me lo ordenas, y te dejo esta piltrafa humana. Te dejo eso, una limosna de Satanás, a Tí, Dios, y me tomo ahora miles y miles. Los encontrarás cuando serás un deshecho asqueroso de carne arrojado a los perros; y me tomaré en los siglos futuros, miles y millones, que serán mi instrumento y tu tortura. ¿Crees que vencerás con levantar tu Señal? Los míos la echarán abajo y yo venceré... ¡Ah! No te venzo; pero te doy tormento a Tí y a los tuyos...»

Se oye fragor como de un rayo, pero no se ve nada de luz, ni el retumbar del trueno. Sólo un chasquido seco, desgarrador. El hombre cae como muerto y se queda allí, sobre el suelo. Un grueso tronco de árbol cercano a los discípulos cae por tierra, como si una sierra fulmínea lo hubiera derribado. El grupo apostólico apenas si tiene tiempo de separarse. Los del poblado se echan a huir.

Jesús, que se ha inclinado sobre el hombre y tomado de la mano, se vuelve, así como está, y con la mano del hombre en la suya dice: «¡Venid, no tengáis miedo!» La gente espantada, regresa. «Está curado. Traed unos vestidos.» Uno de los del poblado va a la carrera a traerlos.

El hombre, poco a poco, vuelve en sí. Abre los ojos y se encuentra con la mirada de Jesús. Se sienta. Con la mano que tiene libre se seca el sudor, la sangre, la baba; se echa hacia atrás la cabellera, y mira. Ve que está desnudo, que hay gente, y se avergüenza. Se encoge y pregunta: «¿Qué ha pasado? ¿Quién eres? ¿Por qué estoy aquí? ¿Desnudo?»

«Calma, amigo. Ahora te traen vestidos y regresarás a tu casa.»

«¿De dónde he venido? ¿Y Tú de dónde vienes?» Habla con una voz cansada y débil como de quien está enfermo.

«Yo vengo del Mar de Galilea.»

«¿Cómo me conoces? ¿Por qué me ayudas? ¿Cómo te llamas?» Llegan con vestidos que echan sobre el curado. Llega una pobre vieja gimiendo, y estrecha contra su corazón al curado.

«¡Hijo mío!»

[3] El autor del Mal, Satanás, yerra, o bien, con una terminología impropia, alude a la eterna generación del Hijo.

«¡Mamá! ¿Por qué me abandonaste por tanto tiempo?»

La anciana llora mucho más fuerte. Lo besa. Lo acaricia. Tal vez querría decir algo más, pero Jesús le ordena con sus ojos y le inspira unas palabras más dignas del momento: «¡Has estado muy enfermo, hijo mío! Alaba a Dios que te curó y a su Mesías que lo hizo en nombre de Dios.»

«¿Cómo se llama este?»

«Jesús de Galilea. Pero su nombre es Bondad. Bésale las manos, hijo, dile que te perdone lo que hiciste o dijiste... no cabe duda que hablaste en medio de tu...»

«Claro que habló en medio de su calentura» dice Jesús para impedir palabras imprudentes. «No era él el que hablaba, y por eso no tengo nada que reprocharle. Que ahora sea bueno. *Que sea continente.*» Jesús hace hincapié en esta palabra. El hombre baja su cabeza lleno de vergüenza.

Pero lo que Jesús no dice, lo dicen los del poblado que están cerca. Entre ellos están los incansables fariseos.

«¡Lo mereciste! Y mereciste haberte encontrado con ese, que es el padre de los demonios.»

«¿Endemoniado yo?» El hombre está aterrorizado.

La anciana grita: «Malditos. No tenéis ni compasión, ni respeto. ¡Víboras odiosas y crueles! También tú, inútil sinagogo. ¡Soberano de los demonios es el Santo!»

«¿Y cómo quieres que no tenga dominio sobre ellos, si es su rey y padre?»

«Sacrílegos. Blasfemos. Sois una...»

«Silencio, mujer. Sé feliz con tu hijo. No injuries. De mi parte no me preocupo de ello. Id todos en paz. A los buenos llegue mi bendicíon. Vámonos, vosotros.»

«¿Puedo seguirte?» Es el curado el que habla.

«No. Quédate. Sé un testigo mío y sé alegría de tu madre. Puedes irte.»

Entre gritos, aplausos y palabras de burla, Jesús atraviesa la población; y luego se encamina a la sombra de los árboles que hay en el río. Los apóstoles lo rodean.

Pedro pregunta: «¿Por qué, Maestro, el espíritu inmundo hizo tanta resistencia?»

«Porque era un espíritu completo.»

«¿Qué quieres decir con eso?»

«Escuchadme. Hay quien se entrega a Satanás abriendo una puerta a *un* vicio capital. Pero hay quién con dos, quién con tres, quién con siete. Cuando alguien abre su corazón a los siete vicios, entonces entra en él un espíritu completo. Entra Satanás, el príncipe negro.»

«Pero ese hombre, todavía joven, ¿cómo pudo ser presa de Satanás?»

«¡Oh, amigos! ¿Sabéis por qué caminos llega Satanás? Son tres en general sus caminos trillados, y *uno nunca falla*. Tres: los sentidos, el dinero, la soberbia de inteligencia. El de los sentidos es el que nunca falla. Es el mensajero de las otras concupiscencias. Pasa sembrando su veneno y todo lo hace ver de color de rosa. Por eso os digo: "Sed dueños de vuestro cuerpo". Que este dominio sea el principio de cualquier otra cosa, así como esta esclavitud es el principio de todas las demás. El esclavo de la lujuria se convierte en ladrón, estafador, cruel, homicida, con tal de servir a su deseo. La misma sed de dominio tiene parentesco con la carne. ¿No os parece? Así es. Meditad y veréis que no me equivoco. Por la carne Satanás entró en el hombre, y es feliz si por la carne puede entrar otra vez. El, uno y séptuplo, al prolificar legiones de demonios menores.» [4]

«Tú dijiste que María Magdalena tuvo siete demonios, y no cabe duda que eran demonios de lujuria. Y con todo la libraste muy fácilmente.»

«Sí, Judas. Tienes razón.»

«¿Y entonces?»

«Luego concluyes que lo que Yo digo no sirve. No, amigo. La mujer *quería ya verse libre del que la dominaba. Quería*. La voluntad es todo.»

«¿Por qué, Maestro, vemos que muchas mujeres son presa del demonio, y se puede decir, de *este* demonio?»

«Mira, Mateo, la mujer no es igual al hombre en su formación y en sus reacciones con respecto a la culpa del principio. El hombre tiene otras metas en lo que desea, sea bueno completamente o menos. La mujer tiene una sola: el amor. El hombre está formado de otro modo. La mujer es sensible, y mucho más porque está destinada a engendrar. Sabes bien que toda perfección produce un aumento de sensibilidad. Un oído perfecto oye lo que escapa a otro menos perfecto, y goza menos. Dígase lo mismo de la vista, del gusto, del olfato.

La mujer debía ser la dulzura de Dios en la Tierra, debía ser el amor, la encarnación de este fuego que mueve a Aquel que es, la manifestación, la testigo de este amor. Dios la había dotado de un espíritu extraordinariamente sensible porque, cuando llegase a ser madre, supiese y pudiese abrir a sus hijos los ojos del corazón para que viese con amor a Dios y a sus semejantes, para que pudiesen estos entender y obrar. Piensa en la orden que Dios se dió a Sí mismo: "Hagamos a Adán una compañera" [5]. Dios que es Bondad, no podía sino *querer hacer una buena* compañera a Adán. Quien es

[4] Cfr. nota sobre el «Pecado original» en el Apéndice al vol. 1°, pág. 253.
[5] Cfr. Gén. 2, 18-25.

bueno, ama. La compañera de Adán debía por eso ser capaz de amar para hacer feliz a Adán en su estadía en el Paraíso. Debía ser muy capaz de amar, de modo que debía ser la segunda después de Dios, así como su colaboradora y ayudadora en amar al hombre, creatura de Dios, de modo que aun en las horas en que la Divinidad no se manifestase a su creatura, el hombre al oir la voz de amor de Eva, no se sintiese infeliz por la falta de amor.

Satanás conocía esta perfección. *Muchas cosas sabe Satanás.* El es el que habla por los labios de los adivinos [6], que dice mentiras mezcladas con verdad. Y si dice estas verdades, que odia porque es Mentira, lo hace sólo — y *tenedlo en cuenta vosotros y quienes os sigan — para seduciros con la quimera de que no es la Oscuridad la que habla sino la Luz.* Satanás, astuto, tortuoso, cruel, se ha arrastrado y ha entrado en esta perfección y allí ha dado su mordida, y dejado su veneno. La perfección de la mujer en el amar se ha convertido así en instrumento de Satanás para dominar a la mujer y al hombre, y así propagar el mal...»

«¿Entonces, nuestras madres?»

«Juan ¿tienes miedo de ellas? No todas las mujeres son instrumento de Satanás. Perfectas por su sentimiento, son siempre excesivas en el obrar: ángeles si quieren ser de Dios, demonios si quieren ser de Satanás. Las mujeres santas, y entre ellas tu madre, quieren ser de Dios y son ángeles.»

«Maestro ¿no te parece que fue injusto el castigo que recibió la mujer? También el hombre pecó.»

«¿Y qué vamos a decir del premio? Está escrito [7] que por la Mujer volverá el Bien al mundo y Satanás será vencido.»

«No juzguéis jamás las obras de Dios, y esto como primera condición. Pensad que, como el Mal entró por la Mujer, es justo que por la Mujer entre el Bien en el mundo. Hay que borrar la página que escribió Satanás, y lo hará el llanto de una Mujer. Y como Satanás aullará por toda la eternidad, ved que la voz de una Mujer cantará para siempre a fin de acallar sus aullidos.»

«¿Cuándo?»

«En verdad os digo que su voz bajó ya del cielo donde por la eternidad [8] cantaba su aleluya.»

«¿Será más noble que Judit?»

«Más noble que cualquier mujer.»

«¿Qué hará?»

«Vencerá a Eva en su triple pecado. Obediencia absoluta. Pureza absoluta. Humildad absoluta. Con esto se erguirá, reina y triunfante...»

[6] Cfr. vol. 1°, pág. 804, not. 2.
[7] Alusión a Gén. 3, 15.
[8] Cfr. vol. 2°, pág. 964, not. 13 y pág. 990, not. 1.

«¿Pero no es tu Madre la más grande porque te engendró?»
«Grande es el que hace la voluntad de Dios. Por esta razón María es grande. Todos sus otros méritos le vienen de Dios. Por eso es suyo y por ello es bendita [9].»
Todo termina.

Dice Jesús:
«Viste a un poseído del demonio. Hay muchas respuestas en mis palabras. No sólo para tí, sino para otros. ¿Servirán de algo? No. *No servirán* para los que tienen más necesidad de ellas. Quédate en mi paz.»

[9] Esto debe interpretarse a la luz de Lc. 8, 19-21 y sobre todo de 11, 27-28, teniendo en cuenta que la divina maternidad, de la que se habla, fue un don que Dios concedió a María, y que el cumplimiento de la voluntad divina fue obra de la libre voluntad de la Virgen, como se explicó en la pág. 621, not. 4.

112. El fermento de los fariseos [1]

(Escrito el 22 de abril de 1946)

La Semana Santa ha pasado y con ella la penitencia de «no ver». Vuelve esta mañana la vista espiritual del Evangelio. Todas mis ansias mueren con la alegría que se asoma, alegría que rebosa de un júbilo sin igual...

...Estoy viendo a Jesús que camina por entre los bosquecillos que hay junto al río, y que manda que todos se paren por un tiempo, pues el calor es muy duro. Si es verdad que el follaje tupido de los árboles defiende del sol, sin embargo es una cierta clase de obstáculo que impide que sople la brisa apenas perceptible, y por ello el aire está caliente, como si no pasase, emana sudor de la tierra, un sudor que no sirve para descanso sino de tormento, y que se añade al que corre por el cuerpo.

«Vamos a estarnos aquí hasta que atardezca. Luego nos iremos por entre la arena que brilla aun a la luz de las estrellas y continuaremos por toda la noche. Vamos a comer y a descansar.»

«¡Ah! Antes de comer, me echaré al agua. Debe de estar tibia. Me quitaré el sudor. ¿Quién viene conmigo?» pregunta Pedro.

Todos le siguen. Todos hasta Jesús que como todos los demás está sudado y sus vestidos llenos de polvo y sudor. Cada uno toma un vestido limpio que trae en la alforja y bajan al río. En la hierba, que es testigo de que allí se detuvieron, no queda otra cosa más que trece alforjas y las cantimploras de agua, cosas que los viejos árbo-

[1] Cfr. Lc. 12, 1-12.

les y los innumerables pajaritos contemplan curiosos con sus ojitos de color amarillo: alforjas de diversos colores tiradas por la hierba.

No se oyen bien las voces de los que se están bañando: se confunden con el estrépito del río. De cuando en cuando alguna carcajada de los más jóvenes resalta como una nota entre los altos y bajos acordes que canta el río.

Pero pronto el silencio se interrumpe con el golpeteo de pasos. Asoman cabezas por entre las marañas, dicen algo como si estuviesen contentas: «Están aquí. Vamos a decirlo a los demás» y se van por entre los árboles.

...Entre tanto, ya frescos, con los cabellos todavía mojados, descalzos y con las sandalias lavadas y que escurren, con sus vestidos frescos, los apóstoles y el Maestro después de haberse bañado en el Jordán, salen poco a poco. Se ve en sus rostros que el baño los ha satisfecho.

Jesús ofrece y distribuye la comida, y todos sin saber que fueron descubietos, se sientan. Terminada la comida, todos con sueño de buena gana se echarían a dormir, pero hete que viene un hombre, y detrás de él otro, y otro más...

«¿Qué deseáis?» pregunta Santiago de Zebedeo que los ve llegar y pararse cerca de un montón de arbustos, inciertos de seguir adelante o no. Los demás discípulos, y tambien Jesús, se vuelven a ver a quién habló Santiago.

«¡Ah, son los del poblado! Nos siguieron» dice sin entusiasmo Tomás que estaba a punto de echarse a dormir un poco.

Los que llegaron responden un poco avergonzados al ver que no se les recibe con gusto: «Queríamos hablar con el Maestro... decirle que... ¿Verdad, Samuel?...» y no dicen más.

Jesús, siempre condescendiente, les da valor para continuar: «Decid, decid. ¿Tenéis otros enfermos?...» y, poniéndose de pie, va a donde están.

«Maestro, estás cansado y mucho más que nosotros. Descansa un poco. Que te esperen...» dicen varios apóstoles.

«Aquí hay alguien que me necesita. Ellos no tienen tranquilidad en su corazón. Y el cansancio del corazón es mayor que el que se siente en el cuerpo. Dejadme que los escuche.»

«Si es así, ¡adiós siesta!...» dicen refunfuñando los apóstoles, rendidos del cansancio y del calor y lo están hasta el punto de reprochar en presencia de extraños a su Maestro. Llegan a decir: «Y cuando imprudentemente hayas hecho que nos enfermásemos, muy tarde comprenderás que nos necesitabas.»

Jesús los mira... compasivamente. No hay más que piedad en sus ojos cansados... Dice: «No, amigos. No quiero que me imitéis. Mirad, quedaos aquí descansando. Yo voy con ellos. Les escucharé y luego regresaré a descansar con vosotros.»

Es una respuesta tan dulce que logra más que un reproche. El buen corazón, el cariño de los doce se despierta y toma fuerzas: «No, Señor. Quédate donde estás y háblales. Vamos a volver nuestros vestidos para que se sequen, y así no nos dormiremos. Luego después que termines, descansaremos juntos.»

Los más soñolientos van al río... Se quedan Mateo, Juan y Bartolomé. Entre tanto hablaban, la gente ha aumentado de tres a diez y sigue aumentando...

«¿Qué? Acercaos. Hablad sin temor alguno.»

«Maestro, apenas partiste, los fariseos se han mostrado más agresivos... Atacaron al hombre que libraste del demonio... y si no enloquece será un nuevo milagro... porque le dijeron que... que Tú lo libraste de un demonio que no le quitaba sino el uso de razón, y en cambio le diste un demonio más poderoso, tan poderoso que le ganó al primero, tan fuerte que hace mal y se apodera de su espíritu, y por lo tanto si la primera posesión no tenía consecuencia alguna para la otra vida, porque sus acciones no eran... ¿cómo dijeron, Abraham?»

«Dijeron... oh, una palabra extraña... En una palabra que de aquellas acciones Dios no le pediría cuenta alguna porque las hizo sin tener libertad de inteligencia, pero ahora al adorar por mandato del demonio que tiene en el corazón y que le metiste — ¡Oh, perdónanos si te lo decimos! — Tú, que eres el más grande de los demonios, al adorarte a Tí sin ser ya un loco, es un sacrílego y un maldito y que se condenará. El pobre al oir esto llora y desea ser lo que antes era... y casi está a punto de maldecirte... trastornado de la cabeza más que antes... y su madre está enloquecida al ver que su hijo pierde las esperanzas de salvarse... Y lo que antes fue alegría y gozo, ahora se ha cambiado en tristeza. Nosotros te buscamos, y no cabe duda que el ángel nos guió. Señor, creemos que eres el Mesías, y creemos que el Mesías tiene consigo al Espíritu de Dios, esto es, la Verdad y la Sabiduría. Te rogamos que nos tranquilices y que nos des alguna explicación...»

«Vosotros sois justos y caritativos. Que Dios os bendiga. ¿Dónde está el pobrecito?»

«Viene detrás de nosotros con su madre que llora de desesperación. ¿Ves? Todos menos los duros fariseos están aquí, sin importarles sus amenazas. Nos amenazaron con castigarnos si creemos en Tí. Pero Dios nos ayudará.»

«Dios os protegerá. Llevadme a donde está el curado.»

«No. Te lo traemos. Espera un poco» y se dirigen a donde se ve venir el grupo del que se oyen dos gemidos. Los demás, que se quedaron son muchos, y al llegar los demás, la multitud aumenta, de modo que algunos se suben a los árboles para oir y ver.

Jesús se dirige al hombre que curó, y que jalándose los cabellos al arrodillarse dice: «¡Devuélveme el primer demonio! ¡Ten piedad de mí, y de mi madre! ¿Qué te hice para que me causases tanto mal?»

La mujer también de rodillas dice: «Delira por el miedo que tiene, Señor. No hagas caso a sus palabras blasfemas. Líbralo más bien del miedo que unos hombres duros le metieron, para que no pierda su alma, así como puede perder su vida. Una vez lo libraste. ¡Oh por compasión de una madre vuélvelo a librar!»

«No tengas cuidado, mujer. Hijo de Dios, escucha.» Jesús pone sus manos sobre la cabeza despeinada de este hombre que se muere de un miedo preternatural. «Escucha, y luego decidirás. Ahora puedes hacerlo bien porque estás libre. Hay un medio seguro para saber si un prodigio proviene de Dios o del demonio, y consiste en lo que el alma experimenta. Si el hecho extraordinario viene de Dios, el alma se llena de una paz inefable, de un gozo indecible. Si del demonio, de turbación y dolor. De la palabra de Dios también proceden paz y gozo mientras que de las del demonio — bien sea un espíritu, o un hombre influenciado por el demonio — turbación y dolor. La proximidad con Dios produce también paz y gozo, pero la proximidad con espíritus u hombres perversos turbación y dolor. Ahora piensa, hijo de Dios, ¿cuando empezaste a ceder al demonio de la lujuria y a dar cabida a tu opresor, tuviste gozo y paz?»

El hombre reflexiona, se pone colorado y responde: «No, Señor.»

«¿Y cuando el eterno Enemigo se apoderó de tí, tuviste paz y gozo?»

«No, Señor. Jamás. Mientras pude comprender algo, mientras que tuve un rayo de inteligencia libre, tuve turbación y dolor por la opresión del Enemigo. Luego... no supe más... no tuve más inteligencia capaz de entender lo que sufría... Era peor que una bestia... Y aun en ese estado en que parecía menos inteligente que un animal... ¡Oh, cuánto sufrí! No puedo decir que... el infierno es horrible. Es todo lo inimaginable de horrendo... y no se puede describir lo que es...»

El hombre tiembla ante estos fugaces recuerdos de lo que sufrió. Tiembla, se pone pálido, suda... Su madre lo abraza, lo besa en las mejillas para quitarle esa pesadilla... La gente en voz baja hace sus comentarios.

«¿Y qué experimentaste cuando volviste en tí y encontraste tu mano en la mía?»

«¡Oh! algo muy dulce... luego un gozo, una paz... parecía como si hubiese salido de una cárcel oscura donde hubiese habido montones de serpientes, donde el aire no era más que putridez, y que entrase en un jardín de flores, lleno de sol, de cantos... Conocí el Paraíso... pero también este no puede describirse...» El hombre sonríe como arrebatado por el recuerdo de su breve gozo que hace poco experimentó. Luego con un suspiro concluye: «Pero pronto se acabó...»

«¿Estás seguro? Dime: ahora que me estás cerca y lejos de los que te metieron miedo ¿qué sientes?»

«Nuevamente esa paz. Contigo no puedo ser un condenado y sus palabras me suenan a blasfemia... Yo creí que estaban en lo cierto. ¿Pequé contra Tí?»

«No cometiste ningún pecado, pero ellos sí. Levántate, hijo de Dios, y abrázate a la paz que tienes. La paz viene de Dios. Estás con Dios. No peques y no tengas miedo.» Quita sus manos de la cabeza del hombre y hace que se levante.

«¿Es verdad eso, Señor?» preguntan varios.

«Es verdad. La duda que trajeron esas palabras astutamente bien pensadas fueron la última venganza de Satanás que salió de este. Vencido, deseó volver otra vez a apoderarse de su presa.»

Con un buen sentido de campesino, uno dice: «Entonces... los fariseos... se han puesto al servicio de Satanás.» Muchos aplauden el sentido de estas palabras.

«No juzguéis. ¡Ay de quien juzga!»

«Pero al menos somos francos en juzgar... Dios ve que juzgamos faltas claras. Ellos fingen lo que no son. Obran mentirosamente y con miras no rectas, y con todo triunfan mejor que nosotros que somos honrados y sinceros. Nos infunden terror. Alargan su poder hasta la libertad de fe. Se debe creer y practicar como a ellos agrada. Y nos amenazan porque te amamos. Quieren hacer de tus milagros unas brujerías, para que tengamos miedo de Tí. Conspiran, nos oprimen, nos hacen mal...»

La gente habla atropelladamente.

Jesús, con un ademán, impone silencio. Dice: «No aceptéis en vuestros corazones lo que son ellos. Ni sus insinuaciones, ni sus modos de pensar y obrar. Ni siquiera la idea: "Ellos son malos y con todo triunfan". ¿No os acordáis de las palabras de la Sabiduría: "Breve es el triunfo del criminal" [2]? ¿y de las de los Proverbios: "No sigas, hijo, los ejemplos de los pecadores y no des oído a las palabras de los impíos, porque ellos quedarán atados a las cadenas de sus culpas y engañados por su estupidez sin nombre" [3]? No admitáis en vuestros corazones, aunque imperfectos, lo que pensáis que es una injusticia de parte de ellos. Introduciríais en vosotros el mismo fermento que los corrompe. El fermento de los fariseos es la hipocresía. Que jamás exista en vosotros, ni con respecto a las formas del culto para con Dios, ni con respecto al modo de tratar a vuestros hermanos. Precaveos del fer-

[2] Cfr. por ej., Sab. 2, 5; 5, 9 (3-13).
[3] Cfr. por ej., Prov. 5, especialmente 22-23.

mento de los fariseos. Pensad que no hay nada oculto que no pueda ser descubierto, ni nada de escondido que no termine por conocerse.

Lo estáis viendo. Me dejaron partir y luego se pusieron a sembrar zizaña donde el Señor había sembrado buena semilla. Creyeron haberlo hecho inteligentemente y haber triunfado. Hubiera bastado con que vosotros no me hubieseis encontrado, que Yo hubiese pasado el río sin dejar ningún rastro de Mí sobre el agua que se abre al paso de la quilla, para que el mal habían empezado a hacer, bajo capa de bien, hubiese triunfado. Pero pronto fue descubierto su juego y su mala obra terminó en nada. Y así todas las acciones humanas. Uno solo las conoce y provee: Dios. Cuanto se dice en la oscuridad termina por descubrirlo la Luz, y lo que se trama en el secreto de una habitación, puede ser descubierto, como si lo hubiera sido en una plaza pública, porque cada hombre puede tener su delator, y porque Dios ve a cada hombre y puede intervenir para desenmascarar a los culpables. Por esto conviene obrar siempre con honestidad para vivir en paz. Y quien así vive no debe tener miedo, ni en esta vida, ni por la otra. Os digo, amigos míos: quien obra justamente no debe tener miedo.

No debe tener miedo de los que matan, sí, de los que matan el cuerpo, pero después no pueden hacer otra cosa. Os voy a decir a quién debeis temer. Temed a aquellos que después de mataros os pueden entregar al infierno, esto es, a los vicios, a malas compañías, a falsos maestros, a todos los que introducen el pecado o la duda en el corazón, a aquellos que tratan de corromper el alma más que el cuerpo e intentan separaros de Dios, para que os entreguéis a pensamientos de desesperación de la divina Misericordia. A estos debéis temer; de otro modo moriréis para siempre.

Pero por vuestra existencia no tengáis miedo, ni por otras cosas. Vuestro Padre no quita sus ojos ni siquiera de esos pajarillos que hacen sus nidos entre las ramas de los árboles. Ni uno de ellos cae en la red sin que su Creador lo sepa. Y lo que valen es muy poco: cinco pájaros por unos cuantos céntimos. Y su valor espiritual es nulo. No obstante ello, Dios los cuida. ¡Cómo no va a tener cuidado de vosotros, de vuestra vida, de vuestro bien! El Padre conoce hasta el número de cabellos de vuestra cabeza, y no deja de ver ninguna ofensa que se haga a sus hijos, porque vosotros sois sus hijos, esto es, de un valor mucho mayor que el de los pajaritos que hacen sus nidos en los tejados o entre los árboles. Y sois sus hijos hasta que no renunciáis a serlo libremente.

Se renuncia a ser hijo de Dios cuando se reniega de El y del Verbo que Dios envió entre los hombres para traerles Dios. Ahora bien, cuando alguien no me quiere reconocer ante los hombres, porque teme que le pueda venir algún daño, entonces tampoco él será reconocido por hijo, y el Hijo de Dios y del hombre no lo reconocerá ante los ángeles del cielo; y a quien me negase ante los hombres, no se le reconocerá como hijo de Dios ante los ángeles. Quien hubiese hablado mal contra el Hijo del hombre será aun perdonado porque Yo impetraré ante el Padre el perdón, pero quien blasfemare contra el Espíritu Santo, no será perdonado.

¿Por qué ésto? Porque no todos pueden comprender la amplitud del Amor, su perfecta infinitud, y ver a Dios en carne como cualquier otro hombre. Los gentiles, los paganos no pueden creer esto con fe, porque su religión no es amor. También el temor reverencial que hay entre nosotros, que Israel tiene ante Yeové puede impedir que se crea que Dios se hizo hombre, y el más humilde de los hombres. Es culpa el que no se crea en Mí. Cuando se apoya sobre un temor excesivo hacia Dios, se perdona. Pero no puede ser perdonado quien no se rinde a la verdad que brilla a través de mis obras y niega al Espíritu de Amor que haya cumplido su palabra de haber enviado al Salvador cuando se había determinado, al Salvador a quien precedieron y acompañan las señales predichas [4]. Esos que me persiguen conocen los profetas. Las profecías están llenas de Mí. Ellos conocen las profecías y conocen lo que hago. La verdad es patente. Pero la niegan porque quieren negarla. Sistemáticamente niegan no sólo que yo sea el Hijo del hombre, sino el Hijo de Dios que predijeron los profetas, que nació de una Virgen no por voluntad de algún hombre, sino por la del Amor Eterno, el Eterno Espíritu que me anunció para que los hombres pudiesen reconocerme. Ellos, para poder decir que todavía no llega el Mesías, se obstinan en tener los ojos cerrados para no ver la Luz que está en el mundo, y por esto reniegan del Espíritu Santo, de su Verdad, de su Luz. Estos serán juzgados más severamente que los que no saben. Y el llamarme "satanás" no se les perdonará porque el Espíritu a través de Mí realiza obras divinas y no satánicas. El empujar a otros a la desesperación cuando el Amor los ha llevado a la paz, eso no se les perdonará. Porque todo esto es ofensa contra el Espíritu Santo.

Contra el Espíritu Paráclito que es Amor y da amor y pide amor, y que espera mi holocausto de amor para derramarse con un amor de sabiduría, que ilumina los corazones de los que me siguen. Y cuando se hubiere realizado, y todavía os persiguiesen, acusándoos ante los magistrados y principales en las sinagogas y en los tribunales, no os preocupéis de cómo os justificaréis. El mismo Espíritu os dirá lo que tendréis que responder para servir a la verdad y conquistaros la Vida, así como el Verbo os da cuanto es necesario para que podáis entrar en el Reino de la Vida eterna.

[4] Cfr. vol. 1°, pág. 468, not. 1.

Ios en paz. En *mi* paz. En esa Paz que es Dios y que Dios derrama para llenar de ella a sus hijos. Ios y no temáis. No he venido para engañaros sino para instruiros, no para llevaros a la perdición, sino para redimiros. Bienaventurados los que quieran creer en mis palabras.

Y tú, a quien dos veces he salvado, ten fuerzas y acuérdate de mi paz para que puedas decir a los que te tienten: "No tratéis de seducirme. Mi fe es que El es el Mesías". Vete, mujer. Vete con tu hijo, y estad tranquilos.

Adiós. Volved a vuestras casas y dejad que el Hijo del hombre descanse sobre la humilde hierba para volver a emprender su camino en busca de otros a quienes salvar. Mi paz esté con vosotros.»

Los bendice. Regresa a donde habían comido. Lo mismo hacen los apóstoles. Una vez ida la gente se echan sobre la hierba. Ponen de cabecera sus alforjas. Pronto el sueño los invade en medio del bochorno del mediodía y del silencio pesado de estas tierras calientes.

113. «Debéis decir: "Somos siervos inútiles"» [1]

(Escrito el 24 de abril de 1946)

La orilla del río brilla en medio de esta noche en que todavía no sale la luna, a la luz de los millares de estrellas, que inverosímilmente se ven grandes en el cielo de Oriente. No es la claridad intensa como la de la luna, pero es algo que permite, a quien está acostumbrado a la oscuridad, ver dónde camina y lo que le rodea.

A la derecha de los viajeros, que suben hacia el norte costeando el río, la suave claridad de las estrellas muestra el límite que forman cañaverales, sauces y altos árboles, y que parecen hacer una muralla compacta, continua, seguida, sin posibilidad de penetrar, pero que se ve como interrumpida allí donde hay un lecho de algún riachuelo seco que enseña una línea blanca que se introduce por el oriente y desaparece en la primera curva. A la izquierda, los viajeros ven cómo parecen brillar las aguas que bajan al Mar Muerto en medio de un silencio que muy pocas veces se interrumpe. Y entre la línea de agua de color añil que se distingue en la noche, y la masa negro-opaca de la hierba, de los arbustos, de los árboles, se ve la faja clara de la arena; unas veces muy ancha, otras angosta, a veces se distingue en ella un charco, residuo de la pasada avenida, y en

[1] Cfr. Lc. 17, 7-10.

que todavía hay algunas que otras hierbas verdes, que en otras partes se secaron ya bajo los rayos del sol ardiente.

Los apóstoles se se ven obligados algunas veces a separarse, al hallar estos charcos o bien montones de espadañas secas, tan peligrosas al pie semidesnudo; y luego se juntan en grupo tras de su Maestro que camina con su paso largo, majestuoso, sin hablar apenas, con el rostro más bien hacia las estrellas que al suelo.

Los apóstoles no pueden seguir callados. Hablan, vuelven a comentar los sucesos del día, sacan conclusiones de ellos o prevén lo que pueda sobrevenir en lo futuro. Jesús se limita tan sólo a responder cuando alguien le pregunta o cuando corrige algo que no está bien o una alusión no caritativa.

Continúa la caminata, que mete su ritmo en el silencio de la noche, un ritmo nuevo en las orillas desiertas: ritmo de voces, ritmo de pisadas. Callan los ruiseñores entre los árboles, sorprendidos de que sonidos desafinados y duros se mezclen, turben, el acostumbrado parloteo de las aguas y la calma de la brisa, que son los acompañantes mejores en medio de sus trinos.

Una pregunta que no tiene nada que ver con lo que haya pasado, sino con lo que será después, rompe cual si algo estallase, además del tono de las palabras envueltas en aversión e ira, no sólo la tranquilidad de la noche, sino la que está en los corazones. Felipe pregunta si irán a sus casas y dentro de cuánto. Una necesidad oculta de descanso, un deseo celado, pero comprensible de afectos familiares, hay en la pregunta sencilla del apóstol que ya es de edad, que es marido y padre que tiene intereses que debe cuidar...

Jesús lo oye y se vuelve a mirarlo. Se detiene. Lo espera, porque viene detrás con Mateo y Natanael. Cuando lo tiene cerca, le pone un brazo sobre la espalda y le dice: «Muy pronto, amigo mío. Pero pido a tu buen corazón otro pequeño sacrificio, a no ser que antes te quieras separar de Mí...»

«¿Yo? ¿Separarme? ¡Jamás!»

«Entonces... te alejaré un poco de Betsaida. Quiero ir a Cesarea Marítima pasando por Samaría. Al regreso iremos a Nazaret y se quedarán conmigo los que no tienen familia en Galilea. Luego, pasados algunos días, os alcanzaré en Cafarnaúm... Allí os instruiré más para que seáis más perfectos. Pero si crees que tu presencia es necesaria en Betsaida... vete, Felipe. Nos veremos allá...»

«No, Maestro, es más necesario estar contigo. Pero comprendes... Es dulce el hogar... las hijas... Pienso que no las tendré conmigo mucho tiempo... y quisiera gozar un poco de sus castas caricias. Mas si debo escoger entre ellas y Tí, te escojo a Tí... Y con major razón...» dice Felipe.

«Haces bien, amigo, porque antes que tus hijas se te quiten, no estaré ya.»

«¡Oh, Maestro!...» dice con aflicción el apóstol.
«Así es, Felipe» termina Jesús y le da un beso en su ancha frente.
Judas Iscariote, que ha estado murmurando entre dientes, apenas Jesús mencionó a Cesarea, levanta la voz como si el beso que Jesús dió le hubiese hecho perder el control. Dice: «¡Cuántas cosas inútiles! No comprendo que necesidad haya de ir a Cesarea.» Y lo dice con un ímpetu lleno de bilis; parece como si quisiese dar a entender: «Y Tú que vas allá, eres un tonto.»
«No eres tú el que debes de juzgar si lo que hacemos es necesario o no, sino el Maestro» le responde Bartolomé.
«¿Ah, sí? Como si El viese claro las necesidades naturales.»
«Oye tú. ¿Estás loco? ¿O estás en tus cinco? ¿Sabes lo que dice?» le interpela Pedro cogiéndolo de un brazo.
«No estoy loco. Soy el único que tengo el cerebro sano. Y sé lo que digo.»
«¡Hermosas cosas dices!» «¡Ruega a Dios que no te las tenga en cuenta!» «¡La modestia está muy lejos de tí!» «Se diría que tienes miedo de que se sepa lo que eres si se va a Cesarea» dicen juntos y respectivamente Santiago de Zebedeo, Simón Zelote, Tomás y Judas de Alfeo.
Iscariote se vuelve contra este último: «No tengo nada que temer, y vosotros nada que os interese. Sino que estoy cansado de ver que se cae de error en error y que vamos a la ruina. Pleito con los sinedristas, disputas con los fariseos. Ahora nos faltaban los romanos...»
«¿Cómo? Todavía no han pasado dos lunas desde que te morías de gozo, de que estabas seguro, de que estabas... ¡Y era porque Claudia era tu amiga!» irónicamente advierte Bartolomé que siendo el más... intransigente, es el que sólo por obedecer al Maestro no se rebela de entrar en contacto con los romanos.
Judas por un momento se queda mudo. La lógica de la respuesta es clara, y no se le puede responder. Pero luego cobra ánimos: «No lo digo por los romanos. Quiero decir por los romanos como enemigos. Esas, porque en realidad no son más que cuatro mujeres romanas, cinco, seis a lo más, nos prometieron ayuda y lo cumplirán. Pero con esto aumentará el odio de sus enemigos, y El no lo quiere comprender y...»
«El odio de ellos ha llegado a su máximo, Judas. Lo sabes como Yo y aun *mejor* [2] que Yo» dice calmadamente Jesús, pero recalcando la palabra «mejor».
«¿Yo? ¿Yo? ¿Qué quieres decir? ¿Quién sabe mejor que Tú las cosas?»
«Si acabas de decir que eres el único que conoces las necesidades

[2] «Por experiencia humana».

y cómo deben tomarse en cuenta...» le replica Jesús.

«Tratándose de las cosas naturales, claro que sí. Yo afirmo que Tú conoces las cosas espirituales mejor que todos.»

«Lo que es verdad. Por esto te decía que conoces mejor que Yo las cosas, malas si quieres, humillantes si te parece, como el odio de mis enemigos, sus intenciones...»

«¡Yo no sé nada! ¡Nada! Lo juro por mi alma, por mi madre, por Yeové...»

«¡Basta! Está dicho que no se debe jurar [3]» le reprende Jesús con severidad, que parece que las facciones de su rostro se endurecen cual las de una estatua.

«Bueno. No juraré. Pero me será permitido, puesto que no soy un esclavo, decir que no es necesario, que no es útil, antes bien que es peligroso ir a Cesarea, hablar con las romanas...»

«¿Y quién te dice que pasará eso?» pregunta Jesús.

«¿Quién? Pues ¡todo! Tú tienes necesidad de convencerte de una cosa. Estás en la pista de una...» se detiene. Comprende que la ira lo hace hablar demasiado. Luego continúa: «Yo te digo que también deberías pensar en nuestros intereses. Todo nos has arrebatado. Casa, ganancias, afectos, la paz. Por tu causa se nos persigue y se nos perseguirá, porque dices que de un momento a otro te irás. Pero nosotros nos quedamos. Y nos quedaremos arruinados, y nosotros...»

«A tí no se te perseguirá después que ya no esté más entre vosotros. Te lo aseguro Yo, que soy la Verdad. Te afirmo que tomé lo que espontánea e insistentemente me disteis. Así, pues, no puedes acusarme de que os haya quitado a la fuerza uno solo de los cabellos que os caen cuando os arregláis la cabeza. ¿Por qué me echas en cara?» Jesús no lo dice con severidad, sino con una cierta tristeza como si quisiera con su dulzura volver a llevar a la razón, y me imagino que esta compasión suya, tan grande, tan divina, sirva de freno para contener a los otros que no la tendrían por el culpable.

También Judas lo siente, y con uno de esos bruscos ímpetus de su alma, que está en medio de dos fuerzas contrarias, se arroja a tierra, golpeándose la cabeza, el pecho y gritando: «Porque soy un demonio. Un demonio soy yo. Sálvame, Maestro, como salvas a tantos endemoniados. ¡Sálvame, sálvame!»

«Que tu voluntad quiera salvarse.»

«Lo quiere. Lo ves. Quiero salvarme.»

«Tú pretendes que Yo sea el que te salve, que Yo haga todo. Yo soy Dios y respeto tu libre albedrío. Te daré las fuerzas para que llegues a "querer". Pero no querer ser esclavo debe salir de tí [4].»

[3] Cfr. Ex. 20, 7, 16; Lev. 19, 12; Núm. 30, 3; Deut. 23, 21-23; Ecl. 5, 3-4; Mt. 5, 33-37.
[4] Cfr. pág. 621, not. 4.

«¡No quiero serlo! ¡No quiero serlo! Pero no vayas a Cesarea. ¡No vayas! Escúchame como escuchaste a Juan cuando querías ir a Acor. Todos tenemos los mismos derechos. Todos te servimos de igual modo. Tienes la obligación de darnos contento por lo que hacemos... ¡Trátame como a Juan! ¡Lo quiero! ¿Qué hay de distinto entre mí y él?»

«¡El corazón! Mi hermano nunca hubiera hablado como tú lo has hecho. Mi hermano no...»

«Cállate, Santiago. Soy Yo el que debo hablar y a todos. Tú levántate y pórtate como un hombre libre a quien trato, y no como un esclavo que llora a los pies de su dueño. Sé hombre, ya que tanto quieres que se te trate como a Juan, el cual en verdad, es más que un hombre porque es casto y está lleno de caridad.

Vámonos. No hay tiempo. Quiero pasar el río al alba. A esa hora regresan los pescadores que quitaron las nasas y es fácil encontrar una barca. En estos últimos días sale la luna aunque no completa. Podemos con la ayuda de su luz caminar más aprisa.

Escuchad. En verdad os digo que nadie debe gloriarse de cumplir con su propio deber y exigir por lo que es una obligación, favores especiales.

Judas me ha recordado todo lo que me habéis dado, y dijo que estoy obligado a daros contento por lo que hacéis.

Pero escuchad. Entre vosotros hay quienes fueron pescadores, dueños de tierras, uno tenía su oficina, Zelote tenía un siervo. Pues bien. Cuando los trabajadores de las barcas, o quienes os ayudaban como mozos entre los olivares, los viñedos, los campos, o como aprendices en la oficina, o simplemente como siervo fiel que cuidaba la casa y la mesa, cuando terminaban — digo — sus trabajos, ¿os poníais acaso a servirles?

¿Y no sucede así en todos los hogares y en todos los oficios? ¿Quién hay que si tiene un siervo para que are o apaciente el ganado, o un trabajador en su oficina, le diga cuando termina su tarea: "¿Vete pronto a comer?" Nadie. Bien regrese del campo, bien que haya acabado de quitar los arneses, el dueño le dice: "Hazme de comer. Límpiate bien. Sírveme con vestidos limpios mientras como y bebo. Después comerás y beberás". No se puede llamar a esto dureza de corazón, porque el siervo debe servir a su patrón, y éste no tiene ninguna obligación para con él, aun cuando el siervo haya cumplido lo que el patrón le ordenó a la mañana. Porque, si es verdad que el patrón está obligado a ser humano con su propio siervo, lo es también que el siervo tiene la obligación de no ser holgazán, ni desperdiciador, sino cooperar para el bienestar del patrón que lo viste y le da de comer. ¿Soportaríais que vuestros trabajadores de la barcas, que los campesinos, el siervo, os dijesen: "Sírveme porque trabajé"? No lo creo.

También vosotros, al ver lo que habéis hecho y hacéis por Mí, y más tarde al ver lo que haréis para continuar mi obra y seguir sirviendo a vuestro Maestro, debéis siempre decir, pues veréis que habéis hecho menos de lo que era justo hacer para igualar lo que obtuvisteis de Dios: "Somos siervos inútiles porque no hemos hecho más que lo que debíamos". Si así razonaréis, no tendríais más pretensiones ni dentro de vosotros habría malhumor, y obraríais con justicia.»

Jesús calla. Todos reflexionan. Pedro da un codazo a Juan que reflexiona con los ojos fijos en el agua, que de color añil pasa a un azul plateado por la luna que la besa, y le dice: «Pregúntale que cuándo es cuando uno cumple con su deber. Quisiera hacer más de lo que me toca...»

«En esto exactamente estaba pensando, Simón» le responde Juan con una sonrisa en los labios y en voz alta: «Maestro, dime, el hombre que sea tu siervo ¿nunca podrá hacer más de su deber para poder decirte que con ello te ama mucho más?»

«Muchacho, Dios te ha dado tanto que por justicia, cualquier heroísmo tuyo sería siempre poco. Pero el Señor es tan bueno que mide lo que le dais no con su medida infinita. Lo mide con la medida limitada de la capacidad humana. Y cuando ve que habéis dado sin tacañería, sino abundante, generosamente, dice entonces: "Este siervo mío me ha dado más de que debía, por esto le daré sobreabundancia de mis premios".»

«¡Qué contento estoy! Te daré todo lo que pueda para alcanzar esta sobreabundancia» exclama Pedro.

«Me lo darás. Me lo daréis. Todos los que aman la Verdad, la Luz, me lo darán, y conmigo sobrenaturalmente seréis felices, vosotros y ellos.»

114. «Si siete veces se arrepiente tu hermano, siete veces perdónalo» [1]

(Escrito el 25 de abril de 1946)

Están ya en la otra orilla. A su derecha tienen el monte Tabor y el pequeño Hermón, a la izquierda los montes de Samaría, a su espalda el Jordán, ante sí la llanura en que están las colinas de Mageddo. (Si recuerdo bien este nombre es el que oí en una visión de ya hace tiempo, en la que Jesús se junta con Judas de Keriot y Tomás, después de que tuvieron que separarse para ocultar la partida de

[1] Cfr. Mt. 18, 21-22; Lc. 17, 3-4.

Síntica y Juan de Endor).

Deben haber descansado todo el día en alguna casa amiga, porque nuevamente está oscureciendo y se les nota que no están cansados. Todavía hace calor, pero el rocío empieza a descender y a calmar el bochorno. Descienden las sombras color violeto del crepusculo tras de los últimos rayos de fuego de un sol que se ha ocultado.

«Por aquí se camina bien» advierte contento Mateo.

«De continuar así antes de que cante por vez primera el gallo, estaremos en Mageddo» le dice Zelote.

«Y al amanecer, más allá de las colinas, tendremos a la vista la llanura de Sarón» dice por su parte Juan.

«¿Y tu mar, eh?» le dice por picarle su hermano.

«Sí. Mi mar...» le responde sonriente Juan.

«Y te irás con el corazón a una de tus peregrinaciones espirituales» le dice Pedro cogiéndole de un brazo pero muy campechanamente. Luego: «Enséñame cómo haces para tener ciertos pensamientos... algo así como angélicales, ante la contemplación de las cosas. Tantas veces que he visto el agua... la he querido... pero no me ha servido más que para comer y pescar. ¿Qué ves en ella?»

«Veo agua, Simón. Como tú, como todos. Así como ahora estoy viendo campos y árboles... Pero parece como si además de los ojos corporales tuviese otros ojos aquí dentro y no veo ya más la hierba y el agua, sino veo que salen palabras de sabiduría de las cosas materiales. No soy yo el que pienso. No sería capaz. Es otro quien piensa en mí.»

«¿Eres acaso profeta?» pregunta Iscariote un poco irónico.

«¡Oh, no! No soy profeta...»

«¿Y entonces? ¿Crees que posees a Dios?»

«Mucho menos me imagino eso...»

«Entonces deliras.»

«Podría suceder eso. ¡Soy tan pequeño y tan débil! Pero si fuere así, sería un hermoso delirio que me lleva a Dios. Mi enfermedad es entonces un don y bendigo por él al Señor.»

«¡Ja, ja, ja!» rie Judas, pero su carcajada no es natural.

Jesús que escuchó, dice: «No está enfermo, ni es profeta. El alma pura posee la sabiduría. Ella es la que habla en el corazón del hombre justo.»

«Entonces nunca llegaré hasta allí, porque no he sido siempre un hombre bueno...» dice desconsolado Pedro.

«¿Y qué decir de mí!» le responde Mateo.

«Amigos, pocos, muy pocos serían los que llegasen a poseer la sabiduría, porque siempre han sido puros. El arrepentimiento, la buena voluntad hacen el hombre que antes era culpable e imperfecto, justo; y entonces la conciencia se vigoriza en las aguas de la hu-

mildad, la contrición, del amor, y así envigorizada puede emular a los que son limpios [2].»
«Gracias, Señor» dice Mateo inclinándose para besarle la mano.
Un silencio. Después Judas dice en voz alta: «¡Estoy cansado! ¡No sé si podré caminar toda la noche!»
«¡Natural que lo estés? Hoy te fuiste a dar vueltas como un moscón, mientras dormíamos» le echa en cara Santiago de Zebedeo.
«Quería ver si encontraba a algunos discípulos...»
«¿Y quién te dijo que fueras? El Maestro no había dicho nada. Así pues...»
«Bueno, sí lo hice. Si el Maestro me lo permite me quedo en Mageddo. Creo que hay un amigo nuestro que viene cada año después de la cosecha de las mieses. Quisiera hablarle de mi mamá y...»
«Haz lo que quieras. Tan pronto termines tu negocio te vas a Nazaret. Allí nos reuniremos. Así podrás avisar a mi Madre y a María de Alfeo que pronto estaremos en casa.»
«También te digo como Mateo: "Gracias, Señor".»
Jesús no responde nada. Acepta el beso en la mano como lo hizo con Mateo. No es posible ver la expresión de las facciones, porque es en esos momentos en que la luz solar ha desaparecido, y todavía no se ve la luz de las estrellas. Es tan oscuro que avanzan con trabajo. Para poderlo hacer Pedro y Tomás prenden unas ramas, que alumbran chisporreteando... Pero primero la falta de luz, luego esa llama movible y llena de humo, no permite ver bien las expresiones de los rostros.
Entre tanto, las colinas están más cerca. Aparecen sus contornos con un color negro, más negro del de los campos segados y blanquecinos por el rastrojo; siempre se ven mejor sus figuras al claror de las primeras estrellas.
«Aquí me separo de Tí porque mi amigo está un poco fuera de Mageddo. Estoy muy cansado...»
«Vete, pues. Que el Señor cuide tus pasos.»
«Gracias, Maestro. Adiós, amigos.»
«Adiós, adiós» dicen los demás sin dar mucha importancia al saludo.
Jesús repite: «Que el Señor cuide tus acciones.»
Judas se va ligero.
«¡Uhm! No parece que esté muy cansado» advierte Pedro.
«Claro. Aquí venía arrastrando las sandalias. Allá corre como un cervatillo...» dice Natanael.
«Te despediste de él como de un santo, hermano. Si el Señor no lo oprime con su voluntad, de nada servirá el auxilio divino para hacerle dar buenos pasos y realizar buenas acciones.»

[2] Cfr. vol. 2°, pág. 310, not. 6; y también en este vol. pág. 546, not. 4.

«Judas, no porque seas mi hermano debo dejar de regañarte. Eres duro e inexorable con tu compañero. El tiene sus culpas, pero también tú tienes las tuyas. Y la primera es de no saberme ayudar a formar esa alma. Tú lo exasperas con tus palabras. Con la violencia no se doblegan los corazones. ¿Crees que tienes derecho a censurar todas sus acciones? ¿Te sientes tan perfecto para hacerlo? Te recuerdo que Yo, tu Maestro, no lo hago, porque amo esa alma que no está todavía formada. Es la que me causa más compasión que todas las demás... precisamente porque no está formada. ¿Crees que él se sienta feliz con su estado? ¿Y cómo podrás mañana ser un maestro de los corazones si no te ejercitas con un compañero usando la caridad ilimitada que redime a los pecadores?»

Judas de Alfeo baja la cabeza desde las primeras palabras, y al terminar de hablar Jesús, se arrodilla hasta el suelo diciendo: «Perdóname. Soy un pecador. Regáñame cuando cometa una falta porque la corrección es amor y sólo el necio no comprende la gracia de que un sabio lo corrija.»

«Comprendes que lo hago por tu bien. Pero al regaño va unido el perdón porque comprendo la razón de tu dureza y porque la humildad del que recibe el regaño desarma a quien lo corrige. Levántate, Judas, y no cometas igual error» y lo lleva a su lado con Juan.

Los otros apóstoles, por su parte, hacen sus comentarios, primero en voz baja y luego en voz más alta, llevados de su costumbre de hacerlo así. De este modo oigo que hacen el paralelo entre los dos Judas.

«Si hubiera sido Judas de Keriot el que hubiese recibido este regaño, quién sabe qué hubiera resultado. Tu hermano es bueno» dice Tomás a Santiago.

«Bueno... no se puede afirmar que hubiera dicho mal. Dijo algo que cae muy bien a Judas de Keriot. ¿Crees tú que va a tener un amigo que vaya a Judea? Yo no» dice con franqueza Mateo.

«Se tratará... de negocios de viñedos como en el mercado de Jericó» dice Pedro recordando la escena que no se le ha podido borrar de la mente. Todos se echan a reir.

«No hay duda que sólo el Maestro le compadece mucho...» advierte Felipe.

«¿Mucho? Deberías decir, siempre» le replica Santiago de Zebedeo.

«Yo no sería tan paciente» dice Natanael.

«Ni yo tampoco. La comedia de ayer fue desastrosa» apoya Mateo.

«Parece que no está bien de la cabeza» dice conciliador Zelote.

«Pero bién que sabe hacer sus negocios. Demasiado bien. Apostaría mi barca, mis redes, hasta mi casa, seguro de no perderlas, de que él va a la casa de algún fariseo a mendigar protección...» dice Pedro.

«¡Eso es verdad! A la casa de Ismael. E Ismael está en Mageddo. ¿Cómo no lo pensamos antes? Hay que decírselo al Maestro» exclama Tomás dándose una palmada en la frente.

«De nada sirve. El Maestro lo excusaría una vez más y nos regañaría» dice Zelote.

«No importa... Hagamos la prueba. Ve tú, Santiago. Te quiere mucho y eres su pariente...»

«Para El todos somos iguales. No ve ni parientes ni amigos, sólo ve apóstoles. Es imparcial. Pero para contentaros, voy» dice Santiago de Alfeo. Apresura el paso para separarse de sus compañeros y alcanzar a Jesús.

«Pensáis que se fue a la casa de un fariseo y en esto o aquello. Poco importa... Estoy por asegurar que lo hizo para no ir a Cesarea. No tenía muchas ganas...» dice Andrés.

«Parece como que desde hace poco le causan asco las romanas» nota Tomás.

«Raro... Cuando os fuisteis a Engaddi, y él y yo fuimos a ver a Lázaro, estuvo hecho unas pascuas por haber hablado con Claudia...» advierte Zelote.

«Sí... pero... Es cuando, me imagino, que cometió algún error. Pienso que Juana lo haya sabido y que por eso llamó a Jesús y... Y tantas cosas estoy rumiando dentro de mí, desde que Judas se enojó muchísimo en Betsur...» dice entre dientes Pedro.

«¿Qué estás diciendo?...» pregunta con curiosidad Mateo.

«No lo sé... Ideas... Veremos...»

«¡Oh, no pensemos mal! El Maestro no quiere que lo hagamos. De nuestra parte no tenemos ninguna prueba de que él haya hecho mal» suplica Andrés.

«Pero no vas a decir que hace bien en causar dolores al Maestro, al faltarle al respeto, al multiplicar sus berrinches, al...»

«¡Bueno, Simón! Te aseguro que él está un poco mal de la cabeza...» dice Zelote.

«Será como tú dices, pero se extralimita al ofender la bondad de nuestro Señor. Si me escupiese en la cara, si me diese de cachetadas, lo soportaría para ofrecerlo a Dios a fin de que se redimiese. Me he propuesto hacer toda clase de sacrificios por este fin y me muerdo la lengua, me doy duros pellizcos para dominarme cuando él se porta como un loco. Pero lo que no puedo perdonar es que se porte mal con nuestro Maestro. Y esta falta es como si me la hiciese a mí, y no se la perdono. Luego... si fuese alguna vez por casualidad. Siempre viene atrás. Todavía me dura el berrinche que me hierve por dentro por alguna tontería suya, que ya está haciendo otra. Una, dos, tres... ¡Hay siempre un límite!» Pedro dice esto casi gritando. Sus gestos muestran su ira.

Jesús, que va adelante, unos diez metros más o menos, se vuelve — sombra blanca en la noche — y dice: «Para el amor y para el perdón no hay límite. No lo hay. Ni en Dios ni en los verdaderos hijos de Dios. Mientras dure la vida no hay límite. La única barrera para otorgar el perdón y el amor es la resistencia, la obstinación impenitente del pecador. Pero si se arrepiente, siempre hay que perdonarlo. Aunque peque más de una, de dos, de tres veces, de màs [3].

También vosotros pecáis y queréis que Dios os perdone y os dirigís a El diciendo: "Pequé. Perdóname". Y sentís cuán dulce sea el perdón, así como lo es también a Dios el perdonar. Y vosotros no sois dioses. Por esto es menos grave la ofensa que os hace un semejante vuestro, que la que se hace a Dios, que no es semejante a ningún ser humano. ¿No os parece? Y sin embargo, Dios perdona. Haced lo mismo, asemejándoos a El. Pensad en vuestra propia condición. Pensad que vuestra intransigencia no se cambie en un daño, al hacer que Dios se muestre intransigente contra vosotros.

Ya lo he dicho y vuelvo a repetirlo. Sed misericordiosos para obtener misericordia. Nadie puede considerarse sin pecado para que pueda ser inexorable para el pecador. Contemplad vuestros fardos antes de los que pesan sobre el corazón de otros. Quitaos primero los que pesan sobre vuestra propia alma, y luego volveos a los otros para mostrarles no ya el rigor que condena, sino el amor que suaviza, que llega a librar del mal. Para poder decir y para que no le tape a uno la boca el pecador, para poder decir: "Pecaste contra Dios y contra el prójimo" es menester no haber pecado, o por lo menos haber expiado el pecado. Para poder decir al que se ha humillado de haberlo hecho: "Ten fe en que Dios perdona a quien se arrepiente" como siervos de este Dios que perdona a quien se arrepiente, debéis mostrar mucha misericordia en perdonar. Entonces podréis decir: "¿Ves, oh pecador arrepentido? Perdono tus culpas siete y siete veces porque soy siervo del que perdona sin número de veces a quien tantas veces se arrepiente de sus pecados. Piensa en qué forma te perdona el Perfecto, si yo que sólo soy su siervo, te sé perdonar. Ten fe".

Así debéis decir, y decir con los hechos no con las palabras. Por esto si vuestro hermano peca, reprendedlo con amor, y si se arrepiente, perdonadlo. Si ya al principio del día pecó contra vosotros siete veces y siete veces os dice: "Me arrepiento", perdonadlo otras tantas. ¿Entendisteis? ¿Me prometéis hacerlo? Mientras está lejos ¿me prometéis compadecerlo? ¿Me ayudaréis a salvarlo? Es un hermano vuestro por el espíritu, que viene de un solo Padre; por la raza, porque procede de un solo pueblo; por la misión, porque es apóstol como vosotros. Por esto tres veces más lo deberíais de

[3] Como la nota anterior.

amar. Si en vuestra familia tuvieseis un hermano que causase dolor al propio padre, y que él solo quisiese hacer todo, ¿no trataríais de corregirlo para que vuestro padre no sufriese más, y para que los demás no hablasen mal de vuestra familia? ¿Entonces? ¿No es la vuestra una familia más dilatada y santa en donde el Padre es Dios, y donde el Primogénito soy Yo? ¿Por qué, entonces, no queréis consolar al Padre y consolarme a Mí y ayudarnos a hacer bueno al pobre hermano que, creedlo, no es feliz de ser lo que es?»

Jesús, con toda su alma, implora por el apóstol tan plagado de defectos... Y concluye: «Soy el gran Mendigo. Os pido una limosna de valor: os pido almas. Ando en busca de ellas. Debéis ayudarme... Saciad el hambre de mi Corazón que busca amor y no lo encuentra sino en pocos. Pues los que no tratan de ser perfectos, son para Mí como panes que se quitan para satisfacer mi hambre espiritual. Dad almas a vuestro Maestro, afligido de que no se le ame, de que no se le comprenda...»

Los apóstoles están conmovidos... Querrían decir algo, pero les parece que cualquier palabra que dijesen sería insulsa... Se acercan al Maestro, y quieren como acariciarlo para hacerle ver que lo aman.

Finalmente el plácido Andrés dice: «Sí, Señor. Con paciencia, silencio y sacrificio, armas que convierten, te daremos almas. También la de él... Dios nos ayudará...»

«Sí, Señor. Ayúdanos con tu oración.»

«Así lo haré amigos. Entre tanto oremos juntos por el compañero que se fue. ''Padre nuestro que estás en los cielos''...»

La voz clara de Jesús es un ritmo al convertirse en las perlas que forman el Padre nuestro. Lentamente pronuncia la oración. Los apóstoles, conmovidos, le siguen. Y, rezando, desaparecen en la noche.

115. «Cuando se suspira por el cielo es un martirio vivir para enseñar a los demás»

(Escrito el 27 de abril de 1946)

Desde la cima de los últimos, digamos, montículos de tierra (porque no pueden llamarse colinas, por ser tan bajos) se descubre la costa mediterránea, hasta un cierto punto limitada al norte por el promontorio del Carmelo; pero, al sur, ilimitada, hasta donde la vista humana puede llegar. Una costa deliciosa, casi plana, detrás de la que se adivina una llanura fértil, apenas interrumpida por ligerísimas ondulaciones. Las ciudades marítimas aparecen envueltas en la blancura de sus casas, entre el verdor de la floresta y el azul del mar, tranquilo, sereno, maravilloso, que refleja el azul del cielo.

Cesarea está un poco al norte del lugar en donde están los apóstoles con Jesús, y con algunos discípulos que tal vez encontraron en los poblados que tuvieron que atravesar ya por la mañana, ya por la tarde. Es muy de mañana. En estas horas matinales de verano tan hermosas en que el cielo, después de haber peinado a la aurora de color rosado, la tiñe después de azul. El aire es fresco, claro. Frescos son los campos. Por el mar no riela vela alguna. Son las horas más encantadoras del día en que las nuevas flores sacuden el rocío, se secan a las primeras caricias del sol, y lanzan sus aromas, que refrescan, que perfuman la brisa matinal, que apenas si quiere mover las hojas de los tallos y encrespar la superficie plana del mar.

La ciudad se ve recostada sobre la orilla, hermosa como lo son todos aquellos lugares en que la exquisitez romana ha echado raíces. Termas y palacios de mármol blanquean como bloques de nieve aprisionada en los barrios más cercanos al mar. A estos palacios hace guardia una torre también blanca, alta, cuadrada, situada en dirección al puerto. Tal vez se trate de un campamento o de un lugar de vigías. Se ven casitas más modestas, que están alrededor, de estilo hebreo; se ven igualmente viñas, de jardines colgantes sobre las terrazas de las casas y árboles de follaje cortado.

Los apóstoles contemplan la ciudad bajo un plantío de plátanos sobre una colinilla.

«Parece que uno puede respirar mejor al contemplar esta inmensidad» exclama Felipe.

«Y parece como si ya se sintiese la frescura de esas aguas azules» dice Pedro.

«Tienes razón. Después de tanto polvo, piedras, espinas... ¡mira qué limpidez! ¡Qué frescura! ¡Qué paz! El mar siempre da paz...» comenta Santiago de Alfeo.

«¡Uhm! Menos cuando... te coge a bofetones y te hace dar vueltas con todo y nave, como la chirinola en mano de niños...» le replica Mateo que probablemente se acuerda de los malos ratos que pasó en el mar.

«Maestro... pienso... pienso en todas las palabras de nuestros salmistas, en el libro de Job, en las frases de los libros sabios, allí donde se celebra la potencia de Dios [1]. Y no sé porqué esta idea, este pensamiento me viene de lo que me hace pensar que seremos elevados a una belleza perfecta en medio de una limpidez azul y radian-

[1] Cfr. Jo. 25; 36, 22 - 37, 24; Sal. 8; 18; 92; 103; 146-147; Prov. 8, 22-31; Eccli. 42, 15 - 43, 37.

te, si somos justos hasta el fin, cuando celebres tu Triunfo eterno, del que nos hablas, que pondrá fin al mal... Y me parece ver poblada esta inmensidad celestial con cuerpos resucitados por Tí, brillante más que miles de soles, en el centro de los bienaventurados, donde no hay más dolor, ni lágrimas, ni insultos, ni calumnias como las de ayer tarde.. sino paz, paz, paz... Pero ¿cuando dejará el Mal de hacernos daño? ¿Acaso se achatarán sus flechas al chocar contra tu Sacrificio? ¿Se persuadirá de haber sido vencido?» pregunta Juan que si al principio sonreía, ahora aparece afligido.

«Jamás. Siempre pensará ser vencedor, pese a los mentís que le darán los justos. Mi Sacrificio no achatará sus flechas; pero llegará la hora final en que el Mal será vencido, y en medio de una belleza mucho más infinita de lo que tu espíritu la prevee, los elegidos serán el único Pueblo, eterno, santo, el verdadero Pueblo del Dios verdadero.»

«¿Y estaremos todos?» preguntan los apóstoles.

«Todos [2].»

«¿Y nosotros?» pregunta el grupo de los apóstoles que es numeroso.

«También vosotros estaréis.»

«¿Todos los que estamos presentes o todos los que seamos discípulos? Somos muchos, no obstante los que se nos han separado.»

«Y seréis siempre más. Pero no todos seréis fieles hasta el fin. Sin embargo, muchos estarán conmigo en el Paraíso. Algunos recibirán su premio después de una expiación, otros desde el instante de su muerte; pero el premio será tal que olvidaréis la tierra y sus dolores, así como olvidaréis el Purgatorio con sus nostalgias penitenciales de amor [3].»

«Maestro, nos dijiste que padeceremos persecuciones y martirios. En este caso, si se nos aprisiona y se nos mata antes de arrepentirnos, o bien, si nuestra debilidad nos hace faltar a la resignación de una muerte cruenta... ¿entonces?» pregunta Nicolás de Antioquía que está entre los discípulos.

«No pienses así. En realidad, por vuestra debilidad humana no seríais capaces de resignaros al martirio; pero a los grandes corazones que deben dar testimonio del Señor, El les dará e infundirá una ayuda sobrenatural...»

«¿Cuál? ¿Acaso la insensibilidad?»

«No, Nicolás. El amor perfecto. Llegarán a un amor tan completo que ni las torturas, ni las acusaciones, ni las separaciones de los propios familiares, ni la pérdida de la vida, ni nada, tendrán im-

[2] La respuesta es exacta. Judas Iscariote no estaba presente en esos momentos. Cfr. también pág. 313, not. 12.
[3] Cfr. vol. 2°, pág. 533, not. 2.

portancia alguna, sino al contrario, todo ello se cambiará en pedestal para levantarse al cielo, para aceptar todo, para extender los brazos y el corazón hacia las torturas, para poder ir allá donde está todo su amor: el cielo.»

«A uno que muere así, se le perdonarán entonces muchos pecados» dice un viejo discípulo cuyo nombre ignoro.

«No muchos pecados, sino todos, Papías. Porque el amor es absolución, y el sacrificio es absolución y la confesión heroica de la fe es absolución. Ves, pues, que los mártires tendrán un triple modo de purificarse.»

«Oh, entonces... Yo he pecado mucho, Maestro. Seguí a estos para obtener el perdón. Ayer me lo diste, y por eso te dejaste insultar de quien no perdona y es culpable. Yo creo que tu perdón es válido. Pero por mis largos años de culpa, dame el martirio que absuelve.»

«¡Pides mucho!»

«Nunca será suficiente para obtener la felicidad que Juan de Zebedeo descibió y Tú aprobaste. Te lo suplico, Señor. Haz que muera por Tí, por tu doctrina...»

«¡Pides mucho! La vida del hombre está en manos de mi Padre...»

«Pero todas tus oraciones son acogidas, como todo lo que dijeres. Pídelo al Eterno por mí...»

El hombre se ha arrodillado ante Jesús, que lo mira fijamente y le dice: «¿Y no te parece martirio vivir cuando el mundo ha perdido toda atracción y el corazón suspira por el cielo, y que vive para enseñar a los demás el amor y para conocer las desilusiones del Maestro y perseverar infatigable en dar al Maestro almas? Haz siempre la voluntad de Dios, aun cuando te parezca que la tuya es más heroica, y serás santo... Ved que los compañeros llegan con los alimentos. Vámonos a la ciudad antes de que apriete el calor.»

Es el primero en bajar por ese montoncillo de arena, y toma por la vereda blanquecina que lleva a Cesarea Marítima.

116. En Cesarea Marítima

(Escrito el 30 de abril de 1946)

Cesarea tiene extensos mercados que están llenos de todo género de artículos destinados para las exigentes mesas romanas. Cerca de estas plazas, se ve como un caleidoscopio de caras, colores, razas, de alimentos los más sencillos, hasta los más costosos, importados de todas partes; de las diversas colonias romanas, de la misma Italia. Y todo para que la lejanía de la Patria sea menos dolorosa. Lo mejor de los vinos, las preciosidades en materia culinaria están expuestas bajo los portales, porque los romanos no quieren quemarse bajo el sol, ni mojarse con la lluvia. No tan sólo se tiene cuidado de que el paladar esté satisfecho, sino que se debe pensar en los otros miembros del cuerpo y héte ahí que hay portales frescos, arcos que protegen de la lluvia y que llevan del suburbio romano — casi todo alrededor del palacio del Procónsul, situado entre el camino de la costa y el de la plaza en que están las casermas y las aduanas — a los mercados de los romanos que están junto a los de los judíos.

Hay mucha gente en la parte sur de los mercados y en sus pórticos, que si no son bellos, sí son cómodos. Hay gente de toda clase social. Esclavos y libertos, y hasta algún pajarraco rico rodeado de esclavos que, bajando de su litera, camina perezosamente de una tienda a otra, realizando compras que los esclavos llevan a casa. Las acostumbradas pláticas de dos romanos cuando se encuentran son del tiempo: de la gente que no los da ningún pasatiempo, que no ha habido espectáculos dignos de tal nombre, que no hay más banquetes y conversaciones libres.

Un romano, a quien preceden unos diez esclavos cargados de bolsas y paquetes, se encuentra con otros dos de su ralea. Saludos mutuos: «¡Salve, Ennio!»

«¡Salve, Floro Tulio Cornelio! ¡Salve, Marco Heracleo Flavio!»

«¿Cuándo regresaste?»

«Anteayer al amanacer y rendido de cansancio.»

«¿Que te has fatigado? ¿Desde cuándo te has puesto a sudar?» le dice con gracejo el joven llamado Floro.

«No te burles, Floro Tulio Cornelio. Todavía ahora estoy sudando a causa de mis amigos.»

«¿Por tus amigos? Nada te hemos pedido» le replica el otro, de mayor edad, llamado Marco Heracleo Flavio.

«Pero mi corazón está pendiente de vosotros. ¡Qué duros sois conmigo que me preocupo por vosotros! Ved esa hilera de esclavos cargados. Otros antes de ellos se fueron ya. Y todo para honraros. Todo para vosotros.»

«¿Es este lo que llamas trabajo? ¿Un banquete?»

«¿Y por qué razón?» gritan ruidosamente los dos amigos.

«¡Psss! ¡Qué gritería entre nobles patricios! Os parecéis a esta gente sólo en que todos nos morimos...»

«Orgías y descanso, que son nuestros compañeros inseparables. Todavía me pregunto: ¿Por qué estamos aquí? ¿Qué es lo que debemos hacer?»

«Una de las cosas que debemos hacer es morir de fastidio.»

«Enseñar a vivir a estas lloronas es otra cosa muy distinta.»

«Y... sembrar a Roma en los sagrados senos de las hebreas es algo más [1].»

«Y gozar aquí, como en cualquier otra parte, da nuestras rentas, de nuestro poder al que todo se permite, es cosa muy diversa.»

Los tres se entrelazan en dimes y diretes de los que brota la carcajada abierta. El joven Floro deja de reir y ennegreciendo un poco el ceño, dice: «Hace ya unos cuantos meses que una sombra se echa sobre la alegre Corte de Pilatos. Las mujeres más hermosas parecen castas vestales y sus maridos les secundan en su capricho, lo que roba demasiado a nuestras holganzas...»

«Es cierto. Por seguir el capricho de ese campesino Galileo... Pero pronto pasará todo...»

«Te engañas, Ennio. Tengo entendido que también Claudia ha caído en las redes y por eso... una estrambótica moderación de costumbres se ha apoderado de su palacio. Parece que revive la austera Roma republicana...»

«¡Uff! ¡Qué desgracia! ¿Desde cuándo?»

«Desde el dulce abril propicio a los amores. Tú no sabes... Estabas ausente. Nuestras damas regresaron tan fúnebres como las plañideras de los sepulcros, y nosotros los pobrecitos hombres tenemos que buscar en otras partes muchos consuelos. Ni siquiera se nos permiten en presencia de las púdicas.»

«Una razón más que os socorra. Esta noche hay una gran cena... una gran orgía en mi casa. Estuve en Cintio y ahí hallé delicias que estos apestosos tienen por inmundas: pavos, perdices, grullas de todas clases, jabalíes pequeños para nuestros estómagos. Y vinos... vinos exquisitos de las colinas romanas, de mis posesiones, y de las playas asoleadas de Aciri... Perfumados vinos de Quío y de la isla de la que Cintio es la piedra preciosa. Vinos generosos de Iberia, tan buenos para poner fuego en las venas cuando llega la hora. Oh, será una gran fiesta para ahuyentar el fastidio de este destierro, para convencernos de que todavía somos viriles...»

«¿También habrá mujeres?»

«También... Y hermosas más que un clavel. De todo color y... sabor. Un tesoro me costó el conseguir todas estas mercancías, entre las que vienen mujeres... Pero soy generoso con los amigos... Aquí estaba ya haciendo las últimas compras, que no hice antes porque podían echarse a perder en el viaje. Después del banquete, el amor...»

«¿Tuviste buena navegación?»

«Optima. Venus marina me fue propicia. Por lo demás es a ella a quien dedico el rito de esta noche...»

Los tres se echan a reir francamente, gustando de antemano sus indignas alegrías...

[1] Acerca de esta y símiles descripciones cfr. vol. 2°, pág. 138. not. 1.

Floro pregunta: «¿Por qué motivo esta fiesta extraordinaria?»

«Por tres motivos: mi amado sobrino llevará en estos días la toga viril, y debo festejar este hecho. Porque desobedecí al presagio, según el cual se me decía que Cesarea sería un lugar de tristeza, y conviene destruir el encanto con un rito dedicado a Venus. El tercero... os lo diré en voz baja: estoy de bodas.»

«¿Tú? ¡Eres un mentiroso!»

«De veras. Está uno de bodas siempre que se da el primer sorbo a un ánfora cerrada. Esta noche lo haré. Veinte mil sestercios, o si os gusta mejor, con docientas monedas en oro la compré, incluyendo lo que di a los que me la consiguieron y otros gastos. Ni Venus hubiera sido capaz de parir tal preciosidad. Es bella cual aurora. Blanca y de cabellos rubios como el oro. Pura y hermosa cual ninguna. Un botón, un botón cerrado. ¡Ah! ¡Y yo soy su dueño!»

«Profanador» dice chanceándose Marco Heracleo.

«No la hagas de censor, que eres igual que yo... Cuando se fue Valeriano, todos nos moríamos de fastidio y cansancio. Yo entro ahora en su lugar... los tesoros de nuestros antepasados para esto sirven. No seré un necio como él para esperar que ese capullo de alhelí a quien he puesto el hombre de Gala Ciprina se muera de nostalgia y se pierda con filosofías de esos enervados que no saben gozar de la vida...»

«¡Bravo! Pero... la esclava de Valeriano era docta y...»

«... y loca con la lectura de sus filósofos... Pero ¿quién piensa en el alma? ¿en otra vida? ¿en virtudes?... ¡Vivir es gozar! Y nosotros estamos vivos. Ayer eché al fuego todos esos funestos rollos, y bajo pena de muerte he ordenado a los esclavos a que no vuelvan a acordarse de míseros filósofos y galileos. Ese capullo tan sólo me conocerá a mí...»

«¿Dónde la encontraste?»

«Hubo alguien sagaz que compró esclavos después de las guerras gálicas y los usó tan sólo para reproductores, alimentándolos bien y tratándolos mejor. No tenían más que procrear flores nuevas de belleza... Y Gala es una de estas. Ya es púber. El dueño me la vendió... y yo la compré... ¡ja, ja, ja!...»

«¡Libidinoso!»

«Si no la compraba yo, otro la hubiera comprado... por esto... no debía haber nacido mujer...»

«Si te oyese... ¡Oh, míralo!»

«¿Quién?»

«El Nazareno, que ha embrujado a nuestras damas. Está detrás de tí...»

Ennio se vuelve como si en su espalda tuviese un áspid, mira a Jesús que camina despacio entre la gente que se le agolpa, gente pobre entre la que hay también esclavos romanos, y con una sarcástica carcajada pregunta: «¿Ese harapiento? Le siguen mujeres depravadas. Pero, vámonos, que no nos vaya a embrujar también a nosotros. Y vosotros» dice a los pobres esclavos que lo han estado aguardando cargados de todas las compras, sin tenerles compasión «vosotros idos ligeritos a casa, que habéis estado perdiendo el tiempo, y allá están en espera de las especias y perfumes. Aprisa y a la carrera. Acordaos que está el látigo, si no está todo listo para el crepúsculo.»

Los esclavos van de carrera. Y con toda lentitud los siguen los tres.

Jesús sigue caminando, triste, porque logró oir las últimas palabras de Ennio, y como es alto, mira con infinita compasión a los esclavos que corren bajo su carga. Vuelve su rostro en torno, y busca caras de esclavos de romanos... Ve a algunos mezclados entre la gente que tiemblan de miedo de que los vigilantes los sorprendan o los hebreos los arrojen. Y, deteniéndose, dice: «¿Entre vosotros no hay nadie de aquella casa?»

«No, Señor, pero los conocemos» responden los esclavos presentes.

«Mateo, dales buena limosna. La dividirán entre sus demás compañeros para que sepan que hay quien los ama. Vosotros sabed, y también decidlo a los demás, que con la vida termina el dolor para los que fueron buenos y honestos en sus cadenas, y con el dolor la diferencia entre ricos y pobres, entre libres y esclavos. Después de la muerte hay un Dios único y justo para todos, que sin tener cuenta de patrimonios o de cadenas, dará su premio a los buenos y castigos a los que no lo fueron. Recordadlo.»

«Sí, Señor. Nosotros, los de la casa de Claudia y Plautina, nos encontramos bastante bien, como también los de la casa de Livia y Valeria. Y te bendecimos porque nos has hecho más llevadera nuestra suerte» dice un hombre de edad que parece ser el jefe entre ellos.

«Para mostrarme que me guardáis gratitud, sed siempre mejores y el verdadero Dios será vuestro eterno Amigo.» Jesús levanta la mano como para bendecirlos y decirles que se vayan. Luego se apoya contra una columna y comienza en medio del silencio atento de la multitud. Los esclavos no se van, sino que se quedan a escuchar al Maestro. «Escuchad.

Un padre que tenía muchos hijos, dió a cada uno de ellos, al llegar a la edad adulta, dos monedas de mucho valor y les dijo: "No quiero ya trabajar para cada uno de vosotros. Tenéis edad suficiente para ganaros la vida. Por ésto, doy a cada uno igual medida para que lo empleís como mejor os agrade y para vuestra utilidad. Estaré aquí siempre pronto a aconsejaros, a ayudaros si por un caso involuntario perdieseis todo o parte del dinero que os acabo de dar.

Pero recordad que seré inexorable con quien lo perdiese por maldad y con los holgazanes que se lo acaben o que lo pierdan en el ocio y vicios. A todos os he enseñado a distinguir el bien y el mal. No podéis pues decir que salís ignorantes al encuentro de la vida. A todos he dado ejemplo de laboriosidad y de vida honesta. Nunca os di malos ejemplos. Cumplí con mi deber. Ahora cumplid con el vuestro, que no sois ni unos tontos, ni unos impreparados, ni unos analfabetos. Ios'' y los despidió. El se quedó en casa.

Los hijos se fueron por el mundo. Todos tenían las mismas cosas: dos monedas de gran valor de que podían libremente disponer, y un gran tesoro de salud, energías, conocimientos y ejemplos paternos. Todos debían de llegar a un mismo resultado. Pero ¿qué sucedió? Algunos de los hijos emplearon bien las monedas, y pronto consiguieron un grande y honesto tesoro con su trabajo infatigable, con su honestidad y vida moderada, regulada conforme a las enseñanzas paternas; algunos, primeramente ganaron una buena fortuna, pero después se la desperdicieron con el ocio y la crápula; algunos ganaron mucho dinero con usuras y comercios ilegales; otros no ganaron nada, porque se entregaron a la pereza, a la ociosidad, y las monedas de gran valor se acabaron antes de que hubieran podido conseguir una ocupación cualquiera.

Después de un poco de tiempo, el padre de familia mandó siervos a donde sabía que estaban sus hijos y les dijo: ''Diréis a mis hijos que se reúnan en mi casa. Quiero que me den cuenta de lo que han hecho en este tiempo, y yo mismo me percataré de sus condiciones''. Los siervos se fueron y reunieron a los hijos de su patrón, repitieron a cada uno las palabras de su padre y regresaron con ellos.

El padre de familia los acogió con mucha solemnidad. Con cariño de padre pero también con severidad de juez. Estaban presentes todos los de la familia, y con ellos los amigos, los conocidos, los siervos, los paisanos, y los de lugares vecinos. Una reunión solemne. El padre se sentó en su asiento de cabeza de familia; a su alrededor todos los familiares, amigos, conocidos, siervos, paisanos y de lugares vecinos. En frente, y en fila, los hijos.

Aun sin precisar pregunta alguna, las caras de ellos respondían a la verdad. Los que habían sido laboriosos, honestos, moderados y adquirido una fortuna legítima, tenían el aspecto florido, tranquilo, mostraban tener salud y buena conciencia. Miraban a su padre con una sonrisa franca, agradecida, humilde, pero al mismo tiempo triunfante, llena de gozo por haber honrado a su padre y a la familia y por haber sido buenos hijos, buenos ciudadanos y buenos creyentes. Los que habían terminado sus bienes en la indolencia, o en los vicios, estaban apenados, mustios, demacrados, con vestidos sucios, con señales de las crápulas o de las hambres que habían tenido que padecer. Los que habían hecho fortuna con actos criminales tenían el aspecto agresivo, duro; su mirada vestida de crueldad, y se encontraban atemorizados como las bestias que tiemblan ante el domador y que se preparan a reaccionar...

El padre empezó el interrogatorio por estos últimos: "¿Cómo es posible que vosotros que teníais un talante sereno cuando os fuisteis, parezcáis ahora fieras prontas a desgarrar a su presa? ¿De dónde viene este aspecto?"

"La vida nos lo dió. Y tu dureza de habernos mandado afuera. Nos pusiste en contacto con el mundo".

"Está bien. ¿Y qué hicisteis en él?"

"Lo que podíamos, para obedecer tus órdenes de ganarnos la vida con la nada que nos diste".

"Está bien. Ponéos en aquel rincón... Y ahora, vosotros flacos, enfermos y malvestidos. ¿Qué hicisteis para llegar a este estado? Estabais sanos, y salisteis bien vestidos".

"En diez años los vestidos se acabaron..." replicaron los flojos.

"¿No hay acaso en el mundo telas para hacer vestidos?"

"Sí... pero se necesita dinero para comprarlas..."

"Lo teníais".

"En diez años... se acabó. Todo lo que tiene principio, tiene fin".

"Cierto es, si se toma y no se repone. ¿Y por qué vosotros siempre tomabais dinero? Si hubierais trabajado, hubierais podido reponer y tomar sin que el dinero se acabase; aun más, lo hubierais aumentado. ¿Habéis estado enfermos?"

"No, padre".

"¿Y entonces?"

"Nos sentimos perdidos... No sabíamos qué hacer, qué cosa era lo mejor... Tuvimos miedo de equivocarnos. Y para no incurrir en errores, no hicimos nada".

"¿Y no vivía vuestro padre a quien le hubierais pedido consejo? ¿He sido alguna vez un padre intransigente, que infunda miedo?"

"¡Oh, no! Pero nos avergonzábamos de decirte: 'No somos capaces de tomar alguna iniciativa'. Tú siempre has sido un hombre activo... Nos escondimos por vergüenza".

"Está bien. Estaos en medio del salón. Ahora, vosotros, ¿qué me decís? ¿Vosotros del aspecto de hambre, en que también se ven las huellas de enfermedad? ¿Acaso os enfermasteis por el mucho trabajo? Sed sinceros y no os regañaré".

Algunos de los interpelados se echaron de rodillas, golpeándose el pecho y diciendo: "Perdónanos, padre. Ya Dios nos castigó con lo que merecíamos. Pero tú, que eres nuestro padre, perdónanos... Empezamos bien, pero no perseveramos. Al ver que tan fácilmente éramos ricos, dijimos: 'Bueno, gocemos ahora un poco, como nos aconsejan los amigos, y luego tornaremos al trabajo y recuperaremos lo perdido'. En verdad que tal era nuestro propósito. Recuperar las dos monedas, luego hacerlas producir. Y dos veces (dijeron dos de ellos), y tres (dice uno) lo logramos. Pero luego la fortuna nos abandonó... y acabamos con el dinero".

"Pero ¿por qué no escarmentasteis la primera vez?"

"Porque el vicio que se prueba corrompe el paladar, y luego no se puede estar sin él...".

"Estaba vuestro padre...".

"Es verdad. Suspirábamos por tí con nostalgia, pero te habíamos ofendido... Pedíamos al cielo que te inspirase que nos mandases llamar para que nos reprendieses y junto con tu reprensión nos dieses tu perdón; esto era lo que pedíamos y pedimos, más que las riquezas que no apetecemos más, porque nos extraviaron".

"Está bien. Poneos junto a los que están en medio del salón. Y vosotros, enfermos y pobres como estos, ¿por qué guardáis silencio y no mostráis dolor? ¿Qué alegáis?"

"Lo que alegaron los primeros. Que te odiamos porque con tu imprudente obrar nos arruinaste. Tú, que nos conocías, no debías de habernos dejado morir en las tentaciones. Nos odiaste y te odiamos. Nos pusiste esta trampa para librarte de nosotros. Te maldecimos".

"Está bien. Ios con los que están en el rincón. Y ahora vosotros, que os veis frescos, serenos, ricos. Decid ¿cómo lo lograsteis?"

"Poniendo en práctica tus enseñanzas, ejemplos, consejos, órdenes, todo en una palabra. Resistimos a los tentadores por amor tuyo, padre bendito que nos diste vida y sagacidad".

"Está bien. Venid a mi derecha y escuchad todos mi sentencia y mi defensa. A todos di igual dinero, iguales ejemplos e igual sagacidad. Mis hijos han respondido de manera diversa. De un padre hacendoso, honesto, moderado, nacieron hijos semejantes a él, nacieron otros que fueron ociosos, otros débiles en las tentaciones, y otros que odian a su padre, a sus hermanos, a su prójimo a quien le hicieron mal, aunque no lo digan, con sus usuras y crímenes. De entre los hijos débiles y ociosos hay unos que se arrepienten y otros no.

Ahora he aquí la sentencia. Los perfectos están ya a mi derecha, iguales que yo en la gloria como en las obras; los arrepentidos serán tratados como hijos a quienes hay todavía que enseñar, que estarán sujetos hasta que no lleguen al grado de obtener una capacidad que los haga nuevamente adultos; a los impenitentes y culpables se les arrojará fuera de mis confines y llevarán detrás de sí la maldición de quien para ellos no es ya más padre, porque el odio que me tienen, destruye las relaciones de paternidad y de filiación que había antes [2]. Pero recuerdo a todos que cada uno se labró su

[2] Cfr. vol. 2°, pág. 310, not. 6 y notas respectivas.

suerte, que a todos di las mismas cosas que fueron diversas según lo que ellos quisieron y que por lo tanto no puedo ser acusado de haber deseado el mal a ninguno de ellos".

La parábola ha terminado. Os la voy a explicar con parangones. El Padre de los cielos es representado por el padre de una familia numerosa. Las dos monedas entregadas antes de partir son el tiempo y la libre voluntad que Dios concede a cada hombre para que los use como mejor crea, después de que fue instruído y educado con la Ley y los ejemplos de los justos.

A todos iguales dones; pero cada hombre los usa como quiere. Algunos emplean celosamente el tiempo, conservan los medios, la educación, las rentas, todo en el bien y se mantienen sanos y santos, ricos con triplicada riqueza. Algunos comienzan bien y luego se cansan y se extravían. Algunos no hacen nada y quieren que otros lo hagan. Algunos culpan al Padre de sus errores; algunos se arrepienten, dispuestos a reparar; algunos no se arrepienten y acusan y maldicen, como si otros los hubiesen arrastrado a la ruina.

Y Dios da a los justos pronta recompensa; a los que se arrepienten misericordia y tiempo de expiar para que obtengan su premio con el arrepentimiento y expiación; y maldice y castiga a los que pisotean su amor con la impenitencia y el pecado [3]. A cada uno da lo suyo.

No desperdiciéis, pues, las dos monedas: el tiempo y el libre albedrío, sino empleadlas con justicia para que lleguéis a la diestra del Padre, y si habéis faltado en algo, arrepentíos y tened fe en el Amor misericordioso [4].

Ios y la paz sea con vosotros.»

Los bendice, mira cómo se alejan bajo un sol que inunda la plaza y las calles. Pero los esclavos siguen allí...

«¿Todavía aquí, pobres amigos míos? ¿No os castigarán?»

«No, Señor, si decimos que te escuchamos. Nuestras dueñas te veneran. ¿A dónde vas a ir ahora, Señor? ¡Hace tanto que deseábamos verte!...»

«A la casa del cordelero que está en el puerto. Pero esta noche me voy, y vuestras dueñas irán a la fiesta...»

«Lo diremos también. Hace muchos meses que nos dieron órdenes de que siguiéramos tus pasos.»

«Está bien, ios. También vosotros emplead bien el tiempo y el pensamiento que siempre es libre, aun cuando el hombre esté encadenado.»

Los esclavos se inclinan profundamente y se van al barrio de los romanos. Jesús y los suyos por una callejuela se dirigen al puerto.

[3] Cfr. la nota anterior; y también vol. 2°, pág. 533, not. 2.

[4] Cfr. pág. 621, not. 4.

117. «La sabiduría, porque es una forma de santidad, da luz en el juzgar»

(Escrito el 1° de mayo de 1946)

Jesús está hospedado con la familia del cordelero. La casa es baja y con sarro por estar cerca del mar. Detrás de ella están los depósitos, que no huelen bien, y donde se descargan las mercancías que compran los comerciantes. Delante de la casa hay una calle polvorienta, por donde pasan carretas pesadas y llena de ruido que producen los cargadores, los golfos, los carreteros, los marineros que van y vienen sin cesar. Más allá de la calle se ve una pequeña dársena de aguas aceitosas por los deshechos que se arrojan y por su inmovilidad. De la dársena emerge un canal que desemboca en el verdadero puerto que es amplio, capaz de dar acogida a grandes naves. Del lado occidental hay una plazoleta arenosa donde se hacen los cordeles en medio del chirrido de malacates. Del lado oriental otra plazoleta, más pequeña, menos ruidosa y desordenada, donde hombres y mujeres reparan redes y velas. Se ven también casuchas bajas y llenas de sarro, repletas de muchachillos semidesnudos.

No se puede decir en justicia que Jesús haya escogido un alojo señorial. Moscas, polvo, ruido, hedor a aguas estancadas, olor al cáñamo metido en agua antes de que se le use, es lo que reina por aquí. Y el Rey de reyes, echado con sus discípulos sobre montes de cáñamo, duerme cansado en este pobre lugar, que sirve de escondrijo y también de almacén, y que está detrás de la casa. Se entra a ella por una puerta negra como el tizne de la cocina que también es negra, y por una puerta apolillada y vieja con el polvo y sarro, que le dan un color blanco-grisáceo de pómez, se va a la plaza donde se fabrican los lazos y de donde emanan olores de cáñamo.

El sol fustiga la plaza pese a cuatro gigantescos plátanos, dos en cada ángulo de la plaza rectangular, bajo los que están los malacates para torcer el cáñamo. No sé si me explico bien al tratar de describir los instrumentos. Los hombres, con una túnica, apenas lo suficientemente grande para cubrir lo que es la decencia, bañados en sudor como si estuviesen bajo una regadera, dan vueltas y vueltas a su malacate, sin cesar, como galeotes condenados al trabajo. No hablan más que las palabras indispensables a su trabajo. Así pues, si quitamos el chirrido de las ruedas de los malacates y el del cáñamo estirado, no se oye otro rumor en la plaza; lo que es un constraste raro con el rumor de los otros lugares que rodean la casa del cordelero.

Por esto es sorprendente, como algo jamás imaginado, que uno de los trabajadores exclame: «¿Mujeres? ¿Y a estas horas? ¡Mirad! Vienen hacia aquí...»

«Andarán buscando cordeles para amarrar a sus maridos...» dice con mofa un joven.
«Puede ser que necesiten de cáñamo para sus trabajos.»
«¿Del nuestro, tan burdo, cuando pueden conseguir uno muy fino?»
«El nuestro cuesta menos. ¿Ves? Son pobres...»
«Pero no son hebreas. Mira que el manto es diverso...»
«Así es. Acá en Cesarea hay de todo un poco...»
«Tal vez busquen al Rabbí. Estarán enfermas... Mira cómo vienen cubiertas, y con este calor...»
«Con tal de que no sean leprosas... Miseria, sí; pero lepra, no. No la quiero ni siquiera resignándome a la voluntad de Dios» dice el cordelero a quien todos obedecen.
«¿No has oído al Maestro?: ''Es menester aceptar todo lo que Dios nos manda''.»
«Pero la lepra no la manda Dios. La proporcionan los pecados, los vicios y el contagio...»
Las mujeres están ya a sus espaldas, no de estos que hablan y que están en un ángulo de la plaza, sino de los que están junto a la casa; una de ellas se inclina para decir algo a uno de los cordeleros, que se voltea admirado y se queda como tonto.
«Vamos a oir un poco... Tan cubiertas... Buenas las tendría con la lepra y con tantos hijos...» dice el dueño del negocio, que deja de dar vueltas al malacate y va hacia las mujeres. Sus compañeros lo siguen...
«Simón, esta mujer desea algo, pero habla una lengua extranjera. Háblale tú, que has navegado» dice aquel a quien la mujer había hablado al principio.
«¿Qué quieres?» pregunta con voz ronca el cordelero, tratando de ver su cara bajo el velo oscuro que lleva.
Y con un griego clásico responde la mujer: «Al Rey de Israel. Al Maestro.»
«Ah, comprendí. ¿Sois leprosas?»
«No.»
«¿Quién me lo asegura?»
«El te lo puede decir. Pregúntaselo.»
El hombre no sabe qué hacer... Luego: «Bien. Haré un acto de fe y Dios me protegerá... Lo voy a llamar. Quedaos aquí.»
Las mujeres, que son cuatro, no se mueven. Forman un grupo extraño y mudo. Los cordeleros, que se han acercado, las miran con asombro y con un temor marcado.
El cordelero se va al almacén, toca a Jesús que duerme. «Maestro... Ven acá. Te buscan.»
Jesús se despierta y se levanta al punto. Pregunta: «¿Quién?»
«Mujeres griegas... todas cubiertas. Dicen que no son leprosas y

que Tú lo puedes asegurar.»
«Voy al punto» dice Jesús amarrándose las correas de sus sandalias, y abrochándose el cuello. Se pone a la cintura la faja que se había quitado para poder dormir mejor. Sale con el cordelero. Las mujeres le vienen al encuentro.
«Quedaos allí, os lo digo. No quiero que vengáis a donde están jugando los niños... Primero quiero que afirme que estáis sanas.»
Las mujeres se detienen. Jesús llega a ellas. La más alta, no la que habló antes en griego, dice una palabra en voz baja. Jesús se vuelve al cordelero: «Simón, puedes estar tranquilo. Las mujeres no están enfermas, y quiero escucharlas en paz. ¿Puedo entrar con ellas dentro?»
«No. Está la vieja que es una charlatana y una curiosa. Vete al fondo: bajo el techado de las tinas. Allí hay una pequeña habitación. Allí estarás solo y en paz.»
«Venid» dice Jesús a las mujeres. Va con ellas al fondo de la plaza, bajo los techos apestosos, entra a una habitacioncilla donde hay utensilios rotos, harapos, restos de cáñamo, gigantescas telarañas, y donde la peste de la maceración del cáñamo y del moho repugnan lo indecible. Jesús, que tiene un aspecto serio y pálido, dice con una sonrisa leve: «No es un lugar apropiado a vuestros gustos... pero no dispongo de otra cosa...»
«No vemos al lugar, sino al que en estos momentos está en él» responde Plautina, que se quita el velo y el manto. Lo mismo hacen Lidia, Valeria y la liberta Albula Domitila.
«De esto colijo que, pese a todo, todavía me consideráis como a un hombre justo.»
«Y más que eso. Y Claudia nos manda precisamente porque cree que eres más que un justo y no tiene en cuenta lo que oyó. Pero quiere para venerarte con mayor razón que Tú mismo se lo digas.»
«O para no hacerlo, si me muestro a ella como quisieron pintarme. Pero decidle que no hay nada de eso. No tengo miras humanas. Mi ministerio y mi deseo es tan sólo sobrenatural y nada más. Quiero, sí, reunir en un solo reino a todos los hombres. ¿A qué hombres? ¿A los que están hechos de carne y sangre? No. Eso lo dejo, cosa corruptible, a las monarquías que pasan, a los reinos que se tambalean. Quiero reunir bajo mi único cetro sólo los corazones de los hombres, espíritus inmortales en un reino inmortal. Cualquier otra versión la rechazo como contraria a mi voluntad, la haya dado o la de quien fuere. Y os ruego que creáis y que digáis a quien os envía, que la Verdad no tiene sino una sola palabra...»
«Tu apóstol habló con demasiada seguridad.»
«Es un muchacho exaltado. Y como tal hay que escucharlo.»
«Pero te hace daño. Regáñalo... Arrójalo de Tí...»
«Entonces ¿dónde estaría mi misericordia? El lo hace llevado de

un amor equivocado. ¿No debo acaso compadecerlo? ¿Y qué cambiaría, si lo arrojase de Mí? Haría doble mal a sí y a Mí.»

«Es para Tí como una zancadilla.»

«Es para Mí un infeliz a quien tengo que redimir...»

Plautina cae de rodillas con los brazos extendidos y dice: «Maestro, mayor que cualquier otro. ¡Qué facil es tenerte por santo cuando se siente tu corazón en tus palabras! ¡Qué fácil es amarte y seguirte debido a esta caridad tuya que es todavía mayor que tu inteligencia!»

«No mayor, sino que es más asequible a vosotras... cuyo entendimento está envuelto en muchos errores y no sois lo demasiado generosas para despojaros de ellos y aceptar la Verdad.»

«Tienes razón. Eres tan adivino como sabio.»

«La sabiduría, porque es una forma de santidad, da siempre luz en el juzgar, bien se trate de cosas pasadas o presentes, bien de advertencia previa a hechos futuros.»

«Por esto vuestros profetas...»

«Eran unos santos. Dios se comunicaba a ellos con una gran plenitud.»

«¿Eran santos, porque eran de Israel?»

«Por eso y porque fueron justos en sus acciones. Pues no todo Israel es y ha sido santo, pese a ser Israel. No es el pertenecer por casualidad a un pueblo o a una religión lo que puede hacer santos a los hombres. Pueden ayudar a serlo y en mucho, pero no son el factor absoluto de la santitad.»

«¿Cuál es, entonces, ese factor?»

«La voluntad del hombre. La voluntad que hace que las acciones del hombre sean santas si es buena, perversas si es mala [1].»

«Entonces... entre nosotros puede ser que haya justos.»

«Así es, y no cabe duda que entre vuestros antepasados hubo justos, y los hay entre los que viven actualmente. Porque sería muy horrible que todo el mundo pagano perteneciese a los demonios. Quienes de entre vosotros se sienten atraídos hacia el Bien y la Verdad, y huyen del vicio y de las malas acciones que envilecen al hombre, creedme que están ya en el sendero de la justicia.»

«Entonces Claudia...»

«Sí. Y vosotras. Perseverad.»

«Pero ¿si muriéramos antes... de convertirnos a Tí? ¿Para que serviría el haber sido virtuosas?»

«Dios es justo en el juzgar. Pero ¿por qué debéis dar las espaldas al Dios verdadero?»

Las tres mujeres bajan la cabeza... Un silencio... Luego la confesión que será la que dará la clave a la crueldad romana y a su resis-

[1] Cfr. pág. 621, not. 4.

tencia al cristianismo... «porque nos parece, que al hacerlo, traicionaríamos a la Patria...»

«Al revés, la serviríais, pues la haríais moral y espiritualmente más grande porque sería fuerte con la posesión y protección de Dios además de su ejército y riquezas. Roma, la Urbe del mundo, la Urbe de la religión univeral... Pensadlo...»

Un silencio...

Luego, Livia encendida como una llama, dice: «Maestro, hace tiempo que buscábamos en las páginas de nuestro Virgilio algo referente a Tí. Porque para nosotros tienen más valor las... profecías de los que no han tenido relación con la fe de Israel que las de vuestros profetas, en los que podemos pensar que hubo sugestiones de creencias milenarias... Y lo discutimos... Confrontamos los diversos profetas que en todos los tiempos, naciones y religiones hablaron de Tí. Pero nadie mejor que nuestro Virgilio te presagió... ¡Cuánto hablamos aquel día también con Diómedes, el liberto griego, astrólogo a quien mucho quiere Claudia! El sostuvo que esto sucedió porque los tiempos eran más cercanos, y los astros lo decían con sus conjunciones... Para apoyo de su tesis, adujo el hecho de los tres Sabios de los tres países de Oriente, que vinieron a adorarte cuando eras un infante, y con ello provocaron la matanza de que la misma Roma se horrorizó... Pero no nos persuadimos porque... no obstante que tu manifestación ha sucedido en nuestros tiempos, por cinquanta años ninguno de los sabios del mundo ha hablado de Tí por voz de los astros. Claudia exclamó: "¡Hace falta el Maestro! Nos diría la verdad y conoceríamos el lugar y destino inmortal de nuestro más grande poeta". Querrías decirnos... por Claudia... Algo que nos muestre que no estás irritado contra ella.»

«He comprendido su reacción de romana, y no le guardo ningún rencor. Decidle que esté tranquila. Y escuchad. Virgilio no fue grande sólo como poeta ¿o no es así?»

«¡Oh, no! Lo fue también como hombre. En medio de una sociedad que estaba ya corrompida y viciada, fue un faro de pureza espiritual. Nadie puede decir haberlo visto lujurioso, amante de orgías y de costumbres licenciosas. Sus escritos son castos, y mucho más casto fue su corazón. Tanto es así que en los lugares en que por más tiempo vivió, se le llamó "la doncella" para vergüenza de los viciosos y veneración de los buenos.»

«Ahora bien, ¿en el alma pura de un hombre casto no habrá podido reflejarse Dios, aun cuando ese hombre fuese pagano? La Virtud perfecta ¿no habrá amado al virtuoso? Y si se le concedió amar y ver la Verdad debido a la belleza pura de su corazón ¿no podrá haber tenido un fulgor de profecía? ¿De una profecía que no es más que la verdad que se descubre a quien merece conocer la Verdad como premio e incentivo para una virtud mayor?»

«Entonces... ¿profetizó de Tí?»
«Su inteligencia, prendida en la pureza y en el genio, logró ascender y conocer una página que se refiere a Mí, y puede llamársele el poeta pagano y justo, un hombre dotado de espíritu profético y anterior a Mí por premio de sus virtudes.»
«¡Oh, nuestro Virgilio! ¿Y tendrá algún premio?»
«Ya lo dije: "Dios es justo". Pero vosotras no imitéis al poeta deteniéndoos hasta donde llegó. Avanzad, porque la Verdad no se os ha mostrado por intuición o en parte, sino completa, y os ha hablado.»
«Gracias, Maestro... Nos retiramos. Claudia nos dijo que te preguntásemos si te puede ser útil en asuntos morales» dice Plautina sin continuar el tema anterior.
«Y os mandó que me dijeseis, si soy un usurpador...»
«¡Oh, Maestro! ¿Cómo lo sabes?»
«¡Soy más que Virgilio y que los profetas!...»
«¡Es verdad! ¡Todo es verdad! ¿Podemos servirte?»
«No necesito de nada más que de fe y amor. Pero hay una creatura que se encuentra en gran peligro y que esta noche tendrá el alma muerta. Claudia podría salvarla.»
«¡Quién! ¿El alma muerta?»
«Un patricio vuestro da una cena y...»
«¡Ah, sí! Ennio Casio. También mi marido fue invitado...» dice Livia.
«Y también el mío... También nosotras para decir verdad. Pero como Claudia se abstiene, también nosotras nos abstendremos. Habíamos decidido retirarnos inmediatamente después de la cena, si es que íbamos... Porque... nuestras cenas terminan en orgías... que no podemos soportar... Y con el enojo de que nuestros maridos no se preocupan de nosotras, nos salimos...» dice Valeria con energía.
«No por enojo... por piedad a su miseria moral...» corrige Jesús.
«Es difícil, Maestro... Sabemos lo que pasa allí dentro...»
«Yo también sé muchas cosas que suceden en los corazones... y sin embargo perdono...»
«Tú eres un santo...»
«Vosotras debéis serlo. Porque lo quiero y porque a ello os empuja vuestra voluntad...»
«Maestro...»
«Sí. ¿Podéis afirmar que sois felices como antes de conocerme? ¿Felices en la miserable y brutal felicidad, en la sensualidad de paganas que ignoran no ser más que un pedazo de carne, ahora que conocéis un poco a la Sabiduría?...»
«No, Maestro. Lo tenemos que decir claro. Estamos descontentas, inquietas como uno que busca un tesoro y no lo encuentra.»

«Y está ante vosotras. Lo que os inquieta es el ansia de vuestros corazones por la Luz, el sentirse mal porque tardáis... en darles lo que os piden...»

Un silencio. Después Plautina sin responder directamente, dice: «¿Y qué podría hacer Claudia?»

«Salvar a esa pobre creatura. Una niña que el romano compró para su placer. Una virgen que mañana no lo será más.»

«Si la compró... le pertenece.»

«No es un mueble. Dentro de su cuerpo hay un alma...»

«Maestro... nuestras leyes...»

«Mujeres: ¡la ley de Dios!...»

«Claudia no va a ir a la fiesta...»

«No le digo que vaya; os digo que le transmitáis lo siguiente: "El Maestro, para asegurarse que Claudia no tiene nada contra El, le pide que le ayude en favor de esta niña"...»

«Se lo diremos. Pero no podrá hacer nada... Esclava adquirida... objeto del que se puede disponer...»

«Mi religión enseñará que el esclavo tiene un alma semejante al César, mejor en muchos casos, y que esa alma pertenece a Dios, y que quien la corrompe es maldito.» Jesús lo dice con severidad y energía.

Las mujeres se sacuden a la voz severa de la orden. Se inclinan sin replicar. Se ponen otra vez los mantos y los velos. Dicen: «Lo transmitiremos. Salve, Maestro.»

«Hasta pronto.»

Las mujeres salen hacia la plaza que arde. Plautina se vuelve y dice: «*Para todos* éramos mujeres griegas. ¿Entendido?»

«Entendido. Id tranquilas.»

Jesús se queda solo en el portal bajo. Las mujeres regresan por el camino por el que vinieron.

Los cordeleros regresan a su trabajo.

Jesús regresa despacio al almacén. Está pensativo. No se echa sobre el montón de cáñamo. Se sienta sobre un montón de cuerdas enrolladas. Ora intensamente. Los once continúan durmiendo profundamente...

Y así pasa el tiempo... cerca de una hora. Después el cordelero asoma su cabeza y hace señal a Jesús de que vaya a la puerta. «Hay un esclavo. Te quiere ver.»

El esclavo, un númida, está afuera, en la plaza, llena todavía de sol. Se inclina y, sin hablar, entrega una tableta encerada. Jesús lee y dice: «Dirás que esperaré hasta antes del alba. ¿Entendiste?» El esclavo dice que sí con la cabeza, y para que vea Jesús por qué no habla, abre su boca, y le enseña la lengua tronchada. «¡Infeliz!» dice Jesús, acariciándolo.

Por las mejillas del esclavo caen dos lágrimas. Toma la mano blanca entre las suyas negras y se la pone en la cara, la besa, se la lleva al pecho y se echa en tierra. Toma el pie de Jesús y se lo pone sobre la cabeza... Un lenguaje de gestos para mostrar su agradecimiento por ese gesto de amor... Y Jesús repite: «¡Infeliz!», pero no hace ademán de curarlo.

El esclavo se levanta, pide la tableta encerada... Claudia no quiere dejar huellas de su contacto epistolar... Jesús sonríe y devuelve la tableta. El númida parte y Jesús va a donde está el cordelero.

«Debo quedarme hasta antes del alba... ¿Me lo permites?»

«Todo lo que quieras. Me desagrada ser pobre...»

«Me agrada que seas honrado.»

«¿Quiénes eran esas mujeres?»

«Unas extranjeras que necesitaban de consejo.»

«¿Están sanas?»

«Como Yo y tú.»

«Entonces, está bien... He ahí a tus apóstoles...»

Los once salen del almacén, todavía restregándose los ojos, extirándose soñolientos.

«Maestro... hay que cenar antes de partir...» dice Pedro.

«No. No parto sino al amanecer.»

«¿Por qué?»

«Porque me pidieron que así lo hiciera.»

«¿Por qué? ¿Quién? Es mejor caminar de noche. La luna es nueva.»

«Espero salvar a una creatura... Y esto es más luminoso que la luna y más refrescante que las frescuras de la noche.»

Pedro lo lleva aparte: «¿Qué pasó? ¿Viste a las romanas? ¿Qué humor tienen? ¿Son ellas las que se van a convertir? Dímelo...»

Jesús sonríe: «Si me dejas responder, te lo diré, hombre curiosísimo. Vi a las romanas. Muy lentamente caminan hacia la Verdad, pero no retroceden. Lo que ya es mucho.»

«Y... acerca de lo que dijo Judas... ¿hay algo?»

«Que continúan venerándome como a un sabio.»

«¿Por causa de Judas? ¿Es él el que lo ha hecho?»

«Vinieron a buscarme a Mí, no a él...»

«Entonces ¿por qué tuvo miedo de encontrarse con ellas? ¿Por qué no quería que vinieses a Cesarea?»

«Simón, no es la primera vez que Judas tiene caprichos estrambóticos...»

«Es verdad. Y... ¿van a venir esta noche las romanas?»

«Ya vinieron.»

«Entonces ¿por qué esperamos hasta que amanezca?»

«¿Por qué eres tan curioso?»

«Maestro, sé bueno... Dime todo.»

«Te lo diré para quitarte toda duda... También tu escuchaste la conversación de aquellos tres romanos...»

«Clero que la oí. Inmundos. Apestosos. Demonios. Pero a nosotros ¿qué nos importa?... ¡Ah, entiendo! Las romanas van a ir a la cena, y luego vendrán a pedirte perdón por haber estado en medio de la inmundicia... Me maravilla que asientas a ello.»

«Yo me maravillo de que formes juicios temerarios.»

«¡Perdóname, Maestro!»

«Sí, pero ten en cuenta que las romanas no van a ir a la cena y que Yo pedí a Claudia que interviniese en favor de esa muchachita...»

«¡Oh, pero Claudia no puede hacer nada! El romano compró la muchacha, y tiene todo el poder sobre ella.»

«Pero Claudia tiene mucho poder sobre el romano. Y Claudia me mandó a decir que no parta hasta antes del alba. No hay otra cosa. ¿Estás contento ahora?»

«Sí, Maestro, pero no has descansado nada... Ven... ¡Estás cansado! Vigilaré para que te dejen en paz... Ven, ven...» y amorosamente tiránico lo jala, lo empuja, lo obliga a tirarse sobre el montón de cáñamo.

Pasan las horas. El sol se oculta. Cesa el trabajo. Los niños gritan y hacen más ruido por calles y plazoletas, como las golondrinas en el firmamento. La noche ya entró. Las golondrinas se van a sus nidos y los niños a la cama. Uno tras uno van muriendo los ruidos, hasta que queda el del choque de las aguas en el canal y el estrépito de las ondas en la playa. Cierran las puertas de las casas los cansados trabajadores; se apagan las luces, y el dulce beleño se apodera de todos, y los hace ciegos, mudos... Sale la luna y con sus rayos de plata besa el sucio espejo de la pequeña dársena que parece ahora una losa de plata...

Los apóstoles nuevamente duermen sobre el cáñamo... Jesús está sentado sobre uno de esos malacates; las manos sobre las rodillas. Ora, piensa, aguarda... No quita los ojos del camino que viene de la ciudad.

La luna se levanta, sube más; casi está perpendicular a su cabeza. El mar retumba con mayor fuerza, el canal despide más fuertes hedores; la hoz de la luna que se baña con sus rayos en el mar, se hace más grande, más extensa, más lejana: cual un camino de luz que de los confines del mundo parezca acercarse a Jesús, que sube por el canal, y se sumerge en la dársena.

Por este camino avanza una barca, pequeña, de color blanquecino. Avanza, boga sin dejar huellas duraderas de su paso... Sube por el canal... Ha llegado a la dársena silenciosa. Se detiene. Tres bultos bajan. Un hombre robusto, una mujer y una delicada figura. Se dirigen hacia la casa del cordelero. Jesús se levanta y sale a su encuentro.

«La paz sea con vosotros. ¿A quién buscáis?»

«A Tí, Maestro» dice Lidia descubriéndose y acercándose ella sola. Dice: «Claudia hizo lo que le pidiste, porque era cosa justa y completamente moral. Aquella es la muchachita. Dentro de poco tiempo Valeria la tomará como doncella de su pequeña Fausta. Pero te ruega que entretanto la tengas. Que puedes confiarla a tu Madre o a la madre de tus parientes. Es pagana del todo. Mejor dicho, es peor que pagana. El dueño que la alimentó no le *enseñó nada en absoluto*. Nunca ha oído hablar ni del Olimpo, ni de otra cosa. Tan sólo se siente aterrorizada ante los hombres porque hace unas cuantas horas la vida se le reveló como es, brutal, cruel...»

«¡Oh! ¿Demasiado tarde?»

«No, materialmente. ... El la preparaba poco a poco... digamos... para su sacrilegio. Y la niña está espantadísima... Claudia tuvo que dejarla durante toda la cena cerca de ese sátiro, y sólo quiso intervenir cuando el vino lo había casi imposibilitado para pensar bien. No es necesario que te diga que si el hombre siempre es un lúbrico en sus amores sensuales, lo es mucho más cuando está ebrio... Pero sólo entonces es un juguete con el que se puede hacer lo que se quiera, y arrebatarle su tesoro. Claudia se aprovechó del momento. Ennio desea regresar a Italia, de la que salió por haber perdido el favor imperial... Claudia le prometió el regreso en cambio de la muchacha. Ennio mordió el anzuelo... Mañana, cuando no esté ya borracho, protestará, la buscará, hará su comedia. Pero también mañana Claudia buscará el modo de hacerlo callar.»

«¿Con la violencia? ¡No!»

«¡Oh, violencia empleada a un buen fin! Pero no será necesaria. Sólo Pilatos, que todavía no vuelve en sí del vino que digirió esta noche, firmará la orden de que Ennio vaya a presentarse a Roma... ¡Ah, ah!... Y partirá en el primer buque militar. Pero entretanto... es mejor que la niña esté en otra parte, por temor de que Pilatos se arrepienta y revoque la orden... ¡Es muy endeble! Y es mejor así para que la niña olvide las asquerosidades humanas. ¡Oh, Maestro!... Por este motivo fuimos a la cena... Pero ¿cómo pudimos ir allá hasta unos cuantos meses, sin haber sentido náuseas? Tan pronto obtuvimos lo que se deseaba, nos salimos... Todavía nuestros maridos están imitando a los brutos... ¡Qué náuseas, Maestro!... Y debemos recibirlos después... después que...»

«Sed austeras y pacientes. Con vuestro ejemplo haréis mejores a vuestros maridos.»

«¡Oh, no es posible! Tú no sabes...» La mujer llora más de coraje que de dolor. Jesús suspira. Lidia continúa: «Claudia te manda a decir que lo hizo para mostrarte que te venera como *al Unico Hombre que merece veneración*. Y quiere que te diga que te agradece haberle enseñado lo que vale un alma y lo que vale la pureza.

Lo recordará siempre. ¿Quieres ver a la niña?»
«Sí. ¿El hombre quién es?»
«El númida mudo que emplea Claudia para sus servicios secretos. No hay ningún peligro de delación... No tiene lengua...»
Jesús repite como al mediodía: «¡Infeliz!» Pero tampoco ahora hace el milagro.
Lidia va a tomar la niña de la mano, y casi la arrastra hasta donde está Jesús. Dice a modo de explicación: «Sabe unas cuantas palabras latinas, judías casi ninguna... Es una salvajita... Que la buscaron únicamente como objeto de placer.» Dirigiéndose a la niña: «No tengas miedo. Dile "gracias". El fue el que te salvó... Arrodíllate. Bésale los pies. ¡Ea, hazlo! ¡No tengas miedo!... ¡Perdona, Maestro! Todavía tiene el terror que le inspiraron las caricias de Ennio que estaba ebrio...»
«¡Pobre niña!» dice Jesús poniendo su mano en la cabeza de la niña. «¡No tengas miedo! Te llevaré a casa de mi Madre, por algún tiempo. A la casa de Mamá, ¿entiendes? Y tendrás a tu alrededor muchos hermanos buenos... ¡No tengas miedo, hijita mía!»
¿Qué hay en la voz de Jesús, en su mirada? Hay todo: paz, seguridad, pureza, amor santo. La niña lo siente, se echa atrás el manto con su capucho para mirarlo mejor, y aparece la figura delicada de una niña asomada a las puertas de la pubertad. Sus modales no son rebuscados. Su cara es inocente. El vestido que trae le queda muy largo...
«Estaba casi desnuda... Le puse los primeros vestidos que encontré... y otros en la alforja...» dice Lidia.
«¡Una niña!» dice con piedad Jesús. Y tomándole de la mano, le pregunta: «¿Quieres venir conmigo?»
«Sí, patrón.»
«No. No soy patrón. Dime, Maestro.»
«Sí, Maestro» dice con más confianza la niña. Y una tímida sonrisa brilla por esa carita en que antes estaba dibujada la palidez y el miedo.
«¿Eres capaz de caminar mucho?»
«Sí, Maestro.»
«Después descansarás en la casa de mi Mamá, en mi casa, hasta que llegue Fausta... una niña que vas a querer mucho... ¿Quieres?»
«¡Oh, sí!...» y la niña confiada levanta sus ojos puros de un color verde-azul bellísimo entre cejas de oro y se atreve a preguntar: «¿Ya no más aquel patrón?» y un rayo de terror vuelve a turbar su mirada.
«No más» le vuelve a prometer Jesús, poniéndole nuevamente la mano sobre su abundante cabellera rubia.
«Adiós, Maestro. Dentro de pocos días estaremos también nosotras en el lago. Tal vez nos podremos ver una vez más. Ruega por

las pobres romanas.»

«Adiós, Lidia. Di a Claudia que estas son las conquistas que pretendo, y no otras. Ven, niña. Partiremos al punto...»

Y, tomándola de la mano, se dirige a la puerta del almacén y llama a los apóstoles.

Mientras la barca regresa sin dejar traza de haber venido y entra al mar abierto, Jesús y los apóstoles, con la niña envuelta en un manto en medio de ellos, toman el camino de la campiña por callejuelas periféricas y desiertas.

118. La religión es amor y deseo de ir a Aquel en quien creemos

(Escrito el 2 de mayo de 1946)

La aurora en los días de verano aparece pronto, de modo que desde el momento en que la luna se oculta hasta el de los primeros albores, el espacio de tiempo es muy breve. Por más que hayan caminando ligeros, todavía la oscuridad se cierne sobre ellos en las cercanías de Cesarea, y de muy poco sirve la luz que arroja una rama encendida de espino. Hay que detenerse un poco, porque la niña, que no está acostumbrada a caminar de noche, tropieza frecuentemente con las piedras que hay bajo el polvo del camino.

«Es mejor esperar un poco. La niña no ve y está cansada» dice Jesús.

«No, no; sí puedo... Vámonos lejos, lejos, lejos... Podría venir. Por aquí pasamos para ir a esa casa» responde castañeteando los dientes, mezclando hebreo y latín para hacerse entender.

«Vamos detrás de aquellos árboles, y nadie nos verá. No tengas miedo» le dice Jesús.

«No tengas miedo. A estas horas ese romano es una sopa de vino bajo la mesa...» dice Bartolomé para darle ánimos.

«Y estás con nosotros. Todos te queremos. No permitiremos que te hagan daño. Oh, somos doce hombres robustos...» dice Pedro, que apenas es un poco más alto que ella: él la robustez, ella la delicadeza; él quemado por el sol, ella blanca como la nieve, pobre florecita que creció a la sombra para ser más admirada y más preciosa.

«Eres una hermanita nuestra, y los hermanos defienden a sus hermanos» dice Juan.

La niña, a quien roza muy de cerca la improvisada antorcha, levanta sus ojos claro grises con tintes de azul, dos pupilas hermosas, límpidas por el llanto que hace poco derramaron, hacia sus amigos... No sabe qué hacer, sin embargo se fía de ellos. Pasa con todos el riachuelo seco, y de allí entra a un campo que domina una arboleda.

Se sientan en la oscuridad y aguardan. Los hombres se dormirían gustosos, pero cualquier rumor que se oye hace prorrumpir a la niña en un grito y el galope de un caballo la hace agarrarse al cuello de Bartolomé que tal vez porque ya es de mucha edad atrae su confianza. Y así no es posible dormir.

«¡No tengas miedo! Cuando uno está con Jesús, nunca sucede una desgracia» dice Bartolomé.

«¿Por qué?» pregunta la niña, temblando y todavía asida al cuello del apóstol.

«Porque Jesús es Dios, y Dios es más fuerte que los hombres.»

«¿Dios? ¿Qué cosa es Dios?»

«¡Pobre criatura! Pero ¿cómo te han educado? ¿Nada te enseñaron?»

«Sí, a conservar blanco el cutis, brillante la cabellera, a obedecer a los patrones... a decir siempre sí... Pero yo no podía decir sí al romano... era feo y me daba miedo... Durante todo el día miedo... siempre allí... en el baño... en los vestidores... unos ojos... esas manos... ¡Oh! Y si alguien no decía "sí" era apaleado...»

«No lo serás más. Ya no está el romano, ni están sus manos... Sólo la paz...» le dice Jesús.

Los otros comentan: «¡Es una crueldad! Como a bestias... y peor todavía... Porque una bestia al menos sabe que le enseñan a arar, a llevar la silla y el freno, porque este es su oficio. Pero a esta creatura se le echó allí sin saber...»

«Si hubiera sabido, me hubiera arrojado al mar. Había dicho: "Te haré feliz"...»

«De hecho te hizo feliz, de una manera que nunca imaginó. Feliz en la tierra y feliz en el cielo. Porque conocer a Jesús es felicidad» dice Zelote.

Un silencio durante el que cada uno medita en las crueldades del mundo. Luego, en voz baja, la niña pregunta a Bartolomé: «¿Me puedes decir qué es Dios? ¿Y por qué El es Dios? ¿Por qué es hermoso y bueno?»

«Dios... ¿Como haré para enseñarte a tí que no tienes ninguna idea de religión en tu cabeza?»

«¿Qué cosa es religión?»

«¡Oh, que ésto no me esperaba! Estoy ahora como uno que se ahoga en el mar. ¿Qué puedo hacer ante el abismo?»

«Es muy sencillo, Bartolomé, lo que te parece difícil. Es un abismo, sí, pero vacío, y puedes llenarlo con la Verdad. Peor es cuando los abismos están llenos de fango, veneno, sierpes... Habla con sencillez como si hablases a un infante. Ella te entenderá como no lo haría un adulto.»

«Maestro ¿pero no podrías hacerlo Tú?»

«Podría, pero la niña aceptará más fácilmente las palabras de un semejante suyo que las mías de Dios. Y por otra parte... Os encontraréis en lo futuro ante estos abismos y los llenaréis de Mí. Debéis, pues, aprender a hacerlo.»

«Es verdad. Lo probaré. Oye, niña... ¿Te acuerdas de tu mamá?»

«Sí, señor. Hace siete años que las flores han florecido sin ella. Antes estaba con ella.»

«Está bien. ¿La recuerdas? ¿La amas?»

«¡Oh!» un sollozo junto a un pequeño grito.

«No llores, pobre niña... Oye... El amor que tienes por tu mamita...»

«...y por mi papá... y por mis hermanos...» dice entre sollozos la niña.

«Sí... por tu familia, el amor por tu familia. El pensamiento que abrigas por ella, el deseo que tienes de regresar a ella...»

«¡Nunca más!...»

«Pero... Todo es una... algo que podría llamarse religión de la familia. Las religiones, las ideas religiosas son el amor, el pensamiento, el deseo de ir a donde está aquel o aquellos en quienes creemos, a quienes amamos, a quienes deseamos ver.»

«Si yo creo en ese Dios que está allí, tendré una religión... ¡Es fácil!»

«¡Bien! ¿Fácil qué cosa? ¿Tener una religión o creer en ese Dios que está allí?»

«En ambas cosas, porque fácilmente se cree en un Dios bueno, como el que está allí. El romano me nombraba muchos y juraba. Decía: "¡Por la diosa Venus!", "¡Por el dios Cupido!" Han de ser dioses malos porque el hacía cosas malas cuando los invocaba.»

«No es tan tonta la niña» comenta Pedro en voz baja.

«Pero yo todavía no sé qué cosa sea Dios. Veo que es un hombre como tú... Entonces es un hombre Dios. ¿Y cómo se hace para comprenderlo? ¿En qué aspecto es más fuerte que todos? No tiene ni espada, ni siervos...»

«Maestro, ayúdame...»

«No, Natanael. Enseñas muy bien...»

«Lo dices porque eres bueno... Busquemos otro modo de seguir adelante. Oye, niña... Dios no es hombre. El es como una luz, una mirada, un sonido, tan grande que llena cielo y tierra y todo lo ilumina, todo lo ve, todo lo ordena y en todas cosas manda...»

«¿También al romano? Entonces no es un Dios bueno. ¡Tengo miedo!»

«Dios es bueno y da buenas órdenes. A los hombres les ha prohibido armar guerras, hacer esclavos, arrebatar las hijitas a sus madres, y espantar a las niñas. Pero los hombres no escuchan siempre las órdenes de Dios.»

«Pero tú, sí...»

«Yo sí.»

«Si es más fuerte que todos ¿por qué no se hace obedecer? ¿Y cómo habla si no es un hombre?»

«Dios... ¡Oh, Maestro!...»

«Sigue, sigue, Bartolomé. Eres un maestro muy competente. Sabes decir con gran simplicidad pensamientos muy profundos ¿y ahora ya no quieres seguir? ¿No sabes que el Espíritu Santo está en los labios de los que enseñan la Justicia?»

«Parece fácil cuando se te escucha... todas tus palabras están aquí dentro... pero sacarlas afuera cuando hay que hacer lo que haces... ¡Oh, miseria de nosotros los humanos! ¡Maestros inútiles!»

«El reconocer la nulidad propia, dispone al corazón a la enseñanza del Espíritu Paráclito...»

«Está bien, Oye, niña. Dios es fuerte, fortísimo, más que César, más que todos los hombres juntos con sus ejércitos y máquinas de guerra, pero no es un señor sin compasión que quiera siempre que se le diga que sí, so pena de azotarlo. Dios es un padre. ¿Te quería mucho tu padre?»

«¡Mucho! Me puso por nombre Aurea Gala porque el oro es precioso y Galia es mi patria, y decía que me amaba más que el oro que un tiempo tuvo y más que a la patria...»

«¿Te azotó tu padre?»

«No. Jamás. Cuando no me portaba bien, me decía: "¡Pobrecita hija mía!" y lloraba...»

«Bueno, pues así hace Dios. Es padre, nos ama y llora si somos malos, pero no nos obliga a obedecerle... Pero el que sea malo, un día será castigado con suplicios horribles...»

«¡Oh, qué bueno! El dueño que me arrebató de mi madre y me llevó a la isla, y también el romano, irán a los suplicios. ¿Y lo veré?»

«Tu verás de cerca a Dios, si creyeres en El y fueres buena. Y para ser buena no debes odiar ni siquiera al romano.»

«¿No? ¿Cómo lograrlo?»

«Rogando por él.»

«¿Qué es rogar?»

«Hablar con Dios diciéndole que lo queremos...»

«Pero ¡yo quiero que mis dueños tengan una mala muerte!» dice con fuerza la niña llevada de su coraje.

«No, no debes. Jesús no te amará, si dices así...»

«¿Por qué?»

«Porque no se debe odiar a quien nos ha hecho el mal.»

«No puedo amarlos, pero.»

«Pero puedes por ahora olvidarlos. Trata de olvidarlos. Luego, cuando Dios... te instruya más, rogarás por ellos... Decíamos, pues, que Dios es poderoso, pero deja a sus hijos en libertad de obrar.»

«¿Soy yo hija de Dios? ¿Tengo dos padres? ¿Cuántos hijos tiene?»

«Todos los hombres son hijos de Dios porque los creó. ¿Ves esas estrellas allá arriba? El las hizo. ¿Ves estas plantas? El las hizo. La tierra en la que estamos sentados, el pájaro que canta, el mar inmenso, todo; y a todos los hombres los creó El. Y los hombres son más hijos suyos que todo lo demás porque tienen algo especial que se llama alma y que es luz, sonido, mirada, ojos, no tan grandes como los de Dios que ven Cielo y Tierra, pero hermosos y que jamás se mueren, como Dios no muere.»

«¿Dónde está el alma? ¿Tengo yo también alma?»

«Sí. En tu corazón. Es la que te hizo comprender que el romano era malo y que ciertamente no te dejará que desees ser como él. ¿O no es verdad?»

«Sí...» La niña reflexiona detrás de este «sí» que no es muy seguro... Luego con firmeza dice; «¡Sí! Era como una voz que estuviese adentro y como una necesidad de tener quien me ayudase... y con otra voz, que era mía, llamaba a mi mamita... porque no sabía yo que existiese Dios, que existiese Jesús... Si lo hubiera sabido, lo habría llamado a El con esa voz que estaba dentro...»

«Bien has comprendido, niña. Crecerás en la Luz. Yo te lo aseguro. Cree en el Dios verdadero. Escucha la voz de tu alma en la que no existe todavía una sabiduría, pero en la que tampoco existe mala voluntad, y encontrarás en Dios a un Padre, y en la muerte, que es un paso de la tierra al cielo para los que creen en el Dios verdadero y son buenos, encontrarás un lugar en el cielo, cerca de tu Señor» dice Jesús poniendo su mano sobre la cabeza de la niña, que cambia de posición y se arrodilla diciendo:

«Cerca de Tí. ¡Qué bien se siente uno al estar contigo! No te separes de mí, Jesús. Ahora sé quién eres y me arrodillo. En Cesarea tuve miedo de hacerlo... Me parecías un hombre. Ahora sé que eres un Dios escondido en un hombre y que para mí eres un Padre y un Protector.»

«Y Salvador, Aurea Gala.»

«Y Salvador. Me salvaste.»

«Y te salvaré cada vez más. Tendrás un nombre nuevo...»

«¿Me quitas el nombre que me dió mi padre? Mi dueño me llamaba en la isla Aurea Quintilia porque nos separaban por colores y por el número y yo era la quinta, rubia... Pero ¿por qué no me dejas el nombre que me dió mi padre?»

«No te lo voy a quitar. Junto a tu nombre antiguo tendrás otro nuevo, eterno.»

«¿Cuál?»

«Cristiana. Porque Cristo te salvó. Bien. Comienza a alborear.

Vámonos... ¿Ves, Natanael, que es fácil hablar de Dios a los abismos vacíos?... Hablaste muy bien. La niña se instruirá fácilmente en la Verdad... Sigue adelante con mis hermanos, Aurea...»

La niña obedece, pero con temor. Preferiría quedarse con Bartolomé, el cual comprende todo y le dice: "Voy en seguida. Vete. Obedece...» Y quedándose con Jesús, Pedro, Simón y Mateo, advierte: «Está mal que la tenga Valeria. Es pagana.»

«No puedo decirle a Lázaro que la tome...»

«Está Nique, Maestro» sugiere Mateo.

«Y Elisa...» dice Pedro.

«Y Juana... Es amiga de Valeria, y Valeria se la cede con gusto. Estaría en una casa buena» dice Zelote.

Jesús piensa y calla....

«Haz lo que te parezca... La niña con frecuencia vuelve atrás su cara. Voy con ella. Se fía de mí porque estoy ya viejo... Me gustaría quedarme con ella... una hija más... Pero no es de Israel...» y se va, el buen Natanael, pero demasiado Israelita.

Jesús lo mira y sacude su cabeza.

«¿Por qué eso, Maestro?» pregunta Zelote.

«Porque me causa dolor ver que aun los prudentes son esclavos de prejuicios...»

«Pero... lo digo entre nosotros. Bartolomé tiene razón... y aún más... debe tomar sus providencias... Acuérdate de Síntica y Juan... Que no vaya a suceder cosa semejante... Envíala a donde está Síntica...» dice Pedro que se acuerda de las dificultades que hubo por la pagana.

«Dentro de poco Juan habrá muerto... Síntica no está del todo instruída para ser maestra de una niña como Aurea... No es un ambiente propicio...»

«Y con todo no puedes tenerla. Piensa que Judas pronto se habrá reunido con nosotros. Y Judas, permíteme que te lo diga Maestro, es un lujurioso y un... uno que fácilmente habla con la condición de recabar alguna utilidad... y tiene muchos amigos entre los fariseos...» insiste Zelote.

«Exacto, Simón ha dicho la verdad. También yo pensaba en lo mismo» exclama Pedro. «Haz lo que dice él, Maestro.»

Jesús piensa y calla... Luego añade: «Oremos, y el Padre nos ayudará... [1]» y todos oran fervorosamente...

El alba se ha teñido de colores... Atraviesan un poblado, toman el camino que va por la campiña... El sol se siente más fuerte. Se sientan a comer a la sombra de un nogal gigantesco.

[1] Esta expresión: «Oremos, y el Padre nos ayudará...» es semejante a la otra que también se encuentra en esta Obra: «Rogad por Mí» (cfr. pág. 543, not. 2 y las notas respectivas). Significa: Rogad para que el Padre ayude con consuelo a la Humanidad triste y dolorosa de su Hijo.

«¿Estás cansada?» pregunta Jesús a la niña que come sin ganas. «Dínoslo y nos detendremos.»

«No, no... Vámonos...»

«Se lo hemos preguntado varias veces, pero siempre dice que no...» responde Santiago de Alfeo.

«Puedo. Todavía tengo fuerzas. Vámonos lejos...»

Tornan a caminar. Aurea se acuerda de algo. «Tengo una bolsa. Me dijeron las señoras: "La darás cuando empiecen los montes". Y los montes están aquí.» Busca en la alforja en que Livia le puso algunos vestidos... Saca la bolsa y la entrega a Jesús.

«El óbolo... No quisieron quedarse sin dar las gracias. Son mejores que muchos de los nuestros... Toma, Mateo. Guarda este dinero. Nos servirá para hacer limosnas secretas.»

«¿Debo decirlo a Judas de Keriot?»

«No.»

«El va a ver a la niña...»

Jesús no responde... Continúan caminando con fatiga, debido al mucho calor, al polvo y al reverbero. Comienza la subida a las primeras estribaciones del monte Carmelo, según me parece. Aunque aquí hay más sombra y está más fresco, Aurea va tropezando frecuentemente.

Bartolomé vuelve atrás, a Jesús. «Maestro, la niña tiene fiebre y está agotada. ¿Qué hacemos?»

Deliberan. ¿Detenerse? ¿Llevarla en brazos y continuar? Sí. No. Al fin deciden que hay que llegar al camino principal que lleva a Sicaminón para pedir ayuda a algún viajero que vaya cabalgando o de algún carruaje. Quisieran cargarse en los brazos a la niña, pero ella, decidida completamente a alejarse, repite siempre lo mismo: «¡Puedo, puedo!». Y quiere caminar por sí misma. Está colorada, con los ojos de fiebre, agotada realmente. Pero no cede... Camina poco a poco. Acepta que Bartolomé y Felipe le ayuden... Pero continúa caminando... Todos en realidad están cansados. Pero comprenden que es menester caminar e irse...

Pasan la colina. Están al otro lado... la llanura de Esdrelón, allá abajo, y más allá las colinas entre las que está Nazaret...

«Si no encontramos nada, nos detenemos con los campesinos...» dice Jesús.

Continúan caminando, caminando... Casi a los pies de la colina distinguen a un grupo de discípulos. Están Isaac, Juan de Efeso con su madre, Abel de Belén con la suya y otros cuyo nombre no conozco. Para las mujeres hay una carreta de la que tira un fuerte mulo. Están Daniel y Benjamín pastores, José el barquero y otros.

«¡Es la providencia que nos socorre!» exclama Jesús. Y ordena que todos se detengan, mientras va a hablar a los discípulos y sobre todo a las discípulas.

Las lleva aparte junto con Isaac y les cuenta algo de lo sucedido a Aurea: «La arrebatamos a un patrón inmundo... Quisiera llevarla a Nazaret para curarla porque está enferma de miedo y de cansancio. Pero no tengo en que llevarla. ¿A dónde vais vosotros?»

«A Belén de Galilea, a la casa de Mirta. Es imposible tolerar el calor de la llanura» responde Isaac.

«Id primero a Nazaret, os lo pido por caridad. Llevad a donde mi Madre a la niña y decidle que dentro de dos o tres días estaré en casa. La niña tiene fiebre, por esto no debéis creer en sus delirios. Os lo contaré después...»

«Sí, Maestro. Lo que Tú quieras. Partimos al punto. ¡Pobrecita niña! ¿La azotaba?» preguntan los tres.

«Quería violarla.»

«¿Cuantos años tiene?»

«Mas o menos trece...»

«¡Un vil! ¡Inmundo! Nosotros la cuidaremos con cariño. Con razón somos madres, ¿verdad Noemí?»

«Cierto, Mirta. ¿Señor, es tu discípula?»

«No lo sé todavía [2].»

«Si es tuya, nosotros la cuidamos. No regreso a Efeso. He mandado a varios amigos míos a liquidar todo. Me quedo con Mirta. Acuérdate de nosotras por la niña. Nos salvaste a nuestros hijos. Queremos salvar a ésta.»

«Pronto pensaremos en ello...»

«Maestro, las dos discípulas son en realidad buenas...» dice Isaac.

«No depende de Mí [3]... Rogad mucho y no digáis nada a *nadie*. ¿Entendisteis? A *nadie*.»

«Así lo haremos.»

«Venid con el carruaje.» Jesús retrocede. Isaac guía el carro, lo siguen Jesús y las mujeres.

La niña se ha echado sobre la hierba en busca de frescura entre los tallos...

«¡Pobre criatura! Pero no se va a morir ¿verdad?»

«¡Qué hermosa niña!»

«Querida, no tengas miedo. Soy una mamá ¿sabes? Ven... Levántala, Mirta... No tiene fuerzas... Ayúdanos, Isaac... Aquí debe de tener los golpes... La alforja bajo la cabeza... Envolvámosla en nuestros mantos... Isaac, humedece estos paños para ponerlos sobre la frente... ¡Qué calentura!... ¡Pobre hija!...»

Las dos mujeres muestran sus cuidados maternales. Aurea parece no caer en la cuenta de lo que le pasa, por la fiebre...

Todo está arreglado... El carruaje puede partir... Isaac antes de

[2] Por experiencia humana, la cual *depende* también de la libre voluntad de los hombres.

[3] Como la nota anterior.

levantar el látigo, se acuerda: «Maestro, si vas al puente encontrarás a Judas de Keriot. Te está esperando como un mendigo... El fue quien nos dijo que pasarías por aquí. ¡La paz sea contigo, Maestro! Al anochecer estaremos en Nazaret.»

«¡La paz sea contigo, Maestro!» dicen las discípulas.

«¡La paz sea con vosotros!...»

El carruaje parte rápido...

«¡Dénse gracias al Señor!...» dice Jesús.

«Suerte para la niña, suerte para Judas... Es mejor que no sepa nada...»

«Así es. Pido a vuestro corazón un sacrificio. Nos separaremos antes de llegar a Nazaret, y vosotros, los del lago, iréis con Judas a Cafarnaúm, mientras Yo con mis hermanos, Tomás y Simón, iré a Nazaret.»

«Lo haremos, Maestro. ¿Y qué dirás a estos que te esperan?»

«Que teníamos premura de avisar a mi Madre mi llegada... Vámonos...» y reúne a los discípulos que, muy felices por estar con el Maestro, no hacen ninguna clase de preguntas.

119. La parábola de la viña y del libre albedrío

(Escrito el 4 de mayo de 1946)

«La paz sea con vosotros, amigos míos. El Señor es bueno. Nos concede que nos veamos reunidos en un convite fraternal. ¿A dónde vais?»

«Algunos al mar, otros a los montes. Hasta aquí hemos caminado juntos y nuestro número aumentó con otros grupos que encontramos por el camino» dice Daniel, pastor del Líbano.

«Sí. Nosotros dos queríamos llegar hasta el gran Hermón. Al mismo tiempo que vamos apacentando las ovejas, podemos dar alimento a los corazones» dice Benjamín, su compañero.

«Buena idea. Yo iré por algún tiempo a Nazaret, luego estaré entre Cafarnaúm y Betsaida hasta la nueva luna de elul [1]. Os lo digo para que podáis encontrarme en caso de necesidad. Sentaos y juntemos nuestra comida para que nos la repartamos mutuamente.»

Lo hacen así. Extienden sobre un paño sus... riquezas: tortas, queso, pescado salado, aceitunas, alguno que otro huevo cocido, las primerizas manzanas... y con la misma alegría con que pusieron lo que traían se lo reparten también entre sí, después de que Jesús hi-

[1] Entre agosto y septiembre.

zo la oferta y bendijo.

¡Qué contentos están con este banquete de amor! El cansancio, el calor no existen para ellos. Están anegados en el gozo de oir a Jesús que les pregunta lo que hicieron, los aconseja, o bien, les refiere lo que El hizo. Y aunque la hora es bochornosa y provoca al sueño, tantas son las ganas de oir al Maestro que nadie tiene deseos de pegar ojo. Terminada la comida, guardado lo poco que quedó, después de habérselo dividido por partes, se van a donde los árboles están más tupidos, y al rumor suave de las hojas, sentados alrededor de Jesús, le ruegan que les diga alguna bella parábola que les sirva de instrucción y de norma para la vida.

Jesús, sentado de modo que tiene ante su vista la llanura de Esdrelón, en que no hay trigo, pero sí viñedos y árboles frutales, extiende su mirada sobre el panorama, como buscando un tema que le sirva. Sonríe. Lo encontró. Empieza con un tema genérico: «¡Qué hermosos se ven los viñedos de la llanura!»

«Muy hermosos. Están increíblemente cargados de uvas que van madurando. Se les cultiva bien, y por eso rinden mucho.»

«Se tratará de viñas de buena clase...» insinúa Jesús, y continúa: «La llanura está dividida en varios predios pertenecientes a diversos ricos fariseos que los cultivan sin importarles lo que les costaron las viñas.»

«¡Oh, de nada les hubiera servido haber comprado las mejores viñas, si no hubiesen continuado cuidándolas! De esto entiendo bastante, porque casi todas mis posesiones consisten en viñas. Pero, si no sudo, esto es, si no hubiese sudado como lo hacen todavía mis hermanos, créeme, Maestro, que no habría podido ofrecerte racimos de uvas como los del año pasado» dice un hombre como de cuarenta años, robusto, al que me parece haber visto, pero cuyo nombre no recuerdo.

«Tienes razón, Cleofás. Todo el secreto para tener buenas cosechas consiste en el cuidado que demos a nuestros campos» dice otro.

«Buenos frutos y también buenas ganancias. Si la tierra devolviese sólo lo que se gastó en ella, siempre sería un derroche de dinero. La tierra debe dar el fruto del capital que nos costó, además de una ganancia que nos permita aumentar nuestras riquezas. Porque hay que pensar siempre que un padre tiene que dar algo a sus hijos. Y que, según el número de los hijos, debe hacer las partes bien se trate de tierra, bien de dinero, para que todos puedan vivir. No creo que aumentar los beneficios para hacer bien a los hijos sea reprochable» insiste Cleofás.

«No lo es si se adquirió con el trabajo honesto y de modo honesto. Tú afirmaste que pese a lo bueno de los retoños que tuvieron que esperar, es menester trabajarlos mucho para poder tener alguna utilidad.»

«Claro que sí, y antes de que brote el primer racimo... Que si necesita del tiempo ¿eh? Por esto se debe tener paciencia y trabajar, hasta que la viña eche hojas. Y luego, después de que produzca sus frutos y estén macizas, hay que vigilar para que no haya ramas inútiles, insectos nocivos, que hierbas parásitas no acaben con el terreno y ahoguen los pimpollos como las espinas y los farolillos, hay que hacer depósitos pequeños cerca de las raíces para que la lluvia penetre y las aguas se estanquen, que alimenten la planta y hay que echarle abono... Trabajo duro pero necesario, para que la uva, tan dulce, tan bella, que parece una piedra preciosa en cada racimo, se forme chupando de ese abono negro y apestoso. Parece imposible, pero así es. Y luego quitar las hojas para que el sol dé sobre los racimos; y cuando se termine la vendimia, ligar las plantas, podarlas, cubrir sus raíces con paja y excremento para preservarlas del frío; y aun durante el invierno vigilar por si el viento o algún sinvergüenza quitaron las estacas; y si la humedad ha destruído los lazos que sostenían las ramas. ¡Oh, que siempre hay que trabajar, mientras la vid esté viva!... Y luego, después de muerta, hay que sacarla de la tierra, arrancar todas las raíces para que se plante nueva. Y sabes que es necesario tener una mano liviana y paciente y un ojo sutil para separar los perchones de las plantas muertas mezcladas con los de las buenas. Si uno lo hace ligeramente, sin poner atención, se causaría daño. ¡Es necesario conocer el oficio!... ¿Las vides? ¡Parecen ser unos hijos! Y antes de que un hijo llegue a ser un hombre, ¡cuánto hay que sudar para que esté sano en el cuerpo, y en el espíritu!... Pero yo estoy hablando, y no te he dejado hablar. Nos prometiste decirnos una parábola...»

«A decir verdad, la dijiste ya. Bastaría con sacar las conclusiones y decir que las almas son las vides...»

«¡No, Maestro! Habla Tú. Yo... dije tonterías y no podemos hacer las aplicaciones.»

«Está bien. Oíd.

Cuando nuestro ser no era más que carne en el seno de nuestra madre, Dios creó en los cielos el alma, para que el futuro ser tuviese su semejanza, y la puso en la carne que se desarrollaba en el seno materno. Llegado el tiempo de que el nuevo ser naciese, nació con su alma, que hasta el uso de razón fue como una tierra abandonada e inculta. Llegada al uso de razón, el hombre empezó a razonar y a distinguir entre el bien y el mal; y cayó en la cuenta de que tenía una viña que debía cultivar según él quisiera; y también de que tenía un viñador: su libre albedrío.

De hecho, la libertad en seguir el propio camino, que dejó Dios al hombre, su hijo, es como un siervo capaz que Dios haya dado al hombre, su hijo, para que lo ayude a hacer fértil la viña, esto es, su alma.

Si el hombre no tuviese que sudar para hacerse rico, para prepararse un futuro eterno de felicidad sobrenatural, si todo lo tuviese que recibir de Dios, ¿qué gracia habría en volver a aparecer santo, después que Lucifer corrompió la santidad original gratuita que Dios concedió a los primeros hombres? Ya es mucho que Dios haya concedido a las criaturas caídas por herencia de la culpa, merecer el premio de ser santos, volviendo a nacer por propia voluntad [2], a la naturaleza original de criaturas perfectas que el Creador había concedido serlo a Adán y a Eva, y a sus descendientes, si ellos se hubieran conservado inmunes de la culpa inicial.

El hombre caído debe volver a ser el hombre elegido por su propia voluntad [3]. Ahora bien, ¿qué sucede con las almas?

Lo siguiente. El hombre confía su alma a su voluntad, a su libre albedrío, que se pone a trabajar la viña mientras es un terreno sin plantas, bueno, pero sin plantas que sirvan para algo. Tan sólo hierbas delicadas, florecillas de un día, era lo que había en los primeros años de su existencia: la bondad instintiva del niño que es bueno porque todavía es un angel ignorante del bien y del mal.

Me preguntaréis: "¿Por cuánto tiempo lo es?" Generalmente se dice: durante los primeros seis años. Pero en verdad os digo que hay inteligencias precoces, por las que los niños pueden ser responsables aun ya antes de los seis años. Tenemos niños responsables de sus acciones aun a los tres años, a los cuatro, responsables porque saben que esto es bueno y aquello malo, y *quieren* libremente esto o aquello. Desde el momento en que una criatura sabe distinguir la mala acción de la buena, es responsable. No antes. Por esto un tonto, aunque llegue a los cien años, es un irresponsable, pero a su vez tienen responsabilidad sus tutores, que con amor deben vigilarlo, y procurar que no se infiera daño alguno al prójimo o a sí mismo. Pero Dios no imputa al demente o al loco culpa alguna, porque por desgracia suya está privado de inteligencia.

Pero nosotros nos referimos a seres inteligentes y sanos de mente y cuerpo.

Así pues, el hombre confía su viña inculta a su trabajador: el libre albedrío, y él empieza a trabajar. El alma: la viña con todo tiene una voz y la hace oir al libre albedrío. Una voz sobrenatural que se alimenta de voces sobrenaturales que Dios no niega jamás a las almas: la del Custodio, la de espíritus que Dios mismo envía [4], la de la Sabiduría, la de recuerdos sobrenaturales [5] que el alma

[2] Cfr. pág. 621, not. 4.
[3] Como la nota anterior.
[4] Cfr. vol. 4°, párrafo 133, not. 3.
[5] Cfr. vol. 2°, pág. 964 not. 13 y pág. 990 not. 1.

recuerda sin que el hombre tenga de ellos una conciencia completa [6]. Y habla al libre albedrío con voz suave, suplicante, le pide que la adorne de plantas buenas, de que sea activo y prudente para no se convierta en un montón de espinos venenosos, donde aniden serpientes y escorpiones, y hagan sus cuevas las zorras, la garduña y otros animales dañinos.

El libre albedrío no siempre es un buen cultivador. No siempre guarda la viña y la defiende con vallas, esto es, con una voluntad firme y buena, dispuesta a defender el alma contra los ladrones, parásitos, contra todo lo pernicioso, contra los violentos vientos que podrían hacer caer las florecillas de las buenas resoluciones cuando apenas están brotando del capullo de los deseos. ¡Oh, qué valla alta y fuerte es menester levantar alrededor del corazón para preservarlo del mal! ¡Cuán necesario es vigilar porque no se la fuerce, porque no se hagan en ella ni pequeños, ni grandes boquetes por los que entren las disipaciones, ni engañosas resquebraduras, en los cimientos, por donde se metan las víboras: los siete vicios capitales! ¡Cómo es necesario escardar, quemar las hierbas malas, podar, construir depósitos pequeños, abonar con la mortificación, curar con el amor a Dios y al prójimo la propia alma! Y vigilar con ojos atentos y claros y mente despejada para que los sarmientos que podían parecer buenos, no se hagan dañosos; lo que suele suceder, si no se les arranca sin compasión. Es mejor que haya una sola planta, pero bella, que muchas inútiles y nocivas.

Tenemos corazones, por lo tanto tenemos viñas en las que un cultivador despreocupado trabajó, plantó plantas nuevas: este trabajo, aquella idea, aquel deseo, que, aunque no malos, se pueden convertir en algo malo si no se vigila... ¡Cuántas virtudes perecen, al verse mezcladas con la sensualidad, porque no se las cuidó, porque en una palabra, el libre albedrío no está sostenido por el amor! ¡Cuántos ladrones entran a robar, a causar daños, a arrancar, porque la conciencia duerme, en vez de velar; porque la voluntad se debilita, se va muriendo; porque el libre albedrío se deja seducir y se hace esclavo del Mal, él que es libre!

¡Pensad! Dios hace al albedrío libre, y este se hace esclavo de las pasiones, del pecado, de las concupiscencias, del Mal en una palabra. Soberbia, ira, avaricia, lujuria, al principio mezcladas, después triunfantes sobre las plantas buenas... ¡Una desgracia! La

[6] Dios ha puesto en el hombre la conciencia además de la inteligencia. La conciencia tiene su voz propia que recuerda, amonesta y regaña. Recuerda el bien que hay que hacer, y lo que no debe hacerse porque es malo. Amonesta a no hacer el mal porque es contra toda ley natural y sobrenatural. Reprocha el mal hecho. Incita a reparar y a arrepentirse. Hace sentir que el mal hecho en la tierra, es causa de la pérdida de un premio futuro, de la pérdida del Bien Supremo. Esto hace la conciencia, porque como Dios la dió no puede hacer sino esto o suscitar en la criatura el recuerdo de quien la dió al hombre por guía (cfr. además pág. 621, not 4).

sequía que agosta las plantas porque no hay más oración de unión con Dios, y, por lo tanto, no permanece el rocío de jugos benéficos en el alma. ¡Qué frío intenso se apodera de las raíces por la falta de amor a Dios y al prójimo! ¡Cuánta pobreza de terreno, porque no se acepta el abono de la mortificación y humildad! ¡Qué entrelace de ramas buenas y malas, porque no se tiene el valor de sufrir que se ampute lo que es nocivo! Este es el estado de un alma que tiene por custodio y cultivador a un libre albedrío desordenado y vuelto hacia el Mal.

Mientras que el alma que posee un libre albedrío que vive dentro del orden y, por lo tanto, en la obediencia a la Ley establecida (para que el hombre sepa qué cosa es, cómo es, y cómo se conserva el orden, y que es heroicamente fiel al Bien, porque este eleva al hombre y lo hace semejante a Dios, mientras el Mal lo embrutece y lo hace semejante al demonio), es una viña bañada con aguas puras, abundantes, fértil por la fe, debidamente cubierta con plantas de la esperanza que le hace sombra, llena del sol de la caridad, ayudada de la voluntad, abonada con la mortificación, ligada con la obediencia, podada con la fortaleza, guiada por la justicia, vigilada por la prudencia y por la conciencia. Y la gracia crece con tantos auxilios, crece la santidad y la viña se convierte en un jardín maravilloso en el que desciende Dios a buscar sus delicias hasta cuando, llegada la hora de la muerte y habiéndose conservado siempre la viña como un perfecto jardín, ordena El que sus ángeles trasladen esta realización de un libre albedrío lleno de voluntad y bondad, al grande y eterno jardín celestial[7].

Vosotros deseáis esta suerte. Luego vigilad para que el demonio, el mundo, la carne no seduzcan vuestro libre albedrío y arrasen vuestra alma. Vigilad que en vosotros exista el amor, y no el amor propio que apaga el auténtico amor y echa al alma en brazos de la sensualidad y desorden. Vigilad hasta el fin. Las tempestades podrán empaparos pero no haceros daño. Cargados con frutos, iréis a vuestro Señor por el premio eterno.

He terminado. Meditad ahora y descansad hasta el crepúsculo mientras Yo me retiro a orar[8].»

«No, Maestro. Debemos ponernos en camino lo más pronto posible para llegar al poblado» dice Pedro.

«¿Por qué? ¡Todavía falta tiempo para el crepúsculo!» dicen varios.

«No estoy pensando ni en el crepúsculo, ni en el sábado. Pienso

[7] No quiere decir la frase que el alma tenga necesidad de que los ángeles la lleven a Dios, sino que el «*buen* trabajo» como el que lo presentan los ángeles a Dios para que quede consignado en los libros eternos. Cfr. vol. 2°, pág. 644, not. 3; y en vol. 4°, párrafo 133, not. 3.

[8] Teniendo ante los ojos el actual discurso cfr. pág. 621, not. 4.

que no habrá pasado una hora antes que azote una furiosa tempestad. ¿Veis aquellas como lengüetas negras que, poco a poco, se asoman por los montes de Samaría? ¿Y aquellas blancas, que galopan veloces hacia el occidente? Un viento alto empuja a éstas, uno inferior a aquellas. Pero cuando estén por acá, el viento alto cederá al cierzo, y las nubecillas negras, preñadas de granizo, bajarán y chocarán contra las blancas cargadas de rayos, y sentiréis la música que tocarán. ¡Ea, pronto! Soy pescador y leo en los cielos.»

Jesús es el primero en obedecer y listos todos se ponen en camino hacia las casas de la llanura...

El en puente encuentran a Judas que grita: «¡Maestro mío, cuánto he sufrido sin Tí! ¡Sea Dios bendito que premió mi constancia en esperarte aquí! ¿Qué tal en Cesarea?»

«La paz sea contigo, Judas» responde lacónicamente Jesús y añade: «Hablaremos después. Vente, que la tempestad se nos echa encima.»

De hecho las rachas de viento, que levantan nubes de polvo, han empezado. El cielo se cubre con nubes de todas formas y colores; y el aire se torna amarillento, lívido... Comienzan a caer las primeras gotas, calientes, una primero, luego otra; los primeros relámpagos surcan el cielo, que está ya oscuro...

Se echan a correr, y sólo sus buenas piernas, empujadas del deseo de no verse empapadas, los hacen llegar a la primera casa en medio del estruendo de relámpagos que resuena no muy lejos, mientras un diluvio de agua con granizo cae sobre la región. Se percibe el olor a tierra mojada y al ozono que los rayos despiden sin cesar...

Entran, y afortunadamente es una casa que tiene portal y cuyos habitantes creen en el Mesías. Con todo respeto invitan al Maestro a que se hospede con sus compañeros «como si fuese tu casa. Pero levanta tu mano para que el granizo no destruya nuestro trabajo» dicen, agrupándose alrededor de Jesús. El levanta su mano en dirección de los cuatro puntos cardinales. Y sólo cae agua del cielo para regar los plantíos, los prados, para purificar la atmósfera tan pesada.

«¡Seas bendito, Señor!» dice el cabeza de familia. «¡Entra, Señor mío!»

Y mientras dura el chaparrón, Jesús entra en una sala amplísima, que será un almacén. Se sienta cansado. Los suyos lo rodean.

120. Por la llanura de Esdrelón

(Escrito el 6 de mayo de 1946)

Debió de haber llovido todo el resto del día anterior y también por la noche, porque la tierra está muy empapada y en los caminos puede hacerse lodo. En cambio la atmósfera está diáfana, sin mota de polvo. Allá arriba el cielo ríe, como si hubiera recobrado su pureza, como si estuviera en su estación primaveral. Ríe también la tierra: mojada, fresca, limpia; también ella con un recuerdo de mi primavera por la frescura de la aurora serena después de la tempestad. Las últimas gotas de agua que se quedaron prendidas entre el follaje, o suspendidas en los zarcillos, brillan cual diamantes puestos al sol. Las frutas lavadas lucen sus colores que se van haciendo cada vez más fuertes, según van madurando. Sólo las uvas y las aceitunas, amargas, duras, se confunden con el verde follaje; pero cada aceituna tiene su gotita que le cuelga, y las uvas las suyas que penden y se balancean.

«¡Qué bien se camina hoy!» dice Pedro, pisando con gusto el suelo que no tiene polvo, que no molesta, y que no tiene ni siquiera ese lodo pegajoso.

«Parece como si respirase pureza. ¡Mira qué color de cielo!» le dice Judas Tadeo.

«¿Y esas manzanas? ¡Mira ese racimo, que no sé como no se cae, que está en medio de las hojas verdes! ¡Cuántos colores! Esas que están todavía más escondidas, que apenas si comienzan a amarillear; las otras de color rosa; y las otras que están más rojas porque el sol les ha dado más. ¡Parecen cubiertas de cera!» dice Zelote.

Y alegres caminan contemplando la belleza de las cosas, hasta que Tadeo, a quien sigue Tomás y detrás los demás, entona un salmo en que se celebran las glorias de la creación.

Jesús sonríe al oírlos cantar contentos, y une su hermosa voz al coro. Pero no puede terminar porque Iscariote, mientras los demás siguen cantando, se le acerca y le dice: «Maestro, mientras van ocupados y distraídos con su canto, dime: ¿qué hiciste en Cesarea? Todavía no me lo has contado... Y es la primera ocasión en que podemos hablar juntos. Primero estuvieron los compañeros, los discípulos, los campesinos que nos hospedaron, luego los compañeros y los discípulos; ahora que los discípulos nos dejaron y van adelante los compañeros... No pude preguntarte antes...»

«¿Tienes mucho interés?... En Cesarea no hice otra cosa que lo que haré en las posesiones de Yocana. Hablé de la Ley y del Reino de los cielos.»

«¿A quién?»

«A los ciudadanos. En los mercados.»

«¡Ah, a los romanos cierto que no! ¿Verdad que no los viste?»

«¿Pero cómo es posible estar en Cesarea, sede del Procónsul y no ver romanos?»

«Lo sé. Pero quiero decir... ¿A ellos les hablaste?»

«Repito: ¿tienes mucho interés?»

«No, Maestro. Es una simple curiosidad.»

«Pues bien. Hablé a las romanas.»

«¿También a Claudia? ¿Qué te dijo?»

«Nada. Porque no fue. Pero me hizo entender que *no desea* que se sepa que tiene contacto con *nosotros*.»

Jesús recalca mucho lo que ha dicho y observa la cara de Judas que, por más desvergonzado que se le suponga, cambia de color: en un color cenizo, detrás de uno ligeramente colorado.

Se recobra. Pregunta: «¿No quiere? ¿No piensa más en Tí? Es una loca.»

«No. No es una loca. Es una mujer equilibrada. Sabe distinguir y reconocer su deber de romana y su deber para consigo misma. Y si a sí misma, a su corazón, procura luz y tranquilidad, viniendo a la Luz y a la Pureza, pues es una creatura que busca instintivamente la Verdad y no se conforma con la mentira del paganismo; no quiere por otra parte causar daño a su Patria con ideas nocivas que podrían serlo, si se cree que ella está favor de un posible competidor de Roma...»

«¡Oh, pero Tú eres Rey del espíritu!...»

«Pero hay entre vosotros quien, sabiéndolo, no quiere aceptarlo. ¿Puedes negarlo?»

Judas se pone colorado y luego pálido. No puede mentir. Responde: «No. Pero el demasiado amor que...»

«Con mayor razón quien no me conoce, esto es, Roma, puede tener miedo de Mí, como de un competidor. Claudia obra rectamente para con Dios y para con su Patria, al honrarme, si no como a Dios, como a un rey, como a un maestro del alma, y es fiel a su Patria. Yo admiro los espíritus fieles, y justos, y que no son tercos. Querría que mis apóstoles mereciesen la alabanza que tributo a la pagana.»

Judas no sabe qué decir. Está por separarse del Maestro, pero la curiosidad lo aguijonea un poco más. Más que curiosidad, el deseo de saber hasta qué punto sabe el Maestro... Pregunta: «¿Me buscaron?»

«Ni a tí, ni a ningún apóstol.»

«Entonces ¿de qué hablasteis?»

«De la vida casta; de su poeta Virgilio. Ves que era un argumento que no habría interesado ni a Pedro, ni a Juan, ni a los demás.»

«Pero ¿por qué hablasteis de eso? ¿Qué tenía que ver? Charlas inútiles...»

«No. Me sirvió para hacerles ver que el hombre casto tiene una inteligencia luminosa y un corazón honesto. Cosa interesante para ellas que son paganas... y no sólo para ellas.»

«Tienes razón... No te quito más el tiempo, Maestro» y como de carrera, se va a alcanzar a los demás que han acabado de cantar y esperan a los dos retrasados.

Jesús los alcanza caminando más despacio, se une a ellos y les dice: «Tomemos este sendero que va por el bosque. Cortaremos el camino y nos veremos libres del sol que ya empieza a calentar. Y hasta podremos estarnos bajo el follaje y comer tranquilamente.»

Caminan en dirección del noroeste, hacia las tierras de Yocana, porque oigo que hablan de los campesinos de este fariseo...

Dice Jesús: «Aquí pondréis la visión del 16 de junio de 1944: Jesús, el nido caído y el fariseo.»

121. Jesús y el nido caído

(Escrito el 16 de junio de 1944)

Veo a Jesús vestido de blanco y con su manto azul oscuro que lleva sobre la espalda, caminando por una vereda en medio de un bosque. Varias otras veredillas se cruzan. No es un lugar solitario, ni alejado porque frecuentemente se ven otras personas. Parece una vereda que uniese a dos poblados próximos, pasando por sus campos. Es un lugar llano. A lo lejos se divisan los montes. No sé qué lugar es.

Jesús, que venía hablando con sus discípulos, se detiene y escucha. Mira a su alrededor. Se va por una veredilla entre la espesura a un montón de arbustos. Se inclina. Busca. Encuentra. Entre la hierba hay un nido. No sé si la tempestad lo ha echado por tierra porque la tierra está húmeda y las ramas empapadas como de un temporal, o si alguno lo bajó de alguna rama y luego lo dejó allí por temor de que lo fuesen a descubrir con él en la mano. Esto no lo sé. Veo un nidito fabricado con heno entrelazado y lleno de hojitas secas, de pelusa de lana, y que dentro se mueven piando cinco pajaritos nacidos hace pocos días, rojos, peludos, feos por sus picos abiertos y sus ojos saltados. En lo alto de un árbol, los padres chirrían.

Jesús recoge cuidadosamente el nido. Se lo pone en la palma y busca el lugar donde estuvo o dónde se puede ponerlo. Encuentra una especie de trenzado de un espino, tan bien unido que parece un canastillo, y tan adentro que puede estar muy al seguro. Sin preocuparse de las espinas que le rasguñan sus brazos, después de que pasó el nido a Pedro (el apóstol ya de edad y achaparrado se ve ridículo con el nidito entre sus manos cortas y callosas), se arremanga, y trata de hacer que el entretejido de las ramitas sea mejor y más seguro. Lo ha logrado ya. Toma otra vez el nido, lo pone en medio, lo asegura con unas fibras de hojas largas cilíndricas que parecen delgadísimos juncos.

Jesús está contento. Se separa. Sonríe. Pide a uno de sus

discípulos un pedacito de pan que desmenuza y tira sobre el suelo y sobre una piedra. Está muy contento. Vuelve al camino que había dejado. Los padres de los pajaritos con chirridos de alegría se precipitan en vuelo al nido salvado.

Un grupo de hombres está en el camino. Jesús los ve. La sonrisa se le hiela en el rostro, que se hace severo, diría yo, como ceniciento, cuando hace unos cuantos instantes no tenía más que compasión por el nido y su felicidad era grande cuando lo puso a salvo. Jesús se detiene. Continúa mirando a sus inesperados testigos. Parece como si mirase su corazón y los pensamientos que en ellos se abrigan. No puede pasar adelante, porque el grupo le ha cerrado el camino. No dice nada.

Pero Pedro no calla. «Dejad pasar al Maestro» dice.

«Cállate, nazareno» dice uno del grupo. «Tu Maestro, ¿cómo tuvo la osadía de entrar en *mi* bosque y hacer una obra manual en día de sábado?»

Jesús lo mira a los ojos con una expresión rara. Hay y no hay sonrisa. Si la hay, ciertamente no es porque esté de acuerdo. Pedro está a punto de replicar, pero Jesús le gana la palabra: «¿Quién eres?»

«El dueño de este lugar. Yocana ben Zacchai.»

«Ilustre escriba. ¿Y qué me echas en cara?»

«De haber violado el sábado [1].»

«Yocana ben Zacchai, ¿conoces el Deuteronomio?»

«¿Me lo preguntas a mí? ¿A mí, que soy verdadero rabbí de Israel?»

«Sé lo que me quieres decir: que Yo, porque no soy un escriba, sino un pobre galileo, no puedo ser "rabbí". Pero vuelvo a preguntarte: ¿Conoces el Deuteronomio?»

«Mejor que Tú, sin duda alguna.»

«A la letra... si es lo que quieres decir. ¿Pero conoces su significado?»

«Lo que está dicho, está dicho. No hay más que un significado.»

«En realidad, no hay más que un significado. Y es de amor; o si no quieres llamarlo así: de misericordia; o si te molesta: de ser humano.

El Deuteronomio dice: "Si vieres que la oveja o el buey de tu hermano andan extraviados, aun cuando él no sea tu vecino, no pases adelante. Sino que se los llevarás o los tendrás contigo hasta que él venga a tomarlos". Dice: "Si vieres que el asno o el buey de tu hermano caen, no hagas como que no has visto, sino ayúdalos a levantarse". Dice: "Si encuentras en un árbol o en tierra un nido con la pajarita que está empollando, o bien, los huevos, no tomarás a la

[1] Cfr. vol. 1°, pág. 513, not. 1.

pajarita (porque es cosa necesarísima para la procreación) sino que tomarás sólo los pequeñuelos" [2].

Vi por tierra un nido y la pajarita que lloraba por él. Tuve compasión porque es una madre. Levanté los pequeñuelos. No he creído haber violado el sábado al haber consolado a una madre. No se debe hacer que la oveja del prójimo se extravíe. No dice la Ley que sea culpa levantar un asno en sábado. Dice que se use de misericordia con el hermano y que sea uno bueno y humano con el asno, criatura de Dios. Pensé que Dios creó a aquella pajarita para que procrease y que ella había obedecido la orden de Dios, y que no ayudarle a cuidar de sus pequeñuelos era impedir que ella obedeciese la orden divina. Pero tú no entiendes ésto. Tú y los tuyos miráis la letra, no el espíritu. Tú y los tuyos no pensáis que violáis *dos* veces el sábado, más bien *tres*, humillando la palabra divina hasta el nivel de la estrechez de la mentalidad humana, oponiéndoos a un orden que Dios ha establecido, y faltando a la misericordia para con el prójimo. Al herir con vuestra reprensión, no pensáis *que está mal mover la lengua sin necesidad*. Esto, que también es un trabajo, y no útil, ni necesario, no lo tomáis como violación del sábado.

Escúchame, Yocana ben Zacchai. Como hoy tú no tienes piedad de una pajarita, y según tus costumbres fariseas la dejarías morir de dolor, y harías que pereciese su nidada, dejándola al alcance de la víbora o de algún hombre malo, así el día de mañana no tendrás piedad de una madre y la harás morir de dolor, haciéndole matar a su hijo, alegando que está bien por respeto a *tu* ley. A la *tuya*. No a la de Dios. A la que tú y tus iguales habéis hecho para oprimir a los débiles y triunfar vosotros, los fuertes. Pero ¿ves? Los débiles encuentran siempre un salvador, mientras que los soberbios, los fuertes según la ley del mundo, serán aplastados bajo el peso de su misma pesada ley. Hasta la vista, Yocana ben Zacchai. Acuérdate de esta hora y procura no violar otro sábado al aprobar otro crimen llevado a cabo.»

Las pupilas de Jesús despiden ira contra el viejo iracundo. Lo mira de arriba abajo, porque el escriba es bajo de estatura, y gordito. Jesús parece una palma en su comparación. Sigue su camino, pisando la hierba, porque el escriba no se ha querido quitar.

[2] Cfr. Deut. 22, 1-2, 4, 6.

122. «Felices los que en todas las cosas saben ver a Dios»

(Continuación del anterior)

Dice Jesús:

«Quise que levantases tu espíritu con algo que sucedió, pero que no está mencionado en los evangelios. Para tí la enseñanza es ésta: que tengo mucha compasión de los pajaritos que no tienen nido, aún cuando si en lugar de llamarse: "currucas o gorriones" se llamasen María o Juan. Y procuro devolverles un nido cuando algo se los arrebató.

Para todos la enseñanza es la siguiente.

Muchos conocen las palabras de la Ley, pocos por otra parte, porque todos deberían conocerla, *mientras que muchos conocen únicamente "las palabras"*. No las viven. He aquí el error.

El Deuteronomio dictó leyes humanas porque los hombres de aquellos tiempos no estaban preparados espiritualmente. Se dejaban guiar de la mano por campos floridos de la piedad, del respeto, del amor hacia el hermano que pierde un animal, del animal que cae por tierra, de los huevitos que empolla la pájara. Y lo hacía para enseñarles a comprender la piedad, el respeto, el amor en un grado superior.

Cuando vine, perfeccioné las reglas mosaicas y abrí horizontes más vastos. La letra no era ya "el todo". *El espíritu se convirtió en el "todo"*. Más allá de una pequeña acción humana por un nido, hay que ver la respuesta significativa que hice al inclinarme, Yo, el Hijo del Creador ante una obra suya. También la nidada era obra suya.

¡*Oh, felices aquellos que en todas las cosas saben ver a Dios y servirle con amor reverente!* Y ¡ay! de aquellos que igual que las serpientes no saben levantar su cabeza del fango y no pudiendo cantar a Dios que se muestra en las obras de sus hermanos, muerden con su veneno. Muchos hay que atormentan a los mejores, diciendo, para justificarse, que hay que hacer respetar la ley. La ley *de ellos,* no la de Dios, el cual si no puede [1] impedir sus obras malvadas, sabe vengar a sus "pequeñuelos".

Y esto es a quien le toque.

Mi paz que te sigue, esté contigo.»

[1] Cfr. vol. 1°, pág. 578, not. 3; vol. 2°, pág. 310, not. 6; en este vol. pág. 621, not. 4.

123. Continúan caminando por la llanura de Esdrelón

(Escrito el 6 de mayo de 1946)

Durante un poco de tiempo avanzan en silencio por lo que acabó de suceder. Llegados a un cruce que hay entre los campos, Santiago de Zebedeo dice: «Ved. Por aquí se va a la casa de Miqueas... Pero... ¿vamos a ir otra vez? No cabe duda que nos espera en sus posesiones para maltratarnos...»

«Y para no dejarte que hables a sus campesinos. Santiago tiene razón. No vayas» aconseja Iscariote.

«Me están esperando. Mandé decirles que iba. Su corazón reboza de alegría. Soy su Amigo que va a consolarlos...»

«Puedes ir en otra ocasión. Se resignarán» dice Judas encogiéndose de hombros.

«Tú no sueles resignarte cuando se te quita algo que esperabas tener.»

«Mis asuntos son cosa seria. Los de ellos...»

«¿Y qué cosa más seria, más grande que su formación, que consolar un corazón? Tienen ellos corazón que todo trata de alejar de la paz, de la esperanza... Y no tienen sino *una sola* esperanza: la de la vida futura. Y no disponen sino de un medio para ir: mi ayuda. No. Iré con ellos aunque me apedreen a pedradas.»

«¡No, hermano! ¡No, Señor!» dicen juntamente Santiago de Alfeo y Zelote. «No serviría sino para hacer castigar a esos pobres siervos. Tú no oíste lo que Yocana dijo: "Hasta ahora he soportado, pero no más. Y ¡ay! del siervo que vaya a El o lo acoja. Es un réprobo, un demonio. No quiero corrupción en mi casa"; y a un compañero dijo: "Aunque los mate los curaré de su posesión diabólica por este maldito".»

Jesús baja la cabeza, pensativo... sufre. Su dolor es patente en el rostro. Los demás también sufren, ¿pero qué puede hacerse? El sentido práctico de Tomás viene a resolver la situación: «Hagamos así. Nos quedamos aquí hasta el crepúsculo, para no violar el sábado. Entre tanto uno de nosotros se cuela hasta las casas y los dice: "A media noche, cerca de la fuente, a las afueras de Séforis". Y nosotros, después del crepúsculo nos vamos allá y los esperamos en los bosquecillos que están al pie del monte donde está Séforis. El Maestro les habla, los consuela, y, cuando empiece a amanecer, ellos regresarán a sus casas y nosotros atravesando la colina, nos vamos a Nazaret.»

«Tiene razón. ¡Bravo Tomás!» dicen varios. Pero Felipe advierte: «¿Y quién lleva el recado? Nos conoce a todos y nos puede ver...»

«Podría ir Judas de Simón. El conoce bien a los fariseos...» dice inocentemente Andrés.

«¿Qué quieres insinuar?» le replica agriamente Judas.

«¿Yo? Nada. Digo que tú los conoces porque estuviste en el Templo y te hiciste amigo de ellos. Siempre estás gloriandote de ello. A un amigo no le harán daño...» responde suavemente Andrés.

«No pienses así, ¿sabes? Y nadie lo piense tampoco. Si todavía nos protegiese Claudia, tal vez... podría yo, pero ahora no. Porque, en una palabra, ella ha olvidado lo prometido, ¿no es verdad, Maestro?»

«Claudia continúa admirando al Sabio. No ha hecho otra cosa diversa. De esta admiración pasará tal vez [1] a creer en el verdadero Dios, pero sólo una mente ilusa, exaltada, puede creer que ella abrigase sentimientos diversos respecto de Mí. Ni aun cuando los tuviera, los aceptaría Yo. Puedo aun más aceptar su paganismo porque espero cambiarlo en mi religión. Pero no puedo [2] aceptar lo que sería para ellos idolatría: esto es la admiración del Hombre, pobre ídolo sobre un pobre trono humano.»

Jesús ha pronunciado estas palabras como si no tuviesen mucha importancia, como si hubiese hablado a todos; pero las dijo tan claro que no cabe duda sobre lo que quiso decir y de que El quiere reprimir cualquier desviación de los suyos en sentido contrario. Ninguno discute acerca de su realeza humana, pero preguntan: «Entonces ¿qué hacemos con los campesinos?»

«Yo voy. Yo fui el que lo ideó y voy, si el Maestro lo permite. Estoy seguro que los fariseos no me van a comer...» dice Tomás.

«Ve, si quieres. Y que tu caridad sea bendita.»

«¡Oh, no es para tanto, Maestro!»

«Es mucha, Tomás. Sientes amor por tus hermanos: a causa de Jesús y de los campesinos y te compadeces de ellos. Tu hermano en la carne te bendice, y también en nombre de ellos» dice Jesús poniendo su mano sobre la cabeza de Tomás que la ha bajado ante El, y que conmovido dice en voz baja: «¡Yo... tu... hermano! Es una gran honra, Señor mío. Yo soy tu siervo. Tú eres mi Dios... Esto sí... Voy.»

«¿Vas solo? ¡Voy contigo!» dicen juntamente Tadeo y Pedro.

«No. Sois muy fogosos. Yo sé reir y a su tiempo será el mejor medio para desarmar a ciertos... tipos... Vosotros echáis humo al punto... Voy solo.»

«Voy contigo» dicen Juan y Andrés.

«¡Oh, sí! Uno de vosotros sí, y también uno como Simón Zelote o Santiago de Alfeo.»

«No, no. Yo. Yo nunca reacciono. Me callo y hago lo mío» insiste Andrés.

[1] Esto es, si quiere libremente.

[2] Porque contrario es a la voluntad del Padre. Cfr. vol. 1°, pág. 539, not. 2, y pág. 578, not. 3.

«Ven.» Y se van por una parte, mientras Jesús prosigue con los que quedaron, por la otra.

124. Con los campesinos de Yocana

(Escrito el 8 de mayo de 1946)

«¿Vendrán?» pregunta Mateo a sus compañeros que están sentados bajo la sombra de una especie de encinas verdes, situadas en las faldas de la colina donde está Séforis. No puede verse la llanura de Esdrelón porque está al otro lado de la colina de donde se hallan. Pero hay una llanura entre esta colina y las de la región de Nazaret que se ven claramente al resplandor de la luna.

«Así dijeron. Y estoy seguro que vendrán» responde Andrés.

«Por lo menos algunos. Dijeron que partirían en la primera vigilia, y que estarían al principio de la segunda» dice Tomás.

«Más tarde» dice Tadeo.

«A nosotros no nos costó más de tres horas» replica Andrés.

«Nosotros somos hombres fuertes, ellos están cansados y tal vez traen consigo a sus mujeres» dice una vez más Tadeo.

«¡Con tal de que no caiga en la cuenta el patrón!» dice Mateo con un suspiro.

«No hay peligro. Fue a Tezrael. Y se queda en la casa de un amigo suyo. Está el intendente. También viene porque no aborrece al Maestro» dice Tomás.

«¿Será sincero ese?» pregunta Felipe.

«Sí. No tiene motivo para no serlo.»

«¡Bueno! Podría hacerlo para congraciarse con su patrón y...»

«No, Felipe. Después de la vendimia él lo despidió porque no odia al Maestro, precisamente por esto» responde Andrés.

«¿Quién os lo dijo?» preguntan varios.

«El mismo y los campesinos... por separado. Y cuando dos personas de categoría diversa están de acuerdo en afirmar algo, señal es que es verdad. El nos dijo: "Soy un hombre y no un fantoche. El año pasado me dijo: 'Honra al Maestro. Ve a El. Sé uno de los que creen en El'. Obedecí. Ahora me dice: '¡Ay de tí!, si quieres a mi enemigo y permites que ellos lo quieran... No quiero anatemas sobre mis tierras por dar cabida a ese maldito'. Pero ¿cómo puedo, después de haberlo conocido, obedecer sus órdenes? Dije al patrón: 'El año pasado hablabas de modo diverso, y El siempre es el mismo'. Una vez me pegó. Yo dije: 'No soy un esclavo. Y si lo fuese, tú no podrías ser dueño de mi pensamiento. Mi pensamiento cree que es Santo al que tú maldices'. Volvió a pegarme. Esta mañana me dijo: 'El anatema de Israel se encuentra en mis posesiones. ¡Ay de tí!, si desobedeces mis órdenes. No serás más un siervo mío'. Le contesté: 'Has dicho bien. No seré más tu siervo. Busca otro que tenga tu mismo corazón y que te robe en tus bienes, del modo que tú te muestras cruel en los corazones de los otros'. Me echó por tierra y me golpeó... Pero el trabajo ya se acabó y con la luna de Tisri estoy libre. Lo siento mucho por éstos..." y señalaba a los campesinos» refiere Tomás.

«Pero ¿dónde lo visteis?...»

«En el bosque, como si fuésemos unos ladrones. Miqueas, con quien hablamos, le había dicho de antemano, y él vino a nosotros todavía sangrando, y poco a poco fueron llegando los siervos y las siervas...» dice Andrés.

«¡Oh, tenía entonces razón Judas! Conoce el humor de los fariseos...» dice Bartolomé.

«¡Judas sabe muchas cosas!...» dice Santiago de Zebedeo.

«¡Cállate, te puede oir!» aconseja Mateo.

«No. Se ha ido un poco allá diciendo que tiene sueño y que le duele la cabeza...» dice Santiago.

«¡Luna! Luna en el firmamento y luna en su cabeza... Así es: más variable que el viento» dice con seguridad Pedro que había estado callado.

«¡Oh, sí! ¡Una desgracia nada amable entre nosotros!» dice con un suspiro Bartolomé.

«No. No digas así. ¡No es una desgracia! Más bien, un modo de santificarse uno...» dice Zelote.

«O de condenarse, porque hace perder a uno la virtud...» dice claramente Tadeo.

«¡Es un infeliz!» dice con tristeza Andrés.

Un silencio. Luego Pedro pregunta: «¿Todavía está el Maestro orando?»

«No. Mientras dormitabas, pasó, y se juntó con Juan y su hermano Santiago que estaban de guardia en el camino. Quiere estar pronto cerca de los pobres campesinos. Tal vez será la última vez que los vea» responde Zelote.

«¿Por qué la última vez? ¿Por qué? No digas esa palabra. Parece como si nos trajese desgracia» dice excitado Tadeo.

«Tú lo estás viendo... cada vez nos vemos más perseguidos... No sé cómo vamos a arreglárnoslas en el porvenir...»

«Simón tiene razón... Qué cosa tan bella será que todos seamos algo espiritual... pero si hubiésemos podido tener algo de... bondad humana... un granito de protección de Claudia, no nos habría hecho mal» dice Mateo.

«No. Es mejor estar solos... sobre todo alejados del contacto con gentiles. Yo... no los puedo ver» dice francamente Bartolomé.

«Tampoco yo... hace poco... pero... el Maestro dice que su Doctrina debe propagarse por todo el mundo, y que nosotros lo tenemos que hacer... Sembrar por todas partes su palabra... Y que entonces deberemos adaptarnos para poder acercarnos a los gentiles e idólatras...» dice Tadeo.

«¡A los inmundos! Me parece que cometeríamos una acción sacrílega. ¡La Sabiduría a los cerdos!...»

«¡También ellos tienen un alma, Natanael! Ayer te compadeciste de la niña.»

«Porque es... alguien... que puede formarse. Es como si hubiere acabado de nacer... Pero los otros... Y luego, no es una romana...»

«¿Crees que los galos no son idólatras? Tienen también ellos sus dioses que son crueles. Lo comprenderás cuando tengas que ir a convertirlos...» dice Zelote que es más culto que los demás, algo así como más conocedor del mundo.

«Pero no pertenece a la raza de los que profanan a Israel. Jamás predicaré a los enemigos de Israel, bien sean actuales como pasados.»

«Entonces... tendrás que irte muy lejos, entre las gentes ignoradas... pues Israel no ha llegado a todas partes...» dice Tomás.

«Me iré lejos... Pero, ved que el Maestro llega. Vamos a su encuentro. ¡Cuánta gente! ¡Vinieron todos! ¡Hasta los niños!...»

«Debe estar contento...»

Se reúnen con el Maestro que a duras penas camina hacia la pradera, rodeados de tantos.

«¿Todavía no ha venido Judas?» pregunta Jesús.

«Ya llegó, Maestro. ¿Quieres que lo llamemos?...»

«No es necesario. Mi voz hará que se nos junte. Su conciencia, libre, le está hablando en *su* propia voz. No es necesario que unáis vuestras fuerzas y forcéis una voluntad. Venid, sentémonos con estos hermanos nuestros. Y perdonadme si no pude [1] comer con vosotros en medio de un banquete de amor.»

Se sientan alrededor. Jesús está en el centro y quiere que estén junto a Sí todos los niños, que, deseosos de caricia y sin temor alguno, se le acercan.

«¡Bendícelos, Señor! Que ellos vean lo que suspiramos por ver: la libertad de poderte amar» grita una mujer.

«Sí. Hasta esa nos quitan. No quieren que en nuestro corazón se impriman tus palabras. Y ahora nos impiden que vengamos a verte... y ya no tendremos más palabras santas» dice entre lágrimas un hombre de edad.

«Volveremos a ser pecadores al vernos abandonados. Tú nos enseñabas que perdónasemos... Nos amabas tanto que podíamos

[1] Cfr. vol. 1°, pág. 539, not. 2 y pág. 578, not. 3; en este vol. pág. 306 not. 3.

aguantar al patrón con su malhumor... Pero ahora...» dice un joven. (No puedo ver bien sus caras, y no puedo decir con precisión quién habla; me guío sólo por el tono de la voz).

«No os quejéis. No permitiré que os falte mi palabra. Vendré una vez más, mientras pueda...»

«No, Maestro y Señor. El es malo, lo mismo que sus amigos. Podrían causarte algún daño y por culpa nuestra. Soportamos el sacrificio de perderte, pero no nos aflijas con decirnos: que por nosotros te hicieron preso.»

«Sálvate, Maestro.»

«No tengáis miedo. En Jeremías se lee [2] cómo él mismo dijo a su secretario Baruc que escribiese lo que el Señor le dictaba y que fuese a leer lo escrito a los que se habían reunido en la casa del Señor, que fuese a leerlo en lugar suyo que estaba encerrado y que no podía ir. Igual conducta seguiré Yo... Tengo muchos discípulos que son como Baruc, fieles. Vendrán y os transmitirán la palabra del Señor y vuestras almas no perecerán. Y así Yo no seré preso por causa vuestra, porque el Altísimo Dios me esconderá a sus ojos hasta que no llegue la hora en que el Rey de Israel no deba presentarse a las turbas para que todo el mundo lo conozca.

No tengáis miedo ni siquiera de perder las palabras que están en vosotros. Se lee igualmente en Jeremías, que aun después de que el rey Joaquín quemó el rollo creyendo con ello acabar con las palabras eternas y verdaderas, quedó intacto el designo de Dios, porque el Señor ordenó nuevamente al profeta: "Toma otro rollo y escribe todas las cosas que había en el anterior que quemó el rey". Y Jeremías dió otro rollo a Baruc, un rollo limpio, y nuevamente dictó a su secretario las palabras eternas y otras más, porque el Señor repara los equívocos humanos cuando dicha reparación hace bien a las almas, y no permite que el odio destruya la acción que mana del amor.

Ahora bien, Yo aunque, comparándome con un rollo en que haya palabras santas, fuese destruído, ¿creéis que el Señor dejaría que perecieseis sin la ayuda de otros rollos, en que estarán mis palabras, y las de mis testigos que dirán lo que no pude decir, porque la Violencia me hizo prisionero suyo, me destruyó? ¿Y pensáis que lo que está escrito en el rollo de vuestros corazones pueda borrarse? No. El ángel del Señor os repetirá las palabras. Las conservará frescas en vuestros corazones deseosos de Sabiduría. No sólo ésto, sino que os las explicará y seréis sabios con la palabra de vuestro Maestro. Vosostros monstráis vuestro amor por Mí mediante el dolor. ¿Puede, acaso, morir lo que resiste aun a la persecución? No. Yo os lo aseguro.

[2] Cfr. Jer, 36, 1-32.

El don de Dios no se pierde. Sólo el pecado puede destruírlo. Pero vosotros no queréis seguramente pecar ¿o no es así, amigos míos?»

«No, Señor. Te perderíamos también en la otra vida» dicen muchos.

«Pero nos obligarán a pecar. Nos ha ordenado que no salgamos de sus posesiones ni aun el sábado... y no celebraremos más la Pascua. Así pues pecaremos...» dicen varios.

«No. No pecaréis. El pecará. El sólo, el que violenta el derecho de Dios y los hijos de Dios que quisieran abrazarse y amarse en una dulce conversación amorosa y de aprendizaje en el día del Señor.»

«El repara con muchos ayunos y ofertas. Nosotros no lo podemos, porque es muy poco lo que nos dan de comer en comparación del trabajo que soportamos y de todo lo que tenemos que sufrir... Somos unos pobres...»

«Vosotros ofrecéis lo que agrada a Dios: vuestro corazón. Dice Isaías al hablar en nombre de Dios a los falsos penitentes: "Ved, el día de ayuno se deja ver vuestra voluntad y ponéis en aprieto a vuestros deudores. Ved. Ayunáis para disputar y practicar toda clase de investigaciones y llegar hasta los puños. No queráis ayunar más como hasta ahora para que se escuchen en lo alto vuestros gritos. ¿Es, acaso, este el ayuno que quiero? ¿Que el hombre no haga más que atormentar por un día su corazón y su cuerpo y que duerma en ceniza? ¿Diréis que este es un día de ayuno y que el Señor lo acepta? El ayuno que quiero es muy diferente: rompe las cadenas del pecado, suelta los lazos que estrechan, pon en libertad al que está en dificultades, quita todo lo que pesa sobre otros. Reparte tu pan con quien tiene hambre, acoge al pobre, al peregrino, viste a los desnudos y no desprecies a tu prójimo" [3].

Pero Yocana no obra así. Vosotros, por el trabajo que hacéis para él y con el que se hace rico, sois sus acreedores, pero él os trata peor que a sus deudores morosos y levanta su voz para amenazaros y su mano para azotaros. No tiene misericordia, y os desprecia porque sois siervos. Pero el siervo es tan hombre como el patrón; y si está obligado a servir, tiene también el derecho de recibir lo necesario de un ser humano, tanto para el cuerpo como para el espíritu. No se honra el sábado, aunque se transcurra dentro de la sinagoga, si en el mismo día, quien lo observa, pone cadenas y da a beber áloe a sus hermanos. Observad vosotros el sábado pensando en el Señor, y el Señor estará con vosotros. Perdonad y el Señor os glorificará.

Yo soy el Buen Pastor y tengo piedad de todas las ovejas. Pero amo con predilección a las que azotan los pastores-ídolos, a fin de apartarlas de mis caminos. Por ellas, más que por otras, he venido.

[3] Cfr. Is. 58, 1-12; Am. 5, 21-27.

Porque mi Padre y vuestro me dió esta orden: "Apacienta estas ovejas destinadas al degüello, matadas sin compasión, a las que vendieron sus dueños diciendo: '¡Nos hemos enriquecido!' y por las que los pastores no tuvieron compasión".

Pues bien, apacentaré las ovejas destinadas al matadero, y entregaré a su maldad a los que os afligen y afligen al Padre que sufre en sus hijos. Extenderé la mano a los pequeños entre los hijos de Dios y los traeré a Mí para que disputen de mi gloria.

Lo promete el Señor por boca de los profetas, que celebran la piedad y la potencia de Mí que soy el Pastor. Os lo prometo a vosotros directamente, a vosotros que me amáis. Yo pensaré en mi grey. Diré a quien acusa a las buenas ovejas de que enturbian el agua y echan a perder la pastura, porque vienen a Mí: "Retiraos. Sois vosotros los que hacéis que la fuente se acabe, y sois vosotros quienes secáis el pasto que buscan mis hijos. Los he llevado a otros pastos y los llevaré siempre. A esos pastos que calman el hambre del espíritu. Os dejaré el pasto para vuestras barrigas llenas, dejaré el manantial amargo que hicisteis brotar, y me iré con estos. Y separaré las falsas ovejas de las verdaderas, y nadie atormentará mis corderos, ni les hará mal alguno, sino que se alegrarán para siempre en los cielos".

¡Perseverad, hijos amados! Tened un poco más de paciencia, como Yo la tengo. Sed fieles, haciendo lo que os permite vuestro injusto patrón. Dios juzgará lo que hicisteis y os premiará. No odiéis aunque todo os empuje a odiar. Tened fe en Dios. Estáis viendo: Jonás dejó de padecer y Yabé fue llevado al amor. Y así como el Señor se portará con el viejo y el niño, de igual modo con vosotros en esta vida, en lo que es posible, y en la otra con toda la abundancia.

No tengo más que un poco de plata que quiero daros para hacer menos dura vuestra condición material. Os la doy. Dásela, Mateo. Que se la repartan. Sois muchos y tan necesitados. Pero no tengo otra cosa que daros... que sea material. Pero tengo mi amor, la potencia que soy el Hijo del Padre, para pedir para vosotros infinitos tesoros sobrenaturales que consuelen vuestras lágrimas, y os den luz en vuestras tinieblas. ¡Oh, triste vida que Dios puede hacer luminosa! ¡El sólo! ¡El sólo!...

Yo digo: "Padre, te ruego por éstos, no te ruego por los felices y ricos del mundo, sino por éstos que no tienen más que a Tí y a Mí. Haz que suban así por el camino del espíritu, que encuentren todo consuelo en nuestro amor, y démonos a ellos con el amor, con todo nuestro amor infinito, para llenar de paz, tranquilidad, valor, sus días de trabajo, sus ocupaciones, para que como separados del mundo, por nuestro amor puedan soportar sus sufrimientos y después de la muerte poseerte, poseernos, beatitud eterna".»

Jesús, al recitar esta oración, se ha puesto de pie, alejándose algo de los niños que estaban a su alrededor. Majestuoso y dulce es su rostro.

Baja los ojos y dice: «Me voy. Es la hora de que regreséis a tiempo a vuestras casas. Nos volveremos a ver otra vez. Traeré a Marziam. Pero, aun cuando ya no pueda venir, mi Espíritu estará siempre con vosotros y estos apóstoles míos os amarán como Yo os he amado. El Señor derrame sobre vosotros su bendición. ¡Podéis iros!» Se inclina a cariciar a los niños somnolientos y se entrega a las expansiones de la multitud que no quisiera separarse de El...

Cada uno se va por su parte. Los dos grupos se separan, mientras la luna se va escondiendo, y deben encenderse antorchas para ver el camino. El humo acre de las ramas todavía un poco húmedas es una buena excusa para las lágrimas que se asoman a los ojos.

Judas los espera apoyado en un tronco. Jesús lo mira y no le dice nada, si siquiera cuando Judas le dice: «Me siento mejor.»

Como pueden, van caminando, pero cuando llega el alba lo hacen más ligeros.

Al divisar un lugar en que hay cuatro caminos Jesús se detiene y dice: «Separémonos. Vengan conmigo Tomás, Simón Zelote y mis hermanos. Los otros vayan al lago, a esperarme.»

«Gracias, Maestro. No me atrevía a pedírtelo. Te me has adelantado. Estoy muy cansado. Si me lo permites, me detendré en Tiberíades...»

«En casa de un amigo» añade Santiago de Zebedeo que no puede menos de decirlas.

Judas abre tamaños ojos... pero no más que ésto.

Jesús se apresura a añadir: «Me basta con que el sábado estés en Cafarnaúm con tus compañeros. Venid, que os dé el beso de despedida a vosotros que no venís conmigo.» Los besa, cariñosamente dando a cada uno un consejo en voz baja...

Nadie replica. Tan sólo Pedro, cuando está ya para irse, dice: «Ven pronto, Maestro.»

«Sí, ven pronto» dicen los demás. Juan concluye con: «El lago sin Tí estará muy triste.»

Jesús los bendice nuevamente y les promete: «¡Pronto!» Luego cada uno se va por su parte.

Índice

El tercer año de la vida pública
(segunda parte)

Printed in Italy, 1996

GRAFICHE DIPRO
Via Cima Da Conegliano, 17
31056 RONCADE (TV)